W9-DDF-413

힐러리 로댐 클린턴

Living History

살아 있는 역사

힐러리 로댐 클린턴

살 아 있 는 역 사

Living History

01

김석희 옮김

웅진

부모님과 남편과 딸에게,
그리고 온 세상의 착한 영혼을 가진 모든 이들에게
삼가 이 책을 바칩니다.

그들의 계시와 기도와 성원과 사랑은
내가 살아오는 동안 내 마음을 적셔준 축복이었고,
나를 떠받쳐준 힘이었습니다.

저자 서문

1959년에 나는 6학년 과제물로 자서전을 쓴 적이 있다. 부모님과 두 남동생, 집에서 키우는 개와 고양이, 학교와 친구들, 취미와 운동, 장래 희망 등에 관해서 29쪽에 걸쳐 나름대로 꽤 열심히 털어놓았다. 42년 세월이 흐른 뒤, 나는 또 하나의 자서전—빌 클린턴과 함께 역사를 살면서 백악관에서 보낸 8년의 회고록을 쓰기 시작했다. 그러나 나는 곧 깨달았다. 퍼스트 레이디로서 보낸 생활을 설명하려면 처음으로 돌아가야 한다는 것을. 1993년 1월 20일 백악관에 들어간 첫날, 예기치 못한 방식으로 나를 시험하고 변화시키게 될 새로운 역할과 경험들을 떠맡은 그날의 나는 어떻게 형성된 여자였나를 먼저 이야기해야 한다.

백악관 문턱을 넘어섰을 때, 나는 가정과 학교와 종교, 그리고 그때까지 배운 모든 것을 통해서 이미 형성되어 있었다. 나는 견실하고 보수적인 아버지와 좀더 자유주의적인 어머니의 딸이었고, 학생운동가였고, 아동 권익의 옹호자였고, 변호사였고, 빌의 아내였고, 첼시의 엄마였다.

나는 이 책에서 더 많은 생각을 논하고 더 많은 사람을 거명하고 더 많은 장소를 묘사하고 싶었지만, 지면이 허락하지 않았다. 지금까지 나에게 깊은 인상과 감동을 주고 가르침과 영향과 도움을 준 분들을 모두 언급하면 이 책은 분량이 몇 권으로 늘어날 것이다. 그래서 일부만 가려낼 수밖에 없었다. 하지만 그 동안 나에게 깊은 영향을 줌으로써 오늘날까지도 나의 세계를 이루어주고 또 풍요롭게 해준 사건들과 인간 관계의 밀고 당기기를 제대로 전달할 수 있었으면 좋겠다.

　백악관을 떠난 뒤, 나는 뉴욕 주 연방 상원의원으로서 인생의 새로운 단계에 첫걸음을 내디뎠다. 그 막중한 책임 앞에서 나는 겸허한 마음으로 고개를 숙인다. 뉴욕으로 이주한 일이며 상원의원 선거에 출마한 일, 나를 선택해준 분들을 위해 일하는 영광 따위를 자세히 얘기하는 것은 다음 기회로 미루어야겠지만, 백악관 경험이 어떻게 상원의원 당선의 밑거름이 되었는지를 이 회고록이 분명하게 설명해주기를 바란다.

　퍼스트 레이디로 지낸 시절, 나는 정부가 국민에게 어떻게 봉사할 수 있는지, 국회가 실제로 어떻게 돌아가는지, 국민이 언론이라는 필터를 통해 어떻게 정치와 정책을 인식하는지, 미국의 가치가 어떻게 경제발전과 사회 진보로 전환될 수 있는지를 더욱 잘 배우게 되었다. 나는 세계에 대한 미국의 책임이 얼마나 막중한가를 배웠고, 외국 지도자들과의 관계를 발전시키는 한편 외국 문화에 대한 이해도 높였다. 그것이 오늘날 나에게 큰 도움이 되고 있다. 나는 또한 수많은 태풍의 눈 속에서 살면서도 집중력을 잃지 않는 법을 배웠다.

　나는 하나님과 조국을 사랑하고, 남에게 베풀고, 200년이 넘도록 자유 시민을 격려하고 이끌어준 민주주의의 이상을 수호하라는 가르침을 받으며 자랐다. 나는 아주 어렸을 때부터 이런 이상을 마음속에 키워왔다. 1959년에 나는 학교 선생님이나 핵물리학자가 되고 싶었다. 선생님은 어린 시민을 교육하는 데 없어서는 안될 존재였고, '소련에는 우리보다 다섯 배나 많은 과학자가 있기 때문에' 미국에는 과학자가 더 많이 필요했다. 그 어린 나이에도 나는 벌써 내 나라와 그 시대의 산물이었으며, 부모님의 가르침을 내 것으로 받아들이고 미국의 필요를 고려하여 자신의 미래를 설계했다. 1950년대의 어린 시절과 1960년대의 정치활동은 조국에 대한 의무감을 일깨웠고, 조국을 위해 봉사할 책무가 있다는 것

을 깨닫게 해주었다. 대학과 로스쿨과 결혼은 나를 미국의 정치적 중심
점으로 데려갔다.

내가 자주 말했듯이, 정치 생활은 인간성을 끊임없이 가르치는 평생
교육 과정이다. 여기에는 물론 자신의 인간성도 포함된다. 두 차례의 대
통령 선거운동에 처음부터 적극적으로 참여하고 퍼스트 레이디의 의무
를 수행하면서 나는 미국의 모든 주와 78개 국가를 돌아다녔다. 어디에
가든지 나는 마음과 가슴을 열고 사람을 만나고 사물을 보았다. 덕분에
나는 대부분의 인간이 공유하고 있는 보편적 관심사에 대해 좀더 깊은
이해를 가질 수 있었다.

미국이 나머지 세계에 중요한 존재라는 것은 일찍부터 알고 있었지
만, 나머지 세계도 미국에 중요한 존재라는 것을 가르쳐준 것은 여행이
었다. 다른 나라 사람들이 말하는 것을 듣고, 그들이 세계에서 자신들의
위치를 어떻게 인식하고 있는지를 이해하는 것은 장차 국내외의 평화와
안전을 유지하는 데 반드시 필요하다. 나는 이것을 염두에 두고, 우리가
자주 듣지 못하는 목소리—DNA나 생활 수준과는 관계없이, 우리와 마
찬가지로 기아와 질병과 공포의 질곡에서 벗어나기를 바라고, 또한 자신
의 운명을 스스로 결정할 수 있는 자유를 원하는 세계 도처의 사람들의
목소리—를 이 책에 포함시켰다. 이 책의 상당 부분을 나의 외국 여행 경
험에 할애한 것은 사람과 장소가 그만큼 중요하다고 믿기 때문이고, 외
국 여행에서 배운 것이 오늘날 나의 일부를 이루고 있기 때문이다.

두 차례에 걸친 클린턴의 임기는 내 인생만이 아니라 미국의 삶에도
변환기에 해당한다. 내 남편은 경제 쇠퇴와 재정 적자와 점증하는 불공
평—이것들은 미래 세대가 누려야 할 기회마저 빼앗고 있다—을 역전시
키기로 결심하고 대통령직을 맡았다. 빌의 임기 동안 우리는 정치적 반
대와 법률적 도전과 개인적 비극을 겪었으며, 또한 우리 자신이 저지른
실수도 적지 않았다. 그러나 2001년 1월 빌이 공직을 떠났을 때 미국은

전보다 훨씬 강하고 유복하고 공평한 나라로서 새로운 21세기의 어려움에 맞설 준비가 되어 있었다.

물론 우리가 지금 살고 있는 세계는 이 책에 묘사된 세계와는 전혀 다르다. 나는 이 글을 2003년에 쓰고 있지만, 나의 백악관 생활이 겨우 2년 전에 끝났다는 사실이 도저히 믿어지지 않는다. 그 시절이 오히려 딴 세상처럼 느껴지는 것은 2001년 9월 11일에 일어난 사건 때문이다. 사라진 목숨들. 깊은 슬픔. 연기를 내뿜는 구덩이. 엿가락처럼 휘어진 금속들. 만신창이가 된 생존자들. 유족들. 이루 다 형언할 수 없는 비극. 그 9월의 아침은 나를 바꾸어놓았고, 상원의원이자 뉴욕 시민으로서 그리고 미국인으로서 내가 해야 할 바를 바꾸어놓았다. 그것은 미국도 바꾸어놓았다. 미국이 어떤 식으로 바뀌었는지는 아직 완전히 밝혀지지 않았다. 우리는 미국이 어떻게 달라졌는지를 아직도 발견해가고 있는 중이다. 우리는 모두 새로운 상황에 놓여 있으며, 어떻게든 그것을 공통된 기반으로 만들어야 한다.

백악관에서 보낸 8년 동안, 나의 신앙과 정치적 신념, 나의 결혼생활과 나라의 헌법이 모두 시련을 겪었다. 나는 미국의 미래를 둘러싸고 벌어진 정치적·이념적 투쟁의 피뢰침이 되었으며, 여성의 선택과 역할에 대한 호감과 반감을 끌어들이는 자석이 되었다. 이 책은 내가 퍼스트 레이디로서, 그리고 대통령의 아내로서 그 8년을 어떻게 경험했는가에 대한 기록이다. 이 책에 나오는 사건과 사람과 장소들은 최근의 것이고 아직도 나와 관련되어 있는데 어떻게 그것을 제대로 정확하게 서술할 수 있겠느냐고 의문을 제기할 사람도 있을 것이다. 나는 내가 보고 생각하고 느낀 것들을 내가 경험한 대로 전달하려고 애썼다. 이 책은 포괄적인 역사가 아니라, 내 인생과 미국 역사의 비상한 한 시기를 그 내부에서 바라본 한 개인의 회고록이다.

1권 차례

●

2권 차례

●

감사의 말

한 미국인의 이야기

나는 퍼스트 레이디나 상원의원으로 태어나지 않았다. 민주당원으로 태어나지도 않았고, 변호사로 태어나지도 않았고, 여성의 권리와 인권의 옹호자로 태어나지도 않았다. 아내나 어머니로 태어나지도 않았다. 나는 20세기 중엽에 한 미국인으로 태어났다. 그 시기에 미국에서 태어난 것은 행운이었다. 과거 세대의 미국 여성들이 얻지 못했고 오늘날에도 세계의 많은 여성들이 감히 상상조차 못하는 선택의 자유를 나는 마음껏 누릴 수 있었다. 나는 사회 격변이 절정에 이른 시기에 성년이 되어, 세계 속에서 미국이 갖고 있는 의미와 역할에 대한 정치적 투쟁에 참여했다.

내 어머니와 할머니들은 절대로 나처럼 살 수 없었을 것이다. 내 아버지와 할아버지들은 여자가 나처럼 산다는 것을 상상도 못했을 것이다. 하지만 그들은 미국의 약속을 나에게 주었고, 그것이 내 삶과 내 선택을 가능하게 해주었다.

내 삶의 이력은 제2차 세계대전이 끝난 뒤에 시작되었다. 나라에 봉사한 우리 아버지 같은 남자들이 집으로 돌아와 자리를 잡고 생활을 꾸려가면서 자녀를 키우기 시작한 때로, 베이비붐이 시작된 낙관적인 시기였다. 파시즘의 위협으로부터 세계를 구한 미국은 이제 전쟁의 여파 속에서 과거의 적들을 통합하고, 동맹국만이 아니라 과거의 적국들에도 손을 내밀어 평화를 확보하고 황폐해진 유럽과 일본의 재건을 돕기 위해 애쓰고 있었다.

소련을 비롯한 동구권과 냉전이 시작되었지만, 우리 부모 세대는 안전감을 느끼고 희망에 부풀어 있었다. 미국의 패권은 단순히 군사력의 결과가 아니라 미국의 가치가 낳은 결과였고, 우리 부모님처럼 열심히 일하고 책임을 지는 이들에게 충분한 기회를 제공한 결과이기도 했다. 미국 중산층은 이제 막 시작된 번영과 거기에 수반되는 모든 것—새 집, 좋은 학교, 가까운 공원, 안전한 공동체—을 마음껏 누렸다.

그러나 미국은 전쟁이 끝난 뒤에도 아직 끝나지 않은 문제를 안고 있었다. 그중에서도 가장 중요한 것은 인종 문제였다. 사회적 불평등과 부당한 권리 침해에 눈을 뜨고 모든 시민에게 미국의 약속을 확대해야 한다는 이상을 추구한 것은 2차 대전 세대와 그 자녀들이었다.

우리 부모님은 미국의 무한한 가능성을 믿고, 미국의 가치는 대공황을 이겨낸 경험에 뿌리를 두고 있다고 믿는 세대였다. 그분들은 겉으로 내세우는 간판이 아니라 근면의 가치를 믿었고, 방종이 아니라 자립을 지지했다.

1947년 10월 26일 내가 태어난 세계와 가정은 그러했다. 우리는 미국 중서부의 중산층이었고, 그 시대와 장소의 전형적인 산물이었다. 어머니 도로시 하웰 로댐(Dorothy Howell Rodham)은 나와 두 남동생 주위를 맴돌면서 하루를 보내는 주부였고, 아버지 휴 E. 로댐(Hugh E. Rodham)은 소규모 사업가였다. 부모님의 생활 형편이 어려웠기 때문에 나는 내가 얻은 기회를 더욱 소중히 여기고 고맙게 생각했다.

결손 가정에서 외롭게 자란 어머니가 그처럼 자애롭고 분별있는 여성으로 성장한 것은 지금 생각해도 놀라울 따름이다. 어머니는 1919년에 시카고에서 태어났다. 외할아버지 에드윈 존 하웰 2세는 시카고의 소방관이었고, 외할머니 델라 머리는 프랑스계 캐나다인과 스코틀랜드인과 아메리카 원주민의 피가 섞인 집안에서 9남매의 하나로 태어났다. 둘은 부모가 될 준비도 안된 처지에서 딸을 낳았고, 델라는 딸이 젖을 떼자마자 사실상 방치했다. 그들은 시카고의 사우스사이드에 있는 5층짜리 아파트에 살고 있었는데, 델라는 어린 딸에게 근처 식당에서 사먹을 수 있는 식권만 달랑 주고 엘리베이터도 없는 그 아파트에 며칠씩 혼자 내버려두었다. 에드윈은 그래도 이따금 딸에게 관심을 보여주었지만, 딸에게 정상적인 가정생활을 제공하기보다는 무슨 대회에서 상으로 받은 인형 같은 선물을 이따금 가져다주는 게 고작이었다. 어머니의 여동생 이자벨은 1924년에 태어났다. 두 자매는 여기저기 친척집을 전전하고 학교도 자주 옮겼기 때문에 친구를 사귈 틈이 없었다. 1927년에 부모는 결국 이혼했다. 당시에는 이혼이 드물었고 몹시 수치스러운 일이었다. 둘 다 딸들의 양육을 꺼렸기 때문에 두 자매는 시카고에서 기차에 태워져 앨햄브러에 사는 에드윈의 부모에게 보내졌다. 앨햄브러는 로스앤젤레스 동쪽의 샌가브리엘 산맥 근처에 있는 마을이다. 시카고에서 앨햄브러까지 오는 나흘 동안 여덟 살 난 도로시가 세 살배기 여동생을 돌보았다.

어머니는 10년 동안 캘리포니아에서 살았지만, 그 동안 한번도 외할머니를 만나지 못했고, 외할아버지도 어쩌다 한번 만났을 뿐이다. 어머니의 할아버지인 에드윈 하웰은 원래 영국 선원이었는데, 손녀들을 아내인 에마한테 맡겨놓고 거들떠보지도 않았다. 에마는 늘 빅토리아풍의 검은 드레스를 입고 있는 엄격한 여자였다. 손녀들에게도 엄격해서, 집안에서 지켜야 할 규칙을 강요하곤 했다. 손녀들을 떠맡은 것을 원망하고, 규칙을 강요할 때만 빼고는 손녀들을 본 체도 하지 않았다. 에마는 집에 손님이 오는 것을 싫어했고, 우리 어머니가 무슨 파티나 행사에 가는 것

도 좀처럼 허락하지 않았다. 어느 핼러윈 데이(10월 31일)에 에마는 우리
어머니가 학교 친구들과 함께 집집을 돌아다니며 과자를 얻는 것을 보
고, 학교에 가는 시간을 빼고는 꼬박 1년 동안 방에 가두어두기로 결정
했다. 부엌 식탁에서 식사를 하거나 앞마당에서 어슬렁거리는 것도 금지
했다. 이 잔인한 처벌은 에마의 언니인 벨 앤더슨이 와서 중단시킬 때까
지 몇 달 동안이나 계속되었다.

우리 어머니가 그런 억압적인 분위기에서 벗어나 한숨을 돌릴 수 있
는 곳은 야외였다. 어머니는 샌가브리엘 골짜기에 몇 킬로미터나 뻗어
있는 오렌지 밭을 뛰어다니며 햇빛 속에서 익어가는 향긋한 오렌지 냄새
에 열중했다. 밤에는 책 속으로 도피했다. 어머니는 읽기와 쓰기를 잘한
다고 선생님들한테 칭찬을 받는 우등생이었다.

열네 살이 되었을 때 어머니는 할머니 댁에 얹혀 사는 생활을 더 이
상 견딜 수가 없었다. 그래서 남의 집에 고용살이로 들어가 숙식을 제공
받고 일주일에 3달러를 받는 대가로 어린 두 아이를 돌봐주게 되었다.
이제는 어머니가 그토록 좋아하는 운동과 연극을 할 시간이 없었고, 옷
을 살 돈도 없었다. 어머니는 한 벌뿐인 블라우스를 날마다 빨아서 역시
한 벌뿐인 스커트에 받쳐입었고, 추운 계절에는 한 벌뿐인 스웨터를 껴
입었다. 하지만 난생 처음으로 어머니는 정상적인 가정, 부모가 자식에
게 사랑과 관심을 쏟고 모범을 보이는 가정에서 살고 있었다. 그것은 어
머니가 그때까지 한번도 받아보지 못한 것이었다. 그때 잠깐이나마 강한
애정으로 묶인 가족과 함께 살아보지 않았다면 가정과 자식을 어떻게 돌
봐야 하는지 몰랐을 거라고 어머니는 말하곤 했다.

고등학교를 졸업했을 때 어머니는 캘리포니아의 대학에 진학할 계획
이었다. 하지만 외할머니 델라한테서 10년 만에 처음으로 연락이 왔다.
시카고에 와서 함께 살자는 것이었다. 델라는 최근에 재혼했는데, 새 남
편과 함께 학비를 대주마고 약속했다. 하지만 어머니가 시카고에 가서

보니 델라는 가정부로 어머니를 원했을 뿐이었고, 대학에 다니는 동안 경제적 도움을 받을 가망도 전혀 없었다. 속이 상한 어머니는 작은 아파트로 이사하여, 일주일에 닷새 반을 일하고 13달러를 받을 수 있는 사무직을 구했다. 언젠가 내가 어머니한테 왜 시카고로 돌아왔느냐고 물어본 적이 있다. 그러자 어머니는 이렇게 대답했다. "나는 어머니가 나를 사랑해주기를 너무나 간절히 바랐기 때문에, 어머니가 정말로 나를 사랑하는지 어떤지 알아낼 기회를 잡을 수밖에 없었단다. 결국은 어머니가 나를 사랑하지 않는다는 걸 알았지만, 그때는 달리 갈 곳이 없었어."

외할아버지는 1947년에 세상을 떠났기 때문에 나는 그분을 만나지도 못했다. 하지만 외할머니는 알고 있다. 내가 아는 외할머니는 텔레비전 연속극에 열중하고 현실에서 유리된 연약하고 방종한 여자였다. 내가 열 살쯤 되었을 때 외할머니가 나와 두 남동생을 돌봐주고 있었는데, 내가 학교 운동장에서 놀다가 철망으로 된 문에 부딪쳤다. 머리에서 피가 줄줄 흘러내렸다. 나는 울면서 집까지 세 블록을 달려갔다. 그런 나를 보고 외할머니는 그만 기절해버렸다. 나는 옆집에 가서 상처를 봐달라고 부탁할 수밖에 없었다. 외할머니는 정신이 들자 나 때문에 기겁을 했다고, 졸도할 때 자칫했으면 다쳤을지도 모른다고 불평을 했다. 나는 어머니가 돌아올 때까지 기다려야 했다. 어머니가 와서야 나를 병원으로 데려가 상처를 꿰맸다.

외할머니의 좁은 세계에 들어갈 기회는 별로 없었지만, 어쩌다 한번 들어가서 보면 그런 대로 매력적인 구석이 있었다. 외할머니는 노래와 카드놀이를 좋아했다. 우리가 찾아가면 외할머니는 근처 놀이동산이나 영화관에 데려가곤 했다. 외할머니는 1960년에 세상을 떠났다. 죽을 때까지도 외할머니는 불행하고 수수께끼 같은 여자였다. 하지만 외할머니는 어머니를 시카고로 데려왔고, 그곳에서 도로시는 휴 로댐을 만났다.

우리 아버지는 펜실베이니아 주의 스크랜턴에서 휴 로댐 1세와 해너 존스의 세 아들 가운데 둘째로 태어났다. 아버지의 검은 머리와 외모는 영국 웨일스 지방의 광부 집안 출신인 할머니한테서 물려받은 것이었다. 해너 할머니와 마찬가지로 아버지도 꼼꼼하고 실제적이며 다소 거칠었지만, 웃을 때는 가슴 깊은 곳에서 울려나오는 웃음소리를 내면서 온몸으로 호탕하게 웃었다. 나도 아버지의 웃음소리를 물려받아 큰 소리로 거침없이 웃어대기 때문에, 레스토랑에서는 사람들이 모두 쳐다보고 방에서는 고양이가 놀라 달아날 정도다.

아버지가 어렸을 때 스크랜턴은 벽돌공장과 방직공장, 탄광, 철도 조차장, 목조 연립주택 등으로 이루어진 황량한 공업도시였다. 로댐 집안과 존스 집안 사람들은 근면하고 독실한 감리교 신자였다.

우리 아버지의 아버지인 휴 로댐 1세는 11남매 가운데 여섯째로 태어났다. 열세 살에 스크랜턴의 레이스 공장에 들어가, 50년 뒤에는 그 공장의 감독이 되었다. 할아버지는 만만찮은 아내와는 정반대로 온화하고 말씨가 부드러운 남자였다. 할머니는 결혼한 뒤에도 존스라는 성을 버리지 않고, 해너 존스 로댐이라는 이름을 고집스럽게 사용했다. 할머니는 여러 채의 집을 세주어 집세를 받았고, 가족만이 아니라 자신의 영향권 안에 있는 모든 사람을 지배했다. 아버지는 할머니를 존경했고, 할머니가 발을 구해준 이야기를 나와 남동생들에게 자주 들려주었다.

1920년 무렵, 아버지는 친구와 함께 말이 끄는 썰매를 얻어 탔다. 말들이 언덕을 힘들게 올라가고 있을 때 트럭이 썰매를 추돌하여 썰매 뒤에 타고 있던 아버지의 다리가 박살났다. 아버지는 가까운 병원으로 실려갔지만, 의사들은 종아리와 발이 회복할 수 없을 만큼 손상되었으니 두 다리를 절단할 수밖에 없다고 말했다. 병원으로 달려온 할머니는 의사들이 아들의 다리를 자르려 한다는 말을 듣고는 수술실에 들어가, 아들의 다리를 구해줄 작정이 아니라면 건드릴 생각도 말라고 버텼다. 그리고 다른 병원에서 의사로 일하는 시동생 토머스 로댐을 당장 불러오라고 요구했다. 닥터 로댐은 아버지를 진찰한 뒤 "아무도 이 아이의 다리를 잘라내면 안된다!"고 선언했다. 아버지는 통증 때문에 정신을 잃었다. 얼마 후 깨어나 보니 할머니가 옆에 지키고 서 있다가, 다리는 자르지 않겠지만 집에 가면 혼날 줄 알라고 말했다. 우리가 수없이 들은 이 이야기는 권위에 맞서고 어려움이 닥쳐도 절대 포기하지 말라는 가르침이었다.

할머니는 강인한 여성이지만 기력과 지성이 배출구를 찾지 못해 남의 일에 시시콜콜 간섭하게 되었다는 느낌을 준다. 할머니의 맏아들—나의 큰삼촌인 윌러드—은 스크랜턴 시청에 소속된 토목기사였지만, 한번도 집을 떠나지 않았고 결혼도 하지 않은 채 1965년에 할아버지의 뒤를 이어 세상을 떠났다. 막내아들 러셀은 할머니가 가장 사랑하는 아들이었다. 러셀 삼촌은 공부도 잘하고 운동도 잘했다. 나중에는 의사가 되었고, 육군에 복무했고, 결혼하여 딸 하나를 두었고, 스크랜턴으로 돌아와 병원을 개업했다. 1948년 초에 러셀 삼촌은 심한 우울증에 걸려 몸이 쇠약해졌다. 할아버지와 할머니는 우리 아버지한테 집에 와서 러셀을 도와달라고 부탁했다. 아버지는 곧 달려갔지만, 그 직후에 러셀 삼촌이 자살을 기도했다. 아버지는 다락방에서 목을 맨 삼촌을 발견하고 줄을 끊어 살려냈다. 그러고는 러셀 삼촌을 우리가 살고 있던 시카고로 데려왔다.

러셀 삼촌이 우리 집에 왔을 때 나는 생후 여덟 달이나 아홉 달밖에 안된 젖먹이였다. 우리 아파트에는 침실이 하나밖에 없었기 때문에 삼촌은 거실 소파에서 잠을 잤다. 삼촌은 우리 집에 머무는 동안 재향군인회에서 운영하는 병원에 다니며 정신과 치료를 받았다. 삼촌은 아버지보다 피부가 희고 머리도 금발인 미남이었다. 내가 두 살쯤 된 어느날, 일꾼이 코카콜라 병에 넣어둔 테레빈유를 내가 마셔버렸다. 삼촌은 당장 테레빈유를 토하게 하고, 나를 급히 병원 응급실로 데려갔다. 삼촌은 그 직후에 의료업을 포기했고, 내가 삼촌의 마지막 환자라고 농담을 했다. 삼촌은 시카고 지역에 머물면서 우리 집을 자주 찾아왔지만, 1962년에 담뱃불로 화재가 나서 불타 죽었다. 나는 수년 동안 러셀 삼촌을 살리려고 그렇게 애쓴 아버지가 불쌍했다. 삼촌이 요즘 나온 항우울제를 복용했다면 도움이 되었을지도 모른다. 그때 항우울제가 있었다면 얼마나 좋을까. 아버지는 러셀 삼촌의 죽음을 당분간 숨기고 있다가, 할아버지가 시카고에 온 뒤에야 알렸다. 그때 할아버지는 우리 집 부엌 식탁에 주저앉아 흐느껴 울었다. 비탄에 빠진 할아버지는 3년 뒤에 세상을 떠나셨다.

아버지가 나중에는 경제적으로 성공했지만, 자랄 때는 형 윌러드처럼 성실하거나 믿음직하지도 않고 동생 러셀처럼 영리하거나 우수하지도 못한 아이였다. 할머니 할아버지뿐만 아니라 아버지 자신도 그렇게 생각했다. 아버지는 이웃집의 새 차를 허락도 받지 않고 난폭하게 몰고 다니거나, 감리교회 중앙 통로에서 저녁 예배 시간에도 롤러스케이트를 타서 늘 야단을 맞았다. 1931년에 센트럴 고등학교를 졸업했을 때 아버지는 할아버지가 다니는 레이스 공장에서 일할 작정이었다. 그런데 미식축구 장학생으로 펜실베이니아 주립대학에 입학한 친구가 코치에게 자기가 제일 좋아하는 친구도 함께 뽑아주지 않으면 대학에 가지 않겠다고 고집을 부렸다. 아버지는 체격이 건장한 운동 선수였기 때문에 코치도 동의했고, 그리하여 아버지는 주립대학에 들어가 라이언스 팀에서 선수로 뛰었다. 아버지는 권투도 했고 델타 입실론 클럽에도 가입했는데, 여기서 진을 밀조하는 전문가가 되었다고 한다. 아버지는 1935년에 대학을 졸업하고, 대공황이 한창일 때 체육학 학위를 가지고 스크랜턴으로 돌아왔다.

아버지는 부모님께 알리지도 않은 채 화물열차를 타고 시카고로 일자리를 찾으러 가서, 중서부 지방을 돌아다니며 커튼 원단을 파는 일을 얻었다. 아버지가 스크랜턴으로 돌아와 부모님께 일자리를 얻었다고 말하고 가방을 꾸리자, 할머니는 격분하여 가지 못하게 했다. 하지만 할아버지는, 구직난이 심해졌기 때문에 아버지가 돈을 벌면 러셀의 학비에 보탬이 될 수 있다고 말했다. 그래서 아버지는 시카고로 갔다. 일주일 내내 디모인에서 덜루스까지 중서부 일대를 돌아다니고, 주말에는 대개 스크랜턴으로 가서 봉급을 할머니께 드렸다. 아버지는 언제나 경제적인 이유로 스크랜턴을 떠난 것처럼 말했지만, 자신의 인생을 살리려면 부모의 그늘에서 벗어나야 한다는 것을 알고 있었던 게 아닌가 싶다.

어머니 도로시 하웰은 타이피스트로 일하려고 어느 직물회사를 찾아갔을 때, 순회 판매원인 휴 로댐과 눈이 마주쳤다. 도로시는 휴 로댐의 활력과 자신감과 유머 감각에 반했다.

우리 부모님은 오랫동안 연애를 하다가, 일본이 진주만을 폭격한 직후인 1942년 초에 결혼하여 미시간 호와 가까운 시카고의 링컨 공원 구역에 있는 작은 아파트에 신접살림을 차렸다. 아버지는 헤비급 챔피언인 미국 권투 선수 진 터니의 이름을 딴 해군의 특별 프로그램에 참여하여, 시카고에서 북쪽으로 한 시간 거리에 있는 오대호 해군기지에 배치되었다. 아버지는 해군 하사관으로서, 수천 명의 젊은 수병들을 훈련시켜 바다—주로 태평양 전쟁터—로 내보내는 일을 맡았다. 전쟁터에 나가면 적어도 일부는 살아서 돌아오지 못하리라는 것을 알았기 때문에 신병들을 인솔하여 군함이 기다리고 있는 서해안으로 갈 때면 몹시 마음이 아팠다고 한다. 아버지가 돌아가신 뒤, 아버지 밑에서 근무한 분들이 나한테 편지를 보내왔다. 편지에는 대부분 입대 동기들이 함께 찍은 단체 사진이 동봉되어 있었는데, 앞줄 가운데에는 으레 우리 아버지가 자랑스럽게 앉아 있었다. 내가 특히 좋아하는 사진에는 군복 차림으로 활짝 웃는 아버지의 모습이 담겨 있다. 내 눈에는 그 모습이 1940년대의 어느 영화배우 못지않게 멋진 미남으로 보인다.

아버지는 스크랜턴에 사는 가족과 긴밀한 관계를 유지했고, 자식이 태어날 때마다 시카고에서 스크랜턴까지 차를 몰고 가서 당신이 어렸을 때 다닌 감리교회에서 세례를 받게 했다. 할머니는 내가 다섯 살 때 돌아가셨는데, 내가 할머니를 알아볼 때쯤에는 눈이 멀어가고 있었지만 아침마다 나에게 옷을 입혀주고 머리를 땋아주려고 애쓰시던 일이 기억난다. 나는 할머니보다 할아버지와 훨씬 가까웠다. 내가 태어났을 때 할아버지는 이미 50년 근속 기념으로 금시계를 받고 퇴직한 뒤였다. 할아버지는 친절하고 예의바른 분이었다. 사슬에 매단 금시계를 자랑스럽게 차고 다녔고, 날마다 멜빵이 달린 양복을 차려입었다. 시카고로 우리를 찾아오면 양복 저고리를 벗고 셔츠 소매를 걷어올리고는 어머니의 집안일을 거들곤 하셨다.

아버지는 늘 자식들한테 엄격했지만, 나보다는 아들들한테 훨씬 엄격했다. 할아버지는 아버지에게 야단맞는 남동생들을 자주 감싸주었기 때문에 우리는 더욱 할아버지를 따랐다. 우리 세 남매는 어렸을 때 스크랜턴의 다이아몬드 가에 있는 할아버지의 연립주택에서 많은 시간을 보냈고, 해마다 여름에는 할아버지가 1921년에 포코노 산맥에 마련한 산장에서 8월의 대부분을 보냈다. 스크랜턴에서 북서쪽으로 30킬로미터쯤 떨어진 그 산장에서는 위놀라 호수가 바라보였다.

소박한 통나무 산장에는 부엌의 무쇠 풍로를 제외하고는 난방시설도 없고, 실내에 목욕통은커녕 샤워기도 없었다. 그래서 몸을 씻으려면 호수에서 헤엄을 치거나 뒤꼍에서 다른 사람이 부어주는 물로 대충 샤워를 했다. 널찍한 앞마당은 우리가 좋아하는 놀이터였고, 할아버지는 이곳에서 우리와 함께 카드놀이를 했다. 우리에게 피너클 게임을 가르쳐준 것도 할아버지였다. 피너클이야말로 세상에서 가장 재미난 놀이라는 것이 할아버지의 지론이었다. 할아버지는 우리에게 이야기책을 읽어주고 위놀라 호수에 얽힌 전설도 들려주었다. 위놀라 호수는 인디언 공주인 위놀라의 이름을 딴 것인데, 이웃 부족의 잘생긴 전사를 사랑한 공주는 아버지가 결혼을 허락하지 않자 호수에 몸을 던져 죽었다고 한다.

이 산장은 아직도 우리 가족의 소유로 남아 있고, 여름을 그곳에서 보내는 집안 전통도 여전하다. 빌과 나는 첼시가 두 살도 되기 전에 처음으로 위놀라 호수에 데려갔다. 내 남동생들도 해마다 여름을 그곳에서 보낸다. 고맙게도 남동생들이 산장을 조금 개수했고, 몇 해 전에는 샤워기까지 설치했다.

1950년대 초에는 산장 앞을 지나는 2차선 도로만 벗어나면 사람이 거의 살지 않았다. 산장 뒤의 산을 뒤덮은 울창한 숲에는 곰과 스라소니가 살고 있었다. 우리는 어릴 적에 산장 주변을 탐험하고, 한적한 뒷길을 쏘다니고, 서스퀘하나 강에서 물고기를 잡고 보트를 탔다. 아버지는 산장 뒤에서 나에게 총 쏘는 법을 가르쳐주었다. 우리는 깡통이나 돌멩이를 맞히는 연습을 했다. 하지만 우리 활동의 중심은 역시 호수였다. 길을 건너 포스터네 가게 앞을 지나는 샛길을 따라 내려가면 호수가 나왔다. 여름철에 그곳에서 사귄 친구들은 나와 함께 수상스키를 타거나 호숫가의 넓은 들판에 지어진 야외 극장으로 나를 데려갔다. 거기 가는 길에 나는 파크리지에서는 절대로 만나지 못했을 사람들을 만났다. 할아버지가 '산사람'이라고 부르는 일가족도 그런 사람들 가운데 하나였다. 그들은 산중에서 전기도 없고 차도 없이 살고 있었다. 한번은 그 식구들 가운데 내 또래의 사내아이가 말을 타고 산장에 나타나, 말을 타보고 싶지 않으냐고 나에게 물었다.

나는 열 살이나 열한 살 때 어른들과 함께 피너클을 했다. 할아버지와 아버지, 큰아버지만이 아니라 각양각색의 어른들이 내 카드놀이 상대였다. 그중에서도 특히 피트와 행크 같은 사람은 카드놀이에 지면 분을 못 참기로 유명해서 기억에 남는다. 흙길 끝에 사는 피트는 날마다 카드를 하러 왔지만, 지기 시작하면 욕설을 내뱉고 발을 쾅쾅 굴렀다. 행크는 아버지가 산장에 있을 때만 왔는데, 지팡이를 짚고 비틀거리며 앞쪽 현관으로 와서 "머리 검은 녀석은 집에 있나? 카드놀이 하러 왔다" 하고 고함을 지르면서 가파른 계단을 올라오곤 했다. 행크는 아버지를 태어났을 때부터 알았고, 아버지한테 낚시를 가르쳐준 분이었다. 행크도 피트 못지않게 지기를 싫어해서, 아깝게 지면 탁자를 뒤엎기도 했다.

전쟁이 끝난 뒤 아버지는 커튼 원단을 만드는 작은 회사를 차렸다. 시카고 도심의 머천다이즈 마트에 있는 '로댐 직물'이라는 회사였다. 첫 번째 사무실은 시카고 강이 내려다보이는 건물에 있었다. 내가 서너 살밖에 안되었을 때 거기에 간 기억이 난다. 아버지는 신선한 공기가 들어오도록 늘 창문을 열어두었기 때문에, 내가 창가에 가까이 가지 않도록 창문 밑에는 아주 못된 늑대가 살고 있어서 내가 떨어지면 잡아먹을 거라고 말했다. 나중에 아버지는 노스사이드에 있는 건물에 날염공장을 차리고 날품팔이 일꾼들을 고용했다. 그래도 일손이 모자라 어머니한테도 도움을 청했고, 우리 남매가 거들 만큼 자라자 우리까지 일을 돕게 했다. 우리는 실크스크린 가장자리에 조심스럽게 안료를 붓고 스퀴지를 잡아당겼다. 그러면 밑에 있는 천에 무늬가 날염되었다. 우리는 스크린을 들어올리고 다시 원래 위치로 돌아가 안료를 붓는 일을 계속 되풀이했다. 천에 찍히는 아름다운 무늬 중에는 아버지가 손수 디자인한 것도 있었다. 내가 제일 좋아한 무늬는 '별로 올라가는 계단'이었다.

내가 세 살이고 남동생 휴가 젖먹이였던 1950년에 아버지의 사업이 잘되어, 우리 가족은 시카고 교외의 파크리지로 이사했다. 미시간 호반의 시카고 북부 교외에는 파크리지보다 더 아름답고 현대적인 상류층 주거지역도 있었지만, 부모님은 다른 재향군인들과 함께 파크리지에 사는 것을 더 편안하게 여겼다. 재향군인들이 파크리지를 선택한 것은 훌륭한 공립학교와 공원, 가로수가 늘어선 거리, 넓은 인도와 쾌적한 주택 때문이었다. 그 동네는 백인 중산층의 거주지여서, 여자들은 집에 남아 아이들을 키우고 남자들은 30킬로미터쯤 떨어진 시카고 시내로 출근했다. 다

(위)어머니 도로시 하웰은 해군에 복무하던 아버지 휴 로댐 2세와 1942년에 결혼했다. 불우한 어린 시절을 보낸 어머니는 불우한 사람들에게 마음을 열었고, 사회 정의에 대한 의식을 갖게 되었다. 어머니는 이 정의감을 나와 남동생들에게 전해주셨다. 내 웃음소리는 아버지한테 물려받은 것인데, 식당에서 사람들의 눈길을 모을 수 있고 방에서 고양이를 뛰쳐나가게 할 수 있는 요란한 웃음소리는 아버지와 똑같다.

(아래)할머니 해너 존스 로댐은 결혼 전의 성도 쓰기를 고집했다. 할머니는 만만찮은 분이셨지만, 내가 다섯 살 때 돌아가셨기 때문에 할머니에 대한 기억은 많지 않다. 할아버지 휴 로댐은 다정하고 근면한 분이셨다.

(위)내가 생후 여덟 달이나 아홉 달쯤 되었을 때 러셀 로댐 삼촌이 우리 집에서 지내러 왔다. 러셀 삼촌은 의사를 그만둔 뒤, 내가 삼촌의 마지막 환자라고 농담을 했다.

(아래)의붓외할아버지인 맥스 로젠버그는 유대인이었다. 열 살 때 나는 수백만 명의 무고한 사람들이 종교 때문에 처형된 것을 알고 깜짝 놀랐다. 퍼스트 레이디로서 아우슈비츠를 방문했을 때 나는 아버지가 인간이 저지를 수 있는 악과 미국이 나치와 싸워야 했던 이유를 설명해주던 기억을 떠올렸다.

(위)전쟁이 끝난 뒤 아버지는 작은 직물회사를 차렸다. 우리 세 남매는 아버지의 요청으로 염색 작업을 거들기도 했다. 아버지의 사업이 잘되어 우리는 시카고 교외의 파크리지로 이사했다. 파크리지는 아름다운 도시였다. 이 사진은 1959년 부활절 때 좋은 나들이옷으로 차려입고 우리 고양이 이시스와 함께 찍은 것이다.

(아래)우리는 여름마다 8월의 대부분을 스크랜턴 북서쪽 포코노 산맥에 있는 할아버지의 산장에서 보냈다. 산장에서는 위놀라 호수가 내려다보였다. 우리는 넓은 앞쪽 포치에서 카드놀이와 보드게임을 했다.

(위)파크리지에서 나는 신나게 놀고 자선기금도 모으기 위해 이웃 아이들을 모아 게임이나 스포츠 행사나 뒷마당 축제를 벌였다. 내가 열두 살 때 동무들과 함께 모금한 돈봉투를 '유나이티드 웨이'에 기부하는 사진이 지역신문에 실렸다.

(아래)감리교회의 젊은 목사인 돈 존스는 1961년 파크리지에 왔을 때 나에게 '인생대학'을 소개하고, 우리 청소년들에게 사회 활동을 통해 신앙을 실천하라고 권했다. 이 사진은 내가 우리 동아리의 친구들과 함께 소풍 갔을 때 찍은 것이다. 가운데 서 있는 소녀가 나다.

(위)나는 일찍부터 정치에 관심을 가졌다. 나는 공화당 청년회에 들어가 적극적으로 활동했고, 나중에는 골드워터 공화당 대통령 후보의 선거운동원이 되어 카우보이 모자에 카우걸 옷을 입고 다니기까지 했다. 하지만 고교 시절 대통령 후보들의 모의 토론회를 벌이면서 공화당에 의문을 품기 시작했다.

(아래) '문화가치위원회(Cultural Values Committee)'는 내가 다원주의와 상호존중과 상호이해라는 미국의 가치를 강조하기 위한 체계적인 노력을 처음으로 경험한 기회였다. 여러 학생 그룹 대표자 회의는 지방 텔레비전에 방영되었다. 나는 첫 텔레비전 출연을 위해 머리를 손질했다.

Photo Credit: Wellesley

Photo Credit: Wellesley

(위)앨런 셰흐터 교수는 웰즐리 여대에서 내 정치학 교수이자 졸업논문 지도교수였다. 그는 나를 선발하여 워싱턴에서 인턴으로 일하게 했고, 이것이 내 진로를 결정했다.
(아래)나는 1965년에 웰즐리 여대에 입학했다. 지금은 베트남 전쟁 시기의 고민을 1960년대의 방종으로 쉽게 처리해버릴 사람도 있겠지만, 나는 그것을 방종으로 기억하지 않는다.

Photo Credit: Wellesley

(위 왼쪽)패티 하우 크리너(왼쪽)와 내 대학 시절 룸메이트였던 조해나 브랜슨은 평생 친구로 남아 있다. 1975년에 그들은 내 결혼식에 참석하러 아칸소에 와서 우리 아버지와 함께 이 사진을 찍었다. 아버지는 확고한 견해를 갖고 있었지만, 견해를 바꿀 수 있는 능력도 갖추고 있었다.

(위 오른쪽)웰즐리 여대에서 우리—1969년도 졸업생—는 시대에 뒤떨어진 과거와 아직 알 수 없는 미래 사이에 끼여 있었다. 웰즐리 여대에서는 졸업식 때 학생이 연설한 적이 없었다. 내 졸업 연설에 대한 칭찬과 비난은 다가올 일들의 예고편이었다.

(아래)1968년에 나는 워싱턴의 공화당 하원 협의회에서 인턴 생활을 하면서 제럴드 포드(오른쪽에서 세번째)가 이끄는 그룹을 위해 일했다. 이 그룹에 소속되어 있었던 멜빈 레어드와 찰스 구들(오른쪽 끝)은 나를 잘 돌봐주고 여러 가지 조언을 해주었다. 공화당의 주요 의원들과 함께 찍은 이 사진은 우리 아버지가 돌아가셨을 때 아버지 침실에 걸려 있었다.

(위)나는 내부로부터 체제를 바꾸는 것이 옳다고 믿었기 때문에 법대에 가기로 결정했다. 이 사진은 법대에서 빌과 함께 모의 재판에 참여했을 때 찍은 것이다.

(아래)1970년에 빌 클린턴은 예일에서 그냥 지나치기 어려운 학생이었다. 그는 옥스퍼드에서 갓 돌아온 로즈 장학생이라기보다 바이킹처럼 보였다. 우리는 1971년 봄의 첫 데이트에서 대화를 시작했고, 그후 30여 년 세월이 흐른 지금도 빌은 여전히 내가 아는 최고의 말벗이다.

른 아버지들은 대부분 통근열차를 이용했지만 우리 아버지는 고객들을 찾아다니며 물건을 팔아야 했기 때문에 날마다 자동차를 몰고 나갔다.

아버지는 엘름 가와 위스너 가의 모퉁이에 있는 2층짜리 벽돌집을 현금으로 매입했다. 그 집에는 일광욕을 할 수 있는 테라스가 있었고, 방충망을 친 현관과 울타리에 둘러싸인 뒷마당이 있었다. 이웃 아이들은 우리 뒷마당에 와서 놀거나 우리 정원에 있는 벗나무에서 몰래 버찌를 따먹곤 했다. 전쟁이 끝난 뒤 인구가 폭발적으로 늘어나고 있었기 때문에 어디에나 아이들이 우글거렸다. 언젠가 어머니가 우리 동네에 사는 아이들을 세어보니 무려 47명이나 되었다.

바로 옆집인 윌리엄스네 집은 아이가 넷이었고, 길 건너 캘러헌네 집은 아이가 여섯이었다. 윌리엄스 씨는 겨울이면 뒷마당에 물을 부어 스케이트장을 만들었다. 우리는 방과후나 주말에 거기에 가서 몇 시간씩 스케이트를 타거나 아이스하키를 했다. 캘러헌 씨는 차고에 농구대를 설치했기 때문에 사방에서 아이들이 모여들어 픽업 게임과 스탠바이 놀이, 호스 놀이와 그것을 짧게 변형시킨 피그 놀이를 즐겼다. 내가 가장 좋아한 놀이는 우리가 직접 고안해낸 놀이였다. 숨바꼭질을 복잡하게 변형한 '줄행랑' 이라는 단체 경기도 그런 놀이 가운데 하나였다. 우리 동네에서 거의 날마다 하수구 뚜껑을 베이스로 이용하여 벌어지는 소프트볼과 킥볼도 내가 좋아한 놀이였다.

어머니는 전형적인 가정주부였다. 그 무렵의 어머니를 생각하면, 끊임없이 움직이며 침대를 정돈하고 설거지를 하고 저녁 6시에 정확히 식탁을 차리는 아낙이 떠오른다. 나는 날마다 학교에서 집으로 점심을 먹으러 왔다. 점심에는 토마토나 닭고기를 넣은 수프와 구운 치즈나 땅콩버터나 볼로냐 소시지를 넣은 샌드위치를 먹었다. 어머니와 나는 점심을 먹으면서 「퍼킨스 아줌마」나 「내가 좋아하는 이야기」 같은 라디오 프로그램을 들었다.

그 프로그램은 늘 이렇게 시작되었다.

"이야기를 해주세요."

"무슨 이야기?"

"아무거나."

어머니는 우리 세 남매를 위해 요즘 사람들이 '퀄리티 타임'(quality time: 아무 일도 하지 않고 자녀와 함께 느긋하게 보내는 시간—옮긴이)이라고 부르는 것도 많이 찾아냈다. 어머니는 1960년대 초까지 운전을 배우지 않았기 때문에 우리는 어디든 걸어다녔다. 겨울이면 어머니는 우리를 담요로 꽁꽁 싸서 썰매에 태우고 가게까지 끌고 갔다. 집으로 돌아올 때는 식품 봉지를 안고 쓰러지지 않도록 균형을 잡았다. 뒷마당의 빨랫줄에 빨래를 널 때면 어머니는 내가 던지기 연습을 할 수 있도록 도와주거나, 풀밭에 나란히 누워서 하늘에 떠 있는 구름의 모양을 묘사하기도 했다.

어느 여름, 어머니는 내가 커다란 골판지 상자 속에 환상적인 세계를 만드는 것을 도와주었다. 우리는 거울로 호수를 만들고 잔가지로 나무를 만들었다. 그리고 나는 옛날 이야기 같은 아름다운 이야기를 지어내어 내 인형들에게 연기를 시켰다. 또 다른 여름에 어머니는 막내동생 토니의 꿈을 부추겨, 땅에 굴을 파서 중국까지 가보겠다는 생각을 품게 만들었다. 어머니가 중국에 관한 책을 읽어주기 시작하자 토니는 날마다 집옆에 땅굴을 파면서 시간을 보냈다. 이따금 토니는 어머니가 숨겨놓은 젓가락이나 점과자(속에 점괘가 들어 있는 중국 과자—옮긴이)를 발견하곤 했다.

휴는 토니보다 훨씬 모험을 좋아했다. 아장아장 걸음마를 할 때는 문을 열고 테라스로 나가서 1미터나 쌓인 눈 속을 뚫고 굴을 파듯 나아가다가 어머니한테 구출되곤 했다. 우리 동네에 여기저기 생겨난 건설 공사장에서 동무들과 함께 놀다가 경찰관의 손에 이끌려 집으로 돌아온 적도 한두 번이 아니었다. 다른 아이들은 순찰차에 탔지만, 휴는 순찰차를 따라 집까지 걸어가겠다고 고집을 부렸다. 경찰관과 부모님이 왜 그랬느냐고 묻자, 휴는 낯선 사람의 차에는 절대 타지 말라는 가르침을 지켰을 뿐이라고 대답했다.

어머니는 우리가 책을 통해 세상을 배우기를 바랐다. 남동생들보다는 내가 어머니의 그런 뜻을 더 잘 받아들였다. 남동생들은 책보다 곤경에서 배우기를 더 좋아했다. 어머니는 나를 매주 도서관에 데려갔다. 나는 도서관의 아동서적을 열심히 읽었다. 부모님은 내가 다섯 살 때 텔레비전을 샀지만, 어머니는 내가 텔레비전을 많이 보는 것을 허락하지 않았다. 우리는 카드놀이와 모노폴리나 클루처럼 판 위에서 말을 움직이는 보드게임을 많이 했다. 나도 어머니와 마찬가지로 보드게임과 카드놀이가 아이들에게 수학적인 계산 능력과 전략을 가르쳐준다고 믿는다. 내가 학교에 다니는 동안 어머니는 내 숙제를 모두 도와주었지만, 수학만은 아버지한테 맡겼다. 어머니는 내 작문을 타자기로 쳐주었고, 중학교 가정 시간에 스커트를 만들려다가 망쳐버렸을 때는 나를 곤경에서 구해주었다.

어머니는 가정과 가족을 사랑했지만, 인생에서 선택할 수 있는 길이 너무 제한되어 있다고 느꼈다. 여성이 무한정한 선택의 자유에 매몰되어 있는 듯이 여겨지는 요즘에는 어머니 세대의 선택이 얼마나 제한되어 있었는지를 잊기 쉽다. 우리가 어느 정도 자라자 어머니는 대학 과정을 밟기 시작했다. 졸업은 못했지만, 논리학에서 아동심리학에 이르기까지 다양한 과목에서 많은 학점을 땄다.

어머니는 모든 인간, 특히 아동들이 당하는 학대에 분개했다. 어머니는 불행한 어린 시절을 보냈기 때문에, 많은 아이들이—아무런 잘못도 없이—태어날 때부터 불우한 처지에 놓이고 차별 대우를 받는다는 것을 경험으로 알고 있었다. 어머니는 자기 혼자 잘난 체하거나 옳다고 주장하는 독선적인 태도를 싫어했고, 우리가 남들보다 좋지도 나쁘지도 않다는 생각을 우리 세 남매에게 심어주었다. 어머니는 캘리포니아에서 보낸 어린 시절에 같은 학교에 다닌 일본계 학생들이 영국계 학생들에게 날마다 조롱과 차별을 당하는 것을 보았다. 어머니는 시카고로 돌아온 뒤, 자기가 좋아한 남학생이 그후 어떻게 되었는지 궁금해했다. 그 남학생은 이름이 도시히시였지만 아이들은 그냥 '도시'라고 불렀다. 어머니는 고등학교 동창회 때 행사위원장으로 앨햄브러에 가서 그를 다시 만났다. 어머니가 짐작했듯이, 도시와 그의 가족은 제2차 세계대전 동안 억류되어 있었고 농장은 몰수당했다. 하지만 도시가 몇 년 고생한 끝에 채소 농사로 성공한 것을 알고 어머니는 마음을 놓았다.

나는 부모님의 가치관이 서로 밀고 당기는 와중에서 성장했고, 그래서 나의 정치적 신념은 아버지와 어머니의 가치관을 둘 다 반영하고 있다. 남녀의 성별적 차이는 우리 같은 가정에서 시작되었다. 어머니는 기본적으로 민주당원이었지만, 공화당을 지지하는 파크리지에 살 때는 그것을 입 밖에 내지 않았다. 아버지는 완고하고 자립적이며 보수적인 공화당원이었고, 그것을 언제나 자랑으로 여겼다. 아버지는 또한 손에 들어온 돈은 좀처럼 내놓지 않는 구두쇠였다. 아버지는 외상 거래를 좋게 생각지 않아서, 엄격한 현금지급주의로 사업을 꾸려나갔다. 아버지의 이념은 자립정신과 개인적 성취욕에 바탕을 두고 있었지만, 오늘날 보수주의자를 자처하는 이들과는 달리 국가 재정의 신뢰성이 얼마나 중요한지를 이해했고, 그래서 납세자가 고속도로와 학교와 공원을 비롯한 중요한 공공사업에 투자하는 것을 적극 지지했다.

아버지는 낭비를 참지 못했다. 대공황 시대를 겪으며 성장한 사람들이 대부분 그렇듯이, 가난에 대한 두려움은 아버지에게 평생 동안 영향을 미쳤다. 어머니는 새 옷을 사 입은 적이 거의 없었고, 특별한 물건—예컨대 내가 학교의 공식 무도회에 입고 갈 드레스—을 사려면 어머니와 내가 몇 주 동안 아버지와 교섭을 벌여야 했다. 남동생이나 내가 치약 뚜

껑을 닫는 것을 잊어버리면 아버지는 치약을 욕실 창문 밖으로 내던졌
다. 그러면 우리는 눈이 펑펑 쏟아질 때도 밖에 나가 집 앞 덤불 속에서
치약을 찾아야 했다. 그것이 어떤 것도 낭비하면 안된다는 것을 깨우쳐
주는 아버지의 방식이었다. 오늘날까지도 나는 먹다 남은 올리브를 단지
에 다시 넣어두고, 아무리 작은 치즈 조각도 랩으로 싸두고, 무언가를 버
릴 때는 심한 죄책감을 느낀다.

아버지는 엄격한 감독이었지만, 우리는 아버지가 우리를 얼마나 사
랑하는지 알고 있었다. 내가 4학년 때 메츠거 선생님이 매주 산수 시험
을 보았는데, 내가 셈이 너무 느려서 산수 문제를 풀지 못할까봐 걱정하
자 아버지는 아침 일찍 나를 깨워서 구구단을 연습시키고 나눗셈을 가르
쳤다. 겨울이면 아버지는 돈을 절약하기 위해 밤중에 난방을 껐다가 동
트기 전에 일어나 다시 난방을 켜곤 했다. 나는 아버지가 미치 밀러의 노
래를 목청껏 부르는 소리에 잠에서 깰 때가 많았다.

남동생들과 나는 용돈을 기대하지 않고 집안의 허드렛일을 해야 했
다. "내가 너희를 먹여 살리잖니?" 하고 아버지는 말하곤 했다. 나는 열
세 살이 되던 여름에 처음으로 파크리지 공원과에서 일거리를 얻었다.
일주일에 세 번씩 아침에 우리 집에서 몇 킬로미터 떨어진 소공원을 관
리하는 일이었다. 아버지가 아침 일찍 우리 집에 한 대뿐인 차를 타고 출
근했기 때문에, 나는 손수레―야구공과 방망이, 줄넘기 줄을 비롯한 온
갖 잡동사니가 가득 들어 있었다―를 끌고 공원과 집을 오가야 했다. 그
때부터 나는 여름마다 일거리를 얻었고, 1년 내내 일할 때도 많았다.

아버지는 부드럽게 표현하면 지극히 독단적인 분이었다. 우리 가족
은 모두 아버지의 견해를 받아들였다. 그것은 주로 공산주의자, 부도덕
한 사업가, 부패한 정치인에 대한 것이었다. 이들 세 족속의 인간이야말
로 아버지가 보기에는 가장 비열하고 저급한 자들이었다. 우리 가족은
부엌 식탁에 둘러앉아 대개 정치나 스포츠에 대해 열띤 토론을 벌이곤

했는데, 그 과정에서 나는 한지붕 밑에 여러 의견이 공존할 수 있다는 것을 배웠다. 나도 열두 살이 되었을 때쯤에는 많은 문제에 대해 독자적인 생각을 갖게 되었다. 어떤 사람의 의견이 나와 다르다고 해서 그 사람이 반드시 나쁜 것은 아니며, 무언가가 옳다고 믿는다면 그것을 옹호할 준비가 되어 있어야 한다는 것을 배웠다.

부모님은 인생에서 어떤 시련이 닥치더라도 살아남을 수 있도록 우리를 강하게 키웠다. 부모님은 남동생들만이 아니라 나에게도 홀로서기를 기대했다. 우리가 파크리지로 이사한 직후, 어머니는 내가 밖에 나가 놀기를 꺼리는 것을 알아차렸다. 때로는 울면서 집에 돌아와, 길 건너에 사는 여자애가 나만 보면 떠민다고 불평했다. 수지 캘러헌은 오빠들이 있었기 때문에 거칠게 노는 데 익숙해져 있었다. 나는 겨우 네 살이었지만, 어머니는 내가 두려움에 굴복하면 그것이 하나의 습관으로 굳어져 평생 그렇게 살지도 모른다고 걱정했다. 하루는 내가 집안으로 도망쳐 들어가자 어머니가 내 앞을 막아섰다.

"다시 나가거라. 수지가 너를 때리거든 너도 수지를 때려도 좋아. 너는 네 스스로 지켜야 돼. 겁쟁이는 이 집에 발을 들여놓을 수 없어."

어머니는 훗날 말하기를, 내가 어깨를 펴고 당당하게 길을 건너가는 것을 식당 커튼 뒤에서 지켜보았다고 한다.

몇 분 뒤에 나는 승리감에 도취하여 발갛게 상기된 얼굴로 돌아왔다.

"이젠 사내애들이랑 놀 수 있어. 그리고 수지는 내 친구가 될 거야!"

수지는 내 친구가 되었고, 지금도 친구다.

나는 걸스카우트 단원으로서 독립기념일 행진, 식량 기증 운동, 과자 판매를 비롯하여 배지나 표창을 받을 수 있는 여러 활동에 참여했다. 나는 재미있게 놀고 자선기금도 모으기 위해 이웃 아이들을 모아놓고 게임이나 스포츠 행사나 뒷마당 축제를 벌이기 시작했다. 지역신문인 『파크리지 애드버케이트』에는 나와 한 무리의 친구들이 돈봉투를 '유나이티드 웨이' (United Way: 미국의 전국 규모의 민간 조직. 개인들의 기부금으로 기금을 만들어 YMCA나 적십자사 같은 단체를 재정적으로 지원한다―옮긴이)에 기부하는 장면이 담긴 낡은 사진이 실려 있다. 나는 열두 살 때 친구들과 함께 우리 동네에서 모의 올림픽대회를 열어 그 돈을 모금했다.

나는 스포츠광인 아버지와 남동생들에게 둘러싸여 자랐기 때문에 열렬한 스포츠팬이 되었고 이따금 경기에 참가하기도 했다. 우리 학교 운동부를 응원하고, 되도록 많은 경기를 보러 갔다. 시카고의 우리 동네에 사는 사람들이 대부분 그랬듯이, 나도 '시카고 커브스'를 열렬히 응원했다. 내가 좋아한 야구 선수는 '미스터 커브'라고 불린 어니 뱅크스였다. 우리 동네에서 아메리칸 리그 소속의 라이벌인 '화이트 삭스'를 응원하는 것은 신성모독이나 마찬가지였다. 그래서 나는 아메리칸 리그에서 응원할 팀으로 '뉴욕 양키스'를 골랐다. 그것은 내가 미키 맨틀을 좋아했기 때문이기도 하다. 훗날 상원의원 선거운동을 할 때 시카고의 스포츠 경쟁에 대해 설명했지만 아무도 내 말에 귀를 기울이지 않았다. 의심 많은 뉴욕 사람들은 시카고 토박이가 어렸을 때 뉴욕 야구팀에 충성을 바칠 수 있다는 것을 믿으려 하지 않았다.

나는 고등학교 때 줄곧 여학생 소프트볼 리그에서 선수로 뛰었고, 내가 마지막으로 활동한 팀은 우리 동네 사탕업자의 후원을 받았다. 팀 이름도 사탕의 상표를 따서 '굿 앤드 플렌티'였고, 유니폼도 사탕 색깔을 본떠 하얀 양말에 검은 반바지와 분홍색 셔츠였다. 파크리지의 아이들은 힝클리 공원으로 떼지어 몰려가, 여름에는 시원한 풀장에서 헤엄을 치고 겨울에는 넓은 야외 스케이트장에서 스케이트를 탔다. 우리는 어디든 걸어가거나 자전거를 타고 갔다. 여름날 해질녘에 DDT를 안개처럼 뿌려대며 천천히 달리는 시청 트럭 꽁무니를 졸졸 따라다니기도 했다. 그때는 아무도 살충제를 유독하다고 생각지 않았다. 풀 냄새와 뜨거운 아스

팔트 냄새가 뒤섞인 달콤하고 매캐한 냄새를 맡으며 살충제 연막 속에서 자전거를 타고 희미해져가는 햇빛 속에서 몇 분 더 노는 것을 그저 재미있게 생각했을 뿐이다.

아버지들이 난롯가에 앉아서 공산주의의 확산이 우리의 생활방식을 어떻게 위협하고 있는지, 소련이 폭탄을 얼마나 많이 갖고 있으며 스푸트니크호(1957년에 소련이 발사한 인류 최초의 인공위성—옮긴이) 때문에 우리가 우주개발 경쟁에서 얼마나 뒤떨어지고 있는지를 이야기할 때, 우리는 플레인스 강에서 스케이트를 탔다. 나에게 냉전은 하나의 추상 개념일 뿐이었고, 내 주위 세계는 안전하고 안정되어 보였다. 내 주변에 있는 아이들 가운데 부모가 이혼한 아이는 하나도 없었고, 고등학교에 들어갈 때까지 노화가 아닌 다른 이유로 죽은 사람은 하나도 보지 못했다. 고치처럼 안전하고 따뜻한 이런 환경이 환상이었다는 것은 인정하지만, 나는 모든 아이가 그런 환경에서 자라기를 바란다.

미국 역사에서 내가 자란 시대는 조심스러운 체제 순응기였다. 하지만 "아버지가 가장 잘 안다"는 가르침 속에서 나는 또래 집단의 압력에 저항하는 법을 배웠다. 어머니는 내가 친구들의 옷차림이나 친구들이 나를 어떻게 생각하는지에 대해 이야기하는 것을 싫어했다. 내가 그런 이야기를 하면 어머니는 이렇게 말하곤 했다. "너는 이 세상에 하나뿐인 존재야. 너는 스스로 생각할 수 있어. 남들이 어떻게 하든 상관없어. 우리는 남이 아니야. 너는 남이 아니야."

나도 대개는 그렇게 생각했기 때문에 어머니한테 이런 말을 들으면 기분이 좋았다. 물론 또래들과 어울리려고 애쓰기도 했다. 나는 아홉 살 때부터 시력을 교정하기 위해 두꺼운 안경을 써야 했지만, 사춘기 소녀의 허영심 때문에 안경을 거부하기도 했다. 6학년 때 친구가 된 벳시 존슨은 맹도견처럼 나를 끌고 시내를 돌아다녔다. 때로는 길에서 급우를 만나도 알아보지 못했다. 내가 건방져서가 아니라 안경을 벗으면 아무도 알아볼 수 없었기 때문이다. 내가 형편없는 시력을 교정할 수 있을 만큼 배율이 높은 콘택트렌즈를 끼기 시작한 것은 30대에 접어든 뒤였다.

벳시와 나는 토요일 오후마다 우리끼리 픽윅 극장에 가는 것을 허락 받았다. 어느날 우리는 도리스 데이와 록 허드슨이 나오는 「돌아온 연인」 이라는 영화를 두 번 보았다. 영화가 끝난 뒤 우리는 코카콜라와 감자튀 김을 먹으러 식당에 갔다. 우리가 감자튀김을 케첩에 찍어먹는 것을 본 로빈후드 식당의 웨이트리스가 그런 식으로 먹는 사람은 이제껏 본 적이 없다고 말했기 때문에 우리는 그 방법을 우리가 고안한 줄 알았다. 나는 1960년 무렵에 우리 가족이 맥도널드에 다니기 시작할 때까지 패스트푸 드가 무언지도 몰랐다. 1955년에 시카고 근교의 데스플레인스에 맥도널 드가 처음 문을 열었지만, 우리 가족은 그보다 더 가까운 나일스에 맥도 널드 체인점이 생긴 뒤에야 맥도널드를 알았다. 하지만 나일스에 맥도널 드가 문을 연 뒤에도 우리는 특별한 날에만 거기에 갔다. '금빛 아치' 게 시판에 표시된 햄버거 판매 개수가 수천 개에서 수백만 개로 바뀌는 것 을 바라보던 일이 아직도 기억에 생생하다.

나는 학교를 좋아했고, 유진 필드 초등학교와 랠프 왈도 에머슨 중학 교와 메인 타운십 고등학교에서 훌륭한 선생님들을 만난 것도 행운이었 다. 훗날 아칸소 주의 교육개혁위원회 위원장을 지낼 때 나는 수준 높은 교사를 갖추고 충분한 정규과목과 과외활동을 제공하는 학교에 다닌 것 이 얼마나 큰 행운이었는가를 깨달았다. 지금 생각해보면 우습기도 하 다. 1학년 때 테일러 선생님은 아침마다 『아기곰 푸』를 읽어주셨다. 2학 년 때 담임인 카푸초 선생님은 1부터 천까지 써보라고 요구했는데, 고사 리손에 굵은 연필을 쥐고 끙끙거리며 숫자를 쓰고 또 써도 끝이 나지 않 았다. 이 훈련은 대규모 프로젝트를 시작하고 끝내는 것이 무엇을 의미 하는지 나에게 가르쳐주었다. 나중에 카푸초 선생님은 우리 반 학생들을 결혼식에 초대했다. 이 결혼으로 선생님은 래플린 부인이 되었다. 우리를 결혼식에 초대해준 것은 정말 친절한 일이었다. 아름다운 신부가 된 선생님의 모습을 본 것은 일곱 살 소녀들에게 그해의 가장 중요한 사건이었다.

나는 초등학교 내내 말괄량이로 여겨졌다. 5학년 때 우리 반에는 학교에서 가장 다루기 어려운 말썽꾸러기 남학생들이 있었다. 크라우즈 선생님은 교실을 나갈 때면 나나 다른 여학생에게 '반을 책임지라'고 일렀다. 선생님이 나가고 문이 닫히자마자 남학생들은 장난을 치고 말썽을 부리기 시작했다. 문제가 생기는 것은 주로 남학생들이 여학생들을 괴롭히고 싶어했기 때문이다. 나는 그 남학생들한테 용감히 맞설 수 있다는 평을 얻었고, 내가 이듬해 안전순찰대장으로 뽑힌 것은 아마 그 때문일 것이다. 순찰대장은 우리 학교에서는 대단한 거물이었다. 이 새로운 지위 덕분에 나는 일부 사람들이 선거에서 뽑힌 정치인들에게 야릇한 반응을 보인다는 것을 처음으로 알았다. 같은 반 여학생인 바버라가 자기 집에 가서 점심을 먹자고 나를 초대했다. 내가 바버라와 함께 그 집에 가자, 그녀의 어머니는 진공청소기로 청소를 하고 있다가 우리한테 부엌에 가서 땅콩버터 샌드위치를 만들어 먹으라고 태연히 말했다. 우리는 샌드위치를 만들어 먹었고, 나는 그 일을 대수롭지 않게 생각했다. 이윽고 우리는 학교로 돌아가려고 바버라의 어머니에게 작별인사를 했다.

왜 그렇게 일찍 가느냐고 어머니가 묻자, "힐러리는 순찰대장이라서 다른 애들보다 먼저 학교에 가야 돼요" 하고 바버라는 대답했다.

그러자 바버라의 어머니는 말했다. "그래? 진작 알았다면 내가 멋진 점심을 차려주었을 텐데 그랬구나."

6학년 때 담임인 엘리자베스 킹 선생님은 우리에게 문법을 가르쳤지만, 창조적으로 생각하고 글을 쓰라면서 새로운 표현 형식을 시도해보라고 요구했다. 우리가 선생님의 질문에 늦게 대답하면 선생님은, '너희는 겨울에 언덕을 기어올라가는 당밀보다 더 굼뜨구나' 하고 말했다. 선생님은 「마태복음」에 나오는 구절을 조금 바꾸어, "너희 등불을 바구니 밑에 놓아두지 말고 세상을 밝히는 데 사용하라"는 말씀을 자주 하셨다. 선생님은 나와 벳시 존슨, 게일 엘리엇, 캐럴 팔리, 조앤 스루프에게 다섯 소녀가 유럽으로 상상 속의 여행을 떠나는 내용의 희곡을 써서 공연해보라고 부추겼다. 내가 첫번째 자서전을 쓰게 된 것도 킹 선생님이 낸 숙제였다. 나는 백악관을 떠난 뒤 낡은 서류 상자에서 그 원고를 다시 발견했다. 그것을 읽으면서 나는 사춘기의 문턱에서 머뭇거리던 그 시절로 되돌아갔다. 그 나이에도 나는 아직 어린애였고, 주요 관심사는 가족과 학교와 운동이었다. 하지만 초등학교 시절은 끝나가고 있었고, 이제는 내가 그때까지 알았던 세계보다 좀더 복잡한 세계로 들어가야 할 때가 되었다.

인생 대학

"어머니한테 배우지 못한 것은 세상으로부터 배워라"—이 말은 언젠가 케냐의 마사이 부족에게 들은 격언이다. 1960년 가을에 이미 나의 세계는 넓어지고 있었고, 정치 의식도 발달하고 있었다. 존 F. 케네디가 대통령 선거에 승리하여 우리 아버지를 경악시켰다. 아버지는 리처드 닉슨 부통령을 지지했고, 중학교 2학년 때 사회를 가르친 켄빈 선생님도 마찬가지였다. 켄빈 선생님은 선거 이튿날 학교에 와서 멍든 상처를 보여주며, 선거일에 시카고 선거구에서 민주당 투표 참관인들의 활동에 이의를 제기했다가 얻어맞았다고 말했다. 벳시 존슨과 나는 선생님의 이야기에 분개했다. 그 이야기는 리처드 데일리 시장의 독창적인 집계 방식 때문에 케네디가 선거에서 이겼다는 아버지의 믿음을 뒷받침해주었다. 벳시와 나는 점심시간에 구내식당 밖에 있는 공중전화에 가서 시장실로 전화를 걸었다. 전화를 받은 여자는 친절하게도 우리의 항의를 시장에게 틀림없이 전해주겠다고 약속했다.

며칠 뒤에 벳시는 공화당에서 부정투표를 밝혀내기 위해 선거인 명부와 주소를 대조해줄 자원봉사자를 모집하고 있다는 소식을 들었다. 광

고 전단은 자원봉사자들에게 토요일 아침 9시까지 시내 호텔에 모이라
고 요구했다. 벳시와 나는 참여하기로 결정했다. 부모님이 허락하지 않
으리라는 것을 알았기 때문에 우리는 아예 허락을 청하지도 않았다. 시
내까지 버스를 타고 가서 호텔로 가자, 작은 무도회장으로 들어가라고
했다. 우리는 안내 창구로 가서 자원봉사를 하러 왔다고 말했다. 참가자
가 예상보다 적었던 모양이다. 벳시와 나는 각자 두툼한 선거인 명부를
받고 서로 다른 팀에 배정되었다. 팀장은 자동차가 우리를 목적지까지
태워다주고 몇 시간 뒤에 다시 데리러 갈 거라고 말했다.

벳시와 나는 따로 떨어져 생판 모르는 사람들과 함께 차를 타고 떠났
다. 나는 어떤 중년 부부와 함께 갔는데, 그들은 나를 사우스사이드로 데
려가서 가난한 동네에 내려주고는, 집집마다 돌아다니며 이름을 묻고 선
거인 명부와 대조하여 선거 결과를 뒤엎을 수 있는 증거를 찾으라고 말
했다. 나는 용감하게 일을 시작했다. 나는 어느 빈터가 선거인 명부에 대
여섯 명의 주소지로 등록되어 있는 것을 발견했다. 잠을 자다가 일어나
눈을 비비며 현관으로 나와서는 당장 꺼지라고 호통을 친 사람도 많았
다. 어느 술집에 들어가 선거인 명부를 보여주며 등록된 사람들이 정말
로 거주하고 있느냐고 물어보았을 때, 술을 마시고 있던 손님들은 너무
놀라서 나를 멍하니 쳐다보기만 했다. 마침내 바텐더가 나서서, 주인이
없으니 나중에 다시 오라고 말했다.

일을 마치자 나는 "데일리 시장이 케네디를 당선시키기 위해 부정선
거를 했다"는 아버지의 주장을 입증할 증거를 찾아낸 데 만족하여 길모
퉁이에서 차가 오기를 기다렸다.

집에 돌아와서 아버지한테 내가 어디에 갔다 왔는지 말하자, 아버지
는 미친 듯이 화를 냈다. 어른을 동반하지 않고 시내에 간 것도 나빴지
만, 혼자 사우스사이드에 간 것은 당치도 않은 일이었다. 아버지는 고함
을 지르며 펄펄 뛰었다. 게다가 케네디는 우리가 좋아하든 말든 대통령

이 될 거라고 말했다.

고등학교 1학년 시절은 문화적 충격의 연속이었다. 베이비붐 시대에 태어난 5천 명에 가까운 백인 아이들이 고등학교에 입학했다. 아이들은 인종도 다양하고 집안 형편도 다양했다. 첫날 교실에서 나갈 때, 모두 나보다 덩치도 크고 성숙해 보이는 학생들 틈에 끼여 납작 찌그러지지 않으려고 벽에 바싹 붙어서 지나갔던 일이 기억난다. 지난주에 좀더 '어른스러운' 머리 모양으로 고등학교 생활을 시작하기로 결심한 것도 전혀 도움이 되지 않았다. 그리하여 평생에 걸친 내 헤어스타일 투쟁이 시작되었다.

나는 원래 긴 머리를 뒤에서 묶어 늘어뜨리거나 머리띠를 해서 뒤로 넘기고 다녔다. 어머니나 나는 퍼머나 커트를 할 필요가 있을 때마다 한때 미용사로 일한 적이 있는 어머니 친구 아멜리아 톨랜드를 찾아갔다. 아멜리아는 부엌에서 머리를 다듬어주면서 어머니와 이야기를 나누곤 했다. 하지만 나는 상급반 여학생들처럼 어깨 위에서 안쪽이나 바깥쪽으로 말린 머리 모양으로 학교에 나타나고 싶었다. 그 머리가 너무 부러워서, 제대로 된 미용실에 데려가달라고 어머니를 졸랐다. 이웃집 아주머니가 근처 식품점 뒤에 창문도 없는 작은 미용실을 차린 남자 미용사를 추천해주었다. 나는 거기에 가서 내가 원하는 머리 모양이 찍힌 사진을 건네주었다. 남자 미용사는 계속해서 어머니한테 말을 걸고 제 말을 강조하기 위해 어머니를 돌아보기도 하면서 가위로 내 머리를 자르기 시작했다. 미용사가 내 오른쪽 머리를 뭉텅 잘라내는 것을 보고 나는 공포에 질려 비명을 질렀다. 미용사는 마침내 내가 가리키고 있는 곳을 보고는 태연히 말했다. "가위가 미끄러진 모양이구나. 왼쪽 머리도 똑같이 잘라야겠는걸." 나는 나머지 머리카락이 사라지는 것을 놀란 눈으로 지켜보았다. 머리를 짧게 자른 나는 꼭 돼지감자처럼 보였다. 어머니는 나를 달래려고 애썼지만, 그 말에 속을 내가 아니었다. 나는 알고 있었다. 내 인생은 끝장났다는 것을.

나는 며칠 동안 집 밖에 나가지도 않았다. 그러다가 벤 프랭클린의 싸구려 잡화점에서 가발을 사서 정수리에 핀으로 붙이고 리본으로 묶으면 괜찮은 척할 수 있겠다고 판단했다. 그래서 당장 실행에 옮겼고, 덕분에 입학 첫날 쑥스럽거나 곤혹스러운 기분을 피할 수 있었다. 적어도 쉬는 시간에 중앙 계단을 내려가고 있을 때까지는 그랬다. 그 계단을 '리키'라고 불리는 어니스트 리케츠가 올라오고 있었다. 리키는 나와 같은 유치원에 다녔고, 우리가 처음으로 함께 유치원까지 걸어간 날부터 줄곧 내 친구였다. 리키는 나한테 인사를 하고 내가 옆을 지나칠 때까지 기다렸다가, 전에도 수십 번이나 그랬듯이 내 머리채를 잡아당겼다. 하지만 이번에는 그 머리채가 쑥 빠져나가 리키의 손에 남았다. 리키와 내가 오늘날까지도 여전히 친구인 까닭은 리키가 그때 나를 더 이상 창피스럽게 만들지 않기 때문이다. 리키는 내 '머리'를 돌려주면서 내 머리 가죽을 벗겨서 미안하다고 말하고는, 내 인생 최악의 순간—적어도 그때까지는—에 더 많은 아이들의 주의를 끌지 않고 가버렸다.

지금은 진부해졌지만, 1960년대 초에 내가 다닌 고등학교는 영화 「그리즈」나 텔레비전 쇼인 「해피 데이스」와 비슷했다. 나는 10대의 우상이었던 페이비언의 팬클럽 회장이 되었다. 회원은 나와 두 여학생뿐이었다. 우리는 일요일 밤마다 가족과 함께 「에드 설리번 쇼」를 보았지만, 1964년 2월 9일 '비틀스'가 텔레비전에 출연한 날은 예외였다. 내가 가장 좋아한 비틀스 멤버는 폴 매카트니였다. 그래서 우리는 비틀스 멤버들이 저마다 갖고 있는 장점에 대해 열띤 논쟁을 벌이곤 했다. 벳시는 언제나 조지 해리슨을 편들었기 때문에, 특히 벳시와 자주 논쟁을 벌였다. 1965년에 나는 시카고의 매코믹 플레이스에서 열린 '롤링 스톤스'의 공연을 보러 갔다. 「나는 결코 만족할 수 없어」는 청소년기의 다양한 불안과 두려움을 대변하는 성가가 되었다. 세월이 흐른 뒤, 내 우상이었던 폴 매카트니와 조지 해리슨과 믹 재거 같은 이들을 만났을 때, 나는 악수를 해야 할지 펄쩍펄쩍 뛰면서 소리를 질러야 할지 알 수가 없었다.

주로 텔레비전과 음악으로 규정된 '청년 문화'가 발달하고 있었지만, 우리 학교에는 사회적 지위를 결정하는 별개의 집단들이 있었다. 운동선수와 치어리더, 학생회 간부 타입의 모범생과 머리 좋은 우등생, 폭주족과 불량배가 그들이었다. 어떤 복도에 어떤 패거리가 진을 치고 있다는 말을 들으면 나는 그 근처에도 얼씬거리지 않았다. 구내식당에는 눈에 보이지 않지만 우리 모두 알고 있는 경계선이 그어져 있어서, 그 경계선이 자리를 지정했다. 내가 고등학교 2학년 때, 그 동안 잠재되어 있던 긴장이 패싸움으로 폭발했다. 방과후에 주차장에서, 또는 축구나 야구 경기가 있을 때면 으레 패싸움이 벌어지곤 했다.

학교 당국은 재빨리 개입하여, 여러 학생 집단의 대표들로 구성된 '문화가치위원회(Cultural Values Committee)'라는 학생단체를 설립했다. 교장인 클라이드 왓슨 박사는 나에게 위원회에 참여하라고 요구했다. 나는 위원회에서 내가 알지도 못하고 예전 같으면 당연히 피했을 아이들을 만나 대화할 기회를 얻었다. 우리 위원회는 관용을 장려하고 긴장을 줄이기 위한 특별 권고안을 제시했다. 지방 텔레비전 방송사는 위원 몇 명이 방송에 출연하여 우리 위원회의 활동을 설명해달라고 요청했다. 이것이 내 생애 최초의 텔레비전 출연이자 다원주의와 상호존중과 상호이해라는 미국의 가치를 강조하기 위한 체계적인 노력을 처음으로 경험한 기회이기도 했다. 그 가치들은 시카고 교외의 고등학교에서도 지킬 필요가 있었다. 학생은 대부분 백인 기독교도였지만, 그런데도 우리는 서로 배척하고 비난할 방법을 찾아냈다. 위원회는 내가 다양한 새 친구를 사귈 기회를 주었다. 몇 년 뒤에 내가 시카고 YMCA에서 열린 무도회에 갔을 때 몇몇 남자애들이 나를 괴롭히기 시작했다. 그러자 일찍이 위원회 멤버였던 이른바 폭주족 아이가 끼여들어 나를 괴롭히지 말라고 말했다.

하지만 고등학교 시절이 모두 괜찮은 것은 아니었다. 1963년 11월 22일, 기하 시간에 크래독 선생님이 낸 문제를 풀지 못해 애를 먹고 있을 때 다른 선생님이 교실에 들어와 케네디 대통령이 댈러스에서 총에 맞았다고 말했다. 내가 좋아하는 분이자 우리 반 담임인 크래독 선생님은 '뭐라고? 그럴 리가 없어" 하고 외치고는 복도로 뛰쳐나갔다. 얼마 후 교실로 돌아온 선생님은 누군가가 대통령을 쏘았는데 범인은 '존 버치 협회' 녀석인 것 같다고 말했다. '존 버치 협회' 는 케네디 대통령을 극렬히 반대하는 우익단체였다. 선생님은 모두 강당으로 가서 추가 정보를 기다리라고 말했다. 복도는 조용했다. 수천 명의 학생들은 그럴 리가 없다고 부인하면서 조용히 강당으로 걸어갔다. 마침내 교장 선생님이 강당에 들어와 수업을 일찍 끝내겠다고 말했다.

집에 돌아가 보니 어머니가 텔레비전 앞에 앉아서 월터 크롱카이트(미국 CBS 방송의 뉴스 앵커―옮긴이)를 보고 있었다. 그는 케네디 대통령이 중부 표준시로 오후 1시에 서거했다고 말했다. 어머니는 그제야 선거 때 케네디를 찍었다고 털어놓고, 케네디의 아내와 아이들을 가여워했다. 나도 마찬가지였다. 나도 우리 나라를 위해 슬퍼했고, 어떤 식으로든 돕고 싶었지만 어떻게 해야 할지 알 수가 없었다.

나는 내 일을 하면서 생계를 꾸려나갈 작정이었고, 내가 선택할 수 있는 길이 제한되어 있다고는 전혀 생각지 않았다. 부모님도 나를 어떤 틀에 집어넣어 특정한 범주나 직업에 어울리는 인간으로 만들려고 하지 않았다. 다만 뛰어난 사람, 행복한 사람이 되라고 격려해주었을 뿐이다. 이런 부모님 밑에서 자란 것은 큰 행운이었다. 그분들은 나에게 "계집애는 이런 일을 할 수 없어"라든가 "계집애는 저런 일을 해서는 안돼"라고 말한 적이 없었다.

1950년대에 성년이 된 작가 제인 오레일리는 1972년에 『미즈』 잡지에 기고한 유명한 에세이에서 자신이 여성이기 때문에 가치를 제대로 평가받지 못하고 있다는 것을 깨달은 순간들을 털어놓았다. 그 깨달음의 순간을 그녀는—섬광을 터뜨리는 카메라처럼— '찰칵!' 으로 표현했다. 남녀차별은 1960년대까지 남성과 여성을 따로 표시한 구인 광고처럼 노골적일 수도 있었고, 옆에 있는 남자에게 신문 1면을 양보하고—찰칵!— 자기는 남자가 딱딱한 뉴스를 다 읽을 때까지 여성면을 읽는 데 만족하는 것처럼 미묘할 수도 있었다.

나도 그 '찰칵!' 을 느낀 순간이 몇 번 있었다. 나는 언제나 탐험과 우주 여행에 매혹되어 있었는데, 아마 아버지가 우주개발 경쟁에서 미국이 소련에 뒤떨어지고 있음을 걱정한 것도 그 이유의 하나일 것이다. 나는 인간을 달에 보내겠다는 케네디 대통령의 약속에 자극을 받아, 우주비행사 훈련에 지원하고 싶다는 편지를 NASA(미국 항공우주국)에 보냈다. 그러자 답장이 왔는데, 여자는 지원할 수 없다는 것이었다. 내가 노력과 결심으로도 극복할 수 없는 장애물에 부닥친 것은 난생 처음이었다. 나는 분개했다. 하기야 내 형편없는 시력과 평범한 신체 능력으로는 어차피 우주비행사 자격을 얻지도 못했을 것이다. 그래도 여자를 싸잡아서 일률적으로 거부한 것은 나에게 깊은 상처를 주었고, 나중에 내가 모든 종류의 차별과 맞서는 이들에게 더욱 강하게 공감하고 동조하는 계기가 되었다.

고등학교 시절에 제일 똑똑한 친구 하나가 월반 과정에 들어갔는데, 제 남자친구가 거기에 들어오지 못했다는 이유로 탈퇴해버렸다. 또 다른 친구는 제 남자친구보다 높은 점수를 받는 게 싫어서 성적표를 받고 싶어하지 않았다. 이 여학생들은 남녀차별의 고정관념에 순응하라고, 주위에 있는 남학생들보다 뛰어나지 않도록 성적을 떨어뜨리라고, 때로는 암묵적으로 때로는 노골적으로 다그치는 문화적 신호를 포착한 것이다. 고등학교 시절에 나는 남학생들에게 관심이 많았지만 진지하게 데이트를 한 적은 없었다. 여자친구들 중에는 대학에 가는 것도 직업을 갖는 것도 포기하고 결혼할 계획을 세우고 있는 아이도 있었지만, 나는 결혼을 하기 위해 대학 진학이나 직업을 포기한다는 것은 도저히 상상할 수도 없었다.

나는 어릴 적부터 정치에 관심이 많았고, 친구들과 토론하는 것을 좋아해서, 세계 평화며 야구 경기며 무엇이든 마음에 떠오르는 주제를 놓고 날마다 리키 리케츠를 억지로 토론에 끌어들이곤 했다. 나는 학생회 임원 선거에 출마하여 2학년 부회장으로 뽑혔다. 또한 공화당 청년회에 들어가 적극적으로 활동했고, 나중에는 골드워터 공화당 대통령 후보의 선거운동원이 되어 'AuH2O' (Au는 금의 원소기호, H2O는 물의 화학분자식. 합치면 금물[골드워터]이라는 뜻—옮긴이)라는 구호가 새겨진 카우보이 모자에 카우걸 옷을 입고 다녔다.

고등학교 3학년 때 역사를 가르친 폴 칼슨 선생님은 지금도 그렇지만 그때도 헌신적인 교육자였고 지극히 보수적인 공화당원이었다. 그는 배리 골드워터 상원의원이 최근에 펴낸 『어느 보수주의자의 양심』을 읽어 보라고 권했다. 이 책을 읽고 나는 미국의 보수주의 운동에 관해 학기말 리포트를 쓰기로 결정하고, 그 논문을 '항상 나에게 개인이 되라고 가르친 부모님께' 바쳤다. 내가 골드워터 상원의원을 좋아한 까닭은 그가 정치적 대세를 거스르는 도저한 개인주의자였기 때문이다. 그는 개인의 권리를 옹호하는 것이야말로 이제는 시대에 뒤떨어진 자신의 보수주의적 원칙과 일치한다고 생각했다. "동성애자와 흑인과 멕시코인들을 두고 떠들어대지 말라. 자유 시민은 자기가 원하는 대로 할 권리가 있다." 골드워터는 내가 1964년 대통령 선거 때 지지한 것을 알고는 백악관으로 바비큐 세트를 보내고, 자기를 만나러 오라고 초대했다. 1996년에 나는 피닉스에 있는 그의 집을 방문하여, 골드워터 부부와 대화를 나누며 즐거운 한 시간을 보냈다.

칼슨 선생님은 더글러스 맥아더 장군도 숭배해서, 맥아더 장군이 국회에서 행한 퇴역 연설 테이프를 우리한테 몇 번이나 들려주었다. 한번은 테이프를 다 들은 뒤, "무엇보다도 '빨갱이가 되느니 죽는 게 낫다'는 말을 명심하라!"고 열정적으로 외쳤다. 그러자 내 앞자리에 앉아 있던 리키 리케츠가 웃기 시작했고, 나도 그 웃음에 전염되었다. 선생님이 엄하게 물었다. "뭐가 그렇게 우스워?"

그러자 리키가 대답했다. "저는 이제 겨우 열네 살이니까, 무엇보다도 살고 싶은데요."

나는 파크리지의 제일연합감리교회 활동에도 적극적으로 참여했다. 이 활동을 통해서 나는 타인의 요구에 눈을 뜨고 마음을 열었다. 교회 활동은 사회적 책임감이 내 신앙 속에 깊이 뿌리박는 데에도 이바지했다. 할아버지와 할머니는 감리교 신자가 된 이유에 대해, 증조부가 잉글랜드 북부의 뉴캐슬 근처에 있는 탄광촌과 사우스웨일스의 탄광촌에서 각각 존 웨슬리(감리교회의 창시자. 1703~91 −옮긴이)의 설교를 듣고 개종했기 때문이라고 주장했다. 웨슬리는 선행을 통해 하나님의 사랑이 표현된다고 가르쳤고, 간단한 원칙−"가능한 모든 수단을 동원하여 가능한 모든 방법으로 언제 어디서나 모든 사람에게 되도록 오랫동안 네가 할 수 있는 모든 선을 행하라"−으로 그것을 설명했다. '선'의 정의가 무엇인지에 대해서는 앞으로도 영원히 가치있는 토론이 벌어지겠지만, 어린 나는 웨슬리의 가르침을 마음 깊이 새겼다. 아버지는 밤마다 침대 옆에서 기도를 올렸고, 어린 나에게도 기도는 위안을 주고 길잡이가 되어주었다.

나는 많은 시간을 교회에서 보냈고, 6학년 때 평생 친구인 리키 리케츠나 셰리 하이든 같은 몇몇 아이들과 함께 견진성사를 받았다. 리키와 셰리는 고등학교를 졸업할 때까지 줄곧 나와 함께 교회에 다녔다. 어머니는 주일학교 선생님이었는데, 그것은 주로 내 남동생들을 감시하기 위해서였다. 나는 성경교실과 주일학교와 청년회 모임에 참여했고, 봉사활동과 제단조합에도 적극적으로 참여했다. 제단조합은 토요일마다 제단을 청소하고 일요일 예배 준비를 하는 모임이었다. 나는 자립을 강조하는 아버지와 사회 정의에 관심이 많은 어머니 사이에서 두 가지를 조화롭게 양립시키려고 애썼는데, 1961년에 새로 부임한 도널드 존스라는 젊은 목사가 그런 내 노력을 도와주었다.

존스 목사는 드루 신학대학을 졸업하고 4년 동안 해군에 복무했다. 그의 머릿속은 디트리히 본회퍼(독일의 학자. 1906~45－옮긴이)와 라인홀트 니부어(미국의 신학자. 1892~1971－옮긴이)의 가르침으로 가득 차 있었다. 본회퍼는 인간의 발전을 촉진하여 세계에 전적으로 참여하는 도덕적 역할이 기독교도의 역할이라고 강조했다. 니부어는 인간성에 대한 통찰력있는 현실주의와 정의 및 사회 개혁에 대한 불굴의 열정을 설득력 있게 비교했다. 존스 목사는 기독교도의 생활은 '행동 속의 신앙'이라고 강조했다. 나는 존스 목사 같은 분을 만나본 적이 없었다. 존스 목사는 일요일과 목요일 밤에 열리는 감리교회 청년회 모임을 '인생 대학'이라고 불렀다. 그는 우리가 파크리지 바깥의 생활을 좀더 잘 알게 되기를 바랐기 때문에, 우리와 함께 일하고 싶어했다. 그는 내게서 그 목표를 달성했다. 그의 '대학' 때문에 나는 처음으로 커밍스와 T.S. 엘리엇의 시를 읽었고, 피카소의 그림－특히 「게르니카」－을 접했으며, 도스토예프스키의 『카라마조프네 형제들』에 나오는 '대심문관'의 의미에 대해 토론했다. 나는 들뜬 기분으로 집에 돌아와 어머니에게 내가 배운 것을 말해주었고, 어머니는 곧 존스 목사에게서 당신 자신과 비슷한 정신을 발견하게 되었다. '인생 대학'은 문학과 예술만 가르친 것이 아니었다. 우리는 시카고 시내에 있는 흑인 교회와 히스패닉 교회를 찾아가 그곳의 청년회 단체와 교류했다.

교회 지하실에 둘러앉아 그들과 토론을 벌이면서, 나는 우리와 전혀 다른 환경에 살고 있는 그 아이들도 내가 상상한 것보다 훨씬 나와 비슷하다는 사실을 알았다. 그들은 또한 미국 남부의 민권운동이 어떻게 전개되고 있는가를 나보다 잘 알고 있었다. 나는 로자 파크스(1955년 앨라배마 주에서 버스 배척 운동을 촉발하여 인종차별 철폐의 계기를 마련한 흑인 여성—옮긴이)나 마틴 루터 킹 박사에 대해 어렴풋이 알고 있을 뿐이었지만, 그 토론이 내 관심에 불을 지폈다.

그래서 존스 목사가 어느날 오케스트라 홀에서 열리는 킹 박사의 강연회에 우리를 데려가겠다고 말했을 때 나는 가슴이 뛰었다. 우리 부모님은 허락해주었지만, 내 친구의 부모들 중에는 그런 '민중 선동가'의 강연을 들으러 가는 것을 허락하지 않은 사람도 있었다.

킹 박사의 강연 제목은 '혁명이 진행되는 동안 줄곧 깨어 있으라'였다. 국내에서 일어나고 있는 사회 혁명에 대해서는 나도 어렴풋이 알고 있었지만, 킹 박사는 곳곳에서 벌어지고 있는 투쟁을 언급하고 우리들의 무관심을 나무랐다. "우리는 지금 통합이라는 '약속의 땅'의 경계에 서 있습니다. 낡은 질서는 사라져가고 새로운 질서가 도래하고 있습니다. 우리는 모두 이 질서를 받아들여야 하고, 세계라는 하나의 사회에서 형제로 함께 살아가는 법을 배워야 합니다. 그렇지 않으면 우리 모두 함께 죽게 될 것입니다."

내 눈은 서서히 뜨이고 있었지만, 나는 아직도 파크리지의 일반 통념과 아버지의 정치적 견해를 앵무새처럼 흉내내고 있었다. 존스 목사는 나를 '자유주의적' 경험 속에 내던졌지만, 폴 칼슨 선생님은 소련에서 건너온 난민들을 나에게 소개했다. 소련 난민들이 말하는 공산주의의 학정에 대한 이야기는 가뜩이나 강했던 나의 반공주의를 더욱 강화시켰다. 존스 목사는 내 마음과 영혼을 얻기 위해 칼슨 선생님과 자기가 전투를 벌이는 것 같다고 말한 적이 있다. 하지만 존스 목사와 칼슨 선생님의 갈등은 그보다 훨씬 폭이 넓었고, 칼슨 선생님도 우리 교회에 다니고 있었기 때문에 두 분의 대립은 결국 우리 교회에서 중대한 국면에 접어들었다. 칼슨 선생님은 '인생 대학'의 교과 과정을 비롯하여 존스 목사가 우선사항으로 여기는 것들에 반대하고, 목사를 교회에서 쫓아내려 했다. 숱한 대립과 갈등 끝에 존스 목사는 겨우 2년 만에 제일연합감리교회를 떠나 드루 신학대학 교수로 옮겨갔다. 존스 목사는 사회윤리학 명예교수로 얼마 전에 퇴직했는데, 우리는 오랫동안 가깝게 지냈고, 그와 아내 카렌은 백악관을 자주 찾아왔다. 존스 목사는 내 남동생 토니가 1994년 5월 28일 백악관의 로즈가든에서 올린 결혼식에도 참석하여 축하해주었다.

나는 이제 도널드 존스 목사와 폴 칼슨 선생의 갈등이 지난 40년 동안 미국 전역에 생겨난 문화적·정치적·종교적 단층을 보여주는 초기의 지표라고 생각한다. 나는 개인적으로 두 분 다 좋아했고, 그때나 지금이나 그들의 신념이 정반대라고는 생각지 않는다.

메인 이스트 고등학교에서 2학년을 마쳤을 때 우리 학급이 둘로 쪼개져, 절반은 베이비붐 세대를 수용하기 위해 신설된 메인 타운십 사우스 고등학교의 3학년으로 전학했다. 나는 학생회장 선거에 출마하여 여러 명의 남학생과 경쟁했지만 떨어졌다. 나는 놀라지는 않았지만 그래도 상처를 받았다. 특히 상대 후보 가운데 하나가 나를 두고 "여학생이 학생회장으로 뽑힐 수 있다고 믿는다면 정말 바보"라고 헐뜯었기 때문에 기분이 몹시 상했다. 선거가 끝나자마자 당선자는 나에게 조직위원장을 맡아달라고 요청했다. 조직위원장은 내가 아는 한 일을 가장 많이 해야 하는 자리였다. 나는 그 요청을 수락했다.

사실 그 일은 무척 재미있었다. 우리는 제1회 졸업반으로서 동창회 행사와 댄스 파티, 학생회 선거, 집회와 무도회 같은 고등학교의 전통을 모두 새롭게 시작하고 있었기 때문이다. 우리는 1964년 대통령 선거 때 대통령 후보들의 모의 토론회를 열었다. 정치 과목을 가르치는 젊은 제럴드 베이커 선생님이 토론회 진행을 맡았다. 베이커 선생님은 내가 골 드워터를 적극 지지한다는 것을 알고 있었다. 골드워터가 열차를 타고 시카고 교외를 지나가면서 선거 유세를 했을 때 나는 유세장까지 태워다 달라고 아버지를 설득하기까지 했다.

내 친구인 엘렌 프레스는 내가 아는 한 우리 반의 유일한 민주당 지 지자였다. 엘렌은 거침없이 존슨 대통령을 지지했다. 베이커 선생님은 직관적인 재치를 발휘하여—또는 심술궂은 고집으로—나에게는 존슨 대 통령 역할을 맡기고 엘렌에게는 골드워터 상원의원 역할을 맡겼다. 우리 는 둘 다 모욕감을 느끼고 항의했지만, 베이커 선생님은 그렇게 역할을 바꾸면 상대방의 관점에서 문제를 볼 수밖에 없고 그러면 많은 것을 새 롭게 깨닫게 될 거라고 말했다. 그래서 나는—난생 처음으로—민권과 의 료보험, 빈곤 문제와 외교 정책에 대한 민주당과 존슨 대통령의 견해에 열중했다. 도서관에서 민주당의 강령과 백악관 성명서를 읽으면서 보내 는 시간이 아까워 분통이 터졌다. 하지만 토론회를 준비하는 과정에서 나는 단순한 연극적 열정이 아니라 진정한 열정으로 민주당의 입장을 지 지하고 있음을 깨달았다. 엘렌도 똑같은 경험을 한 모양이었다. 엘렌도 나도 대학을 졸업했을 때쯤에는 정치적 견해가 달라져 있었다. 나중에 베이커 선생님은 워싱턴DC의 학교로 전근하여, 오랫동안 여객기조종사 협회의 법률고문으로 활동했다. 그것은 민주당과 공화당의 견해를 모두 이해할 수 있는 그분의 능력을 충분히 활용할 수 있는 자리였다.

고등학교 졸업반이 되었다는 것은 대학 진학에 대해 생각해야 한다 는 것을 의미했다. 나는 대학에 진학할 작정이었지만 어느 대학에 갈 것 인지는 오리무중이었다. 나는 진학 상담 교사를 만나러 갔지만, 지나치 게 무거운 책임을 떠맡은 상담 교사는 전혀 상담할 준비가 되어 있지 않 아서, 중서부 대학의 팜플렛을 몇 권 주었을 뿐 도움도 조언도 주지 않았 다. 나는 최근에 대학을 졸업한 두 여선생에게 필요한 조언을 얻었다. 그

들은 노스웨스턴 대학에서 교육학 석사 과정을 밟으면서 메인 사우스 고
등학교에서 정치를 가르치고 있었다. 캐린 팔스트롬 선생은 스미스 여대
를 졸업했고, 재닛 올트먼 선생은 웰즐리 여대를 졸업했다. 팔스트롬 선
생은 우리 반 학생들에게 로버트 매코믹(미국의 저널리스트. 경영면에서는
성공했으나, 반공과 고립주의를 표방하여 극우적인 편집방침을 취한 탓에 신뢰
할 수 없는 신문이라는 평을 들었다. 1880~1995 ─옮긴이)이 발행하는 『시카
고 트리뷴』이 아닌 다른 일간지를 읽었으면 좋겠다고 권한 적이 있었다.
내가 어느 신문을 읽는 게 좋으냐고 묻자 선생님은 『뉴욕 타임스』를 추천
했다. "하지만 그 신문은 동부 기득권층의 앞잡이예요!" 하고 내가 대꾸
하자 선생님은 놀란 얼굴로, "그럼 『워싱턴 포스트』를 읽으렴!" 하고 말
했다. 그때까지 나는 『뉴욕 타임스』도 『워싱턴 포스트』도 본 적이 없었
고, 『시카고 트리뷴』이 절대적 진리가 아니라는 것도 알지 못했다.

　10월 중순에 팔스트롬 선생과 올트먼 선생은 어느 대학에 가고 싶은
지 결정했느냐고 물었다. 내가 아직 결정하지 않았다고 하자, 두 분은 동
부의 7대 명문 여자대학에 속해 있는 스미스 여대나 웰즐리 여대에 지원
해보라고 권했다. 여자대학에 가면 평일에는 공부에 열중할 수 있고 주
말에는 즐겁게 보낼 수 있다는 거였다. 나는 대학에 가기 위해 중서부 지
방을 떠난다는 건 생각조차 해본 적이 없었고, 내가 이제껏 찾아가본 대
학은 미시간 주립대학뿐이었다. 고등학교 우등생을 상대로 실시한 장학
생 선발대회에 초청을 받았기 때문이다. 하지만 스미스 여대나 웰즐리
여대에 가라는 의견이 제시되자 나는 흥미를 느꼈다. 두 분은 두 대학 졸
업생과 재학생을 만날 수 있는 행사에 참석해보라고 권했다. 스미스 여
대의 모임은 미시간 호반의 부유층 주거지역에 있는 넓고 아름다운 집에
서 열렸고, 웰즐리 여대의 모임은 시카고의 레이크쇼어 가에 있는 고급
아파트에서 열렸다. 어느 모임에서도 나는 잘못 온 것 같은 느낌이 들었
다. 참석한 여자들은 하나같이 나보다 유복하고 속물처럼 보였다. 웰즐

리 여대 행사장에서 만난 한 여자는 파스텔 색조의 담배를 피우면서 유럽에서 여름을 보낸 이야기를 늘어놓았다. 유럽의 바캉스는 위놀라 호수나 내 생활과는 너무나 동떨어진 것처럼 생각되었다.

나는 두 선생에게 대학에 진학하기 위해 '동부'로 갈 수 있을지 모르겠다고 말했지만, 그분들은 부모님과 의논해보라고 고집했다. 어머니는 내가 원하는 대학에 가야 한다고 생각했다. 아버지는 내 마음대로 해도 좋지만 래드클리프 여대에 간다면 학비를 대주지 않겠다고 말했다. 래드클리프에는 비트족이 우글거린다는 소문을 들었다는 것이다. 스미스 여대와 웰즐리 여대에 대해서는 어떤 소문도 듣지 못했기 때문에 그 두 대학은 그런 대로 받아들일 만했다. 나는 스미스 여대도 웰즐리 여대도 가본 적이 없었지만, 캠퍼스 사진을 보고 입학이 허가된다면 웰즐리에 가기로 결정했다. 웰즐리 여대에 있는 워번 호수가 위놀라 호수를 연상시켰기 때문이다. 나는 그후 지금까지 두 분 선생님께 고마운 마음을 가지고 있다.

내 주변에는 웰즐리 여대에 진학하려는 사람이 아무도 없었다. 내 친구들은 대부분 집에서 가까운 중서부 대학으로 진학했다. 부모님은 나를 차에 태우고 웰즐리로 갔지만, 무엇 때문인지 보스턴 시내에서 길을 잃고 하버드 광장으로 나왔다. 하버드 광장의 풍경은 비트족에 대한 아버지의 견해를 뒷받침해주었을 뿐이다. 하지만 웰즐리 여대에서는 비트족을 전혀 찾아볼 수 없었다. 아버지는 안심한 것 같았다. 나중에 들었는데, 매사추세츠 주에서 일리노이 주까지 1,500킬로미터나 되는 먼 거리를 달려서 집으로 돌아가는 동안 어머니는 줄곧 울었다고 한다. 나도 딸아이를 멀리 떨어진 대학에 남겨두고 온 경험이 있기 때문에, 그때 어머니의 심정이 어땠는지 이해할 수 있다. 하지만 그때 나는 내 앞에 펼쳐진 나 자신의 미래만 바라보고 있었다.

1969년도 웰즐리 졸업생

1994년에 PBS 텔레비전의 「프런트라인」이 1969년도 웰즐리 졸업생에 대한 다큐멘터리를 제작하여 '힐러리의 동기생'이라는 제목으로 방영했다. 그들은 물론 내 동기생이었지만, 단순히 그것만은 아니었다. 프로듀서인 레이첼 드레친은 「프런트라인」이 대학을 졸업한 지 25년이 지난 우리 동기생을 파헤치기로 결정한 이유를 이렇게 설명했다. "그들은 다른 세대와는 달리 여성이 엄청난 변화를 겪은 격변기를 헤쳐왔다."

내 동급생들은 우리가 입학했을 때 웰즐리는 여학교였지만 우리가 졸업할 때는 여자대학이 되어 있었다고 말했다. 그것은 대학만이 아니라 우리 자신에 대한 소감이기도 했을 것이다.

나는 아버지의 정치적 신념과 어머니의 꿈을 짊어지고 웰즐리에 도착했지만, 나 자신의 정치적 신념과 꿈을 안고 떠났다. 하지만 그 첫날 부모님이 차를 몰고 떠난 뒤, 나는 외롭고 엉뚱한 곳에 잘못 온 듯한 기분이 들었다. 게다가 주눅이 들기도 했는데, 거기서 만난 여학생들 중에는 중고등학교를 사립 기숙학교에 다녔고, 해외에서 거주했고, 외국어를 유창하게 구사했고, '학력평가' 점수가 높아서 1학년 과정을 건너뛴 아이들도 있었다. 나는 외국에는 딱 한 번밖에 나가보지 못했다. 그것도 나이애가라 폭포를 캐나다 쪽에서 보려고 캐나다에 간 것이 고작이었다. 내가 접해본 외국어는 고등학교 때 배운 라틴어뿐이었다.

웰즐리 생활은 시작부터 순조롭지 못했다. 내가 수강신청을 한 과목은 알고 보니 가장 어렵고 골치 아픈 것들이었다. 수학과 지질학을 상대로 악전고투를 벌이면서 나는 의사나 과학자가 되겠다는 생각을 영원히 포기하기로 결심했다. 프랑스어 교수한테는 "학생은 다른 데 재능이 있는 것 같다"는 빈정거림을 들었다. 입학한 지 한 달 뒤 나는 집에 전화를 걸어, 아무래도 나는 웰즐리에 다닐 만큼 똑똑하지 못한 것 같다고 부모님께 하소연했다. 아버지는 집으로 돌아오라고 말했고, 어머니는 내가 간단히 체념하는 겁쟁이가 되는 것을 바라지 않는다고 말했다. 시작은 이렇게 불안정했지만 회의감은 서서히 사라졌고, 다시 집에 돌아갈 수는 없으니까 처음에 뜻한 대로 밀고 나가는 편이 낫겠다는 것을 깨달았다.

1학년 때인 어느날 눈이 펑펑 쏟아지는 밤에, 당시 웰즐리 여대 학장이었던 마거릿 클랩이 뜻밖에 기숙사를 찾아왔다. 내가 살고 있던 기숙사 '스톤 데이비스'는 워번 호반에 자리잡고 있었다. 클랩 학장은 기숙사 식당에 들어와, 기숙사 주변에 있는 나무들이 눈의 무게에 짓눌려 가지가 부러질 것 같으니 눈을 털어내는 일을 도와달라고 부탁했다. 우리는 자연에 대한 경외심을 간직하고 있는 그 강인하고 지적인 여성에게 이끌려, 무릎까지 쌓인 눈을 뚫고 이 나무에서 저 나무로 옮겨다니며 눈을 털어냈다. 맑은 하늘에는 별이 가득했다. 클랩 학장은 학생들에 대해서도 자연을 돌보듯 세심하게 지도하고 보살폈다. 그날 밤 나는 내가 있을 곳을 찾아냈다고 생각했다.

클린턴 행정부에서 유엔 주재 대사와 국무장관을 지낸 매들린 올브라이트는 나보다 10년 먼저 웰즐리 여대에 입학했다. 나는 매들린이 대학에 다닌 시절과 내가 다닌 시절의 차이점에 대해 그녀와 자주 이야기를 나누었다. 1950년대 말에 매들린과 그 친구들은 우리보다 노골적으로 남편감을 찾는 데 열중했고, 바깥 세상의 변화에는 별로 영향을 받지 않았다. 하지만 웰즐리 여대는 여성도 기회만 주어지면 놀라운 일을 해낼 수 있다는 본보기를 보여주었고, 또 학생들에게 거는 기대도 높았다. 대학의 이런 분위기는 매들린과 그 친구들에게도 이익을 주었다. 매들린 시절에도 내 시절에도 웰즐리 여대는 봉사를 강조했다. 웰즐리 여대의 라틴어 교훈은 'Non Ministrari sed Ministrare'(남의 도움을 받는 사람이 되지 말고 남을 돕는 사람이 되어라)였다. 이것은 내가 감리교회에서 받은 가르침과도 일치했다. 내가 입학했을 때는 학생운동이 한창 활발했던 시대여서, 많은 학생들은 자신의 삶을 스스로 결정하고 주위 세계에 영향을 미치는 활동에 좀더 적극적으로 참여하라는 요구로 이 교훈을 받아들였다.

내가 웰즐리에 대해 가장 감사하는 것은 그곳에서 평생 친구를 사귀었다는 것, 그리고 자신의 본바탕과 정체성을 인식하는 과정에서 날개를 활짝 펴고 자신의 능력과 창조적 상상력을 마음껏 발휘할 기회를 주었다는 것이다. 우리는 기숙사 방에 둘러앉아, 또는 사방이 온통 유리창으로 되어 있는 식당에서 오랫동안 점심을 먹으면서 이야기꽃을 피웠고, 그 대화에서 많은 것을 배웠다. 나는 4년 동안 내내 '스톤 데이비스'에서 지냈는데, 나중에는 평생 친구가 된 다섯 여학생과 함께 복도에서 살다시피 했다. 캔자스 주 로렌스 출신의 무용수였던 조해나 브랜슨은 미술사를 전공하게 되었고, 그림과 영화에 대한 사랑을 나에게 이야기했다. 조해나는 「프런트라인」에 출연해서 이렇게 말했다. "웰즐리에 입학한 첫날부터 우리는 최고라는 말을 들었다. 지금은 그 말이 정말 건방지고 엘리트주의적으로 들리지만, 당시 여학생한테는 듣기 좋은 말이었다…… 여자도 이제는 남보다 낮은 지위를 감수할 필요가 없다니 얼마나 멋진 일

인가." 코네티컷 출신으로 역시 미술사를 전공한 지넷 파울즈는 학생운
동을 통해서만 이룰 수 있는 일에 대해 대답하기 어려운 문제를 제기했
다. 캘리포니아 출신인 잰 크리그바움은 자유로운 정신의 소유자여서 온
갖 모험에 지칠 줄 모르는 열정을 불태웠고, 라틴아메리카 학생 교환 프
로그램을 확립하는 데 이바지했다. 긴 금발을 자랑하는 인디애나 주 사
우스벤드 출신의 코니 홍크는 실제적이고 현실적이어서, 그녀의 의견은
나와 같은 중서부 지방의 풍토를 반영할 때가 많았다. 똑똑하고 부지런
한 시카고 출신의 수지 샐러먼은 웃음이 많았고, 언제든 남을 도울 준비
가 되어 있었다.

2년 선배인 셸리 패리와 로라 그로시는 믿을 만한 의논 상대가 되었
다. 내가 입학했을 때 셸리는 나와 같은 기숙사에 사는 3학년생이었는
데, 젊은 여자치고는 놀랄 만큼 우아하고 인내심이 강했다. 내가 세상의
불평등에 대해 떠들어대면, 셸리는 크고 지적인 눈으로 나를 가만히 바
라보다가 내 열정의 근원이나 내 입장의 근거를 조용히 파헤치곤 했다.
셸리는 졸업한 뒤 가나를 비롯한 아프리카 나라에서 아이들을 가르쳤고,
그곳에서 오스트레일리아 출신의 남편을 만나 결국 오스트레일리아에
정착했다. 셸리의 룸메이트는 불굴의 의지를 가진 로라 그로시였다. 로
라는 감정이 풍부하고 뛰어난 예술적 재능을 갖고 있었다. 나는 로라가
자기 방에 걸어둔 「어리석은 두려움」이라는 그림이 너무 마음에 들어서,
그림값을 몇 년 동안 조금씩 나누어 치르기로 하고 그 그림을 샀다. 그
그림은 지금 채퍼카에 있는 우리 집에 걸려 있다. 이들은 모두 오랫동안
변함없는 우정으로 나를 격려하고 성원해준 성숙한 여성으로 성장했다.

여자대학에는 남학생이 없기 때문에 우리는 학업과 과외활동에 전념
할 수 있었다. 남녀공학이었다면 과외활동을 이끄는 지도자 자리를 남학
생한테 빼앗겼을지도 모른다. 우리 대학에서는 여학생들이 모든 학생활
동—학생회, 학교신문, 동아리 등—을 꾸려나갔을 뿐만 아니라, 좀더 자

유롭게 위험을 무릅쓸 수 있었고, 남들 앞에서 실수해도 거리낌이 별로 없었다. 학생회장과 학교신문 편집장을 비롯한 온갖 분야에서 가장 우수한 학생이 모두 여자라는 것은 기정 사실이었다. 웰즐리 여대생이라면 누구나 그런 지도적 위치에 오를 수 있었다. 고등학교 때는 똑똑한 여학생들이 좀더 전통적인 삶을 위해 야심을 버리라는 압력을 받았지만, 웰즐리의 내 동기생들은 자신의 능력과 근면과 성취로 인정받고 싶어했다. 대체로 여성의 비율이 낮은 직업에서 여대 졸업생들의 수가 두드러지게 많은 것은 아마 이 때문일 것이다.

남학생이 없는 것은 정신적 공간을 크게 넓혀주었고, 월요일부터 금요일 오후까지 우리가 출현하지 않는 안전지대가 생겨났다. 우리는 잡념 없이 공부에 몰두했고, 강의실에 갈 때 외모를 걱정할 필요가 없었다. 하지만 캠퍼스에 남자가 없기 때문에 사교생활은 멀리 차를 타고 가서 우리가 '친목회'라고 부른 데이트를 통해 이루어졌다. 내가 대학에 들어간 1965년 가을에는 아직도 대학이 학부모 역할을 맡고 있었다. 일요일 오후 2시부터 5시 반까지를 제외하고는 기숙사 방에 남자를 데려올 수 없었고, 일요일 오후에 남자를 데려와도 방문을 조금 열어놓고 우리가 '두 발 규칙'이라고 부른 것에 따라야 했다. '두 발 규칙'이란 (네 발 가운데) 두 발을 항상 방바닥에 대고 있어야 한다는 규칙이었다. 주말에는 밤 1시에 기숙사 문이 닫혔다. 금요일과 토요일 밤이면 보스턴에서 웰즐리까지 뻗어 있는 9번 도로는 그랑프리 자동차 경주장과 비슷했다. 우리와 데이트한 남자들이 문닫는 시간에 늦지 않도록 우리를 캠퍼스로 데려다주기 위해 미친 듯이 차를 몰았기 때문이다. 기숙사 현관에는 접수창구가 있어서, 외부인은 반드시 거기에 신고하고 초인종과 통지체제를 통해 신분을 확인하는 절차를 밟아야 했다. 손님이 찾아오면 접수를 맡은 당직 학생은 벨을 울리고, 우리를 찾아온 사람이 남자인지 여자인지를 알려주었다. '방문객'은 여자였고 '호출인'은 남자였다. 예기치 않은 호출인이 찾아온 것을 알려주면 우리는 상대를 만날 준비를 하거나 면회할 시간이 없다고 당직 학생한테 다시 연락할 시간 여유를 얻을 수 있었다.

내 친구들과 나는 열심히 공부했고, 우리 또래의 남자애들과 데이트를 했다. 데이트 상대는 대부분 친구 소개나 '친목회'에서 만난 하버드를 비롯한 아이비리그 대학의 남학생들이었다. 그런 댄스 파티에서는 음악이 너무 시끄러워서, 밖에 나가지 않고는 말소리를 알아듣지 못할 정도였다. 우리는 관심을 끄는 남학생하고만 밖에 나갔다. 어느날 밤에 나는 우리 대학 캠퍼스의 동창회관에서 포리스트라는 젊은 남자와 몇 시간 동안이나 춤을 추었다. 나는 부모님께 소개할 만큼 진지하게 사귄 남자친구가 두 명 있었다. 아버지는 내가 데이트한 남자들에게 늘 엄격한 태도를 취했기 때문에, 부모님과 내 남자친구의 만남은 사교적인 만남이라기보다는 고문이었다. 남자친구들은 둘 다 고문을 견디고 살아남았지만 우리 관계는 그렇지 못했다.

당시의 시대적 추세가 그러했기 때문에 우리는 곧 웰즐리 여대의 케케묵은 학칙에 짜증이 나서 우리를 어른답게 대우해달라고 요구했다. 대학이 부모를 대신해서 학생을 지도 감독하는 규정을 없애라고 학교 당국에 압력을 가한 것이다. 이 규정은 내가 학생회장일 때 드디어 폐지되었다. 이 변화와 더불어 역시 학생들이 억압적이라고 생각한 필수과목도 사라졌다.

그 시절을 돌이켜보면 후회는 거의 없지만, 필수과목과 억압적인 지도 감독을 둘 다 없애버린 것이 과연 올바른 진보였는지는 의문이다. 나한테 가장 많은 도움을 준 과목 가운데 두 가지는 필수과목이었고, 이제 나는 수많은 과목 가운데 가장 중요한 핵심 과목의 가치를 좀더 잘 인식하게 되었다. 내 딸은 스탠퍼드 대학의 남녀공용 기숙사에 들어갔는데, 딸과 함께 그 기숙사에 들어가 복도에 남학생과 여학생이 한데 어울려 누워 있거나 앉아 있는 것을 보고 요즘 학생들이 도대체 어떻게 공부를 하는지 의아했다.

1960년대 중엽에는 조용하고 안전한 웰즐리 캠퍼스도 바깥 세상에서 일어나는 사건에 충격을 받기 시작했다. 나는 1학년 때 우리 대학의 '공화청년회' 회장으로 선출되었지만, 공화당과 그 정책—특히 민권과 베트남 전쟁에 대한 정책—에 대한 회의는 점점 커지고 있었다. 우리 교회에서는 고등학교 졸업생들에게 감리교회가 발행하는 『모티브』라는 월간지의 정기구독권을 선물로 주었다. 그 잡지에 실린 기사들은 내가 통상적으로 접하는 언론매체와는 정반대의 견해를 나타내고 있었다. 나는 또한 『뉴욕 타임스』를 읽기 시작하여 아버지를 놀라게 하는 대신 팔스트롬 선생을 기쁘게 해주었다. 나는 매파와 비둘기파, 그리고 그밖의 온갖 논객들이 기고한 평론과 발언을 읽었다. 정치학 교수들은 세계에 대한 인식을 넓히고 내 선입관을 검토하도록 요구하면서, 내가 옛날부터 갖고 있었거나 새로 갖게 된 생각들을 날마다 시험대 위에 올려놓았다. 거기에 필요한 재료는 때마침 일어나고 있는 사건들이 충분히 제공해주고도 남았다. 나의 정치적 신념이 이제 더는 공화당과 일치하지 않는다는 사실을 깨닫는 데에는 그리 오랜 시간이 걸리지 않았다. 공화청년회 회장 자리에서 물러날 때가 된 것이다.

내가 회장을 그만두자 부회장이자 내 친구인 벳시 그리피스가 새 회장이 되었다. 벳시는 정치 컨설턴트인 남편 존 디어두프와 함께 계속 공화당에 남아서 공화당이 극우로 기우는 것을 막기 위해 애썼고, 남녀평등 헌법 수정안을 강력하게 지지했다. 벳시는 역사학 박사학위를 따고 엘리자베스 캐디 스탠턴의 전기를 써서 호평을 받은 뒤, 버지니아 주 북부에 있는 마데이라 여학교 교장이 되어 페미니즘과 여성 교육에 대한 자신의 철학을 실천해오고 있다. 하지만 이 모든 것은 내가 공식적으로 웰즐리 대학 공화청년회를 떠나 베트남에 대해 최대한 많은 것을 배우는 데 몰두하기 시작했을 때는 아직 먼 미래의 일이었다.

우리 세대의 많은 사람들이 베트남 전쟁에 얼마나 사로잡혀 있었는지를 요즘의 미국 젊은이들에게 설명하기란 여간 어려운 일이 아니다. 더구나 요즘 군대는 완전 지원제이기 때문에 젊은이들이 우리 세대의 강박관념을 이해하기는 더욱 어려울 것이다. 제2차 세계대전을 겪은 우리 부모 세대는 그 당시 미국의 희생정신에 대한 이야기와 진주만 폭격 이후 미국이 싸울 필요가 있다는 국민적 합의가 이루어진 이야기를 들려주었다. 베트남 전쟁의 경우에는 국론이 분열되어, 우리는 확실한 의견을 갖지 못한 채 갈팡질팡했다. 친구들과 나는 이 문제를 끊임없이 토론했다. 우리가 아는 남학생들 중에는 졸업하고 군대에 복무할 날을 손꼽아 기다리는 ROTC(학생군사훈련단)도 있었고, 징병을 거부하기로 결심한 남학생도 있었다. 우리는 남자들과 똑같은 선택에 직면할 필요가 없다는 것을 잘 알면서도, 우리가 남자라면 어떻게 할 것인가에 대해 오랫동안 대화를 나누었다. 모든 사람에게 괴로운 일이었다. 프린스턴 대학 출신의 한 남자친구는 결국 학교를 중퇴하고 해군에 입대했다. 그는 논쟁과 망설임에 넌더리가 났기 때문이라고 나에게 털어놓았다.

베트남을 둘러싼 논쟁은 전쟁만이 아니라 나라에 대한 의무와 애국심에 대한 태도도 명확히 해주었다. 국익에도 어긋나고 정의롭지도 않은 전쟁에 국가의 명예를 위해 참가할 것인가? 싸움을 피하기 위해 징병 유예나 제비뽑기 제도를 이용하면 비애국자인가? 그 전쟁의 가치와 도덕성에 문제를 제기하고 항의한 많은 학생들도 군말없이 입대한 남녀나 처음에는 순순히 참여했지만 나중에 문제를 제기한 사람들 못지않게 미국을 사랑했다. 생각이 깊고 자의식을 가진 많은 젊은이들에게 쉬운 대답은 없었고, 자신의 애국심을 표현할 방법은 다양했다.

일부 작가와 정치인들은 당시의 고뇌를 1960년대의 방종이 구현된 것으로 치부하려고 애써왔다. 실제로 전쟁이 남긴 유산과 전쟁이 낳은 사회적 격변을 역사에서 지워버리고 싶어한 사람들도 있었다. 그들은 베트남 논쟁이 경망스럽고 하찮았다고 우리가 믿기를 바라겠지만, 내가 기억하는 논쟁은 결코 경박하지 않았다.

베트남 문제는 중요했고, 미국을 영원히 바꾸어놓았다. 미국은 아직도 베트남 전쟁에 참가한 사람들에게 죄책감을, 참가하지 않은 사람들에게 비판적인 생각을 갖고 있다. 나는 여자니까 징병될 리가 없다는 것을 알고 있었지만, 나 자신의 모순된 감정과 씨름하면서 헤아릴 수 없이 많은 시간을 보냈다.

돌이켜 생각해보면, 1968년은 미국만이 아니라 나 자신의 개인적 · 정치적 발전에도 전환점이 된 해였다. 국내외에서 온갖 사건이 꼬리를 물고 일어나 어지럽게 전개되었다. 테토 공세(구정을 기해 전개된 베트남 해방전선의 대반격—옮긴이), 린든 B. 존슨 대통령의 대통령 후보 경선 사퇴, 마틴 루터 킹 목사 암살, 로버트 케네디 암살, 베트남 전쟁의 무자비한 확대.

나는 대학 3학년 때 이미 골드워터에 대한 지지를 그만두고, 대통령 예비선거에서 존슨 대통령에게 도전하고 있던 미네소타 출신 민주당 상원의원 유진 매카시의 반전운동을 지지하고 있었다. 나는 존슨 대통령의 국내 업적을 높이 평가했지만, 유산으로 물려받은 전쟁을 완고하게 지지한 것은 비극적인 실수라고 생각했다. 금요일과 토요일에는 친구들과 함께 웰즐리에서 뉴햄프셔 주의 맨체스터까지 달려가 봉투에 편지를 넣고 선거구를 돌아다니며 매카시 의원의 선거운동을 도왔다. 매카시 의원이 그의 반전운동을 도우러 모여든 학생 자원봉사자들에게 감사의 뜻을 표하기 위해 선거운동본부에 들렀을 때 나는 그분을 직접 만날 기회를 얻었다. 매카시 의원은 뉴햄프셔 주 예비선거에서 존슨을 거의 물리쳤고, 1968년 3월 16일 뉴욕 출신 상원의원인 로버트 F. 케네디가 후보 경선에 뛰어들었다.

대학 3학년이 거의 끝나갈 무렵인 1968년 4월 4일 마틴 루터 킹 박사가 암살되었다. 나는 슬픔과 분노에 휩싸였다. 몇몇 도시에서 폭동이 일어났다. 이튿날 나는 보스턴 우체국 광장에서 열린 대규모 항의와 애도 행진에 참가했다. 행진이 끝난 뒤 나는 검은 상장을 팔에 두른 채 미국이 직면한 미래를 고민하면서 학교로 돌아왔다.

내가 웰즐리 여대에 입학하기 전에 알았던 아프리카계 미국인은 아버지 회사나 우리 집에 고용된 사람들뿐이었다. 교회 모임을 통해서 흑인이나 히스패닉계 청소년들과 교류하고 킹 박사의 강연을 듣기는 했지만, 대학에 들어갈 때까지는 친구나 이웃이나 급우들 가운데 흑인은 한 사람도 없었다. 캐런 윌리엄슨이라는 흑인 여학생은 대학에서 내가 처음 사귄 친구들 가운데 하나였다. 어느 일요일 아침, 캐런과 나는 교회 예배에 참석하러 함께 캠퍼스를 나왔다. 나는 캐런을 좋아했고 그녀를 좀더 알고 싶었지만, 그 동기가 과연 순수한 것인지 스스로 의심스러웠고, 내가 과거에서 멀어지고 있다는 것을 지나치게 의식했다. 흑인 동급생들을 좀더 알게 되면서 나는 그들도 역시 그런 자의식을 느끼고 있다는 것을 알았다. 내가 웰즐리에 오기 전에 백인이 우세한 환경에서 자랐듯이, 그들도 흑인이 우세한 환경에서 자랐다. 뉴올리언스 출신의 재닛 맥도널드는 웰즐리에 입학한 직후에 부모와 나눈 대화를 들려주었다. 재닛이 부모한테 "난 여기가 싫어요. 온통 백인뿐이에요" 하고 말하자, 재닛의 아버지는 학교를 그만두어도 좋다고 말했지만, 어머니는 "넌 해낼 수 있어. 넌 거기 남아 있어야 돼" 하고 말했다. 내가 부모님과 나눈 대화와 비슷했다. 아버지들은 우리가 집으로 돌아가는 것을 환영했고 간절히 바라기까지 했지만, 어머니들은 끝까지 버티라고 말했다. 그리고 우리는 끝까지 버텼다.

캐런 윌리엄슨과 프랜 루잔, 앨비아 워들로를 비롯한 흑인 여학생들은 우리 대학 최초의 아프리카계 미국인 조직인 '에토스'를 창립했다. 이 조직은 웰즐리의 흑인 여학생들을 위한 사회적 네트워크이자 대학 당국과 교섭할 로비단체였다. 킹 박사가 암살된 뒤, 에토스는 대학 당국이 인종 문제에 좀더 민감해질 것을 촉구하고, 흑인 교수와 학생을 더 많이 선발하라고 요구했다. 그리고 대학이 이 요구를 받아들이지 않으면 단식 투쟁을 벌이겠다고 위협했다. 이것은 1960년대 말에 웰즐리에서 공공연히 벌어진 유일한 학생 시위였다. 대학 당국은 에토스 회원들이 그들의 관심사를 공개적으로 밝힐 수 있도록 호턴 기념 예배당에서 전교생 집회를 열었다. 집회는 혼란스러운 고함지르기의 경연장이었다. 나중에 나와 함께 예일 법과대학(Law School: 미국에서는 법률 교육을 학부 과정에서 실시하지 않고, 인문·사회·자연과학을 전공한 학부 졸업생을 전형하여 수업 연한 3년의 로스쿨에서 시행한다―옮긴이)에 진학한 크리스 올슨은 학생들이 캠퍼스를 폐쇄하고 수업을 거부하지나 않을까 걱정했다. 그래서 크리스와 에토스 회원들은 얼마 전에 학생회장으로 선출된 나에게 좀더 생산적인 토론이 이루어지도록 애써달라고, 또한 많은 학생들이 대학 당국의 제도에 대해 느끼고 있는 정당한 불만을 설명해달라고 부탁했다. 웰즐리의 명예를 위해서 한마디 덧붙인다면, 웰즐리는 소수민족에 속하는 교수와 학생을 선발하려고 애썼으며, 이 노력은 1970년대에 열매를 맺기 시작했다.

두 달 뒤인 1968년 6월 5일 로버트 케네디 상원의원이 암살되자 나는 미국에서 일어나는 사건들에 대해 더욱 깊은 절망감에 빠졌다. 그 소식이 로스앤젤레스에서 날아왔을 때 나는 이미 방학을 맞아 집에 돌아와 있었다. 어머니가 "또 끔찍한 일이 일어났다"면서 나를 깨웠다. 나는 거의 온종일 전화통을 붙들고 친구인 케빈 오키프와 이야기를 나누었다. 케빈은 케네디 가문을 사랑하고, 흥망의 선택을 다투는 정치의 스릴을 좋아하는 아일랜드계와 폴란드계 시카고 시민이다. 우리는 늘 정치 이야기를 즐겼는데, 그날 케빈은 미국이 케네디 형제의 강력하고 기품있는

지도력을 절실히 필요로 하고 있는 이때 존 케네디와 로버트 케네디를 차례로 잃은 것에 분노했다. 우리는 그때만이 아니라 그후에도 오랫동안 정치활동이 고통과 고생을 감수할 가치가 있는지에 대해 많은 이야기를 나누었다. 지금도 그렇지만 그때도 우리는, 케빈의 말을 빌리면, "다른 놈들이 우리를 멋대로 지배하지 못하게 하는 것"만으로도 충분한 가치가 있다고 판단했다.

나는 워싱턴DC에서 진행되는 웰즐리 연수 프로그램에 지원했기 때문에, 킹 박사와 로버트 케네디의 암살로 당황하고 맥이 빠져 있었지만 그래도 워싱턴에 가야 했다. 여름철 연수 프로그램에 참가한 학생들은 두 달 동안 정부 기관과 국회 사무실에 배치되어 '정부가 어떻게 돌아가는지'를 직접 볼 수 있었다. 이 프로그램의 책임자인 앨런 셰흐터 교수는 유명한 정치학자이자 내 졸업논문 지도교수였는데, 놀랍게도 나를 공화당 하원 협의회에 배치했다. 셰흐터 교수는 내가 대학에 들어왔을 때는 공화당원이었지만 지금은 아버지와 견해가 달라지고 있다는 것을 알고, 이 연수는—내가 결국 어떤 결정을 내리든지 간에—내가 나아갈 길을 모색하는 데 도움이 될 거라고 생각했다. 나는 항의했지만 소용이 없었고, 결국 당시 국회 소수파였던 공화당의 하원의원들을 위해 인턴으로 일하게 되었다. 그들 가운데 위스콘신 출신 하원의원인 멜빈 레어드와 뉴욕 출신인 찰스 구들은 나와 친해져서 여러 가지로 돌봐주고 조언해주었다.

인턴들은 의무적으로 하원의원들과 사진을 찍었다. 그 당시 공화당 원내총무였던 제럴드 포드 전 대통령을 비롯한 공화당 지도부와 함께 찍은 사진은 우리 아버지를 무척 기쁘게 해주었다. 아버지는 돌아가셨을 때 그 사진을 침실 벽에 걸어두고 계셨다.

나는 상원에 있는 내 사무실에서 인턴들을 만날 때마다 워싱턴에서 겪은 첫 경험을 생각한다. 특히 멜빈 레어드 의원이 여러 인턴과 함께 베트남 전쟁에 대해 토론한 일이 기억에 남아 있다. 레어드 의원은 존슨 행정부가 전쟁 비용을 어떻게 조달했는지, 전쟁의 단계적 확대가 통킹 만 사건(1964년 8월 통킹 만에서 미국 구축함이 북베트남 어뢰정의 공격을 받자, 이를 계기로 존슨 대통령은 국회의 승인을 얻어 북베트남을 포격하고 지상군을 대거 파견하기 시작했다—옮긴이)으로 국회가 정부에 승인해준 권한을 넘어서는지 어떤지에 관심을 가졌을지 모르나, 하원의원으로서 공식적으로는 여전히 베트남 전쟁을 지지했다. 인턴들과의 토론에서 그는 미국의 참전을 정당화하고 군사력 증강을 열렬히 옹호했다. 그가 질문을 받기 위해 말을 끊었을 때 나는 미국이 아시아의 지상전에 개입하는 것을 경고한 아이젠하워 대통령의 말을 되풀이하고, 이 전략이 성공할 수 있다고 믿는 이유가 무엇이냐고 물었다. 레어드 의원과 나 사이에 벌어진 열띤 공방이 입증하듯 우리는 의견이 서로 달랐지만, 젊은이들의 반론을 경청하고 자신의 견해를 설명하는 그의 태도를 나는 높이 평가하고 그를 존경하게 되었다. 그는 우리의 관심사를 진지하고 정중하게 받아들였다. 나중에 그는 닉슨 행정부의 국방장관이 되었다.

　찰스 구들은 뉴욕 주 서부를 대표하는 하원의원이었지만, 넬슨 록펠러 주지사의 지명으로 보궐선거를 치를 수 있을 때까지 로버트 케네디를 대신할 상원의원에 임명되었다. 진보적 공화당원인 구들은 1970년에 보수적인 제임스 버클리에게 패배하여 3선에 실패했다. 버클리는 1976년에 내 전임자인 대니얼 패트릭 모이니헌에게 패했고, 모이니헌은 24년 동안 상원 의석을 지켰다. 2000년에 그 상원 의석에 도전하여 출마했을 때 나는 구들의 고향인 제임스타운 사람들에게 내가 전에 구들 의원 밑에서 일한 적이 있다고 말했다. 연수 기간이 끝날 무렵 구들 의원은 나를 비롯한 몇몇 인턴에게 마이애미에서 열리는 공화당 전당대회에 가서 대통령 후보 지명을 받기 위해 리처드 닉슨과 끝까지 사력을 다해 싸우고 있는 록펠러 주지사의 노력을 도와주자고 제의했다. 이 기회를 어찌 놓칠쏘냐. 나는 기꺼이 플로리다로 날아갔다.

공화당 전당대회에서 나는 최고 수준의 정치 행사를 난생 처음 내부에서 볼 수 있었다. 그 주일은 꿈을 꾸는 것처럼 비현실적이었고, 마음을 차분하게 가라앉힐 수가 없었다. 마이애미 비치의 퐁텐블로 호텔은 내가 난생 처음 묵어본 진짜 호텔이었다. 우리 가족은 위놀라 호수로 가는 길에 자동차 안에서 잠을 자거나 길가의 작은 모텔에 묵기를 좋아했기 때문이다. 호텔의 규모와 호화로움과 서비스는 놀라움 그 자체였다. 내가 난생 처음 룸서비스를 주문해본 것도 그 호텔이었다. 어느날 아침 시리얼과 함께 복숭아를 주문했을 때 냅킨에 싸인 채 접시에 담겨 나온 큼직하고 싱싱한 복숭아가 지금도 눈에 선하다. 나는 네 여자와 한 방을 썼다. 침대가 모자라서 바퀴 달린 접이식 간이침대를 방에 들여놓았지만, 아무도 잠을 별로 자지 않았던 것 같다. 우리는 록펠러의 선거 사무실에 배치되어 전화를 받고 록펠러의 대의원들에게 메시지를 전달하고 그들의 메시지를 사무소에 전달하는 일을 맡았다. 어느날 밤늦게 록펠러의 선거운동 참모 한 사람이 사무실에 있던 모든 사람에게 프랭크 시내트라를 만나고 싶지 않으냐고 물었다. 그 사람도 충분히 예상했겠지만, 우리는 모두 기뻐 날뛰며 열광적으로 비명을 질렀다. 나는 다른 사람들과 함께 어느 호텔에 가서 시내트라와 악수를 했다. 시내트라는 예의를 차리느라 우리를 만나는 데 관심이 있는 척했다. 아래층으로 내려갈 때는 존 웨인과 함께 엘리베이터를 탔다. 존 웨인은 기분이 언짢아 보였고, 아래로 내려가는 동안 내내 위층 음식이 형편없다고 투덜거렸다.

나는 룸서비스에서 유명인사와 만남에 이르기까지 온갖 새로운 경험을 마음껏 즐겼지만, 록펠러가 후보 지명을 받지 못하리라는 것을 알았다. 리처드 닉슨의 대통령 후보 지명을 통해 공화당 내부에서 보수적 이데올로기가 온건한 이데올로기를 누르고 확고부동한 우위를 굳혔다. 그 후 오랫동안 공화당이 계속 우익으로 기울고 온건파의 수와 영향력이 줄어들면서 보수적 이데올로기의 우세는 더욱 뚜렷해질 뿐이었다. 나는 이

따금 내가 공화당을 떠났다기보다는 오히려 공화당이 나를 떠났다는 생
각이 든다.

공화당 전당대회가 끝난 뒤 나는 파크리지의 집으로 돌아왔지만, 가
족과 친구들을 만나고 대학 4학년을 준비하는 것말고는 남아 있는 여름
몇 주일을 어떻게 보내야겠다는 계획이 전혀 없었다. 우리 가족은 위놀
라 호수로 연례행사인 여름 휴가를 떠났기 때문에 나는 집에서 혼자 지
냈다. 차라리 그 편이 나았다. 가족과 함께 있었다면 닉슨과 베트남 전쟁
에 대해 아버지와 말다툼을 하면서 시간을 보냈을 게 뻔하기 때문이다.
아버지는 진심으로 닉슨을 좋아했고, 닉슨이 훌륭한 대통령이 되리라고
믿었다. 베트남에 대해서는 이중적인 태도를 갖고 있었다. 미국의 참전
이 현명했는가에 의문을 품으면서도, 참전에 항의하는 장발의 히피들에
대한 혐오감이 대개는 그 의문을 억눌렀다.
  내 절친한 친구인 벳시 존슨은 프랑코 치하의 스페인에서 1년 동안
공부한 뒤 미국으로 막 돌아온 참이었다. 고등학교를 졸업한 뒤 많은 것
이 달라졌지만—우리가 즐겨 입었던 스웨터와 밖으로 말린 단정한 머리
모양은 올이 풀린 청바지와 아무렇게나 늘어뜨린 머리로 바뀌었다—한
가지는 변치 않고 남아 있었다. 나는 언제나 벳시의 우정을 믿을 수 있었
고, 정치에 대한 관심을 벳시와 공유했다. 벳시도 나도 시카고에서 민주
당 전당대회가 열리는 동안은 시내에 들어갈 계획이 없었다. 하지만 시
카고 시내에서 대규모 항의 시위가 일어났을 때 우리는 역사를 목격할
기회가 온 것을 알았다. 벳시가 나한테 전화를 걸어 "이건 우리 눈으로
직접 보아야 돼" 하고 말했다. 나도 같은 생각이었다.
  중학교 때 선거인 명부를 대조하러 시내에 갔을 때와 마찬가지로 우
리는 부모님이 우리 계획을 알면 결코 허락해줄 리가 없다는 것을 알고
있었다. 우리 어머니는 펜실베이니아에 있었고, 벳시의 어머니는 하얀

장갑에 드레스 차림으로 시내의 마셜필드에 가서 쇼핑을 하고 스투퍼 식당에서 점심을 먹을 작정이었다. 그래서 벳시는 어머니한테 말했다. "전 힐러리와 함께 영화를 보러 갈 거예요."

벳시가 스테이션 왜건을 몰고 나를 데리러 왔다. 우리는 시위의 중심점인 그랜트 공원으로 갔다. 전당대회 마지막 밤이었다. 그랜트 공원에서는 대혼란이 일어났다. 경찰 저지선이 보이기도 전에 매캐한 최루가스 냄새를 맡을 수 있었다. 우리 뒤에 있는 군중 속에서 누군가가 욕설을 외치며 돌멩이를 던졌다. 우리는 하마터면 그 돌멩이에 맞을 뻔했다. 경찰이 곤봉을 휘두르며 군중을 공격하기 시작했다. 벳시와 나는 허둥지둥 달아났다.

우리가 처음 마주친 사람은 한동안 만나지 못한 고등학교 동창이었다. 간호학교에 다니는 그 친구는 응급처치 텐트에서 다친 시위자들을 치료하는 자원봉사를 하고 있었다. 그 친구는 그 동안 본 것과 한 일 때문에 급진주의자가 되었다면서, 정말로 혁명이 일어날지도 모른다고 진지하게 말했다.

벳시와 나는 그랜트 공원에서 목격한 경찰의 폭력성에 충격을 받았다. 그 광경은 텔레비전 카메라에도 포착되어 전국에 방영되었다. 나중에 벳시가 『워싱턴 포스트』에 말했듯이, "우리는 파크리지에서 멋진 어린 시절을 보냈지만, 그곳 사정을 속속들이 알지는 못했다".

그해 여름, 케빈 오키프와 나는 혁명의 의미를 논하고 과연 미국에 혁명이 일어날 것인지를 토론하면서 시간을 보냈다. 지난 1년 동안 일어난 온갖 사건에도 불구하고, 우리는 둘 다 혁명이 일어나지는 않을 것이며, 설령 일어난다 해도 혁명에 참가할 수는 없을 것이라고 결론지었다. 나는 정치에 환멸을 느꼈지만, 민주주의 체제에서 정치는 평화롭고 지속적인 변화를 일으킬 수 있는 유일한 길임을 알고 있었다. 당시에는 내가 공직에 출마할 줄 꿈에도 몰랐지만, 시민이자 적극적인 행동주의자로서 정치에 참여하고 싶었다. 내 생각에 마틴 루터 킹 박사와 마하트마 간디는 시민 불복종 운동과 비폭력을 통해 돌멩이를 던지는 수백만 시위대보다 더 많은 것을 이루었고, 진정한 변화를 일으켰다.

웰즐리 4학년 시절은 내 믿음을 시험대 위에 올려놓아 더욱 분명하게 체계화시켰다. 나는 졸업논문을 쓰기 위해, 지난 여름에 만난 시카고 태생의 지역사회 조직자인 솔 앨린스키가 한 일을 분석했다. 앨린스키는 오랫동안 활동하면서 거의 모든 사람의 반감을 산 다채롭고 논쟁적인 인물이었다. 사회를 변화시키기 위한 그의 처방은 일반 대중을 조직할 필요가 있었다. 그는 사람들에게 정부나 법인과 맞서서 삶을 향상시킬 자원과 힘을 얻어내어 스스로 자신을 도우라고 가르쳤다. 앨린스키의 생각 가운데 일부, 특히 사람들이 자신을 도울 힘을 얻는 것이 중요하다는 생각에는 나도 동의했다. 하지만 우리 사이에는 근본적인 차이가 있었다. 앨린스키는 외부에서만 체제를 변화시킬 수 있다고 믿었지만, 나는 그렇게 생각하지 않았다. 나중에 내가 대학을 졸업했을 때 앨린스키는 자기와 함께 일할 기회를 주겠다고 제의했다. 내가 법대에 가기로 결정하자 그는 실망하여, 법대에 가봤자 시간만 낭비하게 될 거라고 말했다. 하지만 내 결정은 내부에서도 체제를 변화시킬 수 있다는 믿음의 표현이었다. 나는 법대 입학시험을 치르고 여러 학교에 원서를 냈다.

하버드와 예일대에서 입학 허가를 받은 뒤 어느 학교로 갈지 마음을 정하지 못하고 있던 차에 하버드 법대의 칵테일 파티에 초대를 받았다. 법학도인 남자친구가 저명한 법학 교수에게 나를 소개했다. "이 친구는 힐러리 로댐인데, 내년에 우리 학교로 올지 아니면 경쟁 대학으로 갈지 망설이고 있습니다." 그러자 그 대단한 인물은 차갑고 경멸하는 눈길을 나한테 던지면서 거만하게 말했다. "첫째, 우리한테는 경쟁자가 없네. 둘째, 하버드에는 더 이상 여학생이 필요없네." 어쨌든 나는 이미 예일대 쪽으로 기울어져 있었지만, 그 교수를 만난 뒤로는 내 선택에 털끝만한 의심도 품지 않게 되었다.

이제 남은 일은 웰즐리 여대를 졸업하는 것뿐이었다. 졸업식은 무사히 끝날 줄 알았는데, 동급생이자 친구인 엘리너 엘디 애치슨이 졸업식에서 학생 대표도 연설할 필요가 있다고 생각했다. 트루먼 행정부에서 국무장관을 지낸 딘 애치슨의 손녀인 엘디를 나는 대학 1학년 때 정치학 강의에서 처음 만났다. 수업 시간에 우리는 자신의 정치적 배경을 설명해야 했다. 나중에 엘디는 『보스턴 글로브』에서 "힐러리만이 아니라 아주 똑똑한 사람들이 공화당원인 것을 알고 깜짝 놀랐다"고 말했다. 이 발견은 엘디를 '의기소침' 하게 만들었지만, "그것은 공화당이 왜 이따금 대통령 선거에서 이기는지를 설명해주었다".

웰즐리 여대에서는 학생이 연설한 적이 한번도 없었다. 루스 애덤스 학장도 이제 와서 학생한테 문호를 개방하는 데 반대했다. 애덤스 학장은 1960년대의 학생들이 놓여 있는 환경에 골치를 앓고 있었다. 나는 학생회장 자격으로 매주 애덤스 학장을 만났는데, 학장이 나에게 으레 던지는 질문은 "학생들이 원하는 게 뭐죠?"였다. 공정하게 말하면, 우리가 무엇을 원하는지는 우리 자신들도 대부분 알지 못했다. 우리는 시대에 뒤떨어진 과거와 아직 알 수 없는 미래 사이에 끼여 있었다. 우리는 기성세대와 권위를 평가할 때 불손하고 냉소적이고 독선적인 경우가 많았다. 따라서 엘디가 졸업식에서 학생이 연설하기를 바라는 학생들을 대표하여 애덤스 학장을 만나러 왔다고 말했을 때 학장이 부정적인 반응을 보인 것은 충분히 예상된 일이었다. 그러자 엘디는, 요구가 받아들여지지 않으면 학교 당국의 졸업식에 맞서는 비공식 졸업식을 따로 거행하겠다고 선언하여 압력의 수위를 높였다. 엘디는 자기 할아버지도 분명 졸업식에 참석할 거라고 덧붙였다. 양쪽의 입장이 팽팽히 맞서 있다는 엘디의 보고를 받고 나는 워번 호 기슭에 있는 애덤스 학장의 작은 집을 찾아갔다.

"반대하시는 진짜 이유가 뭡니까?" 내가 묻자, 애덤스 학장은 "전례가 없는 일이에요" 하고 대답했다.

"그래도 한번 시도해볼 수는 있잖아요."

"학생들이 누구한테 연설을 부탁할 작정인지, 우리는 모르고 있어요."

"학생들은 저한테 연설을 부탁했습니다."

"그럼 생각해보겠어요." 학장은 마침내 우리 요구를 받아들였다.

나는 웰즐리 여대에서 보낸 파란만장한 4년을 마무리하고 미지의 미래를 향해 떠나는 출발점에서 가장 어울리는 말이 무엇인지 갈피를 잡을 수 없었기 때문에, 내가 연설하게 되었다고 열광하는 친구들의 반응이 부담스러웠다.

3학년과 4학년 때, 나는 조해나 브랜슨과 함께 워번 호가 내려다보이는 기숙사 3층의 넓은 방에서 살았다. 나는 침대 위에 앉아 창 밖의 잔잔한 호수를 내다보면서 인간관계와 신앙에서부터 반전운동에 이르기까지 온갖 것을 고민하며 많은 시간을 보냈다. 이제 나는 4년 전 우리 부모님들이 그렇게 다양한 소녀들을 이곳에 내려놓고 간 뒤 우리가 겪은 온갖 일들을 생각하면서, 친구들과 내가 함께 나눈 이 시간을 정당하게 다룰 수 있는 방법을 고민했다. 다행히 동급생들이 내 방에 들르기 시작했다. 그들은 자기가 좋아하는 시와 격언, 우리가 함께 한 여행에 대한 이야기를 남겨주었고, 극적인 몸짓을 제안하기도 했다. 종교학을 전공한 낸시 앤 셰이브너는 시대정신을 포착한 장시를 써서 가져왔다. 나는 내가 무슨 말을 해주기를 바라는지에 대해 사람들과 오랫동안 대화를 나누고, 내가 받은 다양하고 모순된 조언을 이해하느라 또 몇 시간을 보냈다.

졸업식 전날 밤, 나는 친구들과 함께 저녁을 먹으러 나갔다가 엘디 애치슨과 그 가족을 만났다. 엘디는 나를 제 할아버지인 딘 애치슨에게 소개했다. "이 친구가 내일 연설할 거예요." 그러자 딘 애치슨은 "학생의 연설을 기대하겠네" 하고 말했다. 나는 속이 답답해서 구역질이 났다. 아직도 내가 할 말을 결정하지 못했기 때문이다. 나는 대학에서 마지막으로 밤샘을 하려고 서둘러 기숙사로 돌아왔다.

우리 부모님은 딸의 졸업식을 보고 싶어했지만, 어머니의 건강에 문제가 생겼다. 의사는 혈액희석제를 처방하고, 당분간 여행하지 말라고 충고했다. 그래서 아쉽게도 어머니는 내 졸업식에 올 수 없었고, 아버지도 혼자서는 오고 싶어하지 않았다.

하지만 내가 졸업식에서 연설할 거라고 말하자 아버지는 당신 혼자서라도 졸업식에 참석해야 한다고 결심했다. 아버지는 과연 휴 로댐답게 졸업식 전날 밤늦게 보스턴에 도착하여 공항 근처에서 하룻밤을 보내고, 아침에 전철을 타고 대학에 와서 졸업식에 참석하고, 내 친구 몇 명과 함께 점심을 먹은 다음 곧장 집으로 돌아갔다. 나에게 중요한 것은 아버지가 졸업식에 왔다는 것뿐이었다. 어머니가 참석하지 못한 것이 서운하긴 했지만, 아버지의 참석은 그 실망감을 조금은 덜어주었다. 많은 점에서 이 순간은 나 못지않게 어머니한테도 중요한 순간이었다.

졸업식 날인 1969년 3월 31일 아침은 더할 나위 없이 좋은 뉴잉글랜드의 날씨였다. 우리는 도서관과 예배당 사이의 잔디밭에 있는 아카데믹 광장에 모였다. 애덤스 학장이 무슨 말을 할 작정이냐고 나에게 물었다. 나는 아직도 생각하는 중이라고 대답했다. 애덤스 학장은 졸업식에서 공식 연설을 할 에드워드 브룩 상원의원에게 나를 소개했다. 그는 상원의 유일한 아프리카계 미국인이었다. 나는 공화청년회 회장이었던 1966년에 그의 선거운동을 도운 적이 있었다. 나는 친구들이 써온 글에서 단편을 주워 모아 연설문을 만드느라 밤을 꼬박 새웠기 때문에 그날은 머리 모양이 유난히 엉망이었는데, 머리 위에 올려놓은 사각모가 상태를 더욱 악화시켰다. 그날 찍은 내 사진은 정말 끔찍하다.

브룩 상원의원은 연설에서 "우리 나라는 심각하고 절박한 사회 문제를 현안으로 안고 있다"고 인정하고, "이런 사회 병리를 치유하려면 모든 미국 시민, 특히 재능있는 젊은이들이 최대의 정력을 쏟을 필요가 있다"고 말했다. 그는 또한 "고압적인 항의"에 반대했다. 그의 연설은 닉슨 대통령의 정책을 옹호하는 것처럼 들렸고, 그가 말하는 것보다는 오히려 말하지 않는 게 무엇인지가 더욱 주목할 만했다. 나는 수많은 미국 젊은이들이 나라가 나아가는 방향에 대해 품고 있는 정당한 불만과 괴로운 의문을 인정하는 말이 나오지 않나 하고 열심히 귀를 기울였지만, 그런 말은 한마디도 나오지 않았다. 나는 베트남이나 민권, 안타깝게 세상을 떠난 우리 세대의 영웅인 킹 박사와 케네디 상원의원에 대한 언급이 나오기를 기다렸다. 브룩 상원의원은 청중—영리하고 빈틈없고 호기심이 강한 400명의 젊은 여성—과 동떨어져 있는 듯이 보였다. 그의 연설은 다른 웰즐리, 1960년대의 격변이 일어나기 전의 웰즐리를 겨냥한 것이었다.

우리와 미국이 그 4년을 겪은 이제, 뻔히 예측할 수 있는 그런 연설은 실망과 환멸밖에 주지 못한다. 그것을 미리 내다본 엘디는 통찰력이 대단하다는 생각이 들었다. 그래서 나는 숨을 한번 깊이 들이마시고 우선 "필수불가결한 비판과 건설적인 항의"를 옹호하는 것으로 연설을 시작했다. 그리고 앤 셰이브너의 장시를 인용하여 "이제 우리에게 주어진 과제는 불가능해 보이는 것을 가능하게 만드는 기술로서 정치를 실천하는 것"이라고 말했다.

나는 우리 졸업생들이 대학에 걸었던 기대와 우리가 경험한 현실 사이의 격차를 깨달은 것에 대해 이야기했다. 우리는 대부분 안전한 환경에서 자랐지만, 대학 시절에 사적으로나 공적으로 여러 가지 사건을 겪으면서 그 이전 생활의 확실성과 현실성에 의문을 품게 되었다. 대학 4년은 대공황과 제2차 세계대전처럼 더 중대한 외적 문제에 직면했던 우리 부모 세대의 경험과는 다른 통과의례였다. 그래서 우리는 우선 웰즐리 대학의 정책에 대해, 다음에는 교양과목의 의미에 대해, 다음에는 민권과 여성의 역할과 베트남 전쟁에 대해 의문을 제기하기 시작했다. 나는 항의야말로 "이 특별한 시대에 정체성을 확립하려는 시도"이며 "우리의 인간다움과 화해하는 방법"이라고 옹호했다. 항의는 "미국인의 독특한 경험"을 이루는 일부이며, "인간적 삶에 대한 실험이 이 시대에 이 나라에서 이루어지지 않는다면 어디에서도 이루어지지 않을 것"이라고 말했다.

졸업식 예행연습 때, 내가 무엇을 대변해주기 바라느냐고 묻자 졸업생들은 모두 입을 모아 대답했다. "신뢰에 대해서, 신뢰의 결여에 대해서 말해. 우리에 대한 신뢰도 부족하고, 우리도 남을 신뢰하지 못하는 것에 대해서 말해. 신뢰의 파탄에 대해서 말해." 나는 한 세대에 만연해 있는 정서를 전달하기가 얼마나 어려운가를 고백했다.

끝으로 나는 "사람들 사이에 서로 상대를 존중하는 상호관계"를 확립하려는 노력에 대해 이야기했다. 하지만 내 연설을 처음부터 끝까지 관통하는 감정은 우리 대부분이 미래에 대해 느끼고 있는 두려움이었다. 나는 전날 어느 동급생의 어머니와 나눈 대화를 인용했다. "그 친구의 어머니는, 그 무엇을 준다 해도 결코 나 같은 처지는 되고 싶지 않다고, 이 시대를 살면서 저기 보이는 게 뭘까 하고 앞을 내다보고 싶지는 않다고, 그것은 너무 두려운 일이라고 말했습니다. 두려움은 늘 우리와 함께 있지만, 우리는 두려워할 시간이 없습니다. 적어도 지금은 안됩니다."

이 연설은 "우리가 아무도 이해하지 못하는 세계를 탐험하고 그 불확실성 속에 새로운 것을 창조하려고 애쓰면서 느끼고 있는 불분명한 것들, 어쩌면 말로 표현할 수 없는 것들을 파악하려는 시도"였다. 이 연설은 내가 한 연설 가운데 가장 논리적인 연설은 아니었을지 모르지만, 내 동급생들의 심금을 울렸다. 동급생들은 열렬한 기립 박수를 보내주었다.

그것은 2천 명의 관중 앞에서 우리가 사는 시대와 장소를 이해하려는 내 노력이 우리 모두가 저마다—웰즐리 졸업생으로서, 그리고 20세기 말에 우리 세대가 직면한 변화와 선택을 예증하는 삶을 살게 될 여성이자 미국인으로서—그 순간에 걸었던 기대와 불안과 의문, 그리고 수많은 대화를 반영했기 때문이기도 할 것이다.

그날 오후에 나는 워번 호에서 마지막으로 헤엄을 쳤다. 이번에는 보트 창고 옆의 작은 모래밭으로 가지 않고, 공식적으로는 수영 금지구역인 기숙사 근처에서 물 속으로 들어가기로 했다. 나는 수영복 위에 걸치고 있던 짧은 청바지와 티셔츠를 벗어 호숫가에 개켜놓고 그 위에 비행사 안경 같은 내 안경을 올려놓았다. 호수 한복판으로 헤엄쳐 나가면서 나는 아무 걱정도 하지 않았다. 근시 때문에 주위 풍경이 인상파 회화처럼 흐릿해 보였다. 나는 웰즐리에 사는 것을 좋아했고, 사철 내내 웰즐리의 아름다운 자연에서 큰 위안을 얻었다. 수영은 웰즐리에 보내는 마지막 작별인사였다. 호숫가로 돌아와 보니 내 옷도 안경도 보이지 않았다.

결국 캠퍼스 경비원에게 내 옷과 안경을 못 보았느냐고 물어볼 수밖에 없었다. 그는 애덤스 학장이 집에서 내가 헤엄치는 것을 보고, 내 옷과 안경을 몰수하라는 지시를 내렸다고 말했다. 학장은 나한테 연설을 허락한 것을 후회하고 있는 게 분명했다. 나는 물방울을 뚝뚝 떨어뜨리면서 경비원을 따라 장님처럼 더듬거리며 내 물건을 찾으러 갔다.

내 연설이 웰즐리 대학 밖에서도 관심을 불러일으킬 줄은 전혀 몰랐다. 나는 그저 친구들이 나에게 걸고 있는 기대에 충실하고 싶었을 뿐이다. 친구들의 반응이 호의적이었기 때문에 나는 용기를 얻었다. 하지만 집에 전화를 걸자 어머니가 나에게 인터뷰와 텔레비전 출연을 요청하는 신문기자들과 방송국 사람들의 전화가 빗발친다고 말했다. 나는 시카고 지역 방송사의 인터뷰 프로그램에 출연했고, 『라이프』지는 브라운 대학에서 졸업생 대표로 연설한 아이라 매거지너라는 남학생과 나를 특집으로 다루었다. 어머니는 내 연설에 대한 반응이 지나치게 과장된 의견—
"힐러리는 한 세대를 대변했다"—과 지나치게 부정적인 의견—"도대체
저 애는 자기가 뭔 줄 아는 거야?"—으로 갈라진 것 같다고 말했다. 칭찬
과 비난은 다가올 일의 예고편이었다. 나는 가장 열렬한 지지자들이 주
장하는 만큼 훌륭하지도 않았고, 반대자들이 주장하는 만큼 형편없지도
않았다.

나는 여름 동안 알래스카로 일하러 떠나면서 안도의 한숨을 내쉬었
다. 나는 알래스카의 데날리 국립공원에서 접시를 닦았고, 밸디즈 선창
에 임시로 생긴 연어 처리공장에서 물고기의 점액을 제거했다. 그 일을
하려면 무릎까지 올라오는 장화를 신고 핏물 속에 서서 숟가락으로 연어
의 창자를 긁어내야 했다. 내가 일을 빨리 하지 못하면 작업반장들은 빨
리 하라고 연신 고함을 질러댔다. 이어서 나는 연어를 포장하는 조립 라
인으로 옮겨져, 난바다에 떠 있는 커다란 가공공장으로 연어를 실어가기
위해 상자에 담는 일을 도왔다. 그런데 생선 일부가 상한 것처럼 보였다.
내가 지배인에게 말하자 그는 당장 나를 해고하고 내일 오후에 다시 와
서 급료를 받아가라고 말했다. 이튿날 내가 찾아갔을 때는 작업이 모두
끝나 임시 공장도 사라진 뒤였다. 퍼스트 레이디로 알래스카를 방문했을
때, 나는 지금까지 가져본 직업 가운데 생선 점액을 빼내는 일이 워싱턴
생활을 준비하는 데 가장 큰 도움이 되었다고 청중에게 농담을 했다.

예일 법대 시절

1969년 가을에 내가 예일대 법과대학에 들어
갔을 때, 235명의 입학생 가운데 여학생은 27명이었다. 지금 보면 너무
적은 수로 생각되지만 그때만 해도 비약적인 전진이었고, 예일대도 앞으
로는 여학생을 구색 갖추기로 뽑는 시늉만 하지는 않으리라는 것을 의미
했다. 1960년대가 막판을 향해 치달으면서 여성의 권리는 견인력을 얻
고 있는 듯이 보였지만, 그밖의 모든 것은 지지부진하고 불확실한 상태
였다. 그 시대를 살아보지 않았다면 미국 정계가 분열과 대립으로 얼마
나 심하게 양극화했는지 상상하기도 어렵다.

『미국을 푸르게』라는 책으로 일반 대중에 널리 알려진 찰스 라이크
교수는 '기성체제'에 항의하기 위해 법대 마당 한복판에 판자촌을 짓고
몇몇 학생과 야영을 하고 있었다. 그가 항의한 '기성체제'에는 물론 예일
법대도 포함되어 있었다. 판자촌은 몇 주 뒤에 평화롭게 해체되었지만,
그처럼 희망차게 출발했던 1960년대의 10년은 항의 시위와 폭력의 격동
속에서 막을 내렸다. 백인 중산층에 속하는 반전운동가들이 자택 지하실
에서 폭탄을 제조하려다 적발되었다. 주로 흑인의 민권을 옹호하는 비폭

력 운동은 여러 파벌로 쪼개졌고, '블랙 무슬림'(Black Muslim: 1930년대에 미국에서 시작된 흑인 회교도 운동. 흑인과 백인의 완전 분리와 흑인에 의한 새 나라 건설을 주장했다—옮긴이)과 '흑표범당'(Black Panther Party: 1966년에 캘리포니아 주 오클랜드에서 민권을 쟁취하기 위해 결성된 급진적인 흑인 해방운동 조직—옮긴이) 당원인 도시 흑인들 사이에서 새로운 목소리가 나오기 시작했다. 에드거 후버가 이끄는 FBI(미국 연방수사국)는 반체제 단체에 잠입했고, 때로는 그들을 붕괴시키기 위해 법을 어기는 일도 서슴지 않았다. 합법적인 반대와 범죄 행위를 구별하지 않고 일률적으로 법이 집행되는 경우도 있었다. 닉슨 행정부 시절에 국내 첩보 활동과 역정보 작전이 확대되면서 때로는 우리 정부가 국민을 상대로 전쟁을 벌이고 있는 것처럼 여겨지기도 했다.

예일 법대에는 전통적으로 공직에 관심을 가진 학생이 많이 지원했기 때문에, 강의실 안에서나 밖에서나 우리들의 대화는 나라를 뒤덮고 있는 사건에 대한 깊은 관심을 반영하고 있었다. 또한 예일대는 바깥 세상에 나가 강의실에서 배운 이론을 활용하라고 학생들을 부추겼다. 그 세상과 현실이 1970년 4월 예일대로 와르르 무너져 내렸다. 흑표범당 지도자인 보비 실을 포함한 여덟 명의 당원이 뉴헤이번(예일대가 있는 코네티컷 주 남쪽의 항구도시—옮긴이)에서 살인죄로 재판을 받게 되었을 때였다. FBI와 정부가 흑표범당을 박해한다고 확신한 수천 명의 성난 시위대가 뉴헤이번으로 몰려들었다. 예일대 캠퍼스 안팎에서 시위가 벌어졌다. 흑표범당을 지원하기 위한 대규모 메이데이(5월 1일) 집회가 예일대 캠퍼스에서 준비되고 있을 때인 4월 27일 밤늦게 법대 지하에 있는 국제법 도서관에서 불이 났다. 깜짝 놀란 나는 법대로 달려가서 교수와 교직원과 학생들의 양동이 대열에 합류하여, 책을 불길에서 건져내기 위해 진력했다. 불이 꺼진 뒤, 루이스 폴락 학장은 모두 대강당에 모여달라고 말했다. 언제나 미소를 머금고 문을 활짝 열어놓는 온후한 학자인 폴락 학장은 학기가 끝날 때까지 24시간 캠퍼스를 순찰할 경비대를 조직해달라고 우리에게 요구했다.

4월 30일, 닉슨 대통령은 캄보디아에 미군을 파견하여 베트남전을 확대하겠다고 발표했다. 메이데이 시위는 흑표범당원에 대한 공정한 재판을 촉구할 뿐만 아니라 닉슨의 전쟁 행위에도 반대하기 위해 규모가 더욱 커졌다. 학생 시위가 한창이던 시대에 예일대 총장인 킹먼 브루스터와 교목인 윌리엄 슬론 코핀은 시종일관 유화적인 태도를 고수했고, 덕분에 예일대는 다른 곳에서 일어난 문제를 피할 수 있었다. 코핀 목사는 미국의 참전을 분명하게 비판했고, 그 도덕적 비판을 통해 반전운동의 전국적인 지도자가 되었다. 브루스터 총장은 학생들의 관심사에 주의를 기울였고, 많은 학생들이 느끼는 고통을 이해했다. 그는 미국 어디에서도 "흑인 혁명가들이 공정한 재판을 받을 수 있을지 의문"이라고 말하기까지 했다. 폭력 시위가 일어날 가능성에 직면하자 브루스터 총장은 강의를 중단하고 기숙사를 개방하여 누구든 찾아오는 사람에게는 숙식을 제공하겠다고 발표했다. 그의 이런 언행은 닉슨 대통령과 스피로 애그뉴 부통령만이 아니라 예일대 졸업생까지도 격분시켰다.

5월 4일, 오하이오 주의 켄트 주립대학에서 방위군이 시위 학생들에게 총격을 가하여 네 명이 목숨을 잃었다. 죽은 학생의 주검 옆에 무릎을 꿇고 울부짖는 젊은 여인의 사진은 나를 비롯한 많은 학생들이 미국에서 벌어지고 있는 사태에 대해 느끼고 있었던 두려움과 혐오감을 상징했다. 나는 울면서 법대 밖으로 뛰쳐나가다가 프리츠 케슬러 교수와 마주쳤다. 히틀러 치하의 독일에서 도망쳐 나온 케슬러 교수는 무슨 일이냐고 물었다. 나는 지금 일어나고 있는 일을 도저히 믿을 수 없다고 대답했다. 그러자 교수는, 그런 일이 자기한테는 너무나 익숙하다고 말했다. 나는 오싹 소름이 끼쳤다.

어린 시절의 가르침에 충실한 나는 분열이나 혁명이 아니라 참여를 옹호했다. 5월 7일, 나는 미리 계획한 대로 워싱턴에서 열린 여성유권자연맹 창립 15주년 기념 연회에서 연설하겠다는 약속을 지켰다. 대학 졸업식 때의 연설이 알려지면서 연사로 초빙된 것이다. 나는 목숨을 잃은 학생들을 애도하여 검은 상장을 팔에 둘렀다. 미국이 베트남 전쟁을 캄보디아로 확대하는 것은 법률과 헌법에 어긋난다고 주장할 때는 또다시 감정이 복받쳤다. 나는 항의 시위가 일어난 배경과 켄트 주립대 총격사건이 예일대 법대생들에게 준 충격을 설명하려고 애썼다. 예일 법대생들은 "결코 일어나지 말았어야 할 전쟁의 터무니없는 확대"에 항의하기 위한 전국 동맹 휴학에 300여 법대와 함께 참여하는 것을 239 대 12로 찬성했다. 나는 이 투표가 실시된 대규모 집회에서 사회를 보면서, 동료 학생들이 시민으로서의 책임과 법률을 얼마나 진지하게 받아들이는지를 알았다. 그때까지 예일대에서 벌어진 시위에 한번도 동참하지 않았던 법대생들은 법률가다운 신중한 태도로 문제를 토론했다. 닉슨은 모든 학생 시위자에게 '망나니'라는 딱지를 붙였지만, 그들은 결코 망나니가 아니었다.

여성유권자연맹 대표자 회의에서 기조 연설을 한 사람은 매리언 라이트 에들먼이었다. 나는 매리언을 본받아 평생 아동 권익 옹호에 관심을 쏟게 되었다. 매리언은 1963년에 예일 법대를 졸업하고 미시시피 주 최초의 흑인 여성 변호사가 되었다. 1960년대 중엽에 매리언은 미시시피 주도인 잭슨 시에서 '전국흑인지위향상협회(NAACP)' 산하의 '법률 보호 및 교육 기금' 사무실을 운영하면서, 미시시피 전역을 돌아다니며 '헤드 스타트 프로그램'(Head Start program : 1960년대에 연방 정부에서 시행한, 빈민층 아동을 위한 조기 교육 프로그램—옮긴이)을 시작하고 남부의 민권을 향상시키기 위해 목숨을 걸었다. 나는 매리언의 남편인 피터 에들먼에게서 매리언에 대한 이야기를 처음 들었다. 하버드 법대를 졸업한 피터 에들먼은 대법원에서 아서 J. 골드버그의 비서를 지냈고, 로버트 케네디 밑에서 일했다. 1967년에 피터는 케네디 상원의원과 함께 미시시피에 가서, 남부에 빈곤과 굶주림이 얼마나 만연되어 있는지를 폭로하기 위한 현지 조사를 벌였다. 매리언은 케네디 상원의원을 안내하여 미시시피 주를 돌아다녔다. 그 여행이 끝난 뒤에도 매리언은 계속 피터와 함께 일했고, 케네디 상원의원이 암살된 뒤 피터와 결혼했다.

내가 피터 에들먼을 처음 만난 것은 1969년 10월 콜로라도 주 포트 콜린스에 있는 콜로라도 주립대학에서 여성유권자연맹 후원으로 '청년과 공동체의 발전을 위한 전국 회의'가 열렸을 때였다. 연맹은 젊은이들이 정부와 정치에 좀더 적극적으로 참여할 수 있는 방안을 논의하기 위해 전국의 대표적인 활동가들을 회의에 초빙했다. 나는 당시 로버트 F. 케네디 기념관 부관장이었던 피터 에들먼, 베트남 모라토리엄 위원회의 데이비드 믹스너, 나와 함께 예일 법대에 다니는 마틴 슬레이트와 함께 운영위원회에서 일해달라는 요청을 받았다. 마틴과 나는 각각 하버드와 웰즐리에 다닐 때부터 친구 사이였다. 우리는 여러 쟁점에서 의견이 일치했지만, 선거권 취득 연령을 21세에서 18세로 낮추도록 헌법을 개정해야 한다는 생각도 우리를 하나로 묶어주었다. 전쟁터에 나가 싸울 수 있는 나이라면 투표할 자격도 있다는 것이 우리의 믿음이었다. 1971년에 수정헌법 제26조가 마침내 통과되었지만, 18세부터 24세까지의 젊은이들은 당시 우리가 기대했던 만큼 투표에 참여하지 않았다. 오늘날에도 그 연령 집단은 투표율이 모든 연령 집단 중에서 가장 낮다. 그들의 무관심 때문에 미국 정치가 그들의 관심사를 반영하고 그들의 미래를 지켜줄 가능성도 더욱 줄어들고 있다.

회의 중간의 휴식 시간에 내가 벤치에 앉아 피터 에들먼과 이야기를 나누고 있을 때, 멋지게 차려입은 남자가 우리 대화를 중단시켰다.

"피터, 이 진지한 숙녀분께 나를 소개해주지 않겠나?" 그것이 버넌 조던과 나의 첫 만남이었다. 버넌은 당시 애틀랜타의 남부지역위원회에서 유권자 교육 프로젝트를 지휘했고, 선거 연령을 낮추어야 한다고 주장했다. 빈틈없고 카리스마적인 변호사이자 민권운동가인 버넌은 그날로 당장 내 친구가 되었고, 나중에는 내 남편과도 친구가 되었다. 버넌과 그의 교양있는 아내 앤은 언제든지 좋은 말동무와 현명한 조언자가 되어준다.

피터는 매리언이 빈곤추방운동 단체를 조직할 계획이라면서 되도록 빨리 매리언을 만나보라고 권했다. 몇 달 뒤 매리언이 예일대에서 강연을 했다. 나는 강연이 끝난 뒤 매리언에게 나를 소개하고, 여름 동안 일자리를 달라고 부탁했다. 매리언은 일자리를 줄 수는 있지만 보수는 줄 수 없다고 말했다. 그것은 곤란한 문제였다. 웰즐리 여대에서 준 법대 진학 장학금과 대출금만으로는 학비가 부족해서 돈을 벌어야 했기 때문이다. 나는 '법학도를 위한 민권연구위원회'에서 보조금을 받아, 1970년 여름에 매리언이 워싱턴에서 착수한 '워싱턴 조사 프로젝트'에서 활동 지원비로 사용했다.

나중에 지미 카터 대통령 밑에서 부통령을 지낸 미네소타 출신의 월터 먼데일 상원의원은 떠돌이 농업 노동자들의 생활 및 노동 조건을 조사하기 위한 상원 청문회를 열기로 결정했다. 1970년에 열린 청문회는 1960년에 계절 노동자들이 받고 있는 비참한 처우를 폭로하여 미국인들에게 충격을 안겨준 에드워드 R. 머로의 유명한 텔레비전 다큐멘터리 「수치의 수확」 10주년 기념일과 때를 맞추었다. 매리언은 계절 노동자 자녀들의 교육과 건강을 조사하는 일을 나한테 맡겼다. 나는 초등학교 때 해마다 몇 달 동안 우리 학교에 다닌 떠돌이 아이들을 사귀어본 경험이 있었고, 열네 살쯤 되었을 때 교회의 봉사활동으로 떠돌이 아이들을 돌본 경험도 있었다. 추수철에는 토요일 아침마다 주일학교 친구들과 함께 계절 노동자들의 야영지에 가서, 형이나 언니가 부모와 함께 들에 나가서 일하는 동안 돌봐줄 사람도 없이 방치되어 있는 열 살 미만의 아이들을 돌보았다.

나는 거기에서 일곱 살 된 마리아를 알게 되었는데, 마리아는 추수철이 끝나 가족과 함께 멕시코로 돌아가면 첫 영성체를 받을 계획이었다. 하지만 부모가 첫 영성체 때 입을 하얀 드레스를 사줄 만한 돈을 모으지 못하면 마리아는 그 의례를 치르지 못할 처지였다. 내가 어머니한테 마리아 이야기를 하자, 어머니는 나를 데리고 예쁜 드레스를 사러 갔다. 우리가 그 드레스를 선물하자 마리아의 어머니는 눈물을 흘리며 무릎을 꿇고 어머니의 손에 입을 맞추었다. 어머니는 당황하여, 그런 행사에서 특별한 기분을 느끼는 것이 어린 소녀에게 얼마나 중요한 일인지 잘 알고 있다는 말만 되풀이했다. 몇 년 뒤에 나는 어머니가 마리아에게 동질감을 느낀 게 분명하다는 것을 깨달았다. 그 아이들은 가혹한 생활을 견디고 있었지만 쾌활하고 희망에 차 있었고 부모의 사랑을 받고 있었다. 부모가 들판에서 돌아오면 아이들은 하던 일을 내팽개치고 마중하러 달려갔다. 아버지들은 아이들을 번쩍 들어올렸고, 어머니들은 아장아장 걸음마를 하는 아이를 끌어안곤 했다. 아버지들이 시내에서 일을 마치고 퇴근했을 때 우리 이웃에서 벌어지는 풍경과 똑같았다.

하지만 나는 조사를 진행하면서, 농업 노동자와 그 자녀들이 그런 대로 지낼 만한 거처와 위생설비 같은 기본적인 여건조차 누리지 못하는 경우가 얼마나 많은지—지금도 그런 경우가 허다하다—알았다. 시저 차베스는 캘리포니아 농장에서 일하는 노동자들을 조직하여 1962년에 전국농업노동자연맹을 창설했지만, 나머지 지역의 상황은 1960년 이후에도 거의 달라지지 않았다.

상원 위원회는 농업 노동자와 대변자와 고용주의 증언을 듣기 위해 연달아 청문회를 열었고, 내가 1970년 7월에 참석한 청문회도 그중 하나였다. 증인들은 계절 노동자들이 10년 전과 다름없이 형편없는 대우를 받고 있는 플로리다 주의 대농장들이 몇몇 법인의 소유라는 증거를 제시했다. 내가 아는 예일 법대생 몇 명이 여름 동안 임시로 일하고 있는 법률회사의 법인 고객을 대리하여 청문회에 참석했는데, 그들은 법인 고객들의 손상된 이미지를 회복시키는 방법을 배우고 있다고 말했다. 나는 그들에게, 농업 노동자들에 대한 처우를 개선하는 것이 손상된 이미지를 회복시키는 가장 좋은 방법일 거라고 귀띔해주었다.

1970년 가을에 예일대로 돌아왔을 때, 나는 법률이 아동들에게 어떤 영향을 미치는지를 집중적으로 연구하기로 결심했다. 예로부터 아동의 권리와 요구는 가족법에서 다루어졌고, 아동은 부모가 종교적 이유로 반대해도 필요한 치료를 받을 권리가 있다는 등의 몇 가지 주목할 만한 예외는 있지만, 대체로 부모의 결정이 아동의 권리와 요구를 결정했다. 하지만 1960년대 초에 법원은 아동이 어느 정도까지는 부모와 별개의 권리를 갖는 상황을 발견하기 시작했다.

예일 법대의 제이 캐츠 교수와 조 골드스타인 교수는 내가 이 새로운 분야에 관심을 가진 것을 격려해주고, '예일 아동연구소'에서 연구 과정을 밟으면 아동 발달에 대해 더 많은 것을 배우게 될 거라고 제의했다. 두 교수는 나를 연구소장인 앨 솔닛 박사와 선임 임상의인 샐리 프러반스 박사에게 보냈다. 나는 1년 동안 연구소에서 사례 토론회에 참가하고 임상치료 과정을 참관하게 해달라고 부탁했다. 솔닛 박사와 골드스타인 교수는 지그문트 프로이트의 딸인 안나 프로이트와 함께 『아동의 권익을 넘어서』라는 책을 쓰고 있는데, 연구 조수로 자료 조사를 도와달라고 부탁을 했다. 나는 또한 새롭게 인식된 아동 학대 문제에 대해 '예일 뉴헤이번 병원' 의료진과 상담하고, 아동 학대가 의심되는 환자를 다룰 때 병원측이 이용할 수 있도록 소송 절차의 밑그림을 마련하는 일을 돕기 시작했다.

이런 활동은 '뉴헤이번 법률구조단' 사무실에서 내가 맡은 임무와 병행하여 진행되었다. 젊은 무료 변호사인 펜 로딘은 학대받고 방치된 상황에서 자신의 변호인을 갖는 것이 아이들에게 얼마나 중요한지를 나에게 가르쳐주었다.

펜은 50대 아프리카계 미국인 여성을 대리하게 되었을 때 나에게 도움을 청했다. 그녀는 이제 두 살 된 소녀가 태어났을 때부터 위탁을 받아 돌봐왔는데, 친자식을 다 키운 이 여인은 어린 소녀를 입양하고 싶어했다. 그러나 코네티컷 주 사회복지국은, 위탁모는 입양할 자격이 없다는 방침에 따라 소녀를 여인에게서 빼앗아 좀더 '적당한' 가족에게 맡겼다. 펜은 관료들을 상대로 소송을 제기하고, 위탁모가 그 어린 소녀에게는 유일한 어머니였으며 그 어머니를 빼앗긴 것은 소녀에게 지속적인 해를 끼칠 거라고 주장했다. 우리는 최선을 다하고도 소송에서 졌지만, 나는 여기에 자극을 받아 발달 과정에 있는 아동의 요구와 권리를 법률체계 안에서 인식할 수 있는 방안을 모색하는 데 박차를 가했다. 자신의 생각을 말로 표현하지 못하는 아이들을 대변하는 것이야말로 내가 법조계에서 하고 싶은 일이라는 것을 깨달았다.

내가 처음으로 쓴 학술논문은 「법의 보호를 받는 아이들」이라는 제목으로 1974년에 『하버드 교육 평론』에 실렸다. 이 논문은 가족이 아동을 학대하거나 방치할 때, 또는 부모가 자녀의 치료를 거부하거나 학교를 강제로 중퇴시키는 등 부모의 결정이 아이에게 회복할 수 없는 결과를 초래할 가능성이 있을 때 법관과 사회가 직면하는 어려운 결정을 탐구하고 있다. 내 견해를 형성한 것은 '법률구조단'(Legal Services: 빈민층을 위한 무료 변호사 조직—옮긴이)에서 자원봉사자로 일하면서 관찰한 일들과 예일 뉴헤이번 병원의 아동연구소에서 겪은 일들이었다. 의사들은 회진할 때 아동의 상처가 학대의 결과인지를 확인하려고 애썼고, 학대의 결과로 확인되면 아이를 가족으로부터 빼앗아 아동복지시설의 불안정한 보호에 맡겨야 하는지를 고민했다. 나는 그런 의사들에게 법률적 조언을 해주었다. 이런 결정을 내리는 것은 여간 어렵지 않았다. 안정된 가정에서 성장한 나는, 부모에게는 자신들이 가장 적당하다고 생각하는 방식대로 자녀를 키울 권리가 있다고 믿는다. 하지만 예일 뉴헤이번 병원에서 겪은 일들은 안전한 교외의 안정된 가정에서 자란 내 성장 배경과는 한참 동떨어진 것이었다.

파크리지에도 아동 학대와 가정 폭력이 있었을지 모르나, 나는 한번도 본 적이 없었다. 그와는 반대로 뉴헤이번에서는 부모한테 얻어맞고 화상까지 입은 아이들, 지저분한 아파트에 며칠씩 혼자 방치된 아이들, 필요한 치료를 받지 못한 아이들을 많이 보았다. 더욱 안타까운 사실은, 일부 부모들이 친권을 포기하는 경우 아이가 안정된 가정에서 사랑과 보호를 받으며 자랄 수 있도록 하기 위해 다른 사람—아이의 가족이나 친척이 바람직하지만 궁극적으로는 국가—이 개입해야 한다는 것이었다.

나는 우리 어머니가 부모와 조부모에게 당한 학대와 무관심을 자주 생각했고, 다른 어른들이 관심과 사랑으로 정서적 공백을 채워준 것이 어머니에게 얼마나 큰 도움이 되었는가를 생각했다. 어머니는 시카고의 보호시설에 있는 여자아이들을 우리 집에 데려와 집안일을 돕게 하는 방법으로 당신이 어렸을 때 받은 호의에 보답하려고 애썼다.

내가 「법의 보호를 받는 아이들」을 쓴 지 거의 20년 뒤인 1992년 대통령 선거운동 기간에 매릴린 퀘일과 팻 뷰캐넌 같은 공화당원들이 내 말을 비틀어 나를 '반가족주의자'로 비난할 줄이야 누가 예상이나 할 수 있었겠는가? 일부 논객들은 내가 쓰레기를 밖에 내다버리라고 시키는 부모를 고소하라고 아이들한테 선동하고 있다고 주장하기까지 했다. 설마 내 논문이 나중에 그런 식으로 잘못 해석될 줄은 꿈에도 몰랐다. 공화당원들이 나를 비난하는 상황도 전혀 예측하지 못했을 것이다. 그리고 내 인생을 상상조차 할 수 없었던 방향으로 돌려놓을 사람을 이제 곧 만나게 되리라는 것도 전혀 알지 못했다.

빌 클린턴

1970년 가을에 빌 클린턴은 그냥 지나치기 힘든 인물이었다. 그는 2년 동안 옥스퍼드에서 지내고 돌아온 로즈 장학생(영국의 식민지 정치가 세실 로즈[1853~1902]의 유지에 따라 옥스퍼드 대학에 설치된 장학제도에 따라 선발되는데, 지원 자격은 영연방 및 미국 시민권을 가진 19~25세의 미혼 남자로 제한되어 있다—옮긴이)이라기보다 오히려 바이킹 같은 모습으로 예일 법대에 들어왔다. 얼굴은 적갈색 턱수염과 갈기 같은 고수머리에 덮여 있었지만, 그 아래 어딘가에 잘생긴 얼굴이 숨어 있는 훤칠한 미남이었다. 게다가 넘치는 활력이 온몸에서 분출하는 것처럼 보였다. 내가 법대의 학생 휴게실에서 그를 처음 보았을 때 그는 넋을 잃고 열중해 있는 학생들 앞에서 신나게 떠들어대고 있었다. 내가 그 옆을 지나가는데 이런 말이 들렸다. "……그뿐인 줄 알아? 우린 세계에서 제일 큰 수박도 키워!"

나는 한 남자친구에게 물어보았다. "쟤 누구니?"

"빌 클린턴. 아칸소 출신인데, 아칸소 얘기밖에 안해."

빌과 나는 캠퍼스 여기저기에서 마주치곤 했지만, 정말로 만난 것은 이듬해 어느 봄날 저녁 예일 법대 도서관에서였다. 나는 도서관에서 공부를 하고 있었고, 빌은 바깥 복도에 서서 제프 글레켈이라는 학생과 이야기를 나누고 있었다. 제프는 『예일 법대 저널』에 글을 쓰라고 빌을 설득하는 중이었다. 나는 빌이 계속 내 쪽을 쳐다보는 것을 알아차렸다. 그게 너무 지나쳤다. 그래서 나는 책상에서 일어나 그에게 다가가서 말했다. "네가 계속 나를 그렇게 쳐다보겠다면 나도 너를 계속 쳐다볼 거야. 어쨌든 우리 통성명을 하는 게 낫겠다. 나는 힐러리 로댐이야." 그랬다. 빌의 말에 따르면, 그때 그는 너무 놀라서 자기 이름도 생각나지 않았다고 한다.

우리는 1971년 봄에야 다시 대화를 나누게 되었다. 그날은 종강일이었다. 토머스 에머슨 교수의 '참정권과 시민권' 강의가 끝났을 때 우리는 우연히 동시에 강의실을 나왔다. 빌이 나에게 어디로 갈 거냐고 물었다. 나는 다음 학기 강의를 신청하러 교무과에 가는 길이었다. 빌은 자기도 거기에 가는 길이라고 말했다. 나와 나란히 걸으면서 빌은 내가 입고 있던 꽃무늬 스커트를 칭찬했다. 어머니가 만들어준 거라고 말하자 빌은 내 가족과 고향에 대해 물었다. 우리는 교무과에서 줄을 서서 기다렸다. 우리 차례가 오자 교무과 직원이 빌을 쳐다보며 말했다. "빌, 여긴 웬일이에요. 당신은 벌써 수강신청을 끝냈잖아요." 빌은 나와 함께 시간을 보내고 싶었을 뿐이라고 털어놓았다. 나는 웃을 수밖에 없었다. 우리는 밖에 나가 오랫동안 산책을 했다. 그 산책은 우리의 첫 데이트로 바뀌었다.

우리는 둘 다 예일 미술관에서 열리는 마크 로스코(미국 추상표현주의의 대표적 화가. 1903~97─옮긴이) 전시회를 보고 싶어했지만, 노동쟁의 때문에 미술관을 포함한 대학 건물 일부가 폐쇄되어 있었다. 빌은 나와 함께 미술관 옆을 지나가다가, 미술관 안마당에 쌓여 있는 쓰레기를 줍겠다고 제의하면 미술관에 들어갈 수 있을 거라고 판단했다. 나는 그가 우리를 들여보내달라고 미술관측과 교섭하는 것을 지켜보았다. 그의 설득력이 발휘되는 것을 실제로 목격한 것은 그때가 처음이었다. 미술관 전체가 우리 차지였다. 우리는 전시실을 돌아다니며 로스코와 20세기 미술에 대해 이야기를 나누었다. 솔직히 말하면 나는 빌이 현대 미술에 관심과 지식을 가지고 있는 데 놀랐다. 처음에는 아칸소에서 온 바이킹치고는 여간 아니라는 생각이 들었다. 전시실을 다 돌고 미술관 안마당으로 나오자 나는 헨리 무어(영국의 조각가. 1898~1986 – 옮긴이)의 「주름옷 차림으로 앉아 있는 여인」의 넓은 무릎에 앉아서 어두워질 때까지 빌과 대화를 나누었다. 나는 그날 밤 기숙사 방에서 룸메이트인 콴 콴 탄과 함께 종강 축하 파티를 열 예정이어서, 빌을 그 파티에 초대했다. 콴 콴은 예일대에서 법학을 공부하기 위해 미얀마에서 온 화교였다. 쾌활하고 호감이 가는 친구였고, 우아한 미얀마 민속춤도 잘 추었다. 콴 콴과 역시 학생이었던 그녀의 남편 빌 왕은 지금도 우리 친구다.

빌은 파티에 왔지만 거의 한 마디도 하지 않았다. 나는 빌을 잘 알지 못했기 때문에, 사교에 별로 능숙하지 못하거나 자리가 불편해서 조심하는 모양이라고 생각했다. 우리가 커플이 될 가망은 거의 없었다. 게다가 당시 나한테는 남자친구가 있었고, 시외에서 함께 주말을 보낼 계획이었다. 일요일 밤에 내가 심한 독감에 걸려 기숙사로 돌아오자 빌이 전화를 걸어 내 기침 소리를 들었다.

"감기가 심한 모양이군." 빌이 말했다. 그러고는 30분쯤 뒤에 닭고기 수프와 오렌지 주스를 들고 내 방문을 노크했다. 그는 방으로 들어와 이야기를 하기 시작했다. 그는 아프리카의 정치에서부터 컨트리 음악과 웨스턴 음악에 이르기까지 무엇에 대해서든 대화를 나눌 수 있었다. 나는 왜 종강 파티에서는 입을 다물고 있었느냐고 물어보았다.

"너와 네 친구들에 대해 더 많이 알고 싶어서." 빌은 그렇게 대답했다.

나는 아칸소 출신의 이 젊은이가 첫인상보다는 훨씬 복잡한 사람이라는 것을 깨닫기 시작했다. 오늘날까지도 빌은 다양한 생각과 말을 일

관성있게 엮어내고 그 모든 것을 음악처럼 들리게 하는 재주로 나를 놀라게 한다. 나는 아직도 그의 사고와 외모를 사랑한다. 내가 빌에 대해 맨 처음 알아차린 것 가운데 하나는 손의 모양이었다. 빌은 손목이 가늘고, 손가락은 피아니스트나 외과 의사처럼 길고 섬세하다. 우리가 처음 만난 학생 시절에 나는 빌이 책장을 넘기는 것을 지켜보기를 좋아했다. 그후 수많은 사람과 악수를 하고 골프채를 휘두르고 수없이 사인을 하느라, 이제는 빌의 손에도 세월의 흔적이 나타나 있다. 그렇게 주인과 마찬가지로 풍화하긴 했지만, 그 손은 아직도 표정이 풍부하고 매력적이고 탄력이 있다.

빌이 닭고기 수프와 오렌지 주스를 들고 찾아온 직후 우리는 떨어질 수 없는 사이가 되었다. 나는 벼락치기로 졸업시험을 준비하고 아동 문제에 전념하기 시작한 첫 해를 마무리하느라 바빴지만, 그 와중에도 짬을 내어 빌의 1970년식 오렌지색 오펠 스테이션 왜건―이 차는 지금까지 제조된 자동차 중에서 가장 꼴사나운 차가 분명하다―을 타고 오랫동안 드라이브를 하거나 코네티컷 주 밀퍼드 근처에 있는 비치하우스에서 지냈다. 빌은 이곳에서 룸메이트인 더그 이켈리, 돈 포그, 빌 콜먼과 함께 살고 있었다. 어느날 밤 그곳에서 파티가 열렸을 때 빌과 나는 부엌에서 법대를 졸업한 뒤 하고 싶은 일에 대해 이야기를 나누었다. 나는 어디에서 살고 무엇을 할 것인지 아직 결정을 내리지 못한 상태였다. 아동 보호와 시민권에 관심을 가지고 있었지만, 그것이 어떤 특정한 길을 제시해주지는 않았기 때문이다. 빌은 아칸소의 집으로 돌아가 공직에 출마한다는 확실한 계획을 가지고 있었다. 장차 공직에 종사할 작정이라고 말하는 학우는 많았지만, 실제로 그 꿈을 이룰 게 확실한 사람은 빌뿐이었다.

내가 여름 동안 캘리포니아 주 오클랜드에 있는 작은 법률회사인 '트뢰헤프트 · 워커 · 번스타인'에서 인턴으로 일할 계획이라고 말하자, 빌은 나와 함께 캘리포니아에 가고 싶다고 말했다. 나는 깜짝 놀랐다. 빌이 맥거번 상원의원의 대통령 선거운동에 참여하기로 계약을 맺었고, 선거 대책위원장인 게리 하트가 빌에게 남부 조직책을 맡겼다는 것을 알고 있었기 때문이다. 빌은 남부를 돌아다니며 맥거번을 지지하고 닉슨의 베트남 정책에 반대하도록 민주당원들을 설득할 생각에 들떠 있었다. 빌은 아칸소에서 윌리엄 풀브라이트 상원의원을 비롯한 여러 인사의 선거운동에 참여했고, 코네티컷에서 조 더피와 조 리버먼의 선거운동에도 참여했지만, 대통령 선거운동에 처음부터 관여한 적은 한번도 없었다.

나는 귀를 의심했다. 가슴이 두근거렸다.

"나를 따라 캘리포니아로 가면 당신이 좋아하는 일을 할 기회가 날아가버릴 텐데, 왜 그 좋은 기회를 포기하려는 거지?"

"사랑하는 사람을 위해서. 그게 이유야."

빌은 우리가 천생연분이라고 판단했고, 나를 처음 보자마자 놓치고 싶지 않았다고 말했다.

빌과 나는 1964년에 자유언론운동이 시작된 캘리포니아 대학 버클리 캠퍼스에서 그리 멀지 않은 작은 아파트에서 함께 살았다. 나는 맬 번스타인을 위해 자료를 조사하고 아동 감금 사건에 대한 변론 취지서와 제소장을 쓰면서 대부분의 시간을 보냈다. 그 동안 빌은 버클리와 오클랜드와 샌프란시스코를 탐험했다. 주말에는 탐험에서 찾아낸 곳—노스비치의 멋진 레스토랑이나 텔레그래프 가의 오래된 옷가게—에 나를 데려갔다. 나는 빌에게 테니스를 가르쳐주려고 애썼고, 빌과 함께 요리를 실험하기도 했다. 나는 빌에게 복숭아 파이를 구워주었다. 아직 아칸소에 가본 적은 없지만, 아칸소를 생각하면 왠지 복숭아 파이가 떠올랐기 때문이다. 우리는 손님을 접대할 일이 있을 때면 언제나 치킨 카레를 함께 만들었다. 빌은 에드먼드 윌슨(미국의 비평가. 상징주의 전통을 규명한 『악셀의 성』, 러시아 혁명 사상의 형성 과정을 추적한 『핀란드 역까지』 등을 썼

다. 1895~1972—옮긴이)의 『핀란드 역까지』 같은 책을 읽고 독후감을 이
야기하면서 대부분의 시간을 보냈다. 빌은 나와 함께 산책을 할 때는 자
주 노래를 부르곤 했다. 주로 엘비스 프레슬리가 즐겨 부른 감상적인 노
래를 나직한 목소리로 다정하게 부를 때가 많았다.

사람들은 빌이 언젠가는 대통령이 되리라는 것을 내가 미리 알아보
고 누구한테나 그 말을 하고 다녔다고 말했다. 나는 몇 년 뒤까지 그런
생각을 한 기억은 없지만, 버클리의 작은 식당에서 기묘한 일이 있었다.
나는 그곳에서 빌을 만나기로 되어 있었는데, 그만 일이 늦어지는 바람
에 약속 시간보다 늦게 도착했다. 빌은 흔적도 보이지 않았다. 나는 이러
이러하게 생긴 남자를 보지 못했느냐고 웨이터에게 물어보았다. 그러자
근처 자리에 앉아 있던 손님이 말했다.

"그 사람은 여기 앉아서 오랫동안 책을 읽고 있었어요. 방금 전까지
그 사람과 책에 대해 얘기를 나눴는데, 이름은 모르지만 언젠가는 대통
령이 될 거요."

"예, 맞아요. 그런데 그가 어디로 갔는지 모르세요?"

여름이 끝나자 우리는 뉴헤이번으로 돌아와 에지우드 가 21번지 1층
에 세를 들었다. 월세는 75달러였다. 그 돈으로 우리는 벽난로가 딸린 거
실과 작은 침실 하나, 서재 겸 식당으로 쓴 작은 방, 작은 욕실과 소박한
부엌을 얻었다. 마루가 고르지 않아서, 식탁 다리 밑에 작은 나무토막을
받쳐놓지 않으면 식탁이 기울어져 접시가 미끄러지곤 했다. 벽틈새로 바
람이 윙윙 소리를 내며 들어왔기 때문에 신문지를 틈새에 채워넣었다.
그래도 나는 우리의 첫번째 집을 사랑했다. 우리는 '굿윌'(전국 체인망을
갖춘 재활용품 가게—옮긴이)과 구세군 가게에서 가구를 샀고, 학생다운
실내장식을 무척 자랑스럽게 여겼다.

우리는 아파트에서 한 구획 떨어져 있는 엘름 가의 간이식당에 자주
갔다. 그 식당이 밤새도록 문을 열었기 때문이다. 거리 아래쪽에 있는

YMCA에는 요가 교실이 있어서 나는 거기에 등록했다. 빌은 내가 아무한테도 말하지 않으면 나와 함께 요가를 배우겠다고 약속했다. 빌은 예일대의 스포츠 센터인 '땀의 대성당'에도 가서 2층 트랙을 마음껏 달렸다. 일단 달리기 시작하면 쉬지 않고 계속 달렸다. 나는 그렇지 않았다.

우리는 그리스 식당인 바젤에서 자주 식사를 했고, 주택가에 다소곳이 자리잡은 링컨 극장에 가서 영화 보기를 좋아했다. 눈보라가 마침내 그친 어느날 저녁, 우리는 영화를 보러 가기로 했다. 길이 아직 치워지지 않았기 때문에 우리는 무릎까지 쌓인 눈을 헤치고 극장까지 걸어갔다. 생기에 넘치고 사랑에 빠진 기분이었다.

우리는 학자금 대출을 받았지만 그것으로는 법대 학비를 감당할 수 없어서 둘 다 일을 해야 했다. 그래도 어떻게든 짬을 내어 정치에 참여했다. 빌은 자비로 뉴헤이번에 맥거번의 대통령 선거운동 사무소를 내기로 결정했다. 민주당 뉴헤이번 지부장인 아서 바비어리가 맥거번을 지지하지 않았기 때문에 자원봉사자들은 대부분 예일대 학생과 교수들이었다. 빌은 이탈리아 식당에서 바비어리 씨를 만나기로 약속했다. 오랫동안 점심을 먹으면서 빌은 민주당 정규 조직을 능가하는 800명의 자원봉사자를 언제든지 거리로 내보낼 준비가 되어 있다고 주장했다. 바비어리는 결국 맥거번을 지지하기로 결정했다. 그는 멜레버스라는 이탈리아 클럽에서 민주당원 집회를 열어 맥거번 지지를 선언하기로 하고, 우리를 그 집회에 초대했다.

다음 주에 우리는 뚜렷한 특징이 없는 건물로 차를 몰고 갔다. 문을 열고 들어서자 지하실로 내려가는 계단이 있었다. 집회는 지하의 대식당에서 열렸다. 바비어리가 연설하기 위해 일어서자 그 자리에 모인 지역 위원회 위원들—대부분 남자—이 모두 그를 주목했다. 바비어리는 우선 베트남 전쟁에 대해 이야기하고, 뉴헤이번 지역에서 군대에 간 청년과 전사한 청년들의 이름을 열거했다. 그러고는 이렇게 말을 이었다. "이 전쟁은 한 명의 젊은이도 더 희생시킬 가치가 없습니다. 조지 맥거번을 지지해야 하는 이유가 바로 그것입니다. 그는 우리 젊은이들을 고국으로 데려오고 싶어하기 때문입니다." 이 주장은 당장 인기를 얻지는 못했지만 바비어리는 그 주장을 계속 강조했고, 결국 밤이 이슥해졌을 때는 위원들이 만장일치로 그를 지지하게 되었다. 바비어리는 코네티컷 주 전당대회와 대통령 선거에서도 맥거번에 대한 지지를 천명했다. 대통령 선거에서 뉴헤이번은 맥거번이 닉슨을 이긴 몇 곳 가운데 하나였다.

크리스마스가 지난 뒤에 빌은 우리 가족과 함께 며칠 지내기 위해 아칸소 주 핫스프링스에서 파크리지까지 차를 몰고 왔다. 부모님은 지난 여름에 빌을 만난 적이 있었지만, 아버지는 내 남자친구들을 거리낌없이 비판했기 때문에 나는 신경이 곤두서 있었다. 엘비스 프레슬리처럼 살쩍을 기른 남부의 민주당원에게 아버지가 무슨 말을 할지 걱정이었다. 어머니도 아버지 눈에는 어떤 남자도 마음에 들지 않을 거라고 말했다. 어머니는 빌이 예의도 바르고 설거지를 기꺼이 도와주는 것을 좋게 생각했다. 하지만 빌이 정말로 어머니를 자기 편으로 끌어들인 것은 어머니가 대학에서 배우는 철학 책을 읽고 있을 때였다. 그것을 본 빌은 그 책에 대해 어머니와 토론하기 시작했고, 한 시간 뒤에 어머니는 완전히 빌의 편이 되어 있었다. 아버지의 마음을 얻는 데에는 시간이 걸렸다. 처음에는 좀처럼 진전이 없었지만, 카드놀이를 하고 텔레비전으로 축구 중계를 보면서 아버지 마음이 누그러졌다. 빌은 내 남동생들한테도 관심을 쏟았다. 내 친구들도 빌을 좋아했다. 내가 빌을 벳시 존슨에게 소개한 뒤 그 집에서 나오는데, 벳시의 어머니가 나를 구석으로 데려가더니 이렇게 말했다. "네가 무엇을 하든 상관없다만, 저 남자는 놓치지 마라. 내가 보기에 지금까지 너를 웃긴 사람은 저 남자뿐이야!"

1972년 봄에 학교를 마친 뒤, 나는 다시 워싱턴으로 돌아가 매리언

라이트 에들먼 밑에서 일했다. 빌은 맥거번 선거운동본부에 상근직으로 일자리를 얻었다.

1972년 여름에 내가 주로 맡은 일은 흑인과 백인이 함께 다니는 공립학교에 자녀를 보낼 필요가 없도록 남부에 우후죽순처럼 생겨난 사설학원에 면세 혜택을 부여하는 것을 법률로 금지하지 못한 닉슨 행정부의 실책에 대해 자료를 수집하는 것이었다. 사설학원들은 사립학교를 세우겠다는 부모들의 결정에 따라 생겨났을 뿐이라고 주장했다. 법원이 명령한 공립학교의 인종통합과는 아무 관계도 없다는 것이다. 나는 그 주장과는 반대로 사설학원들이 오로지 '브라운 대 교육위원회 사건'(1954년 5월, 연방 대법원은 흑인과 백인에게 별개의 교육시설을 제공하는 것은 본질적으로 불평등하며 따라서 위헌이라는 판결을 내렸다—옮긴이)으로 시작된 대법원 판결을 피하기 위해 세워졌다는 증거를 모으고 있는 변호사와 민권 운동가들을 만나려고 조지아 주 애틀랜타에 갔다.

앨라배마 주 도선에 간 것도 조사 활동의 일환이었다. 그 지역에 새로 이사를 와서 백인만 다니는 사설학원에 아이를 입학시키고 싶어하는 젊은 엄마인 척 연기하면서 실태를 조사하기 위해서였다. 나는 우선 도선의 '흑인' 동네에 들러 우리와 줄이 닿는 사람들과 점심을 같이 했다. 그들은 그 지역의 많은 학군에서 공립학교의 책과 비품이 사설학원으로 빠져나가고 있다고 말했다. 그들은 이른바 사설학원을 백인 학생들의 대안학교로 보고 있었다. 나는 현지의 사립학교에 가서, 아이의 입학 문제를 의논하기 위해 책임자를 만나고 싶다고 요청했다. 책임자를 만난 나는 젊은 엄마 연기를 계속하면서 교과 과정과 학생 구성에 대해 꼬치꼬치 캐물었다. 책임자는 자기 학교에는 흑인 학생이 한 명도 입학하지 않을 거라고 장담했다.

내가 인종차별 관행에 도전하고 있는 동안, 빌은 1972년 7월 3일 열릴 민주당 전당대회에서 맥거번이 대통령 후보로 지명되도록 마이애미에서 선거운동에 열중하고 있었다. 전당대회가 끝난 뒤 게리 하트는 빌에게 당시 젊은 작가였던 테일러 브랜치와 함께 텍사스에 가서 휴스턴의 변호사인 줄리어스 글리크먼과 더불어 맥거번 선거운동을 지휘해달라고 요청했다. 빌은 나도 가고 싶으냐고 물었다. 나는 가고 싶었지만, 구체적인 일거리가 있어야만 가겠다고 말했다. 내가 코네티컷에서 만난 노련한 선거 전략가인 앤 웩슬러는 당시 맥거번을 위해 일하고 있었는데, 텍사스에서 유권자 등록 캠페인을 지휘하는 일을 나한테 제의했다. 나는 기꺼이 그 제의를 받아들였다. 8월에 텍사스 주 오스틴에 갔을 때는 아는 사람이 빌뿐이었지만, 곧 좋은 친구를 몇 명 사귀게 되었다.

1972년만 해도 오스틴은 댈러스나 휴스턴에 비하면 아직 잠자듯 조용한 도시였다. 물론 오스틴은 텍사스의 주도였고 텍사스 대학이 있는 곳이었지만, 텍사스의 미래보다는 과거를 표상하는 곳처럼 보였다. 첨단기술을 이용하는 회사들이 폭발적으로 성장하여 텍사스 구릉지대의 이 작은 도시를 선벨트(버지니아 주에서 캘리포니아 주 남부에 이르는 건조하고 기후가 좋은 지대─옮긴이)의 신흥도시로 탈바꿈시킬 줄은 예측하기 어려웠을 것이다.

맥거번 선거운동본부는 웨스트 6번가의 빈 가게에 차려졌다. 본부 건물에는 작으나마 내 개인 공간도 마련되어 있었지만, 사무실에 앉아 있을 시간은 별로 없었다. 선거권을 새로 얻은 18세에서 21세까지의 젊은 이들을 등록시키고, 남부를 돌아다니며 흑인과 히스패닉계 유권자들을 등록시키면서 대부분의 시간을 현장에서 보냈기 때문이다. 로이 스펜스, 게리 모로, 주디 트래벌시는 젊은 유권자들에게 손을 뻗으려는 우리의 노력을 떠받친 주력부대가 되었다. 이들은 모두 텍사스 정계에 남아서 1992년 대통령 선거에도 참여했다. 이들은 텍사스의 18세 청소년을 모두 유권자로 등록시킬 수 있다고, 그러면 선거의 판세가 당장 맥거번 쪽으로 기울 거라고 생각했다. 또한 그들은 즐겁게 시간 보내기를 좋아했다. 슐츠의 노천 맥주집을 나한테 소개해준 것도 그들이었다. 우리는 하루에 18시간 내지 20시간씩 일하고 나면 그 노천 맥주집에 앉아서 점점 나빠지는 여론조사 결과를 앞에 놓고 달리 우리가 할 수 있는 일을 찾아 내려고 애썼다.

당연한 일이지만 텍사스 남부의 히스패닉계는 스페인어를 한마디도 못하는 시카고 출신의 금발 여자를 경계했다. 나는 대학과 노동조합, 텍사스 남부의 법률구조단 변호사들 중에서 동맹자를 찾았다. 나를 미국과 멕시코의 접경지대로 안내해준 사람은 프랭클린 가르시아였다. 투쟁으로 단련된 노동조합 조직책인 그는 나 혼자서는 절대 가지 못했을 곳으로 나를 데려가, 내가 이민국에서 나온 사람이 아닐까 걱정하는 멕시코계 미국인들에게 내 신원을 보증해주었다. 어느날 밤 빌이 민주당 지도부와 브라운스빌 집회를 마친 뒤, 프랭클린과 나는 빌을 데리러 가서 국경 너머 마타모로스로 차를 몰았다. 프랭클린은 거기에 가면 영원히 잊지 못할 식사를 할 수 있다고 장담했다. 우리는 그런 대로 괜찮은 '마리아치'(멕시코 민속음악을 연주하는 떠돌이 악단—옮긴이)가 있는 싸구려 식당에 들어가 내가 먹어본 최고의—사실은 유일한— '카브리토' 바비큐를 먹었다. 그것은 염소 머리를 통째로 구운 것이었다. 내가 소화기능이 허락하는 만큼, 그리고 예의에 어긋나지 않을 만큼 빠른 속도로 그것을 먹어치우는 동안 빌은 식탁에 앉은 채 잠이 들었다.

일찍이 텍사스 주 민주당에서 활동을 했고 '코먼 코즈'(Common Cause: 국민의 요구에 따른 행정 개혁을 목표로 1970년에 미국에서 결성된 시민단체—옮긴이)에서 일한 벳시 라이트가 선거운동에 동참하러 왔다. 벳시는 텍사스 서부에서 자랐고 오스틴에서 대학을 졸업했다. 뛰어난 정치 조직가인 벳시는 텍사스 전역을 돌아다닌 뒤, 우리가 확실하게 간파한 것—맥거번 선거운동이 실패로 끝나리라는 것—을 감추지 않았다. 맥거번 상원의원은 공군 폭격기 조종사로 눈부시게 활약했고, 나중에 스티븐 앰브로즈는 『와일드 블루』라는 책에서 그의 활약상에 찬사를 바치기도 했다. 텍사스에서 이 경력을 부각시키면, 전쟁에 반대하는 그의 입장이 신뢰성을 얻을 수 있었을 것이다. 그러나 이 경력마저 공화당의 공격과 자기 진영의 실수에 묻혀버렸다. 맥거번이 토머스 이글턴 상원의원을 대신할 부통령 후보 지명자로 사전트 슈라이버를 선택했을 때, 우리는 슈라이버가 케네디 대통령 밑에서 일한 경력과 케네디 가문과의 관계가 사람들의 관심을 되살릴지 모른다고 기대했다. 슈라이버는 존 F. 케네디의 누이인 유니스의 남편이었기 때문이다.

선거일 30일 전에 유권자 등록 기간이 끝나자 벳시는 마지막 한 달 동안 텍사스 주 샌안토니오에서 선거운동을 도와달라고 부탁했다. 나는 그 친구와 함께 지내면서, 그 아름다운 도시의 명소와 소리, 냄새와 음식에 열중했다. 나는 대개 간선도로 연변에 있는 마리오 식당이나 시내의 티에라 식당에서 하루에 세 번씩 멕시코 음식을 먹었다.

어떤 주나 도시에서 대통령 선거운동을 할 때는 항상 후보자나 최고 수준의 대리인을 그 지역으로 보내달라고 중앙의 선거대책본부에 요구한다. 우리가 구슬러서 샌안토니오로 끌어들인 맥거번 지지자 가운데 가장 잘 알려진 인사는 셜리 매클레인이었다. 그런데 선거대책본부가 샌안토니오의 앨러모 요새(1836년 텍사스 독립전쟁 때 187명의 수비대가 멕시코 군대에 보름 동안 포위되어 마지막 한 사람까지 싸운 유명한 전쟁터—옮긴이) 앞에서 열리는 집회에 맥거번이 참석할 예정이라고 발표했다. 앨러모 요새는 상징적인 배경막이었다. 우리는 맥거번이 올 때까지 일주일 동안 최대한 많은 군중을 집회에 모으는 데 모든 노력을 집중했다. 그 경험을 통해서 나는 선거대책본부에서 파견된 참모들이 지역 주민을 존중하는 것이 얼마나 중요한가를 깨달았다. 선거대책본부는 후보자가 어떤 지역을 방문하기 전에 군대의 병참업무에 해당하는 것을 계획하고 준비하도록 미리 선발대를 파견한다. 선발대가 활동하는 모습을 내가 실제로 본 것은 그때가 처음이었다. 나는 그들이 엄청난 긴장 속에서 쫓기듯 일한다는 것, 그들은 모든 기본적인 것—전화, 복사기, 연단, 의자, 마이크, 스피커 등—이 미리 갖추어지기를 바란다는 것, 팽팽하거나 열세인 선거전에서는 누군가가 경비 지불을 책임져야 한다는 것을 알았다. 선발대는 나에게 무언가를 지시할 때마다 거기에 필요한 비용은 이제 곧 중앙에서 내려올 거라고 말했다. 하지만 돈은 끝내 내려오지 않았다. 대규모 집회가 열리는 밤, 맥거번은 아주 잘해냈다. 우리는 그 집회에서 현지 상인들에게 진 외상값을 치르기에 충분한 돈을 모금했는데, 내가 그곳에 머문 한 달 동안 경비를 충당할 만한 돈을 모금할 수 있었던 것은 그때가 처음이자 마지막이었다.

줄곧 나와 함께 일한 동료는 사라 어먼이었다. 맥거번 상원의원의 입법 보좌관인 사라는 휴가를 얻어 선거대책본부에서 일했고, 나중에는 텍사스에 와서 현지 작전을 계획했다. 활기차고 재치있는 정치 베테랑인 사라는 어머니 같은 따뜻함과 전투적인 행동주의의 화신이었다. 사라는 누구 앞에서도 말을 삼가거나 의견을 굽히지 않았다. 사라의 정력과 원기는 나이가 절반밖에 안되는 젊은 여자에 못지않았고, 그것은 지금도 마찬가지다. 10월 어느날 내가 샌안토니오의 선거 사무실에 들어가서 선거운동을 도우러 왔다고 말했을 때, 사라는 그곳에서 선거운동을 지휘하고 있었다. 우리는 서로 상대를 품평하고, 같이 즐겁게 일할 만한 상대라고 판단했다. 그것이 오늘날까지 지속되고 있는 우정의 시작이었다.

11월 선거에서 닉슨이 맥거번을 이길 것은 분명했다. 우리 모두 그것을 알고 있었다. 하지만 그렇게 우세한데도 닉슨 진영은 선거자금(정부 기관은 말할 것도 없고)을 불법적으로 사용하여 야당을 염탐하고 공화당의 승리를 확보하기 위해 비열한 수단을 서슴지 않았다. 1972년 6월 17일 워터게이트 빌딩에 있는 민주당 선거대책본부에 공화당 일파가 어설프게 침입한 것은 결국 리처드 닉슨의 몰락으로 이어졌다. 워터게이트 사건은 내 장래 계획에도 관계를 갖게 되었다.

빌과 나는 예일대에 등록만 해놓고 아직 강의에는 출석하지 않은 상태였다. 우리는 예일대로 돌아가기 전에 멕시코의 시우아타네호에서 처음으로 함께 휴가를 보냈다. 당시 시우아타네호는 태평양 연안에 있는 조용한 마을이었다. 우리는 밀려오는 파도 속에서 헤엄을 치는 틈틈이 지난 선거와 맥거번이 실패한 원인을 검토하며 시간을 보냈다. 이 비평은 몇 달 동안이나 계속되었다. 잘못된 것이 너무나 많았다. 대통령 후보로 맥거번을 지명한 전당대회부터 잘못되었다. 맥거번이 후보 지명 수락 연설을 한밤중에 한 것도 전술적인 실수의 하나였다. 그 시간에는 텔레비전으로 정치 집회를 보는 사람도 없을 뿐 아니라 깨어 있는 사람도 별로 없었다. 빌과 나는 맥거번 선거운동의 경험을 돌이켜보면서, 우리가 아직도 정치적 선거운동 기술과 텔레비전의 위력에 대해 배울 점이 많다는 사실을 깨달았다. 그 1972년의 선거전은 우리가 처음으로 치른 정치적 통과의례였다.

1973년 봄에 법대를 마친 뒤 빌은 로즈 장학생 시절에 자주 갔던 곳을 다시 방문하기 위해 유럽에 가면서 나를 데려갔다. 그것이 나에게는 최초의 유럽 여행이었다. 런던에 내린 뒤 빌은 훌륭한 안내인의 자질을 보여주었다. 우리는 웨스트민스터 사원과 테이트 미술관과 국회의사당을 관광하며 시간을 보냈다. 스톤헨지(영국 남부 솔즈베리 평야에 있는 거석 기념물─옮긴이) 주변을 걸어다니고 웨일스의 푸른 언덕에 경탄했다. 꼼꼼하게 제작된 도보여행용 지도책의 도움으로 최대한 많은 성당을 찾아다녔다. 우리는 솔즈베리에서 링컨과 더럼을 거쳐 요크까지 올라가면서 크롬웰(영국 청교도 혁명의 지도자. 1599~1658─옮긴이)의 군대가 폐허로 만든 수도원 유적을 탐험하거나 넓은 시골 영지의 정원을 돌아다녔다.

이윽고 우리는 잉글랜드의 아름다운 호수지방에 있는 에너데일 호에 이르렀다. 그리고 해질녘에 호숫가에서 빌이 나에게 청혼했다.

나는 빌을 사랑했지만, 내 인생과 미래에 대해서는 전혀 확신을 갖지 못하고 있었다. 그래서 나는 말했다. "아니, 지금은 안돼." 그 말은 시간을 달라는 뜻이었다.

우리 어머니는 양친의 이혼으로 고통을 받았다. 어머니의 슬프고 외로운 어린 시절은 내 마음에 깊이 새겨져 있었다. 내가 결혼을 결심한다면 그 결혼을 평생 지속하고 싶었다. 그 당시를 돌이켜보고 그때의 나를 생각하면, 나는 무언가에 묶이는 것을 두려워했고, 특히 빌의 격렬함을 두려워했다. 나는 빌을 자연력으로 생각했고, 그의 사계절을 내가 과연 견뎌낼 수 있을지 의문이었다.

빌 클린턴은 끈기가 대단하다. 일단 목표를 세우면 끝까지 추구한다. 나도 그 목표 가운데 하나였다. 빌은 몇 번이고 구혼을 되풀이했고, 나는 그때마다 거절했다. 마침내 빌은 말했다. "이제 더 이상 결혼해달라고 말하지 않겠어. 나와 결혼하고 싶다는 결심이 서거든 나한테 말해줘." 빌은 내가 결심할 때까지 기다릴 작정이었다.

아칸소의 나그네

유럽에서 돌아온 직후에 빌이 또다시 나를 여행에 데려가겠다고 제의했다. 이번 행선지는 빌의 고향이었다.

6월 말의 어느 화창한 여름날 아침, 빌이 리틀록 공항으로 나를 마중 나왔다. 빌은 나를 차에 태우고 워싱턴의 국회의사당 건물을 본떠 지은 아칸소 주의회 의사당과 주지사 관저를 지나 빅토리아풍의 집들이 늘어서 있는 거리를 달려갔다. 차는 매그놀리아 나무가 우거진 아칸소 계곡을 지나 와시타 산맥으로 들어갔다. 빌은 자기가 좋아하는 사람과 장소를 나한테 소개하려고 전망 좋은 곳에 차를 세우거나 시골 상점에 들렀다. 땅거미가 질 무렵 우리는 마침내 핫스프링스에 도착했다.

빌은 나를 처음 만났을 때 핫스프링스에 대해 몇 시간이나 이야기해 주었다. 핫스프링스는 인디언들이 수백 년 동안 이용한 유황온천 주위에 세워진 도시였다. 1541년에 그 온천을 '발견'한 스페인 탐험가 에르난도 데 소토는 그곳을 젊음의 샘으로 믿었다. 경마장과 불법 도박장은 베이브 루스와 알 카포네 같은 이름난 방문객을 끌어들였다. 빌이 이곳에서 자랄 때는 시내의 많은 레스토랑에 슬롯머신이 설치되어 있었고, 나이트

클럽에는 1950년대의 유명한 연예인들—페기 리, 토니 베넷, 리버레이스, 패티 페이지—이 출연했다. 로버트 케네디 법무장관이 불법 도박장을 폐쇄하자 센트럴 가에 늘어서 있는 호텔과 레스토랑과 온천장이 불황에 빠졌다. 하지만 이 지역의 온화한 기후와 호수와 아름다운 자연, 그리고 이곳 주민들의 넉넉한 인심에 이끌려 이곳에서 노후생활을 보내는 은퇴자들이 점점 늘어나면서 도시는 다시금 활기를 찾았다.

핫스프링스는 버지니아 캐시디 블라이스 클린턴 드와이어 켈리(Virginia Cassidy Blythe Clinton Dwire Kelley)가 진가를 발휘할 수 있는 활동 영역이었다. 빌의 어머니 버지니아는 아칸소 주 보드코에서 태어나 남서쪽으로 100킬로미터쯤 떨어진 호프 근처에서 자랐다. 제2차 세계대전 때 버지니아는 루이지애나에서 간호학교에 다녔고, 거기서 첫 남편인 윌리엄 제퍼슨 블라이스(William Jefferson Blythe)를 만났다. 전쟁이 끝난 뒤 그들은 시카고로 이주하여 우리 부모님이 살던 곳에서 그리 멀지 않은 노스사이드에서 살았다. 빌을 임신한 버지니아는 호프의 친정으로 돌아가 아기가 태어나기를 기다렸다. 1946년 5월, 버지니아의 남편은 아내를 만나기 위해 차를 몰고 호프로 가다가 미주리에서 치명적인 교통사고를 당했다. 1946년 8월 19일 빌이 태어났을 때 버지니아는 스물세 살의 청상과부였다. 버지니아는 뉴올리언스로 가서 간호사 고급 과정을 밟기로 결심했다. 그러면 돈을 더 많이 벌어서 갓난 아들과 함께 충분히 살아갈 수 있다는 것을 알았기 때문이다. 버지니아는 아들을 친정 부모에게 맡기고 뉴올리언스에 가서 공부했고, 학위를 따자 호프로 돌아와 마침 전문 간호사로 개업했다.

1950년에 버지니아는 자동차 판매상인 로저 클린턴(Roger Clinton)과 재혼했고, 1953년에 남편과 함께 핫스프링스로 이사했다. 로저는 원래 술고래였지만 날이 갈수록 음주벽이 심해졌고 성격이 난폭했다. 빌은 열다섯 살 때 마침내 의붓아버지가 어머니를 때리는 것을 막을 수 있을 만큼 자랐다. 빌은 또한 자기보다 열 살 아래인 동생 로저를 보살피려고 애썼다. 로저 클린턴은 암으로 오랫동안 투병생활을 하다가 1967년에 세상을 떠났고, 버지니아는 다시 과부가 되었다.

내가 버지니아를 처음 만난 것은 1972년 봄에 그녀가 빌을 만나러 뉴헤이번에 왔을 때였다. 처음 만났을 때 우리는 서로 당황했다. 버지니아가 오기 직전에 나는 돈을 아끼려고 머리를 짧게(형편없이) 잘랐다. 나는 화장도 하지 않았고, 대부분의 시간을 청바지와 작업복 셔츠 차림으로 지냈다. 나는 미스 아칸소가 아니었고, 버지니아가 아들의 애인으로 기대한 부류의 여자도 아니었다. 버지니아는 무슨 일이 있어도 아침 일찍 일어나 속눈썹을 붙이고 새빨간 립스틱을 바르고는 한껏 뽐내며 방에서 나왔다. 버지니아는 내 생활방식에 당황했고, 기묘한 양키식 사고방식도 버지니아의 마음에 들지 않았다.

나한테는 버지니아의 세번째 남편인 제프 드와이어(Jeff Dwire)가 훨씬 편한 상대였다. 제프는 나를 지지하는 동맹자가 되었다. 미용실 주인인 제프는 버지니아를 여왕처럼 떠받들었다. 제프는 만난 첫날부터 나한테 친절했고, 내가 빌의 어머니와 친해지려고 애쓰는 것을 격려해주었다. 제프는 시간이 지나면 버지니아도 마음이 달라질 거라고 말했다.

제프는 나한테 말하곤 했다. "버지니아는 걱정하지 마. 새로운 생각에 익숙해질 시간이 필요한 것뿐이야. 강한 성격을 가진 두 여자가 사이 좋게 지내기는 어렵지."

결국 버지니아와 나는 서로 상대의 차이점을 존중하게 되었고, 깊은 유대관계를 맺었다. 우리는 둘 다 같은 남자를 사랑했다. 그 공통점이 우리의 차이점보다 훨씬 중요하다는 것을 우리는 깨달았다.

빌은 고향 아칸소로 돌아가 페이어트빌에 있는 아칸소 대학에서 법대 교수로 강단에 설 예정이었고, 나는 매사추세츠 주 케임브리지로 가서 새로 생긴 '아동보호기금(CDF)'에서 매리언 라이트 에들먼 밑에서 일할 예정이었다. 나는 낡은 주택의 꼭대기층을 빌려, 처음에는 혼자 살았다. 나는 전국의 어린이와 청소년에게 영향을 주는 문제를 다루고 여행을 많이 해야 하는 그 일을 좋아했다. 사우스캐롤라이나에서 나는 미성년자가 어떤 사정으로 성인용 감옥에 감금되는지를 조사했다. 내가 면담한 14~15세 청소년 중에는 사소한 법률위반으로 감옥에 갇힌 경우도 있었다. 나머지는 이미 중죄를 지은 범죄자였다. 하지만 어쨌든 간에 미성년자가 상습적인 성인 범죄자들과 같은 감방에 갇혀서는 안되었다. 성인 범죄자들은 미성년자를 괴롭힐 수도 있고, 범죄 행위를 가르칠 수도 있었다. CDF는 미성년자를 분리하여 보호하고 좀더 빨리 판결을 받도록 애썼다.

매사추세츠 주 뉴베드퍼드에서 나는 골치 아픈 통계 자료를 확인하기 위해 집집마다 찾아다녔다. CDF는 취학 연령에 달한 아동의 수를 조사하여, 실제로 입학한 아동의 수와 비교하고 있었다. 그런데 양쪽이 크게 차이가 나는 경우가 많았기 때문에, 취학 연령이 되었는데도 학교에 들어가지 않은 아이들이 어디에 있는지 확인하고 싶었다. 집집마다 문을 두드리는 것은 가슴아픈 일이었다. 눈이 보이지 않거나 귀가 들리지 않는 등의 신체장애 때문에 학교에 가지 않는 아이도 있었다. 취학 연령이 되었는데도 부모가 일하러 나간 동안 집에서 동생을 돌보느라 학교에 가지 못하는 아이도 있었다. 포르투갈계 미국인 어부들이 모여 사는 동네에서 나는 한 소녀를 만났는데, 뒷마당에 휠체어를 내놓고 앉아 있던 소녀는 학교에 가고 싶지만 걸을 수 없어서 못 간다고 말했다.

우리는 조사 결과를 국회에 제출했다. 2년 뒤, CDF와 강력한 지지자들의 요구에 따라서 국회는 신체와 정서와 학습 능력에 장애를 가진 아동이 공립학교에서 교육을 받도록 강제하는 '장애아동교육법'을 통과시켰다.

나는 내 일에 만족했지만 외로웠고, 빌이 못 견디게 그리웠다. 나는 여름에 아칸소 주와 워싱턴DC에서 변호사 시험을 보았지만, 내 마음은 아칸소 쪽에 끌리고 있었다. 아칸소에서는 시험에 합격했지만 워싱턴에서는 떨어진 것을 알았을 때, 나는 시험점수가 나한테 뭔가를 말해주고 있는 듯한 느낌이 들었다. 나는 봉급의 대부분을 장거리전화 요금으로 쓰고 있었고, 추수감사절에 빌이 나를 만나러 왔을 때는 너무 행복했다. 우리는 보스턴을 여행하고 우리의 미래에 대해 이야기를 나누면서 시간을 보냈다.

빌은 가르치는 일이 즐겁고 페이어트빌 교외의 셋집에서 사는 것도 마음에 든다고 말했다. 페이어트빌은 인심 좋고 느긋한 대학도시였다. 하지만 정계가 빌을 부르고 있었다. 빌은 아칸소 주에서 유일한 공화당 하원의원인 존 폴 해머슈미트에 맞설 후보를 찾으려고 애쓰는 중이었다. 하지만 아칸소 북서부에서 인기있는 4선의 현역 의원에게 맞설 민주당원은 아무도 없었다. 나는 빌이 직접 선거전에 뛰어들 생각이라는 것을 알 수 있었다. 빌이 선거에 출마하기로 결정하면 그것이 우리에게 어떤 의미를 가질지는 알 수 없었다. 우리는 1973년 크리스마스가 지난 뒤에 내가 아칸소로 내려가서 우리의 미래를 함께 생각해보기로 했다. 내가 1974년 새해를 앞두고 아칸소로 내려갔을 때 빌은 이미 하원의원 선거에 출마할 결심을 굳힌 상태였다. 빌은 공화당이 워터게이트 사건으로 상처를 입을 테고 따라서 확고한 기반을 굳힌 현역 의원도 약점을 드러낼 수 있다고 믿었다. 어렵지만 한번 해볼 만한 도전이었다. 빌은 그 도전에 흥분하여 선거운동을 준비하기 시작했다.

나는 하원 법사위원회가 닉슨 대통령 탄핵 조사 책임자로 존 도어를 선정했다는 발표를 알고 있었다. 우리는 1973년 봄에 예일 법대에서 모의 재판이 열렸을 때 '판사' 역할을 맡은 존 도어를 만난 적이 있었다. 빌과 나는 법정변호사조합의 예일대 지부장으로서 과목 이수에 필요한 모의 재판을 관리할 책임을 맡았다. '판사' 역할을 맡은 존 도어는 게리 쿠퍼 타입이었다. 위스콘신 출신의 조용하고 깡마른 변호사인 도어는 로버트 케네디 법무장관 밑에서 남부의 인종차별을 종식시키려고 애썼다. 연방 법원이 흑인 투표권 사건을 심리할 때 정부를 대리했고, 1960년대의 가장 폭력적인 사건이 일어났을 때는 사건 현장인 미시시피와 앨라배마에서 일했다. 미시시피 주 잭슨에서 그는 성난 시위대와 무장경찰 사이에 끼여들어 대량학살이 벌어질 가능성을 막았다. 나는 그의 용기와 엄격하고 체계적인 법률 적용에 감탄했다.

1월 초의 어느날, 내가 빌의 셋집 부엌에서 함께 커피를 마시고 있을 때 전화벨이 울렸다. 존 도어한테서 걸려온 전화였다. 대통령 탄핵 조사단을 조직하고 있던 도어는 빌에게 참여해줄 것을 요청했다. 자신의 오랜 친구이자 케네디 법무장관 시절 법무부 민권국에서 함께 일한 버크 마셜에게 젊은 변호사를 몇 명 추천해달라고 부탁했더니 빌을 1순위로 추천했다는 것이다. 그 명단에는 예일대 시절의 세 급우―마이클 콘웨이, 루퍼스 코미어, 그리고 힐러리 로댐―의 이름도 함께 올라 있었다. 빌은 하원의원에 출마하기로 결심했기 때문에 자기는 그 일을 맡을 수 없지만 명단에 있는 다른 사람들은 참여할 수 있을 거라고 도어에게 말했다. 도어는 나에게 그 자리를 제의하면서, 보수는 쥐꼬리만하고 근무 시간은 길고 일은 힘들고 단조로울 거라고 말했다. 그것은 거절할 수 없는 제의였다. 미국 역사의 이 중대한 시기에 그보다 더 중요한 사명이 어디 있겠는가. 빌도 흥분했다. 게다가 우리의 개인 문제를 의논하는 일을 당분간 뒤로 미룰 수 있어서 둘 다 한시름 놓은 기분이었다. 나는 매리언의 축복을 받으며 짐을 꾸려 케임브리지에서 워싱턴에 있는 사라 어먼의 아파트로 이사했다. 나는 내 인생에서 가장 강렬하고 중요한 경험을 앞두고 있었다.

탄핵 조사에 참여한 44명의 변호사는 국회의사당 건너편에 있는 낡은 콩그레셔널 호텔에 바리케이드를 치고 일주일에 7일을 일했다. 스물여섯 살의 나는 함께 일하는 동료들과 우리가 맡은 역사적 책임에 경외감을 느꼈다.

조사단장은 존 도어가 맡았지만, 변호사는 두 팀으로 나뉘어 있었다. 하나는 도어가 선정하고 하원 법사위원회 위원장인 뉴저지 출신 민주당 의원 피터 로디노가 임명한 변호사들이었고, 또 하나는 시카고에 본사를 둔 '제너·블록' 법률회사의 전설적 인물인 앨버트 제너가 선정하고 공화당 간부인 미시간 출신 하원의원 에드워드 허친슨이 임명한 변호사들이었다. 도어 휘하의 노련한 변호사들이 각 부문을 지휘했다. 그중 한 사람은 뉴욕 출신의 노련하고 호전적인 버나드 너스봄이었다. 캘리포니아 출신의 조 우즈는 신랄한 재치와 엄격한 기준을 가진 사람이었는데, 절차와 헌법상의 문제에서 내 작업을 감독했다. 우아한 글재주를 가진 보브 색은 진지한 순간에 유머와 여담으로 딱딱한 분위기를 바꾸어놓을 때가 많았다. 빌은 나중에 보브를 연방 판사에 임명했다. 그렇게 노련한 변호사들도 있었지만, 조사단에 참여한 변호사들은 대부분 의욕이 넘치는 젊은 법대 졸업생들이었다. 그들은 임시 사무실에서 서류를 검토하고 테이프를 조사하고 전사하면서 하루 24시간도 기꺼이 일했다.

나중에 공화당 출신 매사추세츠 주지사가 된 빌 웰드는 헌법 조사팀에서 나와 함께 일했다. 캘리포니아 출신의 뛰어난 법률 입안자인 프레드 앨트슐러는 대통령이 어떤 결정을 내렸는지 확인하기 위해 백악관 참모들의 보고 시스템을 분석하는 일을 도와달라고 나한테 부탁했다. 나는 위스콘신 주 뉴리치먼드에 있는 도어의 법률회사에 소속된 톰 벨과 같은 사무실에서 일했다. 톰과 나는 밤늦게까지 법률 해석의 미묘한 차이와 씨름했지만, 많이 웃기도 했다. 톰은 지나치게 진지해지는 것을 싫어했고, 내가 진지해지는 것도 내버려두지 않으려 했다.

지금까지 탄핵에 회부된 대통령은 앤드루 존슨뿐이었다. 존슨 대통령 탄핵에 대해서 역사가들은 국회가 당파심에서 비롯된 정치적 목적 때문에 헌법상의 책임을 남용한 것이라는 데 대체로 의견이 일치했다. 텍사스 대학의 행정학 교수이자 변호사인 대그마르 해밀턴은 영국의 탄핵 사건을 조사했고, 나는 미국의 탄핵사건을 맡았다. 도어는 결과가 어떻게 나오든 대중과 역사로부터 조사 과정이 초당파적이고 공정하다는 평가를 받을 수 있도록 조사를 진행하겠다고 서약했다. 나는 조 우즈와 함께 하원 법사위원회에 제출할 절차상의 원칙 초안을 만들고, 도어와 우즈와 함께 위원회의 공개 회의에 참석하여 도어가 절차를 설명하는 동안 배석자로 앉아 있었다.

우리의 조사 내용은 절대 외부로 새어나가지 않았기 때문에, 언론은 일반의 흥미를 끌 만한 기삿거리를 얻으려고 안달이 나 있었다. 이 환경에는 여자가 드물었기 때문에, 기자들은 여성의 존재 자체만으로도 보도 가치가 있다고 생각했다. 어떤 기자가 나한테 "탄핵 조사단의 질 와인 볼너가 된 기분"이 어떠냐고 물었을 때 나는 곤란한 사태에 부닥쳤다. 우리는 워터게이트 수사를 맡은 리언 자워스키 특별검사 사무실에서 일한 질 와인 볼너라는 젊은 여자 변호사에게 언론의 관심이 집중된 것을 보았다. 볼너는 닉슨의 개인 비서인 로즈 메리 우즈를 상대로 특히 중요한 녹음 테이프에서 사라진 18.5분간의 녹음에 대해 인상적인 반대심문을 했다. 많은 기사가 볼너의 변론술과 매력을 주제로 삼았다.

존 도어는 언론에 노출되는 데 대해 알레르기 반응을 보여, 익명으로도 정보를 누설하지 않도록 철저한 기밀을 유지하라는 엄격한 방침을 세웠다. 그는 일기를 쓰지 말고, 민감한 쓰레기는 지정된 쓰레기통에 버리고, 사무실 밖에서는 일절 함구하고, 사람들의 주의를 끌지 말고, 모든 사교활동을 피하라고(사실은 그럴 시간도 없었지만) 우리에게 경고했다. 도어는 신중함만이 공정하고 당당하게 조사를 진행할 수 있는 방법임을 알고 있었다. 기자들이 나를 볼너와 비교하여 질문하는 것을 도어가 들었을 때, 나는 이제 도어가 다시는 나를 사람들 앞에 내보내지 않겠구나 하고 생각했다.

절차에 대한 작업이 끝나자 나는 대통령 탄핵의 법적 근거를 조사하는 부서로 옮겨가, 탄핵할 만한 위법 행위를 구성하는―또는 구성하지 않는―요건에 대한 내 결론을 요약했다. 몇 년 뒤, 나는 그 장문의 비망록을 다시 한 번 읽어보고 헌법 입안자들이 탄핵할 만하다고 생각한 '중대 범죄와 비행'에 대한 내 판단은 역시 옳았다고 생각했다.

변호사들로 구성된 도어의 조사단은 리처드 닉슨을 탄핵하기에 충분한 증거를 착실하게 모으고 있었다. 도어는 내가 함께 일한 변호사들 가운데 가장 꼼꼼하고 까다롭고 신중한 사람이었다. 그는 모든 사실을 평가할 때까지는 아무 결론도 내리지 말라고 강조했다. 그때는 개인용 컴퓨터가 나오기 전이었기 때문에, 도어는 색인 카드를 이용하여 사실을 추적하라고 지시했다. 이것은 그가 민권 재판에서 이용한 것과 같은 방법이었다. 우리는 카드마다 한 가지 사실―메모 날짜와 의제―을 타이프하고, 그것을 다른 사실들과 대조하여 하나의 패턴을 찾았다. 조사가 끝났을 때쯤 우리가 만든 색인 카드는 50만 장이 넘었다.

워터게이트 대배심이 제출받은 테이프를 우리한테 넘겨준 뒤 작업에 가속이 붙었다. 도어는 일부 요원에게 테이프를 청취하고 그것을 완전히 이해하라고 요구했다. 창문도 없는 방에 혼자 앉아서 말소리를 알아듣고 그 문맥과 의미를 파악하려고 애쓰는 일은 여간 어려운 작업이 아니었다. 테이프 중에는 내가 '테이프 속의 테이프'라고 부른 것들이 있었다. 닉슨이 스스로 전에 녹음한 테이프를 들으면서 그 내용에 관해 참모들과 의논하는 장면을 다시 녹음한 것들이었다. 그 테이프에서 닉슨은 백악관에서 법률과 헌법에 도전하려는 노력이 진행되고 있을 때 거기에 개입한 사실을 부인하거나 변조하기 위해 자기가 전에 한 말을 조작하고 합리화했다. 대통령은 "내가 그렇게 말한 뜻은……"이라든가 "내가 정말로 하려던 말은……" 등의 말을 여러 번 되풀이했다. 자신의 잘못을 은폐하기 위한 닉슨의 리허설을 듣는 것은 실로 놀라운 경험이었다.

1974년 7월 19일, 도어는 대통령의 혐의를 구체적으로 명시한 탄핵 항목을 제출했다. 하원 법사위원회는 권력 남용·사법 방해·국회 모독이라는 세 가지 탄핵 항목을 승인했다. 닉슨 대통령의 혐의에는 증인들의 입을 다물게 하거나 증언에 영향을 미치기 위해 증인을 매수한 혐의, 국세청을 이용하여 민간인의 납세 기록을 입수한 혐의, FBI와 CIA 등에 미국 시민을 염탐하라고 지시한 혐의, 대통령 집무실 내부에 비밀 조사 기구를 둔 혐의도 포함되어 있었다. 표결은 양당 합동으로 이루어져 의회와 미국 대중의 신뢰를 얻었다. 8월 5일, 백악관은 1972년 6월 23일 녹음한 테이프를 공개했다. 흔히 '결정적 증거'라고 부르는 이 테이프에는 닉슨이 자신의 재선위원회가 불법적인 목적에 사용한 돈을 은폐하도록 승인한 사실이 고스란히 담겨 있었다.

닉슨은 1974년 8월 9일 대통령직을 사임했고, 그리하여 미국은 고통과 불화를 일으키는 하원의 표결과 상원의 탄핵 심판을 피할 수 있었다. 부도덕한 대통령을 공직에서 몰아낸 1974년의 닉슨 탄핵 과정은 헌법과 법률체계의 승리였다. 그래도 조사단에 참여한 사람 가운데 일부는 그 과정의 진지함에 엄숙해지지 않을 수 없었다. 국회 위원회와 특별검사의 막강한 권력이 공정하고 합법적이려면 결국 그 권력을 행사하는 사람들이 공정하고 합법적이어야 했다.

나는 하루아침에 실직자가 되었다. 굳게 뭉쳤던 변호사들은 사방으로 흩어지기 전에 마지막으로 한데 모여 식사를 같이 했다. 모두 들뜬 얼굴로 장래 계획을 이야기했다. 나는 아직 마음을 정하지 못하고 있었다. 버트 제너가 앞으로 무슨 일을 하고 싶으냐고 물었을 때, 나는 당신처럼 법정 변호사가 되고 싶다고 말했다. 그러자 제너는 그건 불가능할 거라고 말했다.

"왜요?"

"자네는 아내를 가질 수 없을 테니까."

"그게 무슨 뜻이죠?"

버트는 온갖 시중을 들어주고 뒷바라지해줄 아내가 집에 없으면 일상생활에 필요한 일을 절대로 해낼 수 없을 거라고 설명했다. 예를 들면 법정에 깨끗한 양말을 신고 나가기도 힘들다는 것이었다. 나는 제너가 나를 놀리는 것인지, 아니면 소송을 둘러싼 공방이 아직도 여자한테는 힘든 일일 수 있다는 것을 진지하게 말하고 있는 것인지 알 수가 없었다. 결국 그것은 중요한 문제가 아니었다. 나는 머리 대신 가슴을 따르기로 결정했기 때문이다. 나는 아칸소로 갈 작정이었다.

내가 결심을 털어놓자 사라 어먼이 말했다. "미쳤어? 도대체 무엇 때문에 미래를 내던지려는 거지?"

몇 달 전 봄에 나는 페이어트빌로 빌을 만나러 가게 해달라고 존 도어에게 부탁했었다. 도어는 탐탁해하지 않았지만, 마지못해 주말 휴가를 주었다. 페이어트빌에 있는 동안 나는 빌과 함께 디너 파티에 가서 법대학장인 와일리 데이비스를 비롯한 빌의 동료 교수들을 만났다. 내가 그곳을 떠날 때 데이비스 학장은 대학 강단에 서고 싶으면 언제든지 알려달라고 말했다. 이제 나는 그 제안에 응하기로 결정했다. 그래서 데이비스 학장에게 전화를 걸어 그 제의가 아직도 유효하냐고 물었다. 데이비스 학장은 그렇다고 대답했다. 내가 무엇을 가르치게 되느냐고 묻자 그는 열흘 안에 페이어트빌에 오면 알려주겠다고 말했다.

내가 불쑥 그런 결정을 내린 것은 아니었다. 빌과 나는 데이트를 시작한 뒤 줄곧 우리의 곤경에 대해 생각했다. 우리가 함께 지내려면 누군가 한 사람은 양보할 수밖에 없었다. 워싱턴에서 내 일이 예기치 않게 끝나버렸기 때문에, 나는 우리 관계─그리고 아칸소─에 기회를 줄 수 있는 시간과 공간을 얻었다. 사라는 나를 걱정하면서도 아칸소까지 나를 태워다주겠다고 나섰다. 가는 동안 줄곧 사라는 나한테 "너 제정신이야? 아칸소에 정말로 가고 싶은 거야?" 하고 물었고, 그때마다 나는 똑같은 대답을 되풀이했다. "그래요, 어쨌든 갈 거예요."

나는 무엇이 나한테 가장 바람직한 일인지 판단하기 위해 나 자신의 감정에 귀를 기울여야 할 때가 많았다. 가족과 친구—대중과 언론은 말할 것도 없고—가 내 선택에 이의를 제기하고 그런 결정을 내린 동기를 억측하더라도, 내 감정에 충실하면 외로운 결단을 내릴 수 있다. 나는 법대에서 빌과 사랑에 빠졌고, 빌과 함께 있고 싶었다. 나는 빌이 옆에 없을 때보다 빌과 함께 있을 때 항상 더 행복했고, 빌과 함께라면 어디에서든 충일한 삶을 살 수 있다고 생각했다. 내가 인간으로 성숙하려면, 이제—엘리너 루스벨트(미국 제32대 대통령 프랭클린 루스벨트의 아내로서 사회운동가. 1884~1962—옮긴이)의 말을 빌리면—내가 가장 두려워하는 일을 할 때가 되었다. 그래서 나는 한번도 살아본 적이 없는 낯선 곳, 친구도 가족도 없는 곳으로 가고 있었다. 하지만 내 가슴은 내가 옳은 방향으로 가고 있다고 말해주었다.

내가 아칸소 주에 도착한 날은 8월의 무더운 날이었다. 그날 저녁, 나는 빌이 벤턴빌의 광장에 모인 꽤 많은 군중 앞에서 선거 유세를 하는 것을 보고 깊은 인상을 받았다. 빌은 승산이 별로 없었지만, 그래도 이길 가능성이 전혀 없지는 않았다. 이튿날 나는 워싱턴 군(郡) 변호사협회가 홀리데이 인에서 개최한 법대 신임 교수 환영회에 참석했다. 나는 아칸소 주에 온 지 48시간도 지나지 않았지만 벌써 임무를 부여받았다. 나는 형법과 법정 변론을 가르치고, 법률구조 상담소와 교도소 프로젝트를 담당하게 되었다. 이 일을 하려면 감옥에 갇힌 가난한 사람들에게 법률적 도움을 제공하는 학생들을 감독해야 했다. 그리고 나는 빌의 선거운동도 최대한 도울 작정이었다.

변호사협회 회장인 빌 바셋은 나를 데리고 다니며 현지의 변호사와 판사들을 만나게 해주었다. 그는 나를 형평법 법원의 수석판사인 톰 버트에게 이렇게 소개했다.

"판사님, 이번에 새로 법대 교수로 오신 힐러리 로댐입니다. 형법을 가르치고 법률구조 프로그램을 운영할 예정입니다."

그러자 버트 판사는 나를 내려다보면서 말했다.

"만나서 반갑긴 하지만, 나는 법률구조 따위는 딱 질색이고, 지독히 막돼먹은 개새끼라는 걸 알아두어야 할 거요."

나는 억지미소를 지으면서 말했다. "저도 만나 뵈어서 반갑습니다, 판사님." 하지만 내가 터무니없는 곳에 발을 들여놓은 게 아닐까 하는 생각이 들었다.

수업은 이튿날 아침에 시작되었다. 나는 법대에서 가르쳐본 적이 없었고, 나이도 대부분의 학생들보다 조금 많을 뿐이었다. 개중에는 나보다 나이가 많은 학생도 있었다. 유일한 여교수인 엘리자베스 오젠보와 나는 가까운 친구가 되었다. 우리는 법조계와 인생의 여러 가지 문제에 대해 이야기를 나누었다. 페이어트빌에서 진짜 조제식품 전문점과 가장 비슷한 음식점에서 카이저 롤빵에 칠면조 고기를 끼운 샌드위치를 사먹으면서 이야기할 때가 많았다. 로버트 레플라는 70대 노인인데도 아직 페이어트빌에서 전설적인 법률 분쟁 과목을 가르치고, 뉴욕대 법대에서 그에 못지않게 유명한 상소심 과목을 가르치고 있었다. 로버트와 그의 아내 헬렌도 내 친구가 되었고, 내가 그곳에서 처음 맞은 여름 동안 아칸소의 저명한 건축가 페이 존스가 설계한 그들의 집—돌과 나무로 지은 소박한 집—에 머물게 해주었다. 나는 앨 위트와 우호적인 논쟁을 벌였다. 앨은 가장 막돼먹은 법대 교수를 자처했지만, 사실은 감상적이고 부드러운 남자였다. 나는 같은 연구실을 쓴 밀트 코프랜드의 친절에 감사했고, 민권을 옹호하는 모트 기텔먼의 언행과 학식에 감탄했다.

새 학기가 막 시작되었을 때, 빌의 어머니인 버지니아의 남편 제프 드와이어가 심장마비로 갑자기 사망했다. 세번째로 과부가 된 버지니아와 빌의 남동생 로저는 비탄에 빠졌다. 빌보다 열 살 아래인 로저는 의붓아버지인 제프와 가까운 관계를 맺고 있었다. 제프를 잃은 것은 우리 모두에게 고통이었다. 버지니아는 오랫동안 너무 많은 시련을 견뎌왔다. 그런데도 슬픔과 역경을 딛고 다시 일어나는 그 대단한 회복력에는 놀라지 않을 수 없었다. 나는 빌한테서도 똑같은 자질을 발견했다. 빌은 힘든 어린 시절을 겪었지만, 비뚤어진 성격은 털끝만큼도 찾아볼 수 없었다. 어린 시절의 경험은 오히려 그를 더욱 낙천적이고 남에게 진심으로 공감하는 사람으로 만들었다. 그의 활력과 기질은 사람들을 끌어들였다. 빌이 대통령에 출마함으로써 그의 인생 역정에 관한 이야기가 언론에 발표된 때까지, 그가 견뎌온 괴롭고 힘든 상황을 아는 사람은 거의 없었다.

빌은 제프의 장례식을 마치자 다시 선거운동을 시작했고, 나는 작은 대학도시의 생활을 탐험했다. 뉴헤이번과 워싱턴의 치열한 생활을 겪은 뒤인지라 페이어트빌의 친절하고 인정 많은 사람들, 느긋하고 여유로운 생활, 자연의 아름다움은 기운을 북돋워주는 고마운 강장제였다.

어느날 내가 슈퍼마켓 카운터에 줄을 서 있는데, 계산원이 나를 쳐다보면서 "새로 오신 법대 여교수님이세요?" 하고 물었다. 내가 그렇다고 대답하자, 그녀는 조카가 나한테 배우고 있다면서 나를 '꽤 좋은 분'이라고 하더라고 말했다. 또 하루는 세미나에 참석하지 않은 학생을 찾으려고 전화국에 전화를 걸었더니, 교환원이 말했다.

"그 학생은 집에 없어요."

"뭐라고요?"

"캠핑 갔어요."

그렇게 작고 친절한 곳에 살아본 적이 없는 나는 그런 분위기가 무척 마음에 들었다. 나는 아칸소 '레이저백스'의 미식축구 시합을 보러 가서 응원, 아니 '야유' 하는 법을 배웠다. 빌이 시내에 있을 때면 우리는 친구들과 함께 바비큐를 먹으면서 저녁을 보내고, 법대의 동료 교수인 리처드 리처즈의 집에서 배구를 하면서 주말을 보냈다. 또는 베스 오젠보가 준비한 제스처 게임을 즐기기도 했다.

당시 대학 행정을 맡았던 칼 휠록과 그의 유쾌한 아내 마거릿은 법대 건너편에 있는 커다란 노란색 집에서 살고 있었다. 그들은 페이어트빌에서 처음으로 나를 집에 초대해주었고, 우리는 당장 친구가 되었다. 마거릿의 첫 남편은 여섯이나 되는 아이가 열 살도 되기 전에 아내를 버리고 떠나버렸다. 여자가 아무리 쾌활하고 매력적이라 해도, 아이가 여섯이나 딸린 이혼녀와 결혼하는 부담을 떠맡을 남자는 없으리라는 것이 일반 통념이었다. 하지만 칼은 통념을 거부하고 모든 짐을 기꺼이 짊어졌다. 나는 백악관에서 마거릿을 에피 레더러—앤 랜더스로 알려진 인생 상담가—에게 소개한 적이 있었다. 에피는 마거릿의 이야기를 듣고 나서 소리쳤다. "당신 남편은 성자가 될 자격이 있어요!" 그 말이 옳았다.

앤과 모리스 헨리 부부도 나와 가까운 친구가 되었다. 변호사인 앤은 독자적으로, 또는 아칸소 주의회 상원의원인 남편 모리스를 대신하여 정치와 공동체 문제에 적극적으로 참여했다. 앤은 또한 세 자녀의 학교와 운동 프로그램에도 깊이 관여했다. 넓은 식견으로 뒷받침된 의견을 자유롭게 표현하는 앤은 재미있는 친구였다.

다이앤 블레어는 나와 가장 친한 친구가 되었다. 나와 마찬가지로 다이앤도 워싱턴에서 첫 남편을 따라 페이어트빌로 옮겨온 이주자였다. 대학에서 정치학을 가르친 다이앤은 캠퍼스에서 가장 훌륭한 교수로 여겨졌다. 우리는 함께 테니스를 치고, 좋아하는 책을 바꿔 읽었다. 다이앤은 아칸소와 남부지방의 정치에 대한 글을 많이 썼는데, 혼자 힘으로 상원의원에 선출된 최초의 여성인 아칸소 출신의 민주당 의원 해티 캐러웨이를 다룬 책에서는 여성의 권리와 역할에 대한 다이앤의 확신이 불꽃을

튀겼다.

미국이 '남녀평등 헌법 수정안'(여성을 차별 취급하는 상당수의 주법과 연방법을 폐지시킬 목적으로 제안된 미국 헌법에 대한 수정안—옮긴이)을 승인해야 하느냐 마느냐를 놓고 전국에서 열띤 논쟁이 벌어졌을 때, 다이앤은 아칸소 주의회에서 초보수적인 활동가 필리스 슐래플리와 논쟁을 벌였다. 나는 1975년에 발렌타인 데이의 대결을 준비하는 다이앤을 도와주었다. 다이앤은 논쟁에서 쉽게 이겼지만, 우리는 아칸소 주에서 수정안에 반대하는 종교계와 정계의 연합 세력이 저항할 수 없는 주장이나 논리나 증거에 쉽게 굴복하지 않으리라는 것을 알고 있었다.

다이앤과 나는 정기적으로 만나 학생회관에서 점심을 먹었다. 우리는 항상 오자크 구릉지대가 내다보이는 창가에 자리를 잡고 수다를 떨었다. 다이앤과 나는 헨리네 뒷마당 수영장에서 앤과 함께 오랜 시간을 보냈다. 다이앤과 앤은 내가 법률구조 상담소에서 다루는 사건에 대해 듣기를 좋아했고, 나는 상담소에서 만난 사람들의 태도에 대해 그들의 의견을 구하곤 했다. 하루는 워싱턴 군의 검찰관인 말론 기브슨이 나에게 전화를 걸어, 열두 살 난 소녀를 강간한 혐의로 기소된 가난한 수감자가 여자 변호사를 원하고 있다고 말했다. 기브슨은 형사법원 판사인 모핀 커밍스에게 나를 국선 변호인으로 지명하라고 추천했다. 나는 그런 의뢰인을 맡으면 기분이 좋지 않다고 말했지만, 말론은 판사의 요청을 섣불리 거부할 수는 없다고 말했다. 군 교도소에 수감되어 있는 강간 피의자를 면회하러 가보니, 그는 교육도 받지 못한 '닭 잡는 사람'이었다. 큰 양계장에서 닭을 받아다 현지의 가공공장에 넘기는 것이 그의 직업이었다. 그는 강간 혐의를 부인하고, 먼 친척인 그 여자애가 이야기를 꾸며냈다고 주장했다. 나는 사건을 철저히 조사했고, 뉴욕에서 온 저명한 과학자한테서 전문적인 증언을 얻었다. 그 과학자는 검찰관이 피고의 유죄를 입증한다고 주장한 혈액과 정액의 증거 가치에 의문을 제기했다. 그 증언 때문에 나는 피고인이 성희롱에 대해서는 유죄를 시인하겠다고 검찰관과 협상했다. 내가 그 답변서를 제출하기 위해 피고와 함께 커밍스 판사 앞에 출두하자, 판사는 피고인의 주장에 대한 실제 근거를 확인하기 위해 피고인을 심문해야 하니까 그 동안 법정에서 나가 있으라고 나에게 말했다.

"판사님, 저는 법정에서 나갈 수 없습니다. 저는 피고인의 변호인입니다."

그러자 판사가 말했다. "숙녀 앞에서 그런 얘기를 할 수는 없어요."

그래서 나는 판사를 안심시켰다. "판사님, 저를 그저 변호인으로만 생각하세요."

판사는 피고인의 주장을 끝까지 들은 다음 판결을 내렸다. 앤 헨리와 내가 아칸소 최초의 성폭행 상담 전화를 설치하는 문제를 논의한 것은 이 일이 있은 직후였다.

내가 새로운 생활을 시작한 지 몇 달 뒤, 페이어트빌 북쪽의 벤턴 군 교도소에서 일하는 여자 교도관한테서 전화가 걸려왔다. 교도관은 벤턴빌 거리에서 복음을 전도하다가 치안방해죄로 체포된 여자가 있다고 말했다. 그 여자는 이제 곧 판사 앞에 출두할 예정인데, 그 여자를 어떻게 해야 할지 아무도 모르기 때문에 판사는 그 여자를 주립 정신병원에 보낼 작정이라는 것이었다. 교도관은 그 여자가 미친 게 아니라 단지 '주님의 성령에 사로잡혀 있을' 뿐이니까 되도록 빨리 와달라고 나한테 부탁했다.

나는 법원에 가서 교도관과 수감자를 만났다. 수감자는 발목까지 내려오는 드레스 차림에 낡아빠진 성경을 꽉 움켜잡고 있는 온화해 보이는 여자였다. 그녀는 예수님이 벤턴빌에서 복음을 전도하라고 자기를 보냈으며, 석방되면 곧장 벤턴빌로 돌아가 전도를 계속할 작정이라고 말했다. 나는 그녀가 캘리포니아에서 온 것을 알고, 주립 정신병원에 보내는 대신 집으로 돌아갈 버스표를 사주라고 판사를 설득했다. 그리고 아칸소보다는 캘리포니아에 복음이 더 절실히 필요하다고 수감자를 설득했다.

빌은 6월에 하원의원 예비선거와 민주당 결선투표에서 승리했다. 우리 아버지와 남동생 토니도 5월에 몇 주 동안 이곳에 와서 포스터를 붙이고 전화를 받는 등 고단하고 지루한 일을 하면서 빌의 선거운동을 도왔다. 완고한 공화당원인 아버지가 빌의 당선을 위해 애쓴 것은 지금 생각해도 놀라울 따름이다. 그것은 아버지가 빌을 깊이 사랑하고 존중하게 되었다는 증거였다.

노동절(9월 첫째 월요일) 무렵에는 빌의 선거운동이 기세를 얻기 시작했다. 공화당원들은 인신공격을 퍼붓고 비열한 수법을 쓰기 시작했다. 내가 선거운동에서 거짓말과 교묘한 조작의 효과를 가까이에서 본 것은 그때가 처음이었다.

1969년에 닉슨 대통령이 텍사스와 아칸소의 미식축구 경기를 관전하러 페이어트빌에 왔을 때, 한 젊은이가 베트남 전쟁과 닉슨의 대학 캠퍼스 방문에 항의하기 위해 나무 위에 올라간 일이 있었다. 5년 뒤, 빌의 정적들은 그때 나무에 올라간 녀석이 빌이라고 주장했다. 당시 빌이 6,500킬로미터나 떨어진 영국 옥스퍼드에서 공부하고 있었다는 사실은 중요하지 않았다. 그후에도 오랫동안 나는 그 거짓말을 사실로 믿고 있는 사람들을 만났다.

한번은 빌이 유권자에게 보낸 우편물이 배달되지 않았는데, 나중에 우체국 뒤에 숨겨져 있는 수많은 엽서 뭉치가 발견되었다. 그밖에도 다양한 방해 공작이 보고되었지만, 어떤 부정 행위도 입증할 수가 없었다. 11월에 선거일 밤이 왔을 때 빌은 6천 표 차이로 패했다. 총투표수는 17만 표였고, 비율로 따지면 52퍼센트 대 48퍼센트였다. 자정이 훨씬 지난 뒤, 빌과 버지니아, 로저와 내가 빌의 선거대책본부로 쓰인 작은 집을 막 나서려는데 전화벨이 울렸다. 나는 친구나 지지자가 위로의 말을 하려고 전화를 걸었겠거니 생각하고 수화기를 들었다. 그런데 누군가가 전화기에 대고 "깜둥이를 사랑하는 빨갱이 동성애자 빌 클린턴이 져서 쌤통이다!" 하고 소리를 지르고는 전화를 툭 끊어버렸다. 도대체 무엇이 그런 언짢은 기분을 불러일으킬 수 있을까? 이것은 그후에도 내가 수없이 되풀이하게 된 질문이었다.

학년이 끝난 뒤, 나는 시카고와 동해안으로 돌아가 나에게 일자리를 제의한 사람들과 친구들을 만나보기로 했다. 나는 아직도 확실한 인생설계를 세우지 못한 상태였다. 공항으로 가는 길에 빌과 나는 대학 근처에 있는 붉은 벽돌집을 지나갔다. 그 집 앞에 '집을 팝니다'라고 쓰인 간판이 서 있었다. 나는 별 생각 없이 참 예쁘고 아담한 집이라고 말하고는 이내 잊어버렸다. 몇 주 동안 여행하고 생각한 뒤, 나는 아칸소와 빌에게 돌아가기로 결정했다. 공항으로 나를 마중나온 빌이 물었다.

"당신이 맘에 든다고 했던 그 집 기억나? 내가 그 집을 샀어. 그러니까 당신은 이제 나와 결혼하는 게 좋을 거야. 그 집에서 나 혼자 살 수는 없으니까."

빌은 자랑스럽게 진입로로 들어가 나를 집안으로 안내했다. 방충망을 둘러친 포치, 성당처럼 높은 천장에 들보가 드러나 있는 거실, 벽난로, 커다란 내닫이창, 널찍한 침실과 욕실, 수리할 필요가 있는 부엌이 있었다. 빌은 이미 현지의 고물상에서 구입한 철제 침대와 '월마트'에서 구입한 시트 등으로 아늑하게 꾸며놓았다.

나도 이번에는 "예스" 하고 대답할 수밖에 없었다.

우리는 1975년 10월 11일 거실에서 빅 닉슨 목사의 주례로 결혼식을 올렸다. 이곳의 감리교회 목사인 빅 닉슨과 그의 아내 프레디는 빌의 선거운동을 도와준 분들이었다. 결혼식에는 우리 부모님과 남동생들, 빌의 어머니 버지니아와 동생 로저, 웰즐리 여대 동창인 조해나 브랜슨, 고등학교 동창인 톰과 벳시 존슨 이블링, 빌의 1974년 선거운동에 회계 책임자로 참여한 F.H. 마틴과 그의 아내 머나, 빌의 사촌인 마리 클린턴, 예일 법대 시절의 친구이며 우리와 함께 법대 교수가 된 딕 애트킨슨, 베스 오젠보, 핫스프링스에서 빌과 함께 자란 친구인 패티 하우가 참석했다. 나는 레이스와 모슬린으로 지은 빅토리아풍의 드레스를 입었다. 전날 밤 어머니와 함께 쇼핑을 하다가 발견한 옷이었다. 나는 아버지의 팔을 잡고 방으로 들어갔다. 목사가 말했다. "누가 이 여인을 신랑에게 넘겨주겠습니까?" 우리는 모두 기대에 찬 눈으로 아버지를 쳐다보았다. 하지만 아버지는 내 손을 놓으려 하지 않았다. 마침내 닉슨 목사가 말했다. "이제 뒤로 물러나셔도 됩니다, 로댐 씨."

결혼식이 끝난 뒤, 앤과 모리스 헨리가 자기네 집 뒷마당에서 피로연 파티를 열었다. 수백 명의 친구들이 우리를 축하해주려고 모여들었다.

그후 나는 왜 계속 빌과 함께 지냈느냐는 질문을 자주 받았다. 나에게는 달갑지 않은 질문이지만, 우리 생활은 공적인 성격을 갖고 있기 때문에 그런 질문은 앞으로도 계속 되풀이될 것이다. 수십 년 동안 지속된 사랑, 딸을 낳아 키우고 부모님들을 떠나보내고 가족들을 돌보고 평생 친구들을 사귀면서 함께 나눈 경험과 공통된 신앙과 애국심을 통해서 더욱 깊어진 사랑을 뭐라고 말하면 설명할 수 있을까? 내가 아는 것은, 빌보다 나를 더 잘 이해하는 사람도 없고 빌처럼 나를 웃게 만들 수 있는 사람도 없다는 사실뿐이다. 그 많은 세월이 흐른 뒤에도 빌은 여전히 내가 만난 사람들 가운데 가장 재미있고 정력적이고 활기찬 남자다. 빌 클린턴과 나는 1971년 봄에 대화를 시작하여, 30여 년이 지난 지금도 여전히 대화를 나누고 있다.

리틀록 시절

　빌 클린턴이 최초로 이긴 선거는 1976년의 아칸소 주 검찰총장 선거였지만, 용두사미처럼 맥빠진 승리였다. 빌은 5월에 예비선거에서 이겼고 공화당은 후보를 내지 않았기 때문이다. 그해의 최대 볼거리는 지미 카터와 제럴드 포드가 맞붙은 대통령 선거였다.

　빌과 나는 1975년 지미 카터가 아칸소 대학에서 강연을 했을 때 그를 만났다. 카터는 1974년에 자신의 보좌관 두 명을 페이어트빌로 보내 빌의 선거운동을 도와준 적이 있는데, 이는 카터가 그때 벌써 대통령 출마를 염두에 두고 정국을 바라보고 있었다는 확실한 증거다.

　카터는 자신을 나에게 소개할 때 이렇게 말했다. "안녕하시오. 나는 미국 대통령이 될 지미 카터요." 이 말이 내 관심을 끌었기 때문에, 나는 그를 유심히 관찰하고 그의 말에 귀를 기울였다. 카터는 나라 전체의 분위기를 이해했고, 워터게이트 사건 이후의 정국은 남부 유권자들의 마음을 끌 수 있는 비(非)워싱턴 출신 신인에게 기회를 줄 거라고 장담했다. 카터는 자신도 누구 못지않게 충분한 가능성이 있다고 결론지었고, 자신을 난도질하는 대통령 선거운동에 필요한 자신감도 갖추고 있었다.

카터는 포드 대통령이 리처드 닉슨을 사면한 것이 민주당 쪽에 •유리한 쟁점이 될 거라고 생각했다. 나는 포드 대통령의 사면이 나라를 위해서는 옳은 결정이라고 믿었지만, 그것이 유권자들에게 제럴드 포드와 리처드 닉슨의 긴밀한 관계를 상기시킬 거라는 카터의 분석에 동의했다. 제럴드 포드는 실각한 스피로 애그뉴 부통령의 후임으로 리처드 닉슨이 선택한 인물이었다.

우리가 헤어질 때쯤 카터는 자기한테 뭔가 조언해줄 말이 없느냐고 물었다.

"주지사님, 저 같으면 사람들한테 내가 대통령이 될 거라고 말하고 다니지는 않을 겁니다. 거기에 반감을 갖는 사람도 있을 테니까요."

그러자 카터는 그의 트레이드마크인 미소를 활짝 지으면서 대답했다. "하지만 나는 대통령이 될 거요."

빌의 당선은 확실했기 때문에, 우리는 민주당 대통령 후보로 지명된 카터의 선거운동에 거리낌없이 참여할 수 있었다. 우리는 7월에 뉴욕 시에서 열린 전당대회에 참가하여 카터의 참모들과 선거운동에 관한 토론을 나누었다. 그후 보름 동안 유럽에서 멋진 휴가를 보내면서 바스크 지방의 도시 게르니카를 순례했다. 나는 도널드 존스 목사가 감리교회 청년회 회원들에게 피카소의 「게르니카」 복제화를 보여주었을 때부터 피카소의 그 걸작에 영감을 준 현장을 한번 찾아가고 싶었다. 20세기의 전쟁은 1937년에 게르니카에서 시작되었다. 스페인의 파시스트 독재자인 프란시스코 프랑코가 게르니카를 파멸시키기 위해 히틀러 치하의 독일 공군인 '루프트바페'에 도움을 청한 것이 전쟁의 발단이었다. 피카소는 반전의 상징이 된 이 그림에서 대량학살의 공포와 공황 상태를 포착했다. 게르니카는 그후 재건되어, 빌과 내가 찾아간 1976년에는 여느 산촌과 다를 게 없어 보였다. 하지만 피카소의 그림은 프랑코의 범죄 행위를 내 기억 속에 깊이 새겨놓았다.

우리가 페이어트빌로 돌아오자마자 카터의 참모가 빌에게는 아칸소 주 선거운동을 맡아달라고 부탁하고, 나한테는 인디애나 주에 가서 현지 조정자 역할을 맡아달라고 부탁했다. 인디애나 주는 공화당 우세 지역이 었지만, 카터는 남부에 뿌리박고 농사를 지어온 자신의 배경이 공화당 유권자들한테도 먹혀들 수 있다고 믿었다. 나는 별로 가망이 없다고 생 각했지만, 그래도 힘닿는 데까지 해보기로 했다. 내가 맡은 일은 인디애 나 주의 모든 군에 선거운동 사무실을 차리는 것이었다. 그러려면 조정 자의 지휘 아래 일선에서 발로 뛰어줄 현지 주민을 찾아야 했다. 인디애 나폴리스의 선거 사무실은 가전제품 가게와 보석 보증금 회사가 들어 있 는 건물에 있었다. 길 건너편에는 구치소가 있었고, 건물 앞쪽 창문에 나 붙은 카터-먼데일 포스터 위에는 '보석 보증인' 이라는 네온사인이 번쩍 이고 있었다.

나는 인디애나 주에서 많은 것을 배웠다. 어느날 저녁, 나는 선거일 에 민주당 유권자를 투표장으로 동원하는 일을 맡은 나이든 분들과 함께 식사를 하고 있었다. 식탁에 여자는 나 혼자뿐이었다. 그들은 나한테 구 체적인 정보를 주려 하지 않았고, 나는 그들이 선거일에 얼마나 많은 전 화를 걸고 차를 몇 대 동원하고 몇 가구를 찾아다닐 계획인지 자세히 말 해달라고 계속 요구했다. 그때 갑자기 한 남자가 탁자 너머로 손을 뻗어 내 멱살을 잡았다. "입 좀 닥쳐. 우리는 하겠다고 말했고, 그대로 할 거 야. 어떻게 할 건지 당신한테 보고할 필요는 없어!" 나는 겁이 났다. 그 남자는 줄곧 술을 마시고 있었고, 모든 사람의 눈이 나에게 쏠려 있었다. 내 심장은 빠르게 고동치고 있었다. 나는 그 남자의 눈을 똑바로 바라보 면서 내 목에서 그의 손을 떼어내고 말했다. "첫째, 다시는 나한테 손대 지 말아요. 둘째, 당신이 두 손을 쓰는 만큼 재빨리 내 질문에 대답하면 나는 내 일을 하는 데 필요한 정보를 얻을 수 있을 거예요. 그러면 당신 을 방해하지 않고 떠날 수 있어요. 그게 바로 내가 지금 하려는 일이에요." 나는 무릎이 후들거렸지만 일어나서 밖으로 걸어나왔다.

　카터는 인디애나 주에서 이기지 못했지만, 전국 선거에서는 승리를 거두었다. 나는 설레는 가슴으로 새 정부에 기대를 걸었다. 하지만 빌과 나에게는 더 시급한 관심사가 있었다. 우리는 아칸소의 주도인 리틀록으로 이사해야 했다. 그것은 우리가 결혼한 집을 떠나야 한다는 뜻이었다. 우리는 의사당에서 그리 멀지 않은 힐크레스트 구의 예스럽고 아름다운 거리에 30평짜리 집을 샀다. 페이어트빌은 리틀록에서 출퇴근하기에는 너무 멀었기 때문에 나는 더 이상 대학 강단에 설 수 없었다. 나는 동료 교수들과 학생들을 좋아했기 때문에 학교를 떠나는 게 무척 슬펐다. 나는 다음에 할 일을 결정해야 했다. 주정부의 재정 지원으로 운영되는 기관에서 일하거나, 검사나 법률구조단 변호사처럼 주 검찰총장의 직무와 겹치거나 충돌할 수 있는 공직을 맡는 것은 바람직하지 않다고 생각했다. 그때까지는 민간 법률회사에 들어가기를 꺼렸지만, 이제는 나도 그 문제를 진지하게 고려하기 시작했다. 민간인 고객을 대리하는 것은 중요한 경험이 될 테고, 주 검찰총장인 빌의 봉급이 2만 6,500달러밖에 안되기 때문에 경제적으로도 도움이 될 거라고 생각했다.

　'로즈 법률회사'는 아칸소 주에서 가장 훌륭한 법률회사였고, 미시시피 강 서쪽에서 가장 오래된 법률회사로 알려져 있었다. 나는 아칸소 법대에서 법률구조 상담소를 운영하는 동안 그 회사의 파트너인 빈스 포스터를 알게 되었다. 내가 가난한 의뢰인들을 대리하도록 법대생들을 법정으로 보내자, 버트 판사는 자산이 10달러 미만이고 걸친 옷을 빼고는 빈털터리인 경우에만 무료 변호인의 도움을 받을 수 있다는 19세기 법규를 들이대면서 그 규정에 따라 의뢰인을 제한하라고 학생들에게 요구했다. 고물차나 텔레비전은 물론이고 10달러가 넘는 물건을 하나라도 가진 사람은 그 기준을 충족시킬 수 없었다. 나는 법률을 바꾸고 싶었고, 그러려면 아칸소 변호사협회의 도움이 필요했다. 그리고 법대의 법률구조 상담소는 미래의 변호사들이 현실 세계를 경험할 기회를 제공해주었기 때문에, 나는 상담소의 상근 관리직과 소송 사무직을 고용할 수 있도록 변호사협회가 재정 지원을 해주기를 바라고 있었다. 빈스는 법률구조를 감독하는 변호사 위원회의 위원장이었기 때문에 나는 그를 만나러 갔다. 빈스는 몇몇 주요 변호사에게 나를 도와줄 것을 요청했다. 아칸소 최고의 법정 변호사인 헨리 우즈, '스왐퍼'(노새 몰이꾼)를 자처하지만 역시 아칸소 최고의 변호사인 윌리엄 R. 윌슨 2세도 빈스의 요청을 받은 분들이었다. 버트 판사와 나는 변호사협회 집행위원회에 출두하여 상반되는 주장을 제시했다. 위원회는 빈스의 지원 덕분에 상담소를 지지하고 법규 폐지를 승인했다.

1976년 선거가 끝난 뒤, 빈스와 역시 로즈 법률회사의 파트너인 허버트 C. 룰 3세가 나에게 일자리를 제의하러 왔다. 매사에 정당한 절차를 밟으려고 애쓰는 로즈 법률회사의 방침에 따라 박식한 예일대 졸업생인 허버트는 이미 법률회사가 주 검찰총장과 결혼한 변호사를 고용해도 좋다는 미국변호사협회의 승인을 받아 공익과 사리의 충돌을 피하기 위한 조치를 취해놓았다고 설명했다.

로즈 법률회사의 변호사들이 모두 빈스나 허버트처럼 여자 동료를 환영한 것은 아니었다. 로즈 법률회사는 1940년대에 여자 조수를 한 명 고용한 적이 있었지만, 여자 변호사를 고용한 적은 한번도 없었다. 로즈 법률회사의 유일한 여자 조수였던 엘시제인 로이는 2~3년 일하다가 그만두고 연방 판사의 서기가 되었다. 나중에 카터 대통령은 그 연방 판사의 후임으로 엘시제인을 임명했다. 그리하여 엘시제인은 아칸소 주에서 연방 판사에 임명된 최초의 여성이 되었다. 로즈 법률회사의 공동대표인 윌리엄 내시와 J. 개스턴 윌리엄슨은 로즈 장학생 출신이었고, 개스턴은 빌을 로즈 장학생으로 선발한 위원회의 위원이었다. 허버트와 빈스는 나를 데리고 다니면서 공동대표와 그밖의 변호사들에게 소개했다. 로즈 법률회사의 변호사는 모두 열다섯 명이었다. 파트너들이 투표를 하여 나를 채용하는 데 찬성하자, 빈스와 허버트는 찰스 디킨스가 쓴 『어려운 시절』이라는 책을 나에게 선물했다. 하지만 그것이 얼마나 적절한 선물인지 누가 알 수 있었겠는가?

나는 필 캐럴이 이끄는 소송부에 들어갔다. 캐럴은 독일에서 전쟁 포로로 잡힌 적이 있는 일급 변호사로, 나중에 아칸소 변호사협회 회장이 되었다. 내가 주로 함께 일한 변호사는 빈스와 웨브 허벨이었다.

빈스 포스터는 내가 아는 최고의 변호사이자 최고의 친구 가운데 하나였다. 『앵무새 죽이기』(1960년에 하퍼 리가 발표한 소설로, 미국의 인종차별 문제를 다룬 걸작이다. 1962년 로버트 밀리건 감독에 의해 영화로 제작되었으며, 우리 나라에서는 「앨라배마에서 생긴 일」이라는 제목으로 개봉되었다—옮긴이)에서 변호사 애티커스 핀치 역을 맡은 그레고리 펙을 기억한다면, 빈스가 어떤 사람인지 머리에 그려볼 수 있을 것이다. 빈스는 실제로 그레고리 펙과 비슷하게 생겼고, 인품과 태도도 비슷했다. 차분하고 점잖고 빈틈없지만 겸손한 그는 곤경에 빠진 사람이 의지하고 싶어할 만한 사람이었다.

빈스와 내 사무실은 나란히 붙어 있었고, 같은 비서를 썼다. 빈스는 아칸소 주 호프에서 태어나 자랐다. 그가 어린 시절에 살았던 집 뒷마당은 빌이 네 살 때까지 살았던 외할아버지 댁 뒷마당과 맞닿아 있었다. 빌과 빈스는 어렸을 때 함께 놀았지만, 1953년에 빌이 핫스프링스로 이사한 뒤에는 연락이 끊겼다. 빌이 아칸소 주 검찰총장에 출마했을 때 빈스는 강력한 지지자가 되었다.

웨브 허벨은 덩치가 크고 호감이 가는 사람이었다. 일찍이 아칸소 대학 미식축구부의 스타였고 골프광이어서, 빌은 처음부터 그를 좋아했다. 허벨은 또한 이야기하는 것이 하나의 생활방식인 아칸소에서도 으뜸가는 이야기꾼이었다. 허벨은 온갖 분야에서 풍부한 경험을 갖고 있었다. 나중에 그는 리틀록 시장이 되었고, 한때 아칸소 주 고등법원장도 지냈다. 그는 함께 일하기에 재미있는 동료였고 충실한 친구였다.

허벨은 싹싹하고 허물없는 남부 사람처럼 보였지만, 독창적인 소송 전문 변호사였다. 나는 그가 불가사의한 아칸소 주법에 대해 이야기하는 것을 듣기를 좋아했다. 그의 기억력은 놀랄 만했다. 그런데 척추에 문제가 있어서 어쩌다 방심하면 허리가 삐끗하곤 했다. 한번은 이튿날 제출해야 하는 변론 취지서를 쓰기 위해 웨브와 내가 사무실에서 밤샘을 한 적이 있었다. 웨브는 아픈 등허리를 바닥에 대고 드러누워, 19세기까지 거슬러 올라가는 온갖 사건 기록을 청산유수로 인용했다. 그러면 도서실을 뛰어다니며 그 사건 기록을 찾아내는 것이 내 임무였다.

내 책임으로 다룬 최초의 배심재판에서 나는 통조림회사를 변호했다. 원고는 어느날 저녁을 먹으려고 '포크빈스' 통조림을 땄더니 그 안에 쥐의 엉덩이가 들어 있었다면서 통조림회사를 고소했다. 쥐고기를 먹지는 않았지만, 그것을 본 것만으로도 너무 역겨워서 침을 뱉는 것을 멈출 수 없었고, 그 때문에 약혼녀에게 키스할 수도 없게 되었다고 주장했다. 원고는 재판이 진행되는 동안 내내 손수건에 침을 뱉으면서 비참한 표정을 짓고 있었다. 가공공장에서 무언가가 잘못된 것은 분명했지만, 회사는 원고가 실제로 손해를 본 것은 아니라고 주장하면서 손해배상을 거부했다. 게다가 세계의 일부 지역에서는 쥐고기가 맛있는 음식으로 여겨질 수도 있다고 주장했다. 처음 배심원 앞에 나간 나는 좀 겁이 났지만, 내고객의 주장이 옳다는 것을 배심원들에게 납득시키는 일에 열중했고, 배심원들이 원고에게 명색뿐인 손해배상만 인정했을 때는 안도감에 가슴을 쓸어내렸다. 그후 몇 년 동안 빌은 그 '쥐 엉덩이' 사건으로 나를 놀려 댔고, 침을 계속 뱉느라 약혼녀와 키스도 할 수 없었다는 원고의 주장을 흉내내곤 했다.

나는 또한 변호사 업무를 통해 아동 권익을 옹호하는 일도 계속했다. 아칸소 주 엘도라도의 변호사인 베릴 앤소니가, 2년 반 동안 키운 수양자식을 입양하고 싶어하는 부부를 대리하게 되었다면서 내 도움을 청해 왔다. 아칸소 주 사회복지국은 위탁모의 입양을 허가하지 않는다는 방침을 내세워 입양을 거부했다. 나는 코네티컷 주에서 법률구조단 변호사로 일한 법대생 시절에 똑같은 방침과 마주친 적이 있었다. 베릴 앤소니는 처남인 빈스한테서 내가 그런 문제에 관심을 가지고 있다는 말을 들었다. 나는 그 기회를 놓치지 않았다. 의뢰인은 엘도라도의 주식중개인 부부여서, 주정부의 방침에 효과적으로 도전하는 데 필요한 재력을 갖고 있었다. 아칸소 주 사회복지국도 고문 변호사를 따로 두고 있었기 때문에 나는 주 검찰총장과 맞서게 될까봐 걱정할 필요는 없었다.

베릴과 나는 아동 발달 단계에 대한 전문가의 증언을 제시했다. 전문가들은 어린 시절에 보호자가 자주 바뀌지 않고 계속 같은 사람의 보살핌을 받는 것이 아동의 정서 안정에 대단히 중요하다고 증언했다. 우리는 수양부모가 수양자식을 입양하지 않겠다는 약정서에 서명했다 해도 그 조항이 아동의 권익에 반한다면 약정서를 강제로 집행해서는 안된다고 판사를 설득했다. 우리는 승소했지만, 주정부가 상소하지 않았기 때문에 수양아동의 입양에 대한 주정부의 공식 방침은 바뀌지 않았다. 다행히 우리의 승소가 선례가 되어, 결국에는 주정부도 그 선례를 따르게 되었다. 베릴은 1978년에 하원의원에 선출되어 14년 동안 국가에 봉사했다.

나는 이 사건을 비롯한 여러 사건을 겪으면서 아칸소 주에 아동 권익을 옹호할 조직이 필요하다고 확신하게 되었다. 그렇게 생각한 사람은 나만이 아니었다. 아칸소 대학에서 아동발달을 가르치는 베티 콜드웰 박사는 국제적으로 인정받는 학자였는데, 내가 하는 일을 알고는 아동의 지위에 관심을 가진 아칸소 사람들과 함께 단체를 만들자고 제의했다.

우리가 세운 '아칸소 아동·가족 옹호자'는 아동복지제도 개혁에 앞장 섰고, 오늘날에도 계속 아동 보호 활동에 힘쓰고 있다.

나는 로즈 법률회사에서 소송을 맡고 공익을 위해 아동 권익을 옹호 하는 동안, 남부에서 일어날 수 있는 일과 말로 표현되지 않는 생활 관습 을 배우고 있었다. 선출된 공직자의 아내는 끊임없는 주목을 받았다. 1974년에 주지사 당선자인 데이비드 프라이어의 아내 바버라 프라이어 는 머리를 짧게 자르고 퍼머를 했다는 이유로 몸이 움츠러들 만큼 호된 비난을 받았다. 나는 바버라를 좋아했고, 대중이 바버라의 머리 모양에 대해 이러쿵저러쿵하는 것은 우스꽝스럽다고 생각했다(내가 뭘 몰랐던 것이다!). 나는 세 아들을 키우느라 바쁜 바버라가 손질하기 쉬운 머리 모양을 원했을 거라고 생각했다. 나는 연대감을 보여주려고 고집스럽게 뻣뻣한 내 머리를 꼬불꼬불하게 볶기로 결정했다. 그렇게 퍼머를 하면 내 머리도 바버라와 비슷해 보일 줄 알았다. 내가 원하는 효과를 내기 위 해서는 퍼머약을 두 배나 발라야 했다. 내가 곱슬곱슬하게 지진 머리로 나타나자, 빌은 고개를 저으면서 왜 긴 머리를 싹둑 잘라 "엉망으로 망쳐 놓았는지" 알고 싶어했다.

빈스와 웨브가 그렇게 좋은 친구가 된 이유는 나를 있는 그대로 받아 들였기 때문이다. 그들은 내 격렬한 성질을 은근히 놀리고, 내 생각이 설 득력을 가질 수 없는 이유를 끈질기게 설명해줄 때도 많았지만, 나를 그 런 사람으로 인정하고 이해해주었다. 우리는 사무실에서 벗어나 점심을 먹으러 가는 버릇이 생겼다. 자주 가는 곳은 '빌라'라는 이탈리아 식당 이었다. 대학 근처에 있는 빌라는 체크무늬 식탁보를 씌우고 키안티 포 도주 병에 초를 꽂아놓는 부류의 식당이어서, 평소에 업무상 늘 만나는 사람들을 피할 수 있었다. 아칸소 법정에서 치른 무용담을 주고받거나 그냥 가족 이야기를 하는 것도 재미있었다. 물론 여기에도 눈썹을 치켜 올리는 사람들이 있었다. 당시 리틀록 여자들은 남편이 아닌 남자와 식사를 같이 하는 일이 드물었다.

나는 법정 변호사이면서 정치인의 아내였기 때문에 이따금 대중 앞에 나가면 사람들의 화젯거리가 되었지만, 대개는 사람들이 나를 알아보지 못했다. 한번은 다른 변호사와 함께 법정에 출두하기 위해 경비행기를 전세내어 아칸소 주 해리슨으로 날아갔는데, 활주로에 착륙해 보니 택시가 한 대도 없었다. 나는 격납고 주위에 서 있는 남자들한테 다가가서 물었다. "해리슨까지 갈 분은 안 계세요? 우리는 법원에 가야 돼요."

한 사내가 뒤도 돌아보지 않고 말했다. "내가 태워다드리지요."

그 사람의 차는 뒷좌석에 연장을 가득 실은 고물 자동차였다. 그래서 우리 세 사람은 모두 앞좌석에 타고 해리슨으로 출발했다. 차는 쏜살같이 달렸다. 그때 시끄럽게 떠들어대던 라디오에서 뉴스가 나오기 시작했다. "오늘 빌 클린턴 검찰총장은 아무개 판사의 부정 행위를 조사하겠다고 말했습니다……" 그러자 갑자기 운전자가 소리쳤다. "빌 클린턴! 그 개새끼를 아세요?"

나는 마음을 굳게 먹고 대답했다. "예, 알아요. 사실은 그 사람과 결혼했어요."

이 말은 사내의 주의를 끌었다. 그가 처음으로 나를 돌아보았다. "빌 클린턴과 결혼했다고요? 사실 빌 클린턴은 내가 무척 좋아하는 개새끼지요. 내가 누구냐면, 클린턴의 조종사예요!"

곤경에 빠진 우리를 도와준 사내가 한쪽 눈에 검은 안대를 대고 있음을 알아차린 것은 그때였다. 그는 작은 비행기에 빌을 태우고 아칸소 전역을 날아다니는 '애꾸눈 제이'였다. 이제 나는 그의 운전 솜씨가 비행기 조종술만큼 훌륭하기를 바랄 뿐이었다. 그가 우리를—옷이 좀 구겨지기는 했지만—무사히 법원까지 데려다주었을 때는 정말 고마웠다.

1978년부터 1980년까지는 내 인생에서 가장 힘들면서도 활기가 넘쳤던 시기, 빛나는 영광과 가슴이 찢어지는 듯한 비통함이 교차했던 시기였다. 아칸소의 상황을 개선할 수 있는 방법을 오랫동안 이야기했던 빌은 1978년에 아칸소 주지사로 선출되어 마침내 속에 품었던 생각을 실천에 옮길 기회를 얻었다. 빌은 게이트에서 힘차게 뛰쳐나가는 경주마처럼 정력적으로 2년 임기를 시작했다. 그는 선거운동에서 내건 수십 가지 공약을 취임하자마자 실행하기 시작했다. 두툼하고 상세한 예산안을 주의회 의원들에게 보내는 한편, 경제개발국을 신설하고, 농촌 지역의 의료보험을 개혁하고, 부적절한 교육제도를 철저히 점검하고, 간선도로를 정비하겠다는 등의 광범위한 청사진을 제출했다. 이런 조치를 뒷받침하려면 새로운 재원이 필요했기 때문에 세금을 올려야 했다. 빌과 그의 참모들은 좀더 나은 도로를 만들겠다고 약속하면 자동차세를 올려도 사람들이 기꺼이 받아들일 거라고 생각했다. 하지만 이것은 턱없이 잘못된 예상이었다.

1979년에 나는 로즈 법률회사의 파트너가 되어 내 업무에 최대한 많은 노력을 기울였다. 나는 주지사 관저에서 사교 행사를 주최하거나 '농촌보건위원회' 회의를 주재할 때가 많았다. 빌은 농업 지역인 아칸소 주에서 시골 사람들이 양질의 의료 서비스를 받을 수 있도록 의료보험제도를 개선하기 위한 노력의 일환으로 나에게 농촌보건위원회 위원장을 맡아달라고 부탁했던 것이다. 나는 매리언 라이트 에들먼의 아동보호기금과도 관계를 유지하면서 몇 달에 한 번씩 워싱턴에 가서 회의를 주재했다. 카터 대통령은 그의 선거운동에서 내가 한 일과 경험을 근거로 나를 '법률구조공단(Legal Services Corporation)' 이사로 임명했다. 이것은 연방 상원의 승인을 받아야 하는 자리였다. 법률구조공단은 가난한 사람들에게 법률적 도움을 주기 위해 국회와 닉슨 대통령이 창설한 연방 정부의 비영리 단체였다. 나는 일찍이 플로리다 주에서 무료 변호사로 계절 노동자들을 대변한 적이 있는 미키 캔터와 함께 일했다. 미키 캔터는

나중에 로스앤젤레스에서 변호사로 성공했고, 빌의 1992년 대통령 선거
운동에서 선거대책위원장을 맡아 활약했다.

빌과 나는 그것으로도 부족하다는 듯, 아기를 가지려 애쓰고 있었다.
우리는 둘 다 아이를 좋아한다. 아이를 가진 사람은 누구나 아이를 갖기
에 '편리한' 시기는 결코 존재하지 않는다는 사실을 알고 있다. 빌의 첫
번째 주지사 임기는 어느 때보다도 아이를 갖기에 '불편한' 시기로 여겨
졌다. 아이를 가지려는 노력은 버뮤다에서 휴가를 보내기로 결정할 때까
지 성공하지 못했다. 이는 정기적으로 일을 쉬는 것이 얼마나 중요한가
를 입증한다.

마침내 바라던 아기를 갖게 되자 나는 빌을 설득해서 같이 '라마즈
교실' (프랑스의 산부인과 의사 페르낭 라마즈에 의해 개발된 자연 분만을 위한
운동·호흡법 강좌—옮긴이)에 다녔다. 너무나 생소한 일이어서, 주지사가
왜 아기를 받을 준비를 하고 있는지 의아해하는 사람이 많았다. 임신 7
개월쯤 되었을 때, 나는 개스턴 윌리엄슨과 함께 법정에 나가서 판사와
잡담을 나누다가 토요일 아침마다 빌과 함께 '분만' 교실에 다닌다고 말
했다.

"뭐라고요?" 판사가 깜짝 놀라 소리를 질렀다. "나는 지금까지 줄곧
당신 남편을 지지했지만, 아기가 태어날 때 남편이 거기에 있어봤자 무
슨 소용이 있는지 모르겠군요." 판사는 농담을 하고 있는 게 아니었다.

거의 같은 무렵인 1980년 1월에 아칸소 아동병원은 건물을 대폭 증
축할 계획을 세웠다. 건축비를 마련하기 위해 채권을 발행하려면 좋은
신용등급을 받을 필요가 있었다. 병원의 진료부장인 베티 로 박사—나중
에 첼시의 소아과 주치의가 되었다—가 나에게 도움을 청했다. 병원 관
계자들과 함께 뉴욕의 신용평가 기관에 가서 좋은 등급을 받도록 도와줄
수 없느냐는 것이었다. 배가 많이 부른 것을 걱정하는 사람도 있었지만,
나는 뉴욕으로 갔다. 그후 몇 년 동안 베티는 신용평가 기관이 아동병원

의 증축에 동의한 것은 배부른 주지사 부인이 아기를 낳기 전에 빨리 자기네 사무실에서 내보내기 위해서였다고 사람들에게 말하곤 했다.

출산 예정일은 3월이었다. 예정일이 다가오자 주치의는 여행을 금지했다. 그래서 해마다 백악관에서 열리는 전국주지사협의회 만찬에 참석할 수 없게 되었다. 2월 27일 수요일, 빌이 리틀록으로 돌아오자마자 때맞춰 양수가 터졌다. 빌은 놀라서 어쩔 줄 몰랐다. 빌은 병원에 가져가야 할 물품을 적은 '라마즈 목록'을 들고 이리저리 뛰어다녔다. 그 목록에는 진통하는 동안 얼음을 빨아먹을 수 있도록 작은 비닐 봉지에 얼음을 넣어서 가져가라고 적혀 있었다. 나는 차에 올라타면서 한 경찰관이 얼음을 가득 넣은 150리터들이 검은 쓰레기 봉투를 트렁크에 싣는 것을 보았다.

병원에 도착한 뒤, 내가 제왕절개 수술을 받아야 한다는 진단이 나왔다. 이것은 전혀 예상치 못한 일이었다. 빌은 나와 함께 수술실에 들어가게 해달라고 요구했지만, 이것은 전례가 없는 일이었다. 그는 어머니가 수술을 받는 것을 보았으니까 괜찮을 거라고 말했다. 침례병원은 빌이 수술실에 들어가는 것을 허락했다. 빌이 주지사라는 점도 병원측을 설득하는 데 도움이 되었을 것이다. 그 직후 방침이 바뀌어, 아내가 제왕절개 수술을 받을 때 남편이 분만실에 들어갈 수 있게 되었다.

우리 딸애가 태어난 것은 내 인생에서 가장 극적이고 경이로운 사건이었다. 첼시 빅토리아 클린턴(Chelsea Victoria Clinton)은 예정일보다 3주 빠른 1980년 2월 27일 오후 11시 24분에 세상에 태어났다. 빌과 우리 가족은 뛸 듯이 기뻐했다. 내가 회복되는 동안, 빌은 아버지와 딸의 '유대감 형성'을 위해 첼시를 품에 안고 병원을 돌아다녔다. 첼시에게 노래를 불러주고, 앞뒤로 가만가만 흔들어주고, 첼시를 사람들한테 자랑하고, 그러면서 아버지가 된 것을 은근히 과시하곤 했다.

첼시는 엄마 아빠가 자신의 어린 시절에 대해 이야기하는 것을 수없이 들었다. 첼시라는 이름은 조니 미첼의 노래를 개작한 주디 콜린스의 「첼시 모닝」에서 따왔다. 빌과 나는 1978년 크리스마스 때 런던에서 멋진 휴가를 보냈는데, 런던의 첼시 구를 거닐면서 그 노래를 들었다. 그때 빌이 말했다. "딸을 낳으면 이름을 첼시라고 짓자." 그러고는 노래를 따라 흥얼거리기 시작했다.

첼시를 낳고 얼마나 신비로운 기분을 느꼈는지 모른다. 첼시는 한번 울기 시작하면 아무리 어르고 달래도 울음을 그치지 않았다. 그럴 때면 나는 이렇게 말하곤 했다. "첼시야, 이건 나한테도 너한테도 생소한 경험이야. 나는 엄마가 되어본 적이 없고, 너는 아기가 되어본 적이 없잖니. 그러니까 피차 최선을 다하도록 서로 도와야 돼."

첼시가 태어난 이튿날 아침 일찍, 법률회사의 내 파트너인 조 지루아가 전화를 걸어 회사까지 태워다줄까 하고 물었다. 물론 농담이었지만, 그때까지 나는 출산 휴가 계획을 공식적으로 잡지 못하고 있었다. 내 배가 점점 불러오자 파트너들은 눈길을 돌린 채 다른 이야기만 했다. 아기를 낳았을 때 내가 어떻게 할 계획인지에 대해서는 숫제 거론하기를 피했다. 하지만 일단 첼시가 태어나자 그들은 얼마든지 필요한 만큼 휴가를 얻으라고 말했다.

나는 넉 달 동안 일을 쉬고 갓난 딸과 함께 집에서 지낼 수 있었다. 물론 수입은 줄어들었다. 파트너로서 기본급은 받았지만, 내 수입은 변호사 수임료에 좌우되었기 때문에 일을 하지 않는 동안은 자연히 수입이 줄어들 수밖에 없었다. 그때 딸과 함께 몇 달을 보낼 수 있었던 것은 대부분의 여성들이 누리지 못하는 행운이었다. 나는 그것을 결코 잊지 않았다. 빌과 나는 유급 출산 휴가의 필요성을 인식했다. 우리가 모든 부모에게 선택권을 주어 원하는 사람은 누구나 아기와 함께 집에 머물 수 있고 일터로 돌아갈 때는 믿을 만한 보육시설에 아기를 맡길 수 있게 하려고 애쓴 것은 경험에서 나온 것이었다. 빌이 대통령으로서 맨 처음 서명한 법안이 '가족 및 의료 휴가법' 이라는 데 내가 그토록 흥분한 것은 그 때문이다.

우리가 살고 있는 관저에는 첼시를 키우는 것을 도와줄 지원체제가 잘 갖추어져 있었다. 수십 년 동안 관저에서 요리사로 일해온 일라이자 애슐리는 집에 아이가 있는 것을 무척 좋아했다. 캐럴린 휴버는 우리 가족이나 마찬가지였다. 캐럴린은 로즈 법률회사에서 일하고 있었지만, 우리가 구슬러서 빌의 첫번째 임기 동안 주지사 관저를 관리하는 일을 맡겼다. 첼시는 캐럴린을 이모처럼 생각하게 되었고, 캐럴린의 도움은 절대적이었다. 하지만 나는 이런 행운을 당연하게 받아들이지 않았다. 나는 아이를 갖기로 결심하자마자 경제적으로 좀더 안정된 미래를 설계하기 시작했다.

돈은 빌 클린턴한테 별로 중요하지 않다. 돈을 벌거나 재산을 소유하는 데 반대하는 것은 아니지만, 돈이 우선사항이었던 적은 한번도 없었다. 빌은 책을 사고 영화를 보고 외식을 하고 여행할 정도의 돈만 있으면 행복한 사람이다. 그것은 오히려 좋은 일이다. 아칸소 주지사의 연봉은 세금을 떼기 전에도 3만 5천 달러를 넘은 적이 없었기 때문이다. 그 정도면 아칸소에서는 충분한 수입이었다. 게다가 우리는 관저에서 살았고, 식비는 업무상 필요한 경비로 처리할 수 있어서 큰 도움이 되었다. 하지만 정치는 본질적으로 불안정한 직업이기 때문에 나는 돈을 저축할 필요가 있다고 생각했다.

나는 근검절약으로 유명한 아버지한테서 돈에 대한 걱정과 관심을 물려받은 게 분명하다. 아버지는 돈을 현명하게 투자했고, 자식들을 대학까지 보내고 은퇴하여 편안한 노후를 보냈다. 아버지는 내가 아직 초등학교에 다닐 때 주가의 추이를 따라가는 법을 가르쳤고, "돈은 나무에 열리지 않는다"는 사실을 자주 상기시켰다. 열심히 일하고 저축하고 신

중하게 투자해야만 경제적으로 자립할 수 있다. 그래도 나는 점점 늘어
나는 우리 가족에게 안정된 경제적 기반을 주는 것은 주로 내 책임이라
는 사실을 깨달을 때까지 저축이나 투자에 대해 별로 생각해본 적이 없
었다. 이제 나는 내 여윳돈으로 투자할 수 있는 기회를 찾기 시작했다.
내 친구인 다이앤 블레어의 남편 짐은 상품시장의 복잡한 구조를 잘 알
고 있어서 자신의 전문지식을 기꺼이 제공해주었다.

　짐 블레어는 짜증스러울 만큼 느릿느릿한 말투에 커다란 체격과 은
발을 가진 당당한 인물이었고, 사육조류가공업계의 거물인 '타이슨 식
품'을 비롯하여 굵직굵직한 의뢰인을 대리하는 보기 드문 변호사였다.
짐은 또한 뚜렷한 정치적 소신도 갖고 있었다. 그는 민권을 옹호했고, 베
트남 전쟁에 반대했으며, 정치적 추세를 거슬러 풀브라이트 상원의원과
맥거번 상원의원을 지지했다. 그는 따뜻한 마음씨와 짓궂은 유머 감각을
타고난 사람이었다. 다이앤과 결혼했을 때 그는 마음의 벗을 발견했다.
그것은 다이앤도 마찬가지였다. 빌은 1979년에 그들의 결혼식을 주례했
고 나는 '들러리'를 섰다.

　상품시장은 1970년대 말에 급속히 성장하고 있었다. 짐은 독자적인
거래 시스템을 개발하여 큰돈을 벌고 있었다. 1978년에는 가족과 친구
들까지 부추겨서 상품거래에 뛰어들게 했다. 나는 과감하게 1천 달러를
투자하여, 짐의 지시에 따라 화려한 명성을 자랑하는 로버트 '레드' 본이
라는 중개인을 통해 상품을 거래했다. 레드는 일찍이 포커 도박꾼이었
다. 그의 직업을 생각하면 충분히 납득이 갔다.

　상품시장은 증권거래소와는 전혀 다르다. 사실 상품시장은 월스트리
트보다 라스베이거스와 더 많은 공통점을 갖고 있다. 투자자들이 사고
파는 것은 어떤 상품—밀·커피·소—을 정해진 가격으로 사거나 팔겠
다는 약속(이것을 '선물계약'이라고 부른다)이다. 그 상품이 시장에 나
왔을 때 가격이 더 올라가면 투자자는 돈을 번다. 때로는 엄청나게 많은

돈을 벌 수도 있다. 선물거래에서는 투자된 돈이 액면가의 몇 배를 좌지 우지할 수 있기 때문이다. 상품 가격이 몇 센트만 달라져도 엄청난 액수로 증폭된다. 반면에 돼지고기나 옥수수가 시장에 너무 많이 공급되면 값이 떨어지고 투자자는 큰돈을 잃는다.

나는 소의 선물거래와 마진 콜(증거금 청구)에 대해 배우려고 애썼다. 알아야 두려움을 줄일 수 있기 때문이다. 나는 몇 달 동안 돈을 벌기도 하고 잃기도 하면서 시장을 면밀히 지켜보았다. 한동안은 리틀록의 또 다른 투자회사에 작은 계좌를 열어 중개인에게 거래를 일임했다. 하지만 1979년에 첼시를 임신한 직후 나는 도박을 할 용기를 잃었다. 내가 얻은 이익이 갑자기 우리 딸의 고등교육에 쓸 수 있는 진짜 돈처럼 보이기 시작했다. 나는 10만 달러를 벌어서 도박장을 떠났다. 짐 블레어와 그의 동료들은 더 오래 시장에 남아 있다가 그 동안 번 돈의 대부분을 잃었다.

내가 투자를 통해 큰돈을 번 것은 빌이 대통령이 된 뒤 끝없이 조사되었지만, 심각한 조사 대상이 된 적은 한번도 없었다. 조사에서 내려진 결론은 당시의 많은 투자자들과 마찬가지로 나도 운이 좋았다는 것이었다. 빌과 나는 같은 시기에 다른 데에도 투자했지만, 거기에서는 그렇게 운이 좋지 못했다. 우리는 '화이트워터'라는 부동산 개발회사에 투자했다가 손해를 보았을 뿐만 아니라, 그 투자는 15년 뒤 조사 대상이 되었다. 이 조사는 빌의 대통령 임기 내내 계속되었다.

그 일은 1978년의 어느 봄날, 오랫동안 정치 권력에 빌붙어 있던 짐 맥두걸이라는 정상배가 확실한 돈벌이가 있다면서 우리한테 접근했을 때 시작되었다. 빌과 나는 짐과 그의 젊은 아내 수잔의 동업자가 되어, 아칸소 주 북부에 있는 화이트 강 남쪽 기슭에 아직 개발되지 않은 230 에이커의 땅을 구입했다. 그 땅을 별장 부지로 분할하여 이윤을 남기고 팔 계획이었다. 땅값은 20만 2,611달러 20센트였다.

빌은 1968년에 짐 맥두걸을 처음 만났다. 당시 맥두걸은 윌리엄 풀브

라이트 상원의원의 재선운동을 하고 있었고, 스물한 살의 빌은 여름 동
안 선거 사무실에서 자원봉사를 하고 있었다. 짐 맥두걸은 괴짜였다. 지
루할 때 만나면 매력적이고 재치있고 별난 사람이었다. 하얀 양복 차림
으로 하늘색 벤틀리를 탄 맥두걸은 테네시 윌리엄스의 연극에서 막 빠져
나온 사람처럼 보였다. 그는 다채로운 성벽을 갖고 있었지만 평판은 확
실했다. 아칸소 주에서 그와 거래하지 않는 사람은 아무도 없는 듯했다.
그는 풀브라이트가 부동산으로 큰돈을 벌도록 도와주었다. 그의 신용은
빌과 나를 안심시켰다. 빌은 1977년에도 맥두걸과 함께 작은 부동산에
투자하여 상당한 이익을 보았기 때문에, 맥두걸이 화이트워터에 투자하
자고 제의했을 때는 아주 좋은 생각처럼 여겨졌다.

아칸소 북부의 오자크 산지는 시카고와 디트로이트 사람들이 남쪽으
로 떼지어 내려와 별장을 지으면서 급속히 발전하고 있었다. 이 지역의
매력은 분명했다. 산으로 둘러싸인 완만한 구릉지대에 숲이 울창하고 호
수와 강이 그물처럼 얽혀 있어서 낚시질과 뗏목타기를 즐기기에 안성맞
춤이었다. 게다가 재산세도 얼마 되지 않았다. 만사가 계획대로 되었다
면 우리는 몇 년 뒤 투자금을 빼냈을 테고 그것으로 끝났을 것이다. 우리
는 그 땅을 사려고 은행에서 대출을 받았고, 그 땅의 소유권은 결국 화이
트워터 개발회사로 넘어갔다. 우리와 맥두걸 부부는 이 유한회사의 공동
출자자로 동등한 지분을 갖고 있었다. 빌과 나는 우리가 수동적인 투자
자라고 생각했다. 토지개발 계획을 추진하는 것은 맥두걸 부부였고, 땅
이 팔리기 시작하면 그 돈으로 개발자금을 조달할 수 있을 것으로 여겨
졌다. 하지만 토지를 측량하고 땅을 팔 준비가 되었을 때쯤 금리가 천정
부지로 치솟기 시작하여, 10년 뒤에는 거의 20퍼센트까지 올라갔다. 사
람들은 이제 별장을 지을 여유가 없었다. 우리는 막대한 손해를 보는 대
신 화이트워터 주식을 보유한 채 경제가 호전되기를 바라면서, 토지의
가치를 높이고 모델 하우스를 지었다. 그후 몇 년 동안 짐은 이따금 이자

를 내거나 그밖에 여러 가지 자금이 필요하다면서 우리한테 수표를 써달라고 부탁했다. 우리는 짐의 판단을 조금도 의심하지 않았다. 짐 맥두걸의 행동이 '괴짜'에서 '정신적 불안정' 쪽으로 넘어가고 있다는 것을 우리는 알아차리지 못했다. 짐이 수많은 수상쩍은 사업 계획에 몰두하게 된 것도 눈치채지 못했다. 우리가 그의 이중생활에 대해 조금이나마 알게 된 것은 몇 년이 지난 뒤였다.

1980년은 우리한테 중요한 해였다. 우리는 부모가 되었고, 빌은 다시 주지사에 출마했다. 예비선거에서 빌의 상대는 칠면조를 키우다가 은퇴한 78세의 먼로 슈워츠로즈였다. 그는 시골에 사는 많은 민주당원을 대변하여 자동차세 인상을 비판했고, 빌이 아칸소와 '맞지 않는다'는 일부 사람들의 생각을 교묘히 이용했다. 슈워츠로즈는 결국 총투표수의 3분의 1을 얻었다. 지미 카터 대통령이 갖가지 문제에 시달린 것도 우리한테 도움이 되지 않았다. 금리가 계속 올라가면서 경제는 서서히 가라앉고 있었다. 정부는 잇따른 국제 위기에 정신이 팔려 있었다. 이 국제 위기는 미국인이 이란에 인질로 억류된 사건에서 절정에 이르렀다. 1980년 봄과 여름에 이런 골치 아픈 문제가 아칸소로 쏟아져 들어왔다. 억류되어 있던 수백 명의 쿠바 난민이 아칸소 채피 요새에 설치된 '재정착 수용소'로 보내진 것이다. 카스트로가 그 악명 높은 마리엘 선박 수송 작전으로 미국에 내보낸 이들은 대부분 감옥과 정신병원에 수용되어 있던 사람들이었다. 5월 말, 난민들이 폭동을 일으켰다. 수백 명이 요새를 탈출하여 가까운 포트스미스 마을로 몰려갔다. 군 보안관과 현지 주민들은 산탄총을 장전하고 다가올 공격을 기다렸다. 군대가 '파세 코미타튀'라는 원칙에 따라 기지 밖에서는 치안권을 전혀 갖지 못하고 억류자들—이들은 원칙적으로 포로가 아니다—을 그 자리에 강제로 붙잡아둘 권한조차 갖지 못한 것이 사태를 더욱 악화시켰다. 빌은 쿠바인들을 검거하고 사태를 수습하기 위해 주 경찰과 방위군을 파견했다. 그리고 작전을 감독하기 위해 현지로 날아갔다.

빌의 조치는 인명을 구하고 폭력이 퍼지는 것을 막았다. 며칠 뒤 빌이 후속 조치를 취하려고 현지로 돌아갈 때는 나도 동행했다. 주유소에는 아직도 "탄약이 다 떨어졌으니 내일 다시 오시오"라고 쓴 표지판이 붙어 있었고, 집 앞에는 "우리는 죽이기 위해 쏜다"는 쪽지가 나붙어 있었다. 빌은 이번 사건으로 좌절한 채피 요새 사령관 제임스 드러먼드와 백악관에서 보낸 대표들을 만나 회의를 열었다. 나도 그 긴박한 회의에 참석했다. 빌은 억류자들을 통제하기 위해 연방 정부의 도움을 받고 싶어 했지만, 드러먼드 장군은 상부의 명령으로 두 손이 묶여 있어서 속수무책이라고 말했다. 백악관이 우리에게 보낸 메시지는 "군소리 말고 혼란을 처리하라"는 것인 듯했다. 빌은 그대로 했지만, 카터 대통령을 지지한 대가로 막대한 정치적 희생을 치러야 했다.

6월 폭동이 끝난 뒤 카터 대통령은 더 이상 쿠바인을 아칸소에 보내지 않겠다고 빌에게 약속했다. 8월에 백악관은 그 약속을 깨고, 위스콘신과 펜실베이니아에 설치된 수용소를 폐쇄하고 수백 명의 난민을 채피 요새로 다시 보냈다. 아칸소에서 빌 클린턴과 지미 카터에 대한 지지는 이미 흔들리고 있었지만, 그 약속 파기로 가뜩이나 약해진 지지 기반이 더욱 허물어졌다.

남부인들은 어떤 일이나 사람의 운이 한꺼번에 나빠지는 것을 '독사에 물렸다'고 표현한다. 이제 지미 카터 대통령이 독사에 물린 것은 분명해졌지만, 빌 클린턴 아칸소 주지사도 같은 운명을 겪으리라는 것을 인정하기는 더 어려웠다.

빌의 상대인 공화당 주지사 후보는 프랭크 화이트였다. 화이트는 빌 클린턴을 헐뜯는 네거티브 광고를 텔레비전에 내보내기 시작했다. 검은 피부의 쿠바 폭동자들이 화면을 가득 메우고, "빌 클린턴은 아칸소보다

지미 카터를 더 걱정한다"는 목소리가 흘러나왔다. 나도 처음에는 그 광고를 대수롭지 않게 생각했다. 빌이 폭력을 얼마나 훌륭하게 억제했는지는 아칸소 사람이라면 누구나 다 알 거라고 생각했기 때문이다. 그런데 학교 집회와 시민단체 모임에서 사람들이 나한테 이런 질문을 던지기 시작했다. "주지사는 왜 쿠바인들이 폭동을 일으키게 내버려두었는가?" "주지사는 왜 카터 대통령보다 우리를 더 걱정하지 않았느냐?" 1980년에는 네거티브 전략의 위력을 실증한 이런 광고가 흔해졌다. 그것은 주로 공화당이 네거티브 광고를 만들어 전국에 내보내기 위해 만든 '전국보수정치행동위원회(NCPAC)'가 채택한 전략 때문이었다. 10월이 되자 나는 빌이 우세하다는 여론조사가 잘못되었고 빌이 정말로 질지도 모른다고 생각하게 되었다. 1978년 선거 때는 딕 모리스라는 뉴욕의 젊은 여론조사 전문가에게 일을 맡겼지만, 모리스는 성격이 모나서 동료들과 자주 마찰을 일으켰다. 빌의 참모나 선거운동원들은 아무도 모리스와 함께 일하는 것을 참지 못했고, 그래서 1980년 선거 때는 빌을 설득하여 다른 여론조사팀을 고용했다. 나는 모리스에게 전화를 걸어 현재 상황을 어떻게 생각하느냐고 물었다. 모리스는 빌이 정말로 곤경에 빠져 있고, 자동차세 인상을 철회하거나 카터와 결별하는 따위의 극적인 조치를 취하지 않으면 선거에 질 가능성이 크다고 말했다. 나는 빌의 우세를 보여주는 여론조사 결과를 무시하라고 사람들을 설득했지만, 아무도 내 말에 귀를 기울이지 않았다. 빌도 확신을 갖지 못했다. 빌은 대통령과 공공연히 결별하거나 자동차세 인상을 철회하기 위한 특별 회의를 소집하기를 꺼렸다. 그래서 선거운동을 더욱 열심히 하고, 유권자들에게 자신의 입장을 변명하는 일만 계속했다.

선거 직전에 우리는 어느 방위군 장교와 이야기를 나누고 불안에 휩싸였다. 기지에서 일어난 폭동을 진압하기 위해 소집된 부대를 지휘한 그 장교는 빌에게 이렇게 말했다. 나한테는 나이든 고모가 있는데, 클린턴 주지사가 쿠바인들이 폭동을 일으키도록 방치했기 때문에 이번에는 프랭크 화이트한테 투표할 작정이라고 하더라. 나는 현장에 있었기 때문에 클린턴 주지사가 폭동을 진압한 것을 직접 보아서 알고 있다고 말했지만, 고모는 실제로 무슨 일이 일어났는지 텔레비전에서 보았으니까 그건 사실이 아니라고 하더라. 텔레비전 광고는 뉴스만이 아니라 사람들의 목격담도 떠들썩하게 내보냈다. 진실이 뒤집힌 1980년도 선거운동을 치르면서 나는 진실을 왜곡하여 유권자들을 전향시키는 네거티브 광고의 위력을 새삼 깨달았다.

출구조사는 빌의 압도적인 승리를 보여주었지만, 막상 투표함을 열어보니 결과는 52퍼센트 대 48퍼센트로 빌의 패배였다. 빌은 넋을 잃었다. 선거대책본부로 사용한 호텔 방은 충격에 휩싸인 친구들과 지지자들로 가득 차 있었다. 빌은 공개적인 입장 표명을 내일까지 미루기로 결정했다. 그러고는 나한테 선거대책본부에 가서 우리를 도와준 사람들한테 고마움을 전하고 내일 아침 주지사 관저로 그들을 초청해달라고 부탁했다. 관저 뒷마당 잔디밭에서 열린 모임은 초상집 분위기였다. 빌은 이제 선거에 두 번—한 번은 하원의원 선거, 또 한 번은 현역 주지사로서 주지사 선거—떨어졌다. 이번 패배로 빌이 파멸하지 않을까 걱정하는 사람이 많았다.

그 주가 끝나기 전에 우리는 전에 살던 곳에서 그리 멀지 않은 리틀록의 힐크레스트 구에 낡은 집을 구했다. 두 필지에 세워진 그 집에는 개조된 다락방이 있어서, 우리는 그 방을 첼시의 육아실로 사용했다. 빌과 나는 오래된 집과 전통 가구를 좋아해서 중고품과 골동품을 파는 가게에 자주 갔다. 시어머니 버지니아가 우리 집에 왔다가, 왜 이렇게 낡은 것을 좋아하느냐고 물었다. 버지니아는 "나는 낡은 집과 낡은 가구에서 벗어나려고 애쓰면서 평생을 보냈다"고 말했다. 하지만 우리의 취향을 알고는 창고에 처박아두었던 빅토리아 양식의 '연애 소파'를 우리한테 보내주었다.

선거가 끝난 뒤 몇 달 동안 계속된 고통 속에서 첼시는 유일한 빛이었다. 첼시는 양쪽 집안의 첫 손주였기 때문에, 시어머니는 기꺼이 아기를 돌보아주었고 우리 부모님도 마찬가지였다. 새 집에서 첼시는 첫돌을 맞았고, 걸음마와 말을 배웠고, 한꺼번에 여러 가지 일을 하는 것이 얼마나 위험한지를 아빠에게 톡톡히 가르쳐주었다. 어느날 빌은 첼시를 안은채, 눈으로는 텔레비전의 농구 중계를 보고, 입으로는 전화로 이야기하고, 손으로는 크로스워드 퍼즐을 풀고 있었다. 첼시는 아빠의 관심을 끌지 못하자 그만 아빠의 코를 물어버렸다!

빌은 리틀록의 법률회사인 '라이트·린지·제닝스'에 일자리를 얻었다. 빌의 새 동료 가운데 하나인 브루스 린지는 빌과 가장 가깝고 허물없는 친구가 되었다. 하지만 프랭크 화이트가 주지사 관저에 들어가기도 전에 빌은 벌써 그 지위를 되찾기 위한 비공식적인 선거운동을 벌이고 있었다.

1978년에 빌이 주지사로 선출되자 나에 대한 압력이 극적으로 늘어났다. 사회 관습에 따르라는 것이었다. 주 검찰총장의 아내였을 때는 관습에 얽매이지 않는 여자로 여겨져도 괜찮았지만, 아칸소 주의 퍼스트레이디가 되자 갑자기 눈부신 조명 속에 던져졌다. 세상 사람들이 눈도 깜박이지 않고 나를 주목했다. 나는 내 개인적인 선택이 남편의 정치적 미래에 영향을 미칠 수 있다는 것을 처음으로 깨닫게 되었다.

우리 부모님은 남의 옷차림이나 칭호가 아니라 내적인 자질에 관심을 가지라고 가르쳤다. 그 가르침 때문에 나는 어떤 관습이 남들에게는 중요한 의미를 갖는다는 것을 이해하기 어려울 때가 있었다. 나는 결혼하기 전의 성을 계속 유지하고 있다는 사실이 아칸소의 일부 유권자들에게 심한 불쾌감을 준다는 것을 어렵게 배웠다.

　나는 직업상 독자적인 연줄과 신용이 있고, 공직자인 남편과 혼동이 일어나거나 공과 사의 이해 충돌이 생기는 것을 바라지 않았기 때문에, 처녀 때의 성을 계속 사용하는 것은 나한테 충분히 이치에 닿는 일이었다. 빌은 반대하지 않았지만, 시어머니와 친정어머니는 걱정했다. 빌이 그 이야기를 했을 때 시어머니는 울었다. 친정어머니는 편지 봉투에 반드시 'Mr. and Mrs. Bill Clinton'이라고 써서 보냈다. 1970년대 중엽에도 일부 지역에서는 결혼 전의 성을 유지하는 신부가 점점 흔해지고 있었지만, 미국의 대다수 지역에서는 아직도 그런 일이 드물었다. 아칸소주도 마찬가지였다. 그것은 개인의 결정이었고, 결혼한 뒤에도 나는 여전히 나라는 것을 알리는 작은 몸짓(나는 그렇게 생각했다)이었다. 실제적인 이유도 있었다. 우리가 결혼했을 때 나는 힐러리 로댐으로서 대학 강단에 서고 소송을 진행하고 글을 쓰고 연설을 하고 있었다. 빌이 공직자로 선출된 뒤에도 내가 결혼 전의 성을 유지한 것은 겉보기에 공익과 사리가 충돌하는 듯한 인상을 피하는 데 도움이 될 거라고 생각했기 때문이기도 하다. 어떤 소송에서는 내가 클린턴이라는 성을 썼다면 분명 패소했을 것이다.

　그때 나는 필 캐럴을 도와 방부처리한 통나무를 철도로 수송하는 통나무 판매회사를 변호하고 있었다. 철도로 보낸 통나무를 목적지에서 하역할 때 통나무가 지지대에서 풀리는 바람에 통나무를 구입한 회사의 인부 몇 명이 다쳤다. 회사는 소송을 제기했는데, 심리를 맡은 판사는 주로 지나친 음주 때문에 법정에서 잘못을 저지른다고 고발당한 사람이었다. 아칸소 주 법률에서는 법관에 대한 조사는 검찰총장이 직접 하도록 되어 있었다. 당시 검찰총장은 내 남편이었다. 나를 '미즈 로댐'으로만 알고 있는 판사는 나에게 유난히 관심을 기울이면서 "오늘은 정말 아름다워 보이는군요"라거나 "당신을 잘 볼 수 있도록 이리 가까이 오시오" 하는 따위의 말을 자주 했다.

원고측 주장이 끝나자 필 캐럴은 우리 의뢰인에게 유리하도록 유도 평결을 내려달라고 신청했다. 사고 원인이 된 과실과 우리 의뢰인을 결부지을 증거가 전혀 없었기 때문이다. 판사는 동의하고 우리의 신청을 인정했다. 필과 나는 짐을 꾸려서 리틀록으로 돌아왔다. 며칠 뒤, 다른 피고를 대리하고 있던 변호사가 나한테 전화를 걸어, 배심원들이 평결을 의논하기 위해 법정에서 나가 있는 동안 무슨 일이 일어났는지를 말해주었다. 판사는 빌 클린턴의 조사에 분통을 터뜨리면서 자기가 얼마나 모욕감을 느끼는지에 대해 변호사들에게 큰 소리로 떠들어대기 시작했다. 마침내 한 변호사가 판사의 장광설을 가로막고 물었다. "판사님, 여기에 필 캐럴과 함께 왔던 그 힐러리 로댐이라는 여자 변호사를 아시지요? 그 여자가 바로 빌 클린턴의 아내예요."

그러자 판사는 소리를 질렀다. "뭐라고? 내가 그걸 알았다면 절대로 그런 유도 평결을 인정하지 않았을 텐데!"

빌이 선거에 패배한 그 겨울, 몇몇 친구와 지지자들이 나를 찾아와서 '클린턴'이라는 성을 쓰라고 충고했다. 앤 헨리는 주지사 관저에서 열리는 행사에 '빌 클린턴 주지사와 힐러리 로댐'의 초청을 받으면 기분이 상하는 사람도 있다고 말했다. 역시 클린턴과 로댐이라는 이름으로 나온 첼시의 출생 발표도 아칸소 전역에서 열띤 화젯거리가 되었다. 아칸소 사람들은 시어머니가 나를 처음 만났을 때와 비슷한 반응을 보였다. 내 옷차림과 북부적인 방식과 결혼 전의 성을 쓰는 것 때문에 아칸소 사람들에게 나는 기이한 괴짜로 보였다.

짐 블레어는 치밀하게 각본을 짜서 의사당 계단에서 연극을 상연하는 게 어떠냐고 농담을 했다. 빌이 내 목에 발을 올려놓고 내 머리채를 잡아끌면서 "이봐 마누라, 당신은 내 성을 써야 돼! 군소리하지 마!" 하고 고함을 지른다. 그러면 깃발이 펄럭이고, 찬가가 울려 퍼지고, 이름이 바뀐다.

버넌 조던은 연설을 하러 시내에 왔다가, 내일 아침에 우리 집에서 굵게 빻은 옥수수로 아침식사를 만들어달라고 나한테 부탁했다. 그는 우리 집 작은 부엌에서 작은 의자에 걸터앉아 내가 즉석에서 만든 음식을 먹으면서 나를 설득했다. 빌의 성을 쓰도록 하라는 것이었다. 성을 바꾸라고 요구하지 않는 사람은 남편뿐이었다. 빌은 내 성에 대해 한마디도 하지 않았다. 내 이름은 내가 알아서 할 일이지 남이 상관할 일이 아니라고 말했다. 그리고 빌은 자신의 정치적 미래가 내 이름에 달려 있다고 생각하지도 않았다.

나는 결혼 전의 성을 고집하는 것보다 빌이 다시 주지사가 되는 것이 더 중요하다고 판단했다. 그래서 첼시의 두번째 생일에 빌이 주지사 출마를 발표했을 때 나는 힐러리 로댐 클린턴이라는 이름을 사용하기 시작했다.

1982년 선거운동에는 온 가족이 뛰어들었다. 우리는 첼시와 기저귀 가방과 그밖의 온갖 물건을 커다란 차에 싣고 아칸소 전역을 돌아다녔다. 차를 운전해준 사람은 진정한 친구인 지미 레드 존스였다. 우리는 소나무 그늘에 봄이 살며시 숨어들기 시작한 남부에서 출발하여, 눈보라가 몰아치는 페이어트빌에서 여행을 마쳤다. 나는 언제나 선거운동을 좋아했고, 시골 상점과 바비큐 식당에 들르면서 아칸소 전역을 돌아다니기를 좋아했다. 그것은 자신을 포함한 인간의 본성을 끊임없이 가르쳐준다. 나는 1978년 선거 때 집집마다 돌아다니며 선거운동을 하다가, 남편이 자기 대신 투표를 한다는 여자들이나 아직도 인두세를 내야 하는 줄 알고 있는 아프리카계 미국인을 만나고 놀라지 않을 수 없었다.

1982년에 나는 첼시를 업거나 첼시의 손을 잡고 거리를 돌아다니며 유권자를 만났다. 볼드노브라는 마을에서 만난 젊은 엄마들이 생각난다. 내가 아기들과 이야기하면 즐거울 거라고 말하자 한 여자가 물었다. "내가 무엇 하러 애한테 말을 걸겠어요? 우리 딸은 아직 대꾸도 못하는데."
나는 예일 아동연구소에서—그리고 우리 어머니한테서—아기한테 말을
걸고 책을 읽어주는 것이 아동의 어휘 발달에 얼마나 중요한지를 배웠
다. 하지만 내가 이것을 설명하려 하자 그 여자들은 가만히 듣고 있었지
만 미심쩍은 표정이었다.

　1982년 선거에서 다시 주지사로 선출된 빌은 전보다 더 겸손하고 노
련한 주지사로 돌아왔지만, 2년 임기 동안 되도록 많은 일을 하겠다는
결심은 결코 첫번째에 못지않았다. 할 일은 많았다. 아칸소는 가난한 주
였고, 대학 졸업자 비율에서부터 개인 소득에 이르기까지 생활 수준을
가늠하는 각종 척도에서 꼴찌거나 꼴찌에 가까웠다. 빌의 첫번째 임기
때 나는 의료 개혁에 도전하는 빌을 도와서, 아칸소 의사회의 반대를 무
릅쓰고 보건소 네트워크를 구축하고 농촌 지역에서 일할 의사와 간호
사·조산원을 더 많이 모집하는 데 성공했다. 1980년 선거에서 보건소
네트워크 해체를 공약으로 내세웠던 화이트 주지사가 그 공약을 실행에
옮기려 하자, 이에 항의하는 사람들이 의사당으로 물밀듯 밀려들었고,
화이트 주지사도 결국 물러설 수밖에 없었다. 빌과 나는 아칸소의 교육
시스템을 철저히 개혁하지 않고는 아칸소의 번영을 결코 이룩하지 못하
리라는 데 의견이 일치했다. 빌은 광범위한 교육 개혁을 위해 위원회를
만들겠다고 발표했고, 내가 위원장을 맡아주기를 원했다.

　나는 이미 농촌보건위원회 위원장을 맡은 적이 있었는데, 빌은 자기
가 교육 개혁에 얼마나 진지한지를 알리고 싶으니까 이번에는 교육 문제
에 도전해달라고 부탁했다. 그것을 좋게 여기는 사람은 아무도 없었다.
나도 마찬가지였다. 하지만 빌은 물러서지 않았다. "밝은 쪽을 봐. 당신
이 성공해도, 우리 친구들은 당신이라면 훨씬 잘해낼 수 있었을 거라고
불평할 거야. 그리고 적들은 당신이 한 일이 지나치다고 불평하겠지. 당
신이 아무것도 이루지 못하면 우리 친구들은 '힐러리는 애당초 이 일을

시도하지 말았어야 했어' 하고 말할 테고, 적들은 '그것 봐라, 힐러리는 아무 일도 못해' 하고 말할 거야." 빌은 나를 위원장에 임명하는 것이 옳다고 확신했고, 결국 나는 그 뜻을 받아들였다.

이것도 역시 정치적으로 위험한 조치였다. 학교를 개선하려면 세금을 올릴 필요가 있었고, 세금 인상은 인기있는 계획이 아니다. 열다섯 명으로 구성된 위원회는 학생들에게 진급 시험을 치르게 하자고 제안했다. 하지만 개혁안의 토대는 교사 시험을 의무화한 것이었다. 교직원노조와 민권운동 단체를 비롯하여 아칸소에서 민주당의 중요한 지지 기반인 단체들은 격분했지만, 우리는 이 문제를 피해 갈 수는 없다고 생각했다. 교사가 수준 미달인데 어떻게 아이들이 전국 평균 수준에 도달하기를 기대할 수 있겠는가? 격렬한 논쟁이 벌어졌다. 어느 학교의 사서는 나더러 "뱀보다 더 교활하다"고 말할 정도였다. 나는 나 개인의 됨됨이 때문이 아니라 내가 대표하는 것 때문에 욕을 먹고 있다는 사실을 잊지 않으려고 애썼다.

의회에서 개혁안을 승인받고 재원을 마련하는 과정은 이익집단들 사이의 이전투구였다. 교사들은 일자리를 걱정했다. 농촌 지역을 대표하는 의원들은 개혁안이 자신들의 작은 학군을 다른 학군과 통합하는 결과를 낳을까봐 애를 태웠다. 이런 논쟁이 한창 벌어지고 있을 때 나는 아칸소 상하원 합동 회의장에 나가서 교육 개혁안의 취지를 호소했다. 이유가 무엇이든—아마 타고난 재주와 많은 훈련이 결합한 결과겠지만—대중 연설은 언제나 내 장기였다. 연설이 끝났을 때, 농촌 지역 출신인 로이드 조지 하원의원은 동료 의원들에게 "아무래도 우리가 엉뚱한 클린턴을 뽑은 것 같소!" 하고 외쳤고, 의사당은 웃음바다가 되었다.

우리는 표결에서 이기기도 하고 지기도 했다. 우리는 법정에서 교직원노조와 싸워야 했다. 하지만 빌의 임기가 끝날 무렵 아칸소 주는 학교 수준을 높이기 위한 설계도를 갖게 되었고, 수만 명의 아이들은 자신의 잠재적인 학습 능력을 실현할 수 있는 기회를 더 많이 갖게 되었고, 교사들은 그토록 원했던 봉급 인상을 얻어냈다. 레이건 행정부의 교육부 장관인 테럴 벨이 아칸소 주의 교육 개혁안을 칭찬하고 빌을 가리켜 '교육계의 주요 지도자'라고 말했을 때 나는 무척 기뻤다.

공적으로 교육 개혁 입법에 성공한 뒤 사적으로 어려운 문제가 닥쳐왔다. 1984년 7월, 벳시 라이트한테서 전화가 걸려왔다. 빌이 주지사 재선에 성공한 뒤 1983년에 빌의 수석보좌관이 된 벳시는 빌이 나를 만나러 가고 있다고 말했다. 나는 방금 친구들과 점심식사를 끝낸 참이었기 때문에 먼저 식당에서 나와 빌이 나타날 때까지 식당 밖에 서 있었다. 마침내 빌이 차를 몰고 나타났다. 내가 차에 올라타자 빌은 동생 로저가 경찰의 감시를 받고 있다는 정보를 방금 경찰청장한테 들었다고 말했다. 경찰은 로저가 정보 제공자에게 마약을 파는 현장을 녹화했다는 것이다. 경찰청장은 당장 로저를 체포할 수도 있지만, 진짜 표적인 마약 공급책을 확인하기 위해 로저의 범죄 증거를 계속 모아서 로저에 대한 압력을 더욱 강화할 수도 있다고 빌에게 말했다. 로저는 심각한 코카인 중독에 빠져, 코카인을 살 돈을 마련하기 위해 마약을 팔고 있다는 것이었다. 이어서 경찰청장은 어떻게 했으면 좋겠느냐고 빌에게 물었다. 빌은 아무래도 상관없다고 대답했다. 로저에 대한 경찰의 작전은 자연스러운 추이에 맡길 수밖에 없었다. 하지만 형으로서 동생의 비참한 운명을 아는 것은 살을 도려내는 듯한 아픔이었다. 로저는 잘되어봤자 감옥에 갈 테고, 최악의 경우에는 마약 남용으로 죽을 것이다.

빌과 나는, 로저가 마약에 손대는 것을 알아차리지 못했을 뿐만 아니라, 로저를 돕기 위해 어떤 조치도 취하지 않은 것을 자책했다. 우리는 빌의 어머니를 걱정했다. 시어머니가 이 소식을 알면, 그리고 빌이 미리 알고 있었다는 사실을 알면, 마음에 깊은 상처를 입을 터였다. 마침내 기다림이 끝났다. 로저는 체포되어 코카인 소지와 판매 혐의로 기소되었다. 빌은 경찰이 로저를 조사하고 있는 것을 알았지만 주지사의 직분 때문에 어머니에게 말하거나 동생에게 알릴 수 없었다고 로저와 버지니아에게 해명했다. 버지니아에게는 로저의 기소 사실도 충격이었지만, 로저가 감옥에 가리라는 것을 빌과 내가 미리 알고 있었다는 사실도 충격이었다. 나는 버지니아와 로저의 고통과 분노를 이해했지만, 빌이 가족에게 비밀을 지킨 것은 선택의 여지가 없는 일이었다고 믿었다. 로저는 감옥으로 가기 전에 카운슬링을 받기로 동의했다. 그 과정에서 로저는 아버지를 얼마나 증오했는지를 인정했다. 버지니아와 빌은 아버지의 알코올 중독과 폭력이 로저에게 깊은 상처를 주었다는 것을 처음으로 알았다. 빌은 알코올 중독자와 함께 산 것이 자기한테도 중대한 문제를 일으켰다는 것을 깨달았다. 그 문제를 해결하는 데에는 오랜 세월이 걸릴 것이다. 이것은 우리 가족이 앞으로 직면하게 될 수많은 위기 가운데 하나였다. 가정에 어려운 문제가 생기면, 아무리 강한 애정으로 맺어진 부부 관계에도 위기가 올 수 있다. 앞으로 우리는 이따금 견딜 수 없는 고통을 겪겠지만, 꿋꿋이 헤쳐나가기로 결심했다.

1987년부터 민주당 지도부는 로널드 레이건 대통령의 두번째 임기가 끝나는 1988년에 대통령 출마를 고려해보라고 빌을 설득하고 있었다. 빌과 나는 데일 범퍼스 상원의원이 출마를 결심해주기를 바랐고, 그가 출마할 거라고 생각했다. 주지사로도 상원의원으로도 일급이었던 범퍼스 상원의원은 만만찮은 대통령 후보가 될 수 있었을 것이다. 하지만 3월 말에 범퍼스 상원의원은 출마를 포기했다. 빌에 대한 관심이 더욱 높아졌다. 빌은 내 생각을 물었다. 나는 빌이 출마해야 한다고 생각지 않았기 때문에, 그렇게 말했다. 부시 부통령이 레이건 대통령의 후계자로 지명되어 레이건의 대리로 출마할 것처럼 보였다. 나는 부시를 이기기는 어려울 거라고 생각했다. 하지만 다른 이유도 있었다. 빌은 1986년에 네

번째로 주지사에 선출되었고, 남북전쟁 이후 최초의 4년 임기 주지사가 되었다. 빌은 아직 '민주당지도자회의'(Democratic Leadership Council: 1984년 민주당 먼데일 후보가 신자유주의 노선을 내세운 공화당의 레이건에게 참패한 뒤, 주로 남부 출신 의원과 주지사가 중심이 된 이른바 '남부 민주당' 그룹이 정통 진보주의 노선을 개혁하기 위해 당 외곽에 설립한 조직. 이들은 민주당도 신자유주의를 일부 수용해서 공화당에 빼앗긴 중도적 민주당 유권자를 찾아와야 한다고 주장했으며, 1992년 클린턴을 대선 후보로 내세움으로써 당내 패권을 장악했다―옮긴이)의 총재를 맡은 적이 없었고, '전국주지사협의회'의 의장직을 맡은 지도 얼마 되지 않았다. 게다가 나이도 이제 겨우 마흔 살이었다. 마취 전문 간호사로 개업한 빌의 어머니는 골치 아픈 문제를 다루고 있었고, 빌의 동생은 출소한 뒤 다시 사회에 적응하고 있었다. 그것으로도 모자란 듯, 우리 아버지가 뇌졸중으로 쓰러지셨다. 부모님은 빌과 나의 도움을 받을 수 있도록 리틀록으로 이사할 예정이었다. 나는 지금이 우리 인생에서 곤란한 시기라고 생각했기 때문에, 확신을 가질 수 없다고 빌에게 말했다.

빌은 출마를 결심했다가도 이튿날에는 출마하지 않겠다고 말하곤 했다. 마침내 나는 날짜를 정해서 그때까지 양단간에 결정을 내리라고 빌을 설득했다. 빌을 아는 사람이라면 누구나 알고 있겠지만, 빌은 마감 시간을 정해놓지 않으면 찬반 양론을 모두 탐색하느라 언제까지나 결정을 내리지 못한다. 빌은 7월 14일을 마감 시간으로 정했고, 어떤 결론이 나든 그 결정을 발표하기 위해 호텔 방을 예약했다. 그 전날, 전국에서 많은 친구들이 빌과 함께 지내려고 내려왔다. 출마를 강력히 권하는 친구도 있었고, 아직 시기상조니까 때를 기다려야 한다고 말하는 친구도 있었다. 빌은 사람들이 제기하는 모든 문제를 분석했다. 공개적으로 입장을 밝혀야 할 시간이 24시간도 안 남았는데 빌이 아직도 숙고하고 있는 것은 암시적이라고 나는 생각했다. 그것은 출마하지 않는 쪽으로 마음이 기울고 있으면서도 아직 문을 쾅 닫아버릴 각오가 되어 있지 않다는 뜻이었다.

빌이 출마하지 않기로 결정한 이유에 대해 많은 글이 씌어졌지만, 이유는 결국 한마디로 귀착되었다. 그것은 바로 첼시였다. 오랫동안 민주당 활동가였고 외동딸을 둔 칼 와그너는 빌에게 대통령에 출마하면 딸을 사실상 고아로 만들게 될 거라고 말했다. 미키 캔터도 똑같은 메시지를 전달했다. 하루는 주지사 관저의 뒤쪽 현관 층계에서 빌과 대통령 출마 문제를 의논하고 있는데, 일곱 살 난 첼시가 밖으로 나와서, 여름 휴가를 어떻게 보낼 거냐고 빌에게 물었다. 빌은, 아빠가 대통령에 출마할지 모르기 때문에 휴가를 떠나지 못할 거라고 대답했다. 그러자 첼시는 빌을 쳐다보면서 말했다. "그럼 아빠만 두고 엄마랑 둘이 갈 거야." 그 대답이 빌의 결단을 결정했다.

첼시는 대중의 주목을 받는 아버지를 두는 게 어떤 것인지를 깨닫기 시작하고 있었다. 첼시가 어렸을 때는 주지사인 아버지가 무슨 일을 하는지 전혀 몰랐다. 첼시가 네 살쯤 되었을 때 누군가가 첼시에게 네 아빠는 무슨 일을 하느냐고 물었다. 그러자 첼시는 "우리 아빠는 전화로 이야기하고, 커피를 마시고, 연설을 해요" 하고 대답했다.

1986년 주지사 선거운동은 첼시가 이해할 수 있었던 최초의 선거운동이었다. 첼시는 뉴스를 읽거나 볼 수 있었고, 정치가 낳는 비열함에 노출될 수도 있었다. 빌의 상대 가운데 오벌 포버스는 1957년에 리틀록의 센트럴 고등학교의 인종차별을 없애라는 법원의 명령을 거부한 악명 높은 전직 주지사였다. 당시 아이젠하워 대통령은 법률을 집행하기 위해 군대를 파견했다. 빌과 나는 포버스와 그의 지지자들이 무슨 말과 행동을 할지 걱정이 되었다. 제 아빠와 엄마에 대한 공격과 비난의 소리를 들으면 첼시가 상처를 입을 수도 있기 때문에, 첼시에게 미리 마음의 준비를 시키려고 애썼다. 우리는 관저의 식탁에 둘러앉아 역할 연기를 했다.

논쟁을 벌이는 체하면서, 우리 가운데 한 사람이 빌을 훌륭한 주지사가 아니라고 비난하는 정적처럼 행동하는 것이다. 첼시는 누군가가 아빠에 대해 그처럼 거칠고 막된 말을 할 수도 있다는 생각에 놀라서 눈이 휘둥 그레졌다.

첼시는 점점 주장이 강해지고 고집스러워졌다. 그것이 항상 편리하지는 않았지만, 나는 그것을 좋아했다. 1988년 크리스마스 무렵에 나는 저명한 외과 의사이자 절친한 친구인 프랭크 컴퍼리스와 함께 오리를 사냥하러 갔다. 프랭크가 역시 의사인 두 아들과 몇몇 친구와 사냥용 산장에 가면서 나한테 함께 가자고 권한 것이다. 나는 위놀라 호수에서 아버지와 함께 사냥해본 뒤로는 총을 쏜 적이 없었지만, 재미있을 것 같았다. 그래서 나는 아칸소 동부에서 얼음처럼 차가운 물 속에 엉덩이까지 담그고 동이 트기를 기다리고 있었다. 해가 뜨자 오리 떼가 머리 위를 날아갔다. 나는 총을 쏘아 재수좋게도 줄무늬 오리 한 마리를 맞혔다. 내가 집으로 돌아오자 첼시는, 내가 "가엾은 새끼오리의 엄마 아빠를 죽이려고" 동이 트기도 전에 집을 떠난 것을 알고는 잔뜩 화가 나서 나를 기다리고 있었다. 나는 변명하려고 애썼지만 소용이 없었다. 첼시는 온종일 나한테 말도 걸지 않았다.

빌은 1988년에 출마하지 않기로 결정했지만, 대통령 후보 지명자인 마이클 듀카키스 매사추세츠 주지사는 애틀랜타에서 열린 전당대회에서 추천 연설을 해달라고 빌에게 부탁했다. 추천 연설은 대실패였다. 듀카키스와 그의 참모들은 빌의 연설 원고를 미리 검토하고 승인했지만, 연설은 대의원이나 텔레비전 방송이 예상했던 것보다 훨씬 길었다. 일부 대의원이 빌에게 빨리 끝내라고 고함을 지르기 시작했다. 전국 무대에 처음 등장한 빌에게는 굴욕적인 데뷔였다. 많은 관측통이 빌의 정치적 미래는 끝났다고 생각했다. 하지만 겨우 여드레 뒤에 빌은 조니 카슨의 「투나잇 쇼」에 출연하여 자신에 대해 농담을 하고 색소폰을 연주했다. 또한 번의 '컴백'이었다.

1990년에 빌이 다시 주지사로 선출된 뒤, 전국의 민주당원들은 또다시 대통령 출마를 권하기 시작했다. 그들의 격려는 조지 부시가 대다수 미국인과 유리되어 있다는 평가를 반영하는 것이었다. 부시는 걸프 전쟁 이후 계속 높은 인기를 누리고 있었지만, 나는 국내 문제—특히 경제—에서 부시가 별다른 성과를 거두지 못한 것이 그의 약점이라고 생각했다. 나는 부시가 1989년 9월 버지니아 주 샬러츠빌에서 전국 주지사를 소집하여 '교육 문제 정상회의'를 열었을 때 부시와 이야기를 나누어보고, 그가 미국의 당면 문제에 너무나 무관심하다는 것을 깨달았다. 빌이 전국주지사협의회를 대표하는 민주당 쪽 공동의장이었기 때문에, 나는 공동의장의 아내로서 몬티셀로 저택에서 열린 만찬회 때 부시 대통령 옆자리에 앉았다. 우리는 성심 어린 관계를 맺었고, 백악관이나 주지사 연례회의 때 자주 마주쳤다. 우리는 미국의 의료보험에 대해 이야기를 나누었다. 나는 심장 이식 수술을 받고 싶은 사람에게는 미국이 세계 최고의 의료 시스템을 갖추고 있지만 아기가 첫돌을 넘길 때까지 살아남기를 바라는 사람에게는 그렇지 못하다고 말했다. 당시 미국의 유아 사망률은 공업국 중에서 일본이나 캐나다나 프랑스보다도 뒤떨어진 19위에 머물러 있었다. 부시 대통령은 믿을 수 없다는 듯이 말했다. "그럴 리가 없어요."

"그것을 입증하는 통계 자료를 보내드리죠."

그러자 부시 대통령은 대답했다. "내가 직접 알아보겠소."

이튿날 주지사들과 회동할 때 부시는 빌에게 쪽지 한 장을 슬쩍 건네주었다. 쪽지에는 이렇게 씌어 있었다. "힐러리한테 그 말이 맞았다고 전해주시오."

이번에는 나도 빌이 출마 여부를 신중하게 고려해야 한다고 생각했다. 1991년 6월, 빌은 유럽에서 열린 빌데르베르흐 회의에 참석했다. 이것은 전세계 지도자들이 모이는 연례회의다. 빌은 부시 행정부 관리들이 자기네 정책을 옹호하는 것을 듣고 나한테 전화를 걸어, 경제성장을 비롯한 거의 모든 문제에 대해 그들이 내린 처방에 실망했다고 말했다. "이건 미친 짓이야. 미래를 준비하기 위해 우리가 하고 있는 일이라고는 아무것도 없어." 빌은 출마하기로 결심하면 어떤 주장을 할 것인지를 진지하게 생각하고 있는 것이 분명했다. 나는 그것을 빌의 말만이 아니라 그 목소리로도 알아차릴 수 있었다. 빌은 전국주지사협의회 활동을 통해 전국에 이름이 알려졌고, 아칸소 주지사로서 교육과 복지 개혁 및 경제개발에 성공한 것으로 평가받고 있었다. 8월에 시애틀에서 열린 주지사 연례회의에 참석했을 때, 많은 민주당 주지사들은 빌이 대통령 출마를 진지하게 고려한다면 빌을 지지하겠다고 말했다. 나에겐 별로 놀라운 일이 아니었다.

회의가 끝난 뒤, 우리 가족은 빌의 향후 계획을 의논하기 위해 캐나다의 빅토리아와 밴쿠버로 짧은 휴가를 떠났다. 열한 살인 첼시도 이제는 4년 전보다 훨씬 성숙해서 기꺼이 제 의견을 제시했다. 첼시와 나는 빌이 훌륭한 대통령이 될 수 있다는 데 의견이 일치했다. 다행히 예비선거 운동은 여느 때보다 짧은 기간에 집중해서 할 수 있을 터였다. 아이오와 주의 톰 하킨 상원의원이 대통령 후보 지명전에 출마했기 때문이다. 이것은 빌이 아이오와 지방대회를 무시하고 곧장 뉴햄프셔로 갈 수 있다는 뜻이었다. 빌은 이미 뉴햄프셔 주에 민주당지도자회의 지부를 세웠고, 매사추세츠 주의 폴 총가스 상원의원과 경쟁하여 '신민주당(New Democrat)' 지지자들의 표를 얻을 수 있다고 생각했다. 빌은 우리와 찬반 토론을 벌이면서, 첼시에게 중요한 날―예를 들면 아칸소 발레단이 해마다 무대에 올리는 「호두까기인형」 공연일―을 일정에 모두 포함시키겠다고 약속하고, 우리가 매년 그래왔듯이 연초에는 '르네상스 위켄드'(Renaissance Weekend: 해마다 첫 주말에 열리는 각계 지도층 인사 가족 초청 간담회. 클린턴의 친구인 필 레이더 부부가 1981년에 시작했다—옮긴이)를 보내러 가겠다고 장담했다. 나는 앞으로 일어날 일을 모두 예측할 수는 없었지만, 빌이 미국을 위해 해야 할 일이 무엇이고 어떻게 선거운동을 승리로 이끌 것인지에 대해 준비가 되어 있다고 믿었다. 우리는 선거에서 졌을 때 잃을 것이 무엇인가를 생각했다. 빌이 실패하더라도, 단지 이기기 위해서가 아니라 미국을 변화시키려고 애썼다는 만족감은 얻을 수 있을 터였다. 그것은 한번 해볼 만한 모험으로 여겨졌다.

선거운동

1991년 9월 로스앤젤레스의 빌트모어 호텔 복도에서 핼 브루노와 마주쳤을 때, 대통령 선거운동에서 살아남으려면 무엇이 필요한지를 알아차렸다. 노련한 텔레비전 프로듀서인 브루노는 우리와 안면이 있는 사이였는데, 민주당 전국대회 추계 회의가 열리는 동안 대통령 선거에 출마할 가능성이 있는 후보자를 확인하러 로스앤젤레스에 와 있었다.

브루노는 나를 보고 일이 어떻게 되어가고 있느냐고 물었다.

내가 어리둥절한 표정을 짓고 있었던 모양이다. "모르겠어요. 이런 일에는 익숙지 못해요. 나한테 충고 좀 해주시겠어요?"

"이것만 말씀드리죠. 누구를 믿을 것인지를 아주 신중하게 판단해야 합니다. 이것은 당신이 전에 겪었던 일과는 전혀 다릅니다. 그밖에는 이 경험을 최대한 즐기려고 애쓰세요!"

엄청나게 많은 사람을 믿지 않고는 대통령 선거운동처럼 복잡하고 힘든 일을 해나갈 수 없겠지만, 그것은 현명한 충고였다. 우리는 우선 믿을 만한 친구들과 선거운동 전문가를 모으는 일부터 시작했다.

빌은 9월에 경선에 참여하기로 결정하자마자 입후보를 도와줄 핵심 참모들과 접촉했다. 크레이그 스미스는 빌의 공식 보좌관직을 그만두고, 본격적인 선거운동 조직이 갖추어질 때까지 국가전략국에서 일하다가 나중에 국장이 되었다. 1991년 10월 2일, 많은 참모들이 이튿날로 예정된 입후보 선언 연설문을 준비하고 있는 빌을 돕기 위해 리틀록으로 모여들었다. 그날 밤 주지사 관저는 창조적인 혼돈의 양상을 띠었다. 그것은 선거운동 전체를 상징하는 광경이었다. 여론조사 전문가인 스탠 그린버그와 언론 담당 보좌관인 프랭크 그리어, 민주당지도자회의(DLC) 총재인 앨 프롬과 정책국장 브루스 리드 등은 밤늦게까지 빌을 둘러싸고 연설문 작성에 매달렸다. 빌은 여기저기 전화를 걸고, 과거의 연설문을 읽어보고, 그러다가 식탁에 차려진 음식으로 달려가곤 했다. 열한 살의 풋내기 발레리나인 첼시는 잠자리에 들 시간까지 방을 들락거리며 아빠와 손님들 주위를 발끝으로 맴돌았다. 오전 4시에 드디어 연설문이 완성되었다.

이튿날 정오, 리틀록의 주의회 의사당 앞에서 다시 활력을 되찾은 빌 클린턴은 첼시와 나와 함께 줄지어 늘어선 마이크와 텔레비전 카메라 앞에 서서 대통령에 출마할 작정이라고 선언했다. 빌의 연설에는 부시 행정부에 대해 일기 시작한 비판이 정연하게 열거되어 있었다.

"중산층은 일하는 시간이 점점 늘어나고 있고, 아이들과 함께 보내는 시간은 점점 줄어들고 있으며, 집에 가져가는 돈은 점점 줄어들고 있고, 의료비와 주거비와 교육비로 나가는 돈은 점점 늘어나고 있습니다. 빈곤율은 점점 올라가고 있고, 거리는 점점 초라해지고 있으며, 결손 가정에서 자라는 아이들은 점점 늘어나고 있습니다. 우리 나라는 지금 잘못된 방향을 향해 빠른 속도로 나아가고 있습니다. 미국은 뒤처지고 있습니다. 방향을 잃고 있습니다. 우리가 워싱턴에서 얻은 것은 리더십과 비전이 아니라…… 현상태에 굳어버린 마비증세와 무관심과 방자함뿐입니다."

빌이 원하는 것은 '슬로건'의 캠페인이 아니라 '아이디어'의 캠페인이었고, "미국의 꿈을 되찾고, 잊혀진 중산층을 위해 싸우고, 더 많은 기회를 제공하고, 우리 각자에게 더 많은 책임을 요구하고, 위대한 나라 미국에 더 강력한 공동체를 창조할 리더십"을 제시하는 것이었다. 빌의 수사 뒤에는 부시 대통령을 이길 가능성이 높다는 확신을 민주당 유권자들에게 심어주기 위해 예비선거에서 제시할 구체적인 설계도가 숨겨져 있었다.

주류 언론은 빌이 대통령에 당선되기는커녕 예비선거를 통과할 가망도 별로 없다고 평가했다. 빌은 잘생기고 똑똑하고 활기찬 아웃사이더이지만 무명이고, 아직 마흔여섯 살이라 대통령이 되기에는 너무 젊고 미숙하다는 이유로 처음에는 무시당했다. 하지만 미국이 변해야 한다는 빌의 메시지가 잠재적인 유권자들에게 호응을 얻자, 언론—그리고 부시 대통령 지지자들—은 빌 클린턴을 좀더 관심을 가지고 바라보기 시작했다. 그리고 나도 주목의 대상이 되었다.

내 생애의 첫 44년이 교육이었다면, 13개월의 대통령 선거운동은 하나의 계시였다. 빌과 나는 훌륭한 조언을 많이 받았고 정치 무대에서 오랜 세월을 보냈지만, 대선 출마에 따르는 무자비한 술책과 사정없는 폭로에는 전혀 준비가 되어 있지 않았다. 빌은 자신의 정치적 소신을 전국에 알려야 했고, 우리는 사생활의 모든 측면이 속속들이 파헤쳐지고 까발려지는 것을 견뎌야 했다. 우리를 거의 알지 못하는, 더구나 우리의 출신 배경에 대해서는 더욱 모르는 전국적인 언론매체의 기자단에 익숙해져야 했다. 점점 심해지는 비열하고 인신공격적인 선거운동을 치르면서, 우리를 끊임없이 지켜보는 뭇 시선 속에서 우리 감정을 관리해야 했다.

나는 힘든 시기를 헤쳐나가기 위해 친구들과 참모들에게 의지했다. 빌은 훌륭한 팀을 짰다. 팀에는 1991년 펜실베이니아 주에서 상원의원에 출마한 해리스 워퍼드를 도와 승리로 이끈 폴 베갈라와 제임스 카빌도 포함되어 있었다. 캐나다에서 루이지애나로 이주한 프랑스계 주민의 자손이고 해병대 출신인 제임스는 빌과 당장 죽이 맞았다. 그들은 둘 다 남부의 풍토를 좋아했고, 엄마를 사랑했고, 대통령 선거운동을 신체 접촉이 허용되는 일종의 스포츠로 생각했다. 텍사스 출신의 유능한 폴은 대중주의에 대한 열정과 점잖은 예절의 화신이었고, 이따금 카빌이 속사포처럼 쏘아대는 프랑스어 사투리를 통역하는 일도 맡아야 했다. 그것은 결코 쉬운 재주가 아니었다. 선거운동 사무장이 된 데이비드 윌헬름은 시카고 출신으로, 현장에서 대의원을 한 사람씩 공략하여 경쟁에 이기는 방법을 직관적으로 알고 있었다. 역시 시카고 출신인 람 이매뉴얼은 정치적 수완이 뛰어나고 선거자금 조달에 천재적인 재주를 갖고 있어서 자금 담당 부장이 되었다. 로즈 장학생 출신으로 리처드 게파르트 하원의원의 보좌관을 지낸 조지 스테퍼노펄러스는 정치적 공격에 즉각 효율적으로 대응하는 방법과 언론을 통해 공세를 취하는 요령을 잘 알고 있었다. 역시 로즈 장학생 출신으로 DLC에서 선거운동에 참여한 브루스 리드는 복잡한 정책 개념을 간단명료하게 표현하는 재주를 타고나서, 빌의 선거운동 메시지를 명확하게 표현하는 데 큰 도움이 되었다. DLC의 설립자인 앨 프롬은 빌의 선거운동에서 정책과 메시지를 개발하는 데 없어서는 안될 인물이었다.

빌과 나는 아칸소의 헌신적인 지지자들에게도 의지했다. 로드니 슬레이터, 캐럴 윌리스, 다이앤 블레어, 앤 헨리, 모리스 스미스, 패티 하우크라이너, 칼과 마거릿 휠록, 벳시 라이트, 실라 브론프먼, 맥과 도나 매클라티를 비롯한 많은 사람들이 미국 역사상 최초의 아칸소 출신 대통령을 탄생시키기 위해 자신들의 생활을 잠시 뒷전으로 밀어놓았다.

나는 빌이 대선 출마를 선언하자마자 내 나름의 참모진을 짜기 시작했다. 이것은 후보 참모진이 후보자 아내의 일정과 메시지를 관리하던 그 동안의 관례에서 벗어난 새로운 시도였다. 나는 달랐다. 이 사실은 그 후 몇 달 동안 점점 분명해졌다.

내가 맨 처음 도움을 청한 사람은 당시 펜실베이니아 대학에서 박사과정을 밟고 있던 매기 윌리엄스였다. 매기와 나는 1980년대에 아동보호기금에서 함께 일했다. 나는 매기의 지도력과 친화력에 감탄했고, 매기라면 무슨 일이 일어나도 침착하게 처리할 수 있을 거라고 생각했다. 매기는 1992년 말까지는 상근 요원으로 참여할 수 없었지만, 선거운동 내내 조언과 지원을 아끼지 않았다.

선거운동에서 나를 위해 일하기 시작한 젊은 세 여자는 헤아릴 수 없이 귀중한 존재가 되었고, 8년 동안의 백악관 시절에도 줄곧 내 측근에 남아 있었다. 멕시코 이민의 딸로 태어나 시카고에서 자란 패티 솔리스는 리처드 데일리 시장 밑에서 일하면서 정치활동에 적극 참여했다. 패티는 대통령 선거운동에서 일정표를 짜본 적이 없었고, 나는 남들이 나한테 언제 어디서 무슨 일을 해야 한다고 지시하는 것을 용납하지 않았지만, 내 일정을 관리하는 일은 패티에게 딱 맞는 역할이었다. 패티는 정치와 사람과 준비라는 어려운 과제를 지성과 결단력과 웃음으로 교묘하게 다루었다. 패티는 9년 동안 내 생활을 한 시간 단위로 관리하면서, 지금까지도 내가 의지하는 절친한 친구이자 귀중한 조언자가 되었다.

클리블랜드 출신의 정력적인 젊은 변호사 캐프리샤 페너빅 마셜도 이민의 딸이었다. 어머니는 멕시코에서 왔고, 아버지는 티토 치하의 유고슬라비아에서 탈출한 크로아티아 난민이었다. 캐프리샤는 1991년에 텔레비전에서 연설하는 빌을 보고, 빌의 선거운동에 참여하기로 결심했다. 그리고 몇 달 동안 오하이오 주에서 전당대회 대의원을 모으는 일을 맡았다. 결국 캐프리샤는 내 참모로 발탁되어 유세 예정지에서 사전 준비를 하는 선발대로 일하게 되었다. 그것은 주로 젊은 사람들이 하는 일이었고, 정치활동과 세상을 체험하면서 많은 것을 배울 수 있는 중요한

경험이었다. 캐프리샤는 전문가처럼 일하기 시작했고, 첫 유세 여행에서
는 슈리브포트의 엉뚱한 공항에서 나를 기다리는 불상사가 일어나기도
했지만, 우리는 정말 죽이 잘 맞았다. 스트레스에 시달리면서도 상냥함
을 잃지 않는 그녀의 매력은, 빌의 두번째 임기 때 백악관의 사교업무 담
당 비서관으로 채용되었을 때 그녀 자신에게—또한 나에게—큰 도움이
되었다.

미모의 다이빙 선수였던 캘리포니아 출신의 켈리 크레이그헤드는 나
의 여행 관리자가 되었을 때 이미 노련한 이벤트 기획자였다. 그후 8년
동안 내가 어디에 가든—한 구획을 돌든, 전세계를 돌든—켈리는 항상
내 곁에 있었다. "계획에 실패하는 것은 실패하려고 계획하는 것이다
(Fail to plan, plan to fail)"라는 켈리의 슬로건은 우리 선거운동의 주문
이 되었다. 켈리는 나의 유세 일정을 지극히 사소한 점까지 철저히 준비
하고 계획했다. 켈리만큼 열심히 오랜 시간을 일한 사람은 아무도 없었
다. 켈리가 맡은 일은 많은 노력이 필요한 까다롭고 소모적인 일이었다.
한마디로 장군과 외교관의 재능을 겸비할 필요가 있었다. 켈리는 또한
헌신적인데다 뛰어난 통찰력과 용기도 갖추고 있었다. 나는 켈리가 내
곁에 있다는 것을 알았기 때문에, 백악관에서 가장 힘들었던 시절에도
위안과 자신감을 얻을 수 있었다.

정식으로 채용 계약을 맺은 젊은이들 이외에 브룩 시어러는 자진해
서 내 유세 여행에 동행했다. 브룩은 원래 빌의 친구였다. 그녀의 남편인
스트로브 탤벗과 빌이 로즈 장학생으로 함께 옥스퍼드에 다녔기 때문에,
브룩만이 아니라 온 가족이 빌의 친구였다. 빌과 내가 결혼하자 그들은
당장 내 친구가 되었다. 그리고 그들의 두 아들은 첼시와 친해졌다. 워싱
턴에 살면서 언론계에서 일한 브룩은 전국적인 언론매체에 대해 풍부한
경험을 갖고 있었고, 선거운동의 불합리한 점들을 짓궂게 포착했다.

나는 대통령 선거전에서는 접근금지 구역이 없다는 사실을 금세 배웠다. 무심코 뱉은 말이나 농담이 몇 초 뒤에는 통신사로 보고되어 논쟁을 불러일으킨다. 소문은 '오늘의' 기사가 된다. 우리의 과거 경험은 우리 자신에게도 까마득한 고대사처럼 느껴졌을지 모르나, 언론은 우리가 무슨 고고학적 유적이라도 되는 것처럼 우리의 인생을 시시콜콜 조사하고 샅샅이 들추어냈다. 이런 실상을 나는 전에 이미 다른 사람들의 선거운동에서 본 적이 있었다. 고성능 마이크가 가까이 있는 것을 알아차리지 못하고, 에드 머스키 상원의원은 1972년에 아내를 옹호했고, 보브 케리 상원의원은 1992년에 음담패설을 내뱉었다. 하지만 자기가 직접 촬영용 조명등의 초점이 되어보기 전에는 그 조명등의 열기를 상상할 수도 없다.

하루는 빌과 내가 뉴햄프셔에서 유세를 하고 있을 때, 빌이 나를 지지자들에게 소개했다. 빌은 내가 20년 동안 아동 문제에 전념해왔다고 이야기하면서, "하나를 사면 하나는 공짜(Buy one, get one free)"라는 슬로건을 새로 만들었다고 농담을 했다. 이것은 내가 그의 정부에 적극적인 파트너로 참여하여 과거에 전념했던 문제를 계속 대변하리라는 점을 설명하는 한 가지 방식이었다. 멋진 문구였기 때문에, 선거 참모들은 그것을 슬로건의 하나로 채택했다. 언론에 널리 보도된 이 슬로건은 그 후 독자적인 생명을 얻어, 내가 남편과 함께 '공동 대통령'이 되려는 야심을 품고 있다는 증거로 사방에 뿌려졌다.

나는 전국적인 언론매체에 노출된 적이 별로 없어서, 언론이 선거운동에서 일어나는 모든 일을 대중에게 전달하는 수도관 역할을 한다는 점을 충분히 인식하지 못했다. 정보와 정책과 인용은 언론의 렌즈를 통과한 뒤에야 대중에게 전달되었다. 후보자는 언론이 보도해주지 않으면 자신의 생각을 대중에게 알릴 수 없고, 기자들은 후보자에게 접근하지 못하면 효과적으로 보도할 수가 없다. 따라서 후보자와 기자들은 대립하는 동시에 서로 의존하는 사이다. 그것은 미묘하고 중요한 관계지만, 나는 그 점을 충분히 이해하지 못했다.

"하나를 사면 하나는 공짜"라는 말은 뉴스 기자들이 대화 전체를 제공할 시간이나 공간이 없기 때문에 거두절미하고 일부만 문맥에서 따로 떼어 보도할 수도 있다는 사실을 빌과 나에게 일깨워주었다. 간단명료함은 기자들에게 필수불가결한 요소였다. 톡톡 튀는 멋진 문구와 캐치프레이즈도 마찬가지였다. 정치적 암시의 달인 가운데 하나가 일찌감치 여기에 끼여들었다.

전직 대통령 닉슨의 정치적 본능은 여전히 미세하게 조정되어 있었다. 닉슨은 2월 초에 워싱턴을 방문했을 때 한 인터뷰에서 우리 선거운동에 대해 논평하면서, "아내가 지나치게 강하고 똑똑한 여자로 부각되면 남편이 못난이처럼 보이게 된다"고 말했다. 그리고 유권자들은 "여자에게 지성은 온당치 않다"는 리슐리외 추기경(프랑스의 루이 13세 시대에 재상을 지낸 정치가. 1585~1642 —옮긴이)의 평가에 공감하는 경향이 있다고 덧붙였다.

『뉴욕 타임스』에 보도된 닉슨의 논평을 읽었을 때, "이 사람은 뭔가 목적이 없는 일은 결코 하지 않아" 하고 생각했던 게 기억난다. 내가 1974년에 닉슨 탄핵 조사단에서 일한 것은 접어두더라도, 빌이 공화당의 집권 연장에 위협이 되고 있다는 사실을 닉슨이 누구보다 잘 알아차린 게 아닐까 하는 생각이 들었다. 드센 아내를 견딘다는 이유로 빌을 깎아내리고 나를 '온당치 않은' 여자로 헐뜯으면, 변화를 갈망하면서도 우리에 대해 확신을 갖지 못하는 유권자들이 질겁해서 우리한테 등을 돌릴지 모른다고 닉슨은 생각했을 것이다.

그때쯤 빌의 모든 생활은 언론의 현미경 아래 놓여 있었다. 빌은 이미 개인 문제에 대해 미국 역사상 어느 대통령 후보보다도 많은 질문을 받았다. 주류 언론은 아직 입증되지 않은 소문을 보도하지 않았지만, 슈퍼마켓에서 파는 타블로이드판 신문들은 아칸소에서 일어난 충격적인 비화를 제보하는 사람에게 현금을 주겠다고 제의하고 있었다. 결국 그런 낚시그물에 고래 한 마리가 걸려들었다.

내가 애틀랜타에서 선거운동을 하고 있던 1월 23일, 빌이 전화를 걸어왔다. 그는 제니퍼 플라워스라는 여자가 12년 동안 자신과 성관계를 가져왔다고 주장하는 기사가 타블로이드판 신문에 실릴 거라고 알려주면서, 물론 그것은 사실이 아니라고 말했다.

선거 참모들은 이 기사에 당황했고, 몇몇은 경쟁이 끝났다고 생각하는 듯했다. 나는 데이비드 윌헬름에게 전화 회의를 소집해달라고 부탁했다. 그리고는 우리가 이 선거운동에 참여한 것은 빌이 우리 나라를 변화시킬 수 있다고 믿었기 때문이며, 우리의 성패를 결정하는 것은 유권자에게 달렸다고 말했다.

그리고는 이렇게 말을 맺었다. "그러니까 다시 일을 시작합시다."

플라워스 이야기는 타블로이드판 신문인 『스타』지에서 평판 높은 네트워크 뉴스쇼인 「나이트라인」까지, 만연하는 바이러스처럼 온갖 매체 사이를 뛰어다녔다. 우리는 선거운동을 계속하려고 애썼지만, 언론의 철저한 밀착 취재 때문에 본질적인 쟁점에 주의를 집중할 수가 없었다. 뉴햄프셔 예비선거는 몇 주 앞으로 다가와 있었다. 무슨 조치가 필요했다. 빌과 나는 해리 토머슨, 미키 캔터, 제임스 카빌, 폴 베갈라, 조지 스테퍼노펄러스 등과 함께 우리가 할 수 있는 일을 의논했다. 그들은 최대한 많은 시청자가 우리를 볼 수 있도록, 일요일 밤에 슈퍼볼 중계가 끝난 직후 「60분」에 출연할 것을 제의했다. 나는 사람들 앞에 노출되어 프라이버시를 침해당하고 우리 가족—특히 첼시—에게 미칠 잠재적 영향을 감수할 마음이 내키지 않았다. 참모들은 그만한 모험을 할 가치가 있다고 나를 설득했다. 마침내 나는 이 상황을 공개적으로 다루지 않으면 투표가 시작되기도 전에 빌의 선거운동은 끝장나리라는 것을 납득했다.

「60분」의 인터뷰는 1월 26일 오전 11시에 보스턴의 호텔 스위트룸에서 녹화되었다. 객실은 세트로 바뀌었고, 기둥에 매단 임시 조명등이 빌과 내가 앉아 있는 소파를 빙 둘러쌌다. 인터뷰 도중에 조명등이 잔뜩 매달린 기둥 하나가 내 쪽으로 쓰러졌다. 빌이 그것을 보고 나를 밀쳐낸 순간, 조명탑이 내가 앉아 있던 자리에 쾅 하고 부딪쳤다. 나는 놀라서 부들부들 떨었다. 빌은 나를 끌어안고는 몇 번이고 속삭였다. "괜찮아. 걱정 마. 사랑해."

인터뷰를 맡은 스티브 크로프트는 우리 관계와 결혼생활에 대한 질문으로 대담을 시작했다. 그리고 빌이 간통을 저지른 적이 있는지, 우리가 별거하거나 이혼을 고려한 적이 있는지를 물었다. 우리는 프라이버시에 대한 사적인 질문에는 대답할 수 없다고 말했다. 하지만 빌은 나한테 고통을 준 적이 있다고 인정하고, 그것이 대통령 자격을 박탈하는지를 판단하는 일은 유권자한테 맡기겠다고 말했다.

크로프트 : 두 분이 줄곧 함께 지냈고, 문제를 함께 해결했고, 어떤 합의와 타협에 도달한 것처럼 보이는 것은 높이 평가할 만하다는 데 대다수 미국인들은 동의할 겁니다.

타협? 합의? 크로프트는 우리에게 찬사를 보내려고 했을지 모르나, 우리의 결혼생활을 그런 식으로 분류하는 것은 표적에서 한참 벗어난 것이었다. 너무 엉뚱한 말이어서, 빌은 그 말을 믿으려 하지 않았다. 나도 마찬가지였다.

빌 클린턴 : 잠깐만요. 우리는 서로 사랑하고 있습니다. 이건 타협이나 합의가 아니라 결혼생활이에요. 그건 전혀 다른 겁니다.

마지막의 결정적인 말은 빌이 하도록 맡겼다면 좋았겠지만, 이제 내가 한마디 덧붙일 차례였고, 그래서 나는 청하지도 않은 내 의견을 불쑥 말했다.

힐러리 클린턴 : 나는 태미 위넷처럼 남편 곁에 서 있는 여자로 여기

앉아 있는 게 아니에요. 내가 여기 앉아 있는 건 내 남편을 사랑하고 존경하고, 또 남편이 겪은 일과 우리가 함께 겪은 일을 소중하게 여기기 때문이에요. 그것으로 충분치 않거든 빌에게 표를 던지지 마세요.

인터뷰는 56분 동안 계속되었지만, CBS에서는 중요한 부분—적어도 나에 관한 한—은 거의 다 잘라내고 10분 정도만 방영했다. 우리가 한 말을 그처럼 과감하게 잘라낼 줄은 미처 몰랐다. 그래도 방송이 끝나자 나는 한시름 놓은 기분이었다. 빌과 나는 우리의 대응에 만족했고, 다른 사람들도 모두 우리에게 만족했다. 대다수 미국인들은 분명 우리의 기본적인 주장—선거는 우리 결혼생활이 아니라 유권자에게 달려 있다는 것—에 동의했다. 23일 뒤, 빌은 뉴햄프셔 예비선거에서 1위에 근접한 2위를 차지하여 '컴백 키드(Comeback Kid)'로 알려지게 되었다.

하지만 나는 입장이 그렇게 순조롭지 못했다. 태미 위넷을 들먹인 결과는 즉각적이고 끔찍했다. 물론 나는 태미 위넷이라는 가수를 인용한 것이 아니라 그녀가 부른 유명한 노래 「스탠 바이 유어 맨」을 인용한 것이었다. 하지만 나는 말을 선택하는 데 부주의했고, 성난 항의가 빗발쳤다. 나는 사람들에게 그런 인상을 준 것을 뉘우쳤다. 그래서 우선 태미에게 직접 사과하고, 나중에 다른 텔레비전 인터뷰에서 공개 사과를 했다. 하지만 물은 이미 엎질러졌고, 일은 그것으로 끝나지 않았다.

민주당 예비선거가 최고조에 이른 3월 초, 전직 캘리포니아 주지사이자 민주당 대통령 후보였던 제리 브라운이 빌을 공격하고 나섰다. 내가 1979년부터 근무한 로즈 법률회사와 내 변호사 업무가 공격의 초점이었다. 빌이 1983년 주지사에 재선된 뒤 나는, 내 몫의 이익금을 정산할 때 동료 파트너들이 아칸소 주나 주정부 기관을 대리하고 번 수임료는 포함시키지 말라고 회사에 부탁했다. 로즈 법률회사는 수십 년 동안 아칸소 주정부에 법률 서비스를 제공해왔다. 공과 사의 이해 충돌은 전혀 없었지만, 그래도 나는 남의 눈에 그렇게 보일 가능성이 있는 일은 일절 피하고 싶었다. 로즈 법률회사는 아칸소 주와 관련된 일과 그 일로 번 수임료에서 나를 완전히 배제하기로 동의했다. 프랭크 화이트도 1986년 아칸소 주지사 선거 때 이 문제를 쟁점으로 삼으려고 애썼지만, 빌이 주지사로 있는 동안 아칸소 주의 다른 법률회사가 주정부의 일거리를 로즈 법률회사보다 훨씬 많이 받았다는 사실이 입증되자 당황한 적이 있었다.

아칸소에 있는 빌의 정적들이 허위 정보를 제공하자, 제리 브라운은 일리노이 주와 미시간 주에서 예비선거가 열리는 3월 17일을 이틀 앞두고 이미 폐기처분된 쓰레기 같은 그 허위 정보를 재활용했다. 브라운은 빌이 내 수입을 늘리기 위해 로즈 법률회사에 주정부의 일거리를 몰아주었다고 비난한 것이다. 그것은 사실상 아무 근거도 없는 기회주의적인 거짓 고발이었다. 그리고 그것은 결국 악명 높은 '쿠키와 차' 사건으로 이어졌다.

빌과 나는 어디든 우리를 따라다니는 카메라와 마이크 무리를 이끌고 시카고의 '비지 비 커피숍'에 들어가 있었다. 일리노이 예비선거가 바싹 다가와 있었기 때문에 기자들은 브라운의 비난에 대해 빌에게 질문을 던지고 있었다. 그때 한 기자가 나에게 브라운의 비난을 어떻게 생각하느냐고 물었다. 내 대답은 장황하고 두서가 없었다.

"그 말은 무엇보다 측은하고 필사적이라고 생각했어요. 흥미롭다는 생각도 들었고요. 그건 자신의 직업과 자신의 생활을 가진 여자들에게 일어나는 일이니까요. 그건 수치스러운 일이라고 생각하지만, 우리가 참아내야 할 일이겠죠. 나름대로 노력해서 직업을 가진 여성들, 그러니까 독립된 생활을 가지려고, 변화를 일으키려고 애쓴 여성들과 나처럼 아이를 가진 여성들…… 나는 내 생활을 꾸려가기 위해 최선을 다했을 뿐이지만, 그게 공격 대상이 되는 거겠죠. 하지만 그 비난은 사실이 아니에요. 무슨 말을 해야 할지 모르겠군요. 그저 서글프다는 말밖에는 할 말이 없네요."

그러자 기자들은, 당신 남편이 주지사인데 공과 사의 충돌을 어떻게 피할 수 있었겠느냐고 물었다.

"그게 사실이라면 좋겠군요. 나도 집안에 남아서 쿠키를 굽고 차를 마실 수도 있었겠지만, 내 직업에 충실하기로 결정했답니다. 나는 남편이 공직자가 되기 전에 변호사 생활을 시작했어요. 그리고 최대한 조심하려고 열심히, 아주 열심히 노력했어요. 내가 말할 수 있는 건 그것뿐이에요."

나는 말을 꽤 잘할 때도 있었지만, 이때는 아니었다. 나는 이렇게 말할 수도 있었을 것이다. "이봐요. 내가 법률회사의 파트너 자리를 내던지고 집안에 틀어박히지 않는 한, 공과 사의 충돌은 피할 도리가 없었을 거예요." 게다가 나는 젊은 시절에는 쿠키도 많이 구웠고 차도 많이 따랐다.

내 보좌관들은 언론이 '쿠키와 차'라는 말을 채택한 것을 알고, 기자들에게 내 말뜻을 좀더 자세히—그리고 좀더 명확하게—설명하라고 제의했다. 나는 그 자리에서 즉흥적으로 약식 기자회견을 가졌다. 하지만 효과는 거의 없었다. 내가 질문에 대답한 지 13분 뒤, AP 통신이 기사를 내보냈다. CNN도 재빨리 뉴스를 방송했고, 오후 뉴스에서는 최초의 질문—공과 사의 충돌과 로즈 법률회사에 관한 질문—에 대해서는 거의 언급하지 않고 "나도 집안에 남아서 쿠키를 굽고 차를 마실 수도 있었을 것"이라는 말만 보도했다. 그날 대다수 보도기관은 내가 중대한 정치적 실수를 저질렀다는 것을 주제로 삼았다.

나는 내 처지를 설명하고, 나아가 직업과 생활 사이에서 곡예를 하고 있는 많은 여성들이 자신의 선택 때문에 불이익을 당하고 있다는 것을 암시하려고 애썼지만, 내 시도는 어줍고 서툴렀다. 내가 말한 이야기는 내가 집에서 아이를 키우는 전업주부들에게 냉담하다는 내용으로 바뀌었다. 일부 기자들은 '쿠키와 차'와 '태미 위넷처럼 남편 곁에 서 있는 여자'를 하나의 인용문으로 통합하여, 사실은 51일의 간격을 두고 한 말을 마치 동시에 한 것처럼 보이게 했다. 이 논쟁은 공화당 전략가들에게는 굴러 들어온 호박이었다. 공화당 지도자들은 나에게 '과격한 남녀동권론자'니 '호전적인 페미니스트 변호사'니 하는 딱지를 붙였고, 심지어는 나를 "급진적 페미니즘 정책을 밀어붙일 클린턴-클린턴 행정부의 이념적 지도자"라고 부르기까지 했다.

나는 '쿠키와 차'에 대해 수백 통의 편지를 받았다. 지지자들은 내가 여성의 선택권이 확대되는 것을 옹호했다면서 나를 격려하고 칭찬했다. 비판자들은 독살스러웠다. 나를 '적 그리스도'라고 부른 사람도 있고, 내가 미국의 모든 어머니를 모욕했다고 비난한 사람도 있었다. 나는 첼시가 그 때문에 얼마나 풀이 죽을까 걱정했지만, 첼시는 이제 여섯 살이 아니었다.

나를 악마 같은 여자와 어머니와 아내로 묘사하는 사람이든, 내 말과 견해를 왜곡하는 사람이든 간에, 나를 공격하는 사람들 중에는 정치적 동기를 가지고 나를 견제하려는 의도에서 공격을 퍼붓는 경우도 있었다. 하지만 대부분은 변화하고 있는 여성의 역할에 우리 사회가 아직도 충분히 적응하지 못했음을 반영하고 있었다. 나는 '비판을 진지하게 받아들이되 개인적으로 받아들이지는 말자'라는 주문을 채택했다. 비판 속에 진실이나 가치가 있으면 거기에서 가르침을 얻으려고 애쓰자. 그렇지 않으면 그냥 한쪽 귀로 듣고 한쪽 귀로 흘려버리자. 말은 쉬워도 실행하기는 쉽지 않았다.

빌은 사회 변화를 이야기했지만, 나는 사회 변화를 구현했다. 나는 나 자신의 독자적인 견해와 관심사와 직업을 가지고 있었다. 좋든 나쁘든, 나는 내 생각을 솔직하게 말했다. 나는 우리 사회에서 여성의 역할에 일어나고 있는 변화를 상징했다. 남편이 선거에서 승리하면, 나는 의무가 명시되지 않은 지위를 차지하게 될 것이다. 하지만 모든 사람이 내가 그 역할을 어떻게 해내는지를 평가하고 심판할 것이다. 나는 대통령 부인의 바람직한 역할에 대해 고정관념을 가진 사람이 얼마나 많은가를 곧 깨달았다. 나는 미국 대중에 대한 하나의 '로르샤흐 검사'(잉크 얼룩 같은 무늬를 자유롭게 해석하게 하여 성격을 진단하는 검사—옮긴이)로 여겨졌고, 그것은 내가 불러일으킨 다양하고 극단적인 반응을 적절하게 표현한 말이었다.

알랑거리는 찬사도 악의적인 분노도 진실과는 거리가 멀어 보였다. 사람들이 나에게 이런저런 딱지를 붙이고 이런저런 범주로 분류하는 것은 내 견해와 실수 때문이기도 했지만, 한편으로는 내가 나와 같은 세대의 여성들에게 하나의 상징이 되었기 때문이기도 했다. 나의 언행이—그리고 내 옷차림까지도—열띤 논쟁을 불러일으킨 것은 그 때문이다.

머리와 패션은 내가 처음 잡은 실마리였다. 나는 거의 평생 동안 옷차림에는 거의 신경을 쓰지 않았다. 나는 머리띠를 좋아했다. 편하기 때문이다. 미국 대중이 머리띠를 한 나를 보고 무언가—좋거나, 나쁘거나, 좋지도 나쁘지도 않은 무언가—를 연상할 줄은 상상도 하지 못했다. 하지만 선거운동을 하는 동안 몇몇 친구가 나를 멋쟁이로 만드는 임무를 수행하기 시작했다. 그들은 수많은 옷을 입어보라고 가져왔다. 그리고 머리띠를 벗으라고 말했다.

퍼스트 레이디의 외모가 중요하다는 것을 그들은 알았지만, 나는 알지 못했다. 나는 더 이상 나 자신만을 나타내지 않았다. 미국의 퍼스트 레이디는 황홀한 육체적 매력에서 어머니 같은 편안함에 이르기까지 모든 것을 표현해왔다. 나는 지금 그런 역할을 맡아 미국 국민을 대표하게 해달라고 미국인에게 부탁하고 있었다.

내 친구인 린다 블러드워스 토커슨은 로스앤젤레스에서 미용사로 일하는 크리스토프 섀터먼이라는 제 친구한테 머리를 자르라고 제안했다. 머리를 자르면 내 외모가 한결 나아질 거라고 린다는 확신했다. 나는 터무늬없는 과장이라고 생각했다. 하지만 나는 곧 과자가게에 들어간 어린 애처럼 온갖 헤어스타일을 시험해보기 시작했다. 긴 머리, 짧은 머리, 잘 라서 늘어뜨린 앞머리, 바깥쪽으로 말린 머리, 땋아 늘인 머리, 트레머 리…… 이것은 새로운 우주였고, 너무 재미있었다. 하지만 내 다양한 실 험은 또 다른 기삿거리가 되었다. 내가 어떤 헤어스타일에도 만족하지 못하고 끊임없이 머리 모양을 바꾸는 것은 내 심리 상태를 드러낸다는 것이었다.

선거운동 초기에 나는 파생적인 위치에서 일하는 어려움을 알아차렸 다. 나는 선거 유세에서 빌의 주요 대리인이었다. 나는 빌의 선거운동을 지원하고 빌의 견해를 제시하고 싶었지만, 빌이 "하나를 사면 하나는 공 짜"라고 말했을 때 이미 배웠듯이 나는 조심해서 걸음을 옮겨야 했다. 나 는 법률회사에서 휴가를 얻었고, 내가 관여했던 모든 자선단체와 법인체 의 임원직을 사임했다. 샘 월턴의 권유에 따라 6년 동안 일했던 월마트 이사회도 떠나야 했다. 월턴은 기업 본연의 자세와 성공에 대해 나에게 많은 것을 가르쳐준 사람이었다. 월마트 이사회에 소속되어 있는 동안, 나는 월마트가 실제적인 면에서 환경에 좀더 민감해질 수 있는 방안을 모색하는 위원회를 주재했고 '바이 아메리카' 프로그램을 추진하려고 애썼다. 이 프로그램은 사람들이 일자리를 얻도록 도와주고 전국의 일자 리를 지켜주었다. 월마트 이사회와 아동보호기금 같은 단체에서 물러나 자, 나는 울타리를 잃은 것처럼 불안해졌다. 나는 빌과 결혼한 뒤 줄곧 직장생활을 해왔고, 일이 주는 주체성과 자립성을 높이 평가하고 있었 다. 그런데 이제 나는 단지 '누군가의 아내'일 뿐이었다. 이것은 나한테 야릇한 경험이었다.

나는 현실적이고 평범한 일을 통해 달라진 내 지위를 사무치게 실감 했다. 나는 수많은 우편물에 답장을 쓰기 위해 새 편지지를 주문했다. 내 가 고른 편지지는 크림색 종이였다. 나는 '힐러리 로댐 클린턴'이라는 내 이름을 맨 위에 군청색으로 산뜻하게 인쇄해달라고 부탁했다. 그런데 편지지 상자를 열어보니, 편지지에 인쇄된 이름이 '힐러리 클린턴'으로 바뀌어 있었다. 빌의 참모 가운데 누군가가 '로댐'을 빼는 것이 정치적으로 유리하다고 판단한 게 분명했다. '로댐'은 이제 더 이상 내 정체성을 이루는 요소가 아닌 듯했다. 나는 편지지를 돌려보내고 다른 편지지를 주문했다.

빌은 6월 2일의 캘리포니아 · 오하이오 · 뉴저지 예비선거에서 이겨 후보 지명을 받을 것이 확실해졌지만, 대통령 당선은 확실치 않았다. 온갖 음해적 선전 때문에 여론조사에서 빌은 로스 페로와 부시 대통령에 뒤진 3위를 달리고 있었다. 빌은 미국 국민에게 자신을 다시 소개하기로 결심하고, 인기있는 텔레비전 프로그램에 출연하기 시작했다. 선거운동에 가담한 맨디 그룬월드의 제안에 따라 빌은 「아르세니오 홀 쇼」에서 색소폰을 불었다. 빌의 참모들은 인터뷰를 좀더 많이 하라고, 『피플』지에 첼시를 포함한 가족 사진까지 넣은 기사를 싣는 데 동의하라고 나를 설득했다. 나는 내키지 않았지만, 대다수 미국인은 우리한테 아이가 있다는 것도 모른다는 말을 듣고 결국 그들의 설득을 받아들였다. 나는 한편으로는 잔인한 예비선거 기간에 첼시를 보호하고 언론에 노출시키지 않은 데 만족했고, 또 한편으로는 어머니 노릇이 나에게 가장 중요한 일이라고 믿었다. 사람들이 그것을 모른다면 우리를 이해하지 못하는 것은 당연했다.

잡지 기사는 훌륭했지만, 나는 첼시가 사생활을 보호받아야 한다는 주장을 되풀이했다. 프라이버시는 어린이가 인생에서 자신의 독자적인 선택을 모색하고 성장하는 데 반드시 필요하다고 나는 믿는다. 그래서 빌과 나는 지침을 정했다. 첼시가 우리 가족의 일원으로 우리와 함께 있을 때—빌이나 나와 함께 행사에 참석했을 때—는 기자들이 자연스럽게 첼시를 취재할 수 있다. 하지만 첼시를 포함한 그 이상의 기사나 인터뷰

에는 동의하지 않겠다. 이것은 빌과 내가 내린 최고의 결정 가운데 하나
였다. 우리는 그후 8년 동안 이 결정을 고수했다. 몇 번 예외는 있었지만,
나는 언론이 첼시의 사생활과 남에게 방해받지 않을 권리를 존중해준 데
감사한다. 첼시가 기자들의 관심을 끌고 싶어하거나 대중의 흥미를 끌
만한 일을 하지 않는 한, 첼시는 접근금지 구역이 될 것이었다.

　1992년 7월, 민주당은 빌과 그의 러닝메이트인 앨 고어 테네시 주 상
원의원을 정식으로 지명하기 위해 뉴욕 시에서 전당대회를 열었다. 뉴욕
시를 고른 것은 훌륭한 선택이었다. 우리는 뉴욕을 주최 도시로 선정하
는 데 전혀 관여하지 않았지만, 뉴욕은 빌과 내가 세계에서 가장 좋아하
는 도시였다. 빌이 뉴욕에서 대통령 후보로 지명되는 것은 우리에게 더
없이 기쁜 일이었다. 부통령 후보를 결정하는 과정은 캘리포니아 출신의
유명한 변호사인 전직 국무차관 워런 크리스토퍼가 이끌었다. 빌은 그
철저하고 포괄적인 과정을 거쳐 앨 고어를 러닝메이트로 선택했다. 나는
앨과 그의 아내 티퍼를 1980년대에 정치 행사에서 만나곤 했지만, 빌도
나도 그들을 잘 알지는 못했다. 일부 정치 관측통들은 빌이 자기와 비슷
한 인물을 러닝메이트로 선택한 데 놀랐다. 빌과 앨은 남부에 나란히 붙
어 있는 주 출신으로, 나이도 비슷하고 종교도 같고, 둘 다 공공질서와
미풍양속을 지키는 건전한 모범생으로 여겨졌다. 하지만 빌은 앨의 경력
을 높이 샀고, 그런 점이 자신의 배경에 힘을 보태주리라고 믿었다.
　앨과 티퍼와 그들의 자녀, 그리고 빌과 나와 첼시가 함께 찍은 사
진—빌이 앨을 러닝메이트로 선택했다고 발표한 날 모두 주지사 관저의
현관 층계에 함께 서 있는 사진—이야말로 이번 선거운동의 활력과 변화
에 대한 잠재력을 완벽하게 포착했다고 말해준 사람이 많았다. 그날 내
가 느낀 것은 많은 미국인의 감정을 반영했다고 생각한다. 이제는 새로
운 세대가 미국을 이끌어갈 차례였고, 사람들은 미국이 나아갈 새로운

방향을 낙관적으로 전망하고 있었다. 전당대회 마지막 날 밤에 우리는 모두 들뜨고 우쭐해서 무대에서 끌어안고 춤을 추었다.

이튿날인 7월 17일 아침, 우리는 마술적인 버스 유세를 시작했다. 나는 그것을 '빌과 앨, 힐러리와 티퍼의 멋진 모험'이라고 불렀다.

버스 유세는 선거운동 사무장인 데이비드 윌헬름과 수잔 토머시즈의 머리에서 나온 발상이었다. 빌과 내가 20여 년 동안 알고 지낸 수잔은 마음이 따뜻한 친구였고 맹렬 여성 변호사였다. 후보자에 대해 이야기하고 후보자의 관심사와 계획을 명확히 설명하여, 후보자가 왜 그런 행동을 하고 앞으로 어떤 주장을 옹호할 것인지를 유권자에게 알려주는 것이 훌륭한 선거운동이라고 수잔은 생각했다. 수잔은 선거운동 일정을 관리하기 위해 남편과 아들과 함께 리틀록으로 이사했다. 수잔과 데이비드는 전당대회의 흥분과 극적인 드라마를 바탕으로 선거운동을 추진하고 싶어했고, 버스를 타고 전쟁터인 주를 여행하면 빌과 앨이 상징하는 협력과 세대교체만이 아니라 '국민이 최우선'이라는 그들의 메시지도 시각적으로 전달할 수 있을 거라고 생각했다.

버스 여행은 우리가 서로 잘 알게 될 기회를 주었다. 빌과 앨, 티퍼와 나는 대화하고 먹고 창 밖으로 손을 흔들고 버스를 세워 즉석 집회를 열면서 시간을 보냈다. 앨은 너글너글하고 느긋한 성격이었지만, 짤막하고 재치있는 농담을 잘했고, 시치미뗀 얼굴로 침착하게 의견을 말하는 데에도 능했다. 앨은 언제 어디서나 길가에 사람이 조금이라도 모여 있으면 빌이 "버스 세워!" 하고 외치곤 하는 것을 곧 알아차렸다. 그래서 앨은 앞유리창으로 밖을 내다보다가 손을 흔들거나 우리를 바라보는 사람이 하나라도 있으면 "차 세울 시간이 다가온다"고 외치곤 했다. 우리가 오전 2시에 펜실베이니아 주 이리로 들어가자, 그때까지 참을성있게 기다리고 있던 수백 명의 지지자가 우리를 맞아주었다. 앨은 통상적인 가두연설을 활기차게 변형시켰다. "높은 것은 의료비와 이자율이니, 이것은 마땅히 내려야 합니다. 낮은 것은 취업률과 희망이니, 이것은 마땅히 올려야 합니다. 우리는 방향을 바꾸어야 합니다." 그러고는 눈도 제대로 뜨지 못하고 있는 우리 세 사람에게 "저 길모퉁이에 밤새 영업하는 식당에서 두 사람이 커피를 마시고 있는 것 같은데, 그들을 만나러 갑시다" 하고 말했다. 빌도 그 제의는 거절했다.

티퍼와 나는 정치인의 아내로서 겪은 일과 우리 아이들에 대해, 그리고 빌과 앨이 우리 나라의 문제를 해결하기 위해 어떤 일을 할 수 있을 것인지에 대해 오랫동안 이야기를 나누었다. 티퍼는 1985년에 폭력적이고 외설적인 노래 가사를 반대하여 논란을 불러일으킨 적이 있었다. 나는 티퍼가 단호하게 견해를 밝힌 데 감탄하고, 그 때문에 비난을 받은 것을 동정했다. 나는 또한 티퍼가 노숙자와 정신질환자를 위해 한 일을 높이 평가했다. 뛰어난 사진작가인 티퍼는 늘 갖고 다니는 카메라로 선거운동 과정을 기록에 담았다.

어느날 저녁, 우리는 농촌 지역인 오하이오 계곡에서 진 브랜스툴의 농장에 들러 바비큐를 먹고 현지 농부들을 만났다. 우리가 떠날 준비를 하고 있을 때, 브랜스툴이 몇 킬로미터 떨어진 네거리에 사람들이 모여 있으니 거기에 잠깐 들르라고 말했다. 아름다운 여름밤이었다. 사람들은 트랙터 위에 앉아 깃발을 흔들고, 아이들은 피켓을 들고 우리를 환영하고 있었다. 가장 내 마음에 든 피켓 글귀는 "우리한테 8분만 달라. 그러면 우리는 당신에게 8년을 드리겠다!"였다. 우리는 희미해지는 햇빛 속에서 넓은 들판을 가득 메우고 있는 수천 명의 군중을 보고 깜짝 놀랐다.

일리노이 주 밴들리아에서 미주리 주 세인트루이스, 텍사스 주 코시카나를 거쳐 조지아 주 밸도스타로 가는 동안, 그와 비슷한 규모의 인파가 유쾌한 열기를 발산하며 우리를 맞아주었다. 정치 무대에서는 이제껏 어디에서도 본 적이 없는 강렬한 열기였다.

리틀록에서는 아칸소 가제트 빌딩의 3층 전체가 클린턴 선거대책본부로 쓰이고 있었다. 제임스 카빌은 선거운동의 모든 분야—홍보·정책 개발·여론조사를 포함하여—에 종사하는 사람들이 같은 공간에서 함께 일해야 한다고 주장했다. 그것은 종적 서열 의식을 줄이고 정보와 아이디어의 자유로운 흐름을 조장하는 멋지고 효율적인 방법이었다. 날마다 오전 7시와 오후 7시에 카빌과 스테퍼노펄러스는 '전투 상황실'이라고 불린 방에서 전략회의를 열어 그날그날의 뉴스를 평가하고 부시 진영의 공격과 신문 기사에 대한 대응책을 마련했다. 빌에 대한 어떠한 공격에도 반드시 반격하겠다는 취지였다. 상황실의 물리적 배치 덕분에 카빌과 스테퍼노펄러스와 '신속 대응' 팀은 상대의 공격에 즉시 반응하여 왜곡된 사실을 바로잡고, 온종일 우리의 메시지를 적극적으로 내보낼 수 있었다.

어느날 밤, 리틀록의 선거대책본부 뒤편에서 패티 솔리스의 전화가 울렸다. 또 다른 보좌관인 스티브 라비노비츠가 달려가서 수화기를 들고는 뚜렷한 이유도 없이 불쑥 말했다. "힐러리랜드입니다!" 그는 전화선을 통해 들려오는 내 목소리에 당황했지만, 나는 그가 멋진 별명을 만들어냈다고 생각했다. 패티도 그것이 마음에 들었는지, '힐러리랜드(Hillaryland)'라고 쓴 표지판을 자기 책상 뒤쪽에 압정으로 붙여놓았다. 그 이름은 그렇게 굳어졌다.

나는 시간이 갈수록 빌이 선거에서 이길 거라고 확신하게 되었다. 미국인들은 새로운 리더십을 원하고 있었다. 공화당이 집권한 12년 동안 국가 부채는 네 배로 늘어났고, 막대한 예산 적자는 점점 늘어나고 있었고, 경기 침체로 많은 사람들이 직장을 잃거나 일자리를 유지하지 못하고, 자신과 자녀를 위한 의료보험료를 낼 여유도 없었다. 부시 대통령은 '가족 및 의료 휴가법'을 두 번 거부했고, 여성의 권리를 후퇴시켰다. 부시는 유엔 대사와 텍사스 출신 하원의원일 때는 가족계획을 지지했지만, 부통령과 대통령 시절에는 여성의 선택권을 부인하는 낙태반대론자가 되었다. 범죄율과 실업률, 사회복지 의존율과 노숙자가 증가하면서 부시 행정부는 점점 국민과 유리되는 것처럼 보였다.

빌과 나에게 가장 고민스러운 쟁점은 미국의 의료보험 위기였다. 우리는 가는 곳마다 의료제도의 불공평에 대한 이야기를 들었다. 보험에도 들지 않고 진료비를 낼 돈이 없어서 필요한 치료를 받지 못하는 시민이 점점 늘어나고 있었다.

뉴햄프셔에서 빌과 나는 로니와 론다 매초스 부부를 만났다. 그들의 아들 로니 2세는 심각한 선천성 심장병을 갖고 태어났다. 로니가 실직하면서 의료보험을 잃게 되자 아들의 치료비로 엄청난 액수의 청구서를 받게 되었다. 고어 부부는 조지아의 필폿 가족에 대한 이야기를 해주었다. 앨 고어가 젊은 시절에 교통사고로 중상을 입고 병원에 입원했을 때, 필폿 가족의 일곱 살 난 아들 브렛과 같은 병실을 썼다. 앨과 티퍼는 브렛의 병 때문에 필폿 가족이 얼마나 큰 경제적 부담을 짊어졌는가를 자주 이야기했다.

모두 가슴아픈 이야기들이었지만, 우리가 듣거나 목격한 비극보다 수천 배나 많은 비극이 알려지지 않은 채 묻혀 있다는 것을 우리는 알고 있었다.

빌은 의료 개혁이 선거운동의 토대가 되리라고는 생각지 않았을 것이다. 어쨌든 제임스 카빌의 유명한 상황실 슬로건은 "문제는 경제야, 이 멍청아"였다. 하지만 빌이 의료보험 문제를 연구할수록 그 제도를 개혁하고 천정부지로 올라간 진료비를 억제하는 것이 사람들의 절박한 의료 요구를 해결할 뿐만 아니라 경제를 바로잡는 데에도 필수불가결하다는 사실이 분명해졌다. 빌은 참모들에게 "의료 개혁을 잊지 말라"고 몇 번이고 되풀이 말했다. 참모들은 아이라 매거지너의 연구를 포함하여 다양한 자료를 모으기 시작했다. 내가 아이라 매거지너를 처음 알게 된 것은 1969년에 그와 내가 졸업식에서 연설한 뒤 『라이프』지의 특집기사에 함께 실렸을 때였다. 아이라는 같은 해 로즈 장학생으로 옥스퍼드에 갔을 때, 그곳에서 빌을 만났다.

빌과 아이라, 그리고 점점 늘어나는 전문가 참모들은 선거가 끝난 뒤 의료보험 문제에 도전하기 위해 아이디어를 개발하기 시작했다. 빌은 「국민이 최우선」이라는 제목의 선거운동 팜플렛에서 그 계획을 예고했고, 9월에 행한 연설에서 의료보험 위기에 대처하겠다는 목표를 제시했다. 빌이 개략적으로 제시한 개혁안에는 급등하는 진료비를 억제하고 사무 절차와 보험업계의 관료적 형식주의를 줄이고 처방약을 적정 가격으로 내리는 방안이 포함되어 있었다. 하지만 무엇보다 가장 중요한 것은 모든 미국인의 의료보험 가입을 보장한다는 것이었다. 의료보험제도를 바로잡으려는 노력은 엄청난 정치적 도전이라는 사실을 우리는 알고 있었다. 하지만 유권자들이 11월 3일에 빌 클린턴을 선택한다면, 그것은 유권자들이 변화를 원한다는 뜻이라고 우리는 믿었다.

대통령 취임

빌과 나는 미국을 비스듬히 횡단하면서 1992년 대통령 선거전의 마지막 24시간을 보냈다. 우리가 마지막으로 들른 곳은 펜실베이니아 주 필라델피아, 오하이오 주 클리블랜드, 미시간 주 디트로이트, 미주리 주 세인트루이스, 켄터키 주 퍼두커, 텍사스 주 매캘런과 포트워스, 그리고 뉴멕시코 주의 앨버커키였다. 우리는 콜로라도 주 덴버에서 해가 뜨는 것을 보고, 아칸소 주의 리틀록으로 돌아왔다. 10시 반쯤이었다. 첼시가 공항으로 마중나와 있었다. 우리 셋은 집에 잠깐 들러 옷을 갈아입고 투표소로 갔다. 나는 내 표를 빌에게 자랑스럽게 던졌다. 우리는 전국의 지지자들에게 전화를 걸면서 가족과 친지들과 함께 주지사 관저에서 그날 하루를 보냈다. 오후 10시 47분, 텔레비전이 빌의 승리를 선언했다.

나는 승리를 예상했지만, 그래도 가슴이 벅찼다. 부시 대통령이 빌에게 전화를 걸어 패배를 인정한 뒤, 빌과 나는 침실로 들어가서 문을 닫고, 이 두려운 명예와 책임을 짊어지게 된 빌에게 신의 가호가 있기를 함께 기도했다. 그런 다음 사람들을 모두 모아서, 13개월 전에 선거운동이 시작된 주의회 의사당까지 카 퍼레이드를 했다. 의사당에는 전국 각지에서 몰려온 열성 지지자들과 기뻐 날뛰는 아칸소 주민들이 모여 있었다. 우리는 그 엄청난 군중 앞에서 고어 부부와 손을 잡았다.

몇 시간도 지나기 전에 주지사 관저의 부엌 식탁은 정권 인수의 중추가 되었다. 그후 몇 주 동안 각료 내정자들이 들락거리고, 온종일 쉬지 않고 전화벨이 울리고, 산더미 같은 음식이 소비되었다. 빌은 워런 크리스토퍼에게 정권 인수 작업을 맡아주고, 미키 캔터·버넌 조던과 함께 주요 자리의 후보자들을 심사해달라고 부탁했다. 빌이 경제 회복을 최우선 과제로 삼았기 때문에, 그들은 우선 경제팀을 짜는 데 전념했다. 텍사스 출신의 로이드 벤천 상원의원이 재무장관을 맡기로 동의했고, 골드먼 삭스 투자은행의 공동회장인 로버트 루빈은 백악관 직속으로 신설될 국가경제위원회(NEC) 의장을 맡아달라는 빌의 제의를 수락했다. 캘리포니아 대학 버클리 캠퍼스의 경제학 교수인 로라 댄드리아 타이슨은 경제자문위원회(CEA) 의장이 되었고, 뉴욕 주지사 마리오 쿠오모의 보좌관을 지낸 진 스펄링은 NEC의 사무국장을 맡았다가 나중에 루빈의 후임자가 되었다. 하원 예산위원회 위원장인 민주당 하원의원 리언 파네타는 예산국장이 되었다. 그들은 빌과 함께 정부의 재정 책임과 민간 부문의 성장을 유도하기 위한 경제 정책을 세우려고 애썼다.

직업과 거처를 바꾸는 가정들이 직면하는 현실적인 문제도 우리 앞에 닥쳐와 있었다. 새 정부의 진용을 짜는 작업이 한창 진행되는 동안, 우리는 첼시가 기억하는 유일한 집인 주지사 관저를 비워주기 위해 짐을 꾸려야 했다. 우리 소유의 집이 없었기 때문에, 짐을 모두 백악관으로 가져갈 수밖에 없었다. 친구들이 짐을 정리하고 분류하여 방마다 쌓아놓는 일을 도와주었다. 전당대회 이후 줄곧 나와 함께 선거운동을 한 애리조나 출신의 로레타 어벤트는 세계 도처에서 답지한 수천 점의 축하 선물을 맡아서 정리했다. 선물은 넓은 지하실의 상당 부분을 가득 메울 정도였다. 로레타는 주기적으로 계단 밑에서 외치곤 했다. "방금 뭐가 왔는지 내려와 보세요." 내가 지하실로 내려가 보면, 로레타는 붉은 벨벳 바탕에 조가비로 빌의 모습을 새긴 초상화나 아기옷을 입은 강아지 인형을 들고 있었다. 솜을 넣은 강아지 인형은 이제 유명해진 우리 얼룩고양이 삭스에게 보낸 선물이었다.

우리는 워싱턴에서 첼시가 다닐 학교를 찾아야 했다. 열세 살이 되어가는 첼시는 자신의 사생활이 해체될 거라는 생각에 우울해져 있었다. 백악관에 들어가면 첼시는 24시간 비밀경호원의 보호를 받게 될 텐데, 그런 새로운 현실 속에서 첼시가 정상적인 청소년 시절을 보낼 수 있을지 걱정이었다. 삭스는 백악관에 들어가면 마음대로 돌아다니면서 죽은 새와 생쥐를 전리품으로 모으는 재미를 누릴 수 없겠지만, 그래도 우리는 삭스를 워싱턴에 데려가기로 결정했다. 백악관 울타리는 삭스가 충분히 빠져나갈 수 있을 만큼 틈새가 벌어져 있어서 자칫 자동차들이 많이 다니는 거리로 나갈 염려가 있었기 때문에, 우리는 마음이 내키지는 않았지만 삭스가 건물 밖으로 나갈 때는 반드시 목줄을 매야 할 거라고 판단했다.

나는 선거운동에 전념하기 위해 법률회사에서 휴가를 얻었지만, 이제는 변호사 업무를 그만둘 수밖에 없었다. 그래서 나는 빌을 돕는 한편 퍼스트 레이디로서 활동하기 위해, 내 집무실에서 일할 직원을 뽑기 시작했다. 빌과 나는 내가 어떤 역할을 맡을 것인가 하는 문제를 놓고 씨름하고 있었다. 나는 '지위'를 얻겠지만, 그것은 진정한 '직책'이 아니다. 어떻게 하면 내 목소리를 잃지 않고 이 기반을 이용하여 남편을 돕고 나라를 위해 봉사할 수 있을까?

퍼스트 레이디에게는 훈련 교본이 없다. 퍼스트 레이디가 되는 것은 남편이 대통령이 되었기 때문이다. 내 전임자들은 저마다 독특한 마음가짐과 기대, 좋아하는 것과 싫어하는 것, 꿈과 불안을 안고 백악관에 왔다. 그들은 제각기 자신의 관심사와 생활양식을 반영하고 남편과 가족과 나라의 요구를 균형있게 수용하는 퍼스트 레이디 역할을 개척했다. 나도 그럴 것이다. 나보다 먼저 퍼스트 레이디가 된 모든 이와 마찬가지로 나도 전임자들에게서 물려받은 기회와 책임을 어떻게 처리할 것인지를 결정해야 했다.

오랫동안 퍼스트 레이디 역할은 주로 상징적인 것으로 여겨졌다. 미국 국민은 퍼스트 레이디가 미국 여성에 대한 이상적인―그리고 주로 신화적인―개념의 전형을 보여주기를 기대한다. 전직 퍼스트 레이디들은 대부분 그 역할을 훌륭하게 수행했지만, 그들이 실제로 무슨 일을 했는가 하는 진솔한 이야기는 간과되거나 잊혀지거나 억압되었다. 내가 퍼스트 레이디 역할을 맡을 준비를 하고 있을 무렵, 역사가 마침내 현실을 따라잡고 있었다. 1992년 3월, 스미스소니언 협회의 국립 미국사박물관은 퍼스트 레이디의 다양한 정치적 역할과 공적 이미지를 인정하여 '퍼스트 레이디 전시실'의 전시물을 바꾸었다. 박물관은 드레스와 도자기 이외에 바버라 부시가 남편과 함께 '사막의 폭풍'(1990년 걸프 전쟁 때 이라크를 침공한 다국적군의 작전명―옮긴이) 부대를 방문했을 때 입은 위장 전투복 상의를 전시하고, "나는 무엇보다도 국사범에 가깝다"는 초대 퍼스트 레이디 마사 워싱턴의 말을 인용했다. 이 전시실의 수석 큐레이터인 이디스 메이오와 스미스소니언 협회는 역사를 고쳐 쓰고 퍼스트 레이디들의 '가족 가치'를 손상시켰다는 이유로 비난을 받았다.

나는 역대 대통령들의 결혼생활을 조사하면서, 인생과 정치의 동반자로 서로 의지한 부부가 빌과 나만이 아니라는 사실을 알게 되었다. 칼 스페라차 앤소니와 데이비드 매컬러프 같은 사학자들과 스미스소니언 협회의 연구 덕분에 우리는 이제 애비게일 애덤스가 남편(존 애덤스)에게 어떤 정치적 내조를 했는지―그 때문에 애비게일은 '미지즈 프레지던트'라는 경멸조의 별명을 얻었다―를 알게 되었고, 남편(윌리엄 태프트)

을 후계자로 선택하도록 시어도어 루스벨트 대통령에게 압박을 가한 헬렌 태프트의 막후 역할, 남편(우드로 윌슨)이 뇌졸중으로 쓰러진 뒤 '비공식 대통령직'을 수행한 이디스 윌슨, 엘리너 루스벨트(프랭클린 루스벨트의 아내)가 불붙인 정치적 폭탄, 베스 트루먼(해리 트루먼의 아내)이 남편의 연설문과 편지를 공들여 검토한 사실에 대해서도 알고 있다.

백악관의 과거 주인들이 대부분 그러했듯이, 빌 클린턴과 내가 이룩한 관계도 사랑과 존경, 공통된 목표와 성취, 승리와 패배에 뿌리를 두고 있었다. 그런 관계는 대통령에 당선되었다고 해서 금세 바뀔 것 같지 않았다. 결혼한 지 17년이 지난 우리는 피차 최고의 응원단장이자 가장 신랄한 비판자였고, 가장 절친한 친구이며 동지였다.

하지만 이 동반자 관계가 새로운 클린턴 정부에 어떻게 적용될지는 빌도 나도 잘 알 수가 없었다. 빌이 나를 공식 지위에 임명하고 싶어도 그것은 불가능했다. 존 F. 케네디 대통령이 동생 로버트 케네디를 법무장관에 임명한 뒤, 친척을 공직에 임용하는 것을 금지하는 법이 만들어졌기 때문이다. 하지만 내가 빌 클린턴의 무보수 참모와 대리인 역할을 계속하는 것을 금지하는 법률은 없었다. 우리는 오랫동안 함께 일했고, 빌은 나를 신뢰할 수 있다는 것을 알고 있었다. 내가 남편의 정부에 기여한다는 것을 우리는 서로 양해하고 있었다. 하지만 정권 인수 작업이 막바지에 이를 때까지는 내가 정확히 어떤 역할을 맡을 것인지 알지 못했다. 정권 인수 작업이 거의 끝나갈 무렵, 빌이 의료 개혁을 맡아달라고 요청했다.

빌은 백악관에 경제 정책을 집중시키는 과정에 있었고, 의료 정책에 대해서도 그와 비슷한 시스템을 구축하고 싶어했다. 너무 많은 정부 부처가 개혁에 참여할 권리를 주장하고 있었기 때문에, 빌은 그들 사이의 세력 다툼이 창의성과 새로운 방법론을 억누를 수도 있다고 걱정했다. 빌은 백악관 내부에서 법률안 개발 과정을 통합 조정하는 일을 아이라 매거지너에게 맡기기로 결정했고, 그것을 법제화하는 작업은 내가 주도적으로 이끌어주기를 바랐다. 빌은 취임식 직후에 우리의 임명을 발표할 작정이었다. 아칸소 시절에 빌은 나를 농촌 보건과 교육 개혁을 위한 위원회 위원장에 임명한 적이 있었기 때문에, 나의 행정부 참여가 불러일으킬 반응에 대해서는 별로 걱정하지 않았다. 정치인의 배우자에 대해서 수도 워싱턴이 아칸소보다 더 보수적일 리는 없다고 생각했다.

우리는 1993년 1월 16일 저녁에 리틀록을 떠났다. 시간이 예정보다 늦어지고 있었다. 수천 명의 친구와 지지자들이 감동적인 고별식을 치르기 위해 리틀록 공항의 거대한 격납고 안까지 가득 들어차 있었다. 나는 우리 앞에 놓여 있는 일에 흥분했지만, 한편으로는 섭섭하기도 했다. 빌은 우리의 성공을 기원하는 군중에게 노래 가사를 인용하여 "아칸소는 내 마음속 깊이 흐르고 있고 앞으로도 영원히 그럴 것"이라고 말하면서 눈물을 글썽거렸다. 수천 번의 포옹을 끝내고 손을 흔드는 사람들의 배웅을 받으며 우리는 전세기에 탑승했다. 하늘로 올라가자 리틀록의 불빛은 구름 아래로 사라졌다. 이제는 앞을 바라보는 것밖에 할 일이 없었다.

우리는 버지니아 주 샬러츠빌로 날아갔다. 거기에서 버스를 타고 토머스 제퍼슨이 1801년에 취임식을 하러 갈 때 이용한 121마일(약 195킬로미터)의 길을 따라 워싱턴으로 들어갈 계획이었다. 이 길은 윌리엄 제퍼슨 클린턴이 대통령직을 수행하러 가기에 가장 적절한 길로 여겨졌다.

이튿날 아침, 우리는 앨과 티퍼 부부를 만나 제퍼슨이 설계한 대저택인 몬티셀로를 구경했다. 그런 다음 선거 유세를 할 때처럼 함께 버스를 타고 워싱턴을 향해 북쪽으로 달렸다. 29번 도로 연변에는 풍선과 깃발을 든 수천 명의 군중이 늘어서서 깃발을 흔들며 우리에게 환호를 보내고 있었다. 우리를 격려하거나 축하하거나 비난하는 글귀가 적힌 피켓을 손수 만들어서 갖고 나온 사람도 있었다. "빌 만세." "우리는 당신을 믿

Photo Credit : David P. Garland

(위 왼쪽)닉슨 대통령 탄핵 조사단장 존 도어(왼쪽)는 대통령 탄핵에 대한 법적 근거를 조사하는 자리를 나에게 제의했다. 나는 도어 옆에 앉아 있는 조 우즈 밑에서 일했다. 이때 내가 배운 것은 나중에 큰 도움이 되었다.

(위 오른쪽)매리언 라이트 에들먼의 본보기는 내가 평생 동안 아동과 민권을 옹호하도록 이끌어주었다.

(아래)빌은 1971년에 맥거번 대통령 선거운동을 위해 남부 조직책을 맡아달라는 요청을 받았다. 빌은 선거운동에 처음부터 참여하여 유리한 지위를 얻을 수도 있었지만, 여름의 대부분을 나와 함께 캘리포니아에서 지냈다.

빌이 공직에 출마했을 때 나는 내 가슴이 이끄는 대로 아칸소에 갔다. 우리는 아칸소 생활을 좋아했고, 정기적으로 배구를 하는 것도 그곳 생활의 일부였다. 우리는 1975년 10월 11일 페이어트빌에 있는 우리 집 거실에서 결혼식을 올렸다. (작은 사진)

Photo Credit : Donald R. Broyles/Office of Governor Clinton

(위 왼쪽)1976년에 카터 선거대책본부는 나에게 인디애나 주의 현지 조정자 역할을 맡아달라고 부탁했다. 카터는 인디애나 주에서 패했지 만 나는 많은 것을 배웠고, 이 일은 나를 또 다른 시험대 위에 올려놓 았다.

(위 오른쪽)1979년에 빌은 아칸소 주지사로 취임했다.

(아래)나중에 그는 '교육개혁위원회' 를 설치하고 나를 위원장에 임명 했다. 우리가 의무적인 교사 시험을 제의하자 격렬한 논쟁이 벌어졌 고, 어느 학교 사서는 나더러 "뱀보다 더 교활하다"고 말할 정도였다.

첼시의 탄생은 우리 인생에서 가장 경이로운 사건이었다. 첼시의 이름은 빌과 내가 1978년 휴가 때 런던의 첼시 구를 거닐면서 빌이 흥얼거린 「첼시 모닝」이라는 노래에서 딴 것이다.

(위)1980년 크리스마스 때, 아칸소 소년 합창단이 빌과 캐럴린 휴버와 나에게 세레나데를 불러주었다. 힘든 시기에 잠시나마 고통에서 벗어나 한숨 돌릴 수 있었던 유쾌한 순간이었다. 빌은 재선에 실패한 직후였고, 우리는 주지사 관저를 떠나기 위해 짐을 꾸리고 있었다. 하지만 관저를 떠나 있는 시간이 오래가지는 않을 터였다.

(아래)내가 열세 살 때부터 지금까지 어디에도 고용되지 않았던 시기는 백악관에서 지낸 8년뿐이었다. 나는 리틀록의 로즈 법률회사에서 최초의 여성 파트너가 되어 미지의 영역을 개척하게 되었다.

(위)로즈 법률회사에서 주로 함께 일한 변호사는 빈스 포스터(왼쪽)와 웨브 허벨이었다. 이 사진은 첼시의 생일 파티 때 찍은 것이다. 나는 웨브를 충실하고 믿음직한 친구로 생각했다. 빈스는 빈틈없는 변호사였고 좋은 친구였다. 나는 그가 절망에 빠져 있는 징후를 빨리 알아차리고 그를 도와줄 수 있었다면 얼마나 좋았을까 하는 후회를 평생 떨쳐버리지 못할 것이다.

(아래)아칸소 주 검찰총장의 아내일 때는 '괴짜' 여도 괜찮았지만, 아칸소 주지사 부인이 되자 세상의 주목을 받게 되었다. 난생 처음으로 나는 내 개인적 선택이 남편의 정치적 미래에 영향을 미칠 수 있다는 것을 깨닫게 되었다. 아칸소 유권자들은 대부분 내가 처녀 시절의 성인 로댐을 계속 사용하는 것을 못마땅하게 여겼다. 나는 나중에 클린턴이라는 성을 덧붙였다.

(위)신앙은 나와 가족에게 중요한 생활의 일부였다. 나는 감리교회에서 견진성사를 받을 때 존 웨슬리의 말을 마음 깊이 새겼다. "가능한 모든 수단을 동원하여 되도록 오랫동안…… 네가 할 수 있는 모든 선을 행하라."

(아래)티퍼와 앨 고어 부부는 1992년 대통령 선거 때 유세 버스를 타고 우리와 함께 전국을 돌아다녔다. 사람이 두 명만 모여 있어도 빌은 버스를 세우고 유세를 하고 싶어했다.

LET'S PUT
BROCCOLI
IN THE
WHITE HOUSE
AGAIN!

Photo Credit::Steven D. Desmond/Desmond's Prime Focus

(위)1992년 선거운동 때 나는 쿠키보다 브로콜리에서 운이 좋았다.
내 말이나 행동, 심지어는 내 머리 모양까지도 뜨거운 논쟁거리가 되
었다.
(아래)아버지와 남동생들도 선거운동에 가세했다. 내 생애의 첫 44
년이 교육이었다면, 13개월의 대통령 선거운동은 하나의 계시였다.

1992년 11월 3일 선거일 밤, 리틀록의 주의회 의사당에서. 공통된 꿈과 성취, 승리와 패배,
서로에 대한 사랑과 존경에 뿌리를 두고 있는 우리 관계는 빌이 대통령이 되었을 때 우리를
지탱하고 자극하는 힘이 될 터였다.

(위)선거가 끝난 뒤 우리는 캘리포니아에서 해리 토머슨의 아내 린다 블러드워스 토머슨과 함께 해리의 생일을 축하했다. 좋은 친구인 해리와 린다는 성공적인 텔레비전 프로그램을 제작하고 대본을 썼지만, 그들의 가슴은 결코 아칸소의 오자크 산지를 떠나지 않았다. 사진에서 나는 평생 동안 좋아한 야구팀의 모자를 쓰고 있다.

(아래)나는 언제나 여성이 자신에게 적절한 선택을 할 수 있어야 한다고 믿었고, 퍼스트 레이디도 마찬가지라고 생각했다. 워싱턴이 몇 가지 점에서 아칸소보다 더 보수적일 줄은 결코 예상하지 못했다.

(위)빌은 열한 군데에서 열린 취임 축하 무도회에 모두 참석하고
싶어했다. 그것도 의례적으로 들러서 5분쯤 춤을 추다가 손을 흔
들고 떠나는 것이 아니라 축제 소동을 벌일 작정이었다. 사진은
취임 주일 초반에 열린 무도회에 갔을 때 무대 뒤에서 춤을 연습
하는 모습이다.
(아래)1993년 1월 20일, 이날은 미국에는 새 대통령의 임기가,
우리 가족에게는 새로운 생활이 시작된 날이었다. 나는 퍼스트
레이디로서 하나의 상징이 되었고, 그것은 새로운 경험이었다.

백악관에서 겪고 있는 사정을 누구보다도 잘 이해해주는 사람을 발견했다. 재키 케네디 오나시스. 그녀는 나에게 영감과 조언을 주는 잔잔한 샘이 되었다. "어떤 희생을 치르더라도 첼시를 보호해야 한다"고 재키는 경고했다. 재키의 충고는 무슨 수를 써서라도 첼시가 세상의 주목을 받지 않고 실수도 저지르면서 성장할 수 있도록 해주어야 한다는 내 생각을 뒷받침해주었다.

Photo Credit : Eugenie Bisulco

힐러리랜드 배지＊

HILLARYLAND

지금까지 '웨스트 윙'에 사무실을 가진 퍼스트 레이디는 아무도 없었지만, 우리는 내 참모들이 백악관 참모진에도 참여하게 될 것이고 따라서 테이블에 우리 자리가 필요하다는 것을 알았다. 내 참모진은 곧 '힐러리랜드'로 불리게 되었고, '힐러리랜드'라고 새긴 배지를 달았다. 비범한 젊은 참모 휴머 애버딘(왼쪽)은 내 수행 비서가 되었다. 빌의 첫 임기 때 내 비서실장으로 일한 매기 윌리엄스(오른쪽)는 내가 아는 가장 빈틈없고 창의적이고 예의바른 여자 중의 한 사람이다.

＊Photo Credit : courtesy Lissa Muscatine

(위)1993년 11월 14일 야외 파티를 하고 있는 기도회 회원들. 이들은 대부분 공화당원이었지만, 내가 시련을 겪을 때마다 조용히 나에게 손을 내밀어주었다. 나는 정치적 경계를 넘어 도움이 필요한 사람에게 도움을 베푸는 그들에게 늘 감사했다. 우리는 함께 기도했고, 서로 상대를 위해 기도했다.

(아래) '힐러리랜드' 는 백악관 내부의 작은 하위문화였고, 우리만의 독특한 기풍을 갖고 있었다. 내 참모들은 신중함과 충성심과 동지애를 자랑스럽게 여겼다. 이곳을 찾아온 아이들은 누구나 우리가 쿠키를 감추어두는 곳을 정확하게 알고 있었다.

(위)백악관 시절 초기에 내가 가장 보고 싶었던 사람은 다름 아닌 빌의 행정
부에서 일하고 있는 아칸소 출신의 친구들이었다. 우리는 아칸소 사람인 메
리 스틴버겐의 40세 생일을 축하하기 위해 조촐한 비공식 만찬회를 열고, 아
칸소에서 온 친구들을 초대했다. 그날 밤은 빈스 포스터의 자살이 우리 생활
에 커다란 구멍을 남기기 전에 우리가 마지막으로 한데 모였던 즐거운 시간
으로 내 기억에 남아 있다.

(아래)아버지는 인생이 내 앞길에 던져놓는 모든 것에 대비할 수 있게 해주
었지만, 아버지를 잃는 고통만은 예외였다. 나는 어머니와 함께 아버지의 병
상을 지키면서 의료 개혁을 반드시 이루어야 한다는 확신을 굳혔고, 인생에
서 가장 중요한 것들을 더욱 깊이 인식하게 되었다.

(위 왼쪽)빌은 내가 정책개발 수석보좌관을 맡은 아이라 매거지너와 함께 대통령 직속으로 새로 구성된 '의료 개혁 특별위원회' 를 이끌게 될 것이라고 발표했다. 아이라는 창의적인 에너지와 끈기, 그리고 민간 부문에서 쌓은 경험으로 빌에게 가장 귀중한 조언자가 되었다. 내가 위원장을 맡는다는 발표는 백악관 안팎에 흥분과 분노를 불러일으켰다.

(위 오른쪽)빌이 1993년 2월 17일 국회에서 발표한 경제 개혁안은 나라를 다시 일으켜세우는 데 도움이 되었다. 빌은 약속보다 3년 앞서 균형 예산을 달성했다.

(아래)1993년 9월 빌이 국회에 의료 개혁안을 제출한 뒤, 구행정부 건물에서 자축 파티를 열었다. 파티에서 이 사무실은 '분만실' 이라는 이름을 얻었다. 우리는 어느 기자가 '사회보장 정책의 에베레스트 산' 이라고 부른 것을 힘들여 올라가기 시작했다.

습니다." "약속을 지켜라. 에이즈(AIDS)는 기다려주지 않는다." "너희는 사회주의자야." 가장 내 마음에 든 것은 손으로 쓴 수수한 피켓이었다. 거기에는 간단명료하게 딱 두 마디만 적혀 있었다. "자비, 동정."

하늘은 여전히 맑았지만, 워싱턴이 가까워질수록 기온이 점점 떨어졌다. 신의 섭리가 작용했는지, 시간을 지키지 않기로 평판이 난 대통령 당선자가 시간에 맞춰 달리고 있었다. 우리는 최초의 공식 축하 행사—몰(국회의사당에서 포토맥 강까지 동서로 뻗어 있는 넓은 산책로와 녹지대—옮긴이)까지 뻗어나간 엄청난 군중 앞에서 열리는 야외 음악회—가 시작되기 5분 전에 링컨 기념관에 도착했다. 해리 토머슨과 람 이매뉴얼, 그리고 아칸소에서 온 친구인 멜 프렌치가 축하 행사를 주관했다. 해리와 람은 우리를 보고는 안심한 나머지 서로 끌어안았다.

나는 방탄유리로 울타리를 친 곳에 앉아본 적이 없었다. 기분이 묘했고, 마치 소외당한 느낌이었다. 하지만 기온이 급히 내려갔기 때문에, 우리 발치에 놓여 있는 작은 히터가 고마웠다. 팝의 여왕 다이애나 로스가 「신이여, 미국을 축복하소서」를 열창했다. 보브 딜런은 마틴 루터 킹이 같은 계단에서 "나에게는 꿈이 있습니다"라고 연설한 1963년 8월의 그날처럼 몰을 가득 메운 군중 앞에서 연주를 했다. 나는 소녀 시절에 시카고에서 킹 목사의 강연을 들은 것을 엄청난 행운으로 생각했는데, 이제 나는 이곳에서 이 나라가 고통스러운 역사를 극복하도록 도와준 이들을 기리는 내 남편의 연설을 듣고 있었다.

"우리 함께 21세기에 어울리는 미국 가정, 모든 사람이 식탁에 앉고 단 한 명의 어린이도 버림받지 않는 가정을 만듭시다. 이 세계와 미래의 세계에서는 모두 함께 나아가야 합니다. 그렇지 않으면 조금도 나아갈 수 없을 것입니다."

빌과 첼시와 내가 몸을 흔들며 노래하는 수천 명의 하객을 이끌고 알링턴 메모리얼 다리를 건너 행진할 때 해가 지고 있었다.

우리는 포토맥 강 건너에서 잠시 행진을 멈추고 복제한 '자유의 종'을 울렸다. 그와 더불어 나라 전역에서 수천 개의 '희망의 종'이 동시에 울려 퍼졌다. 우주 공간에서 지구 궤도를 돌고 있는 우주왕복선 '엔데버'호 기내에서도 '희망의 종'이 울렸다. 불꽃이 수도의 밤하늘을 환하게 밝히는 동안 우리는 잠시 꾸물거렸다. 이어서 또 다른 행사가 시작되었다. 그때쯤에는 모든 축하 행사가 만화경처럼 끊임없이 변하는 얼굴과 무대와 목소리로 한데 어우러지고 있었다.

취임 행사가 계속된 일주일 동안 가족과 개인 참모들은 우리와 함께 블레어 하우스에 머물렀다. 블레어 하우스는 전통적으로 미국을 방문한 국가 원수와 대통령 당선자가 머무는 영빈관이다. 흥분에 휩싸인 일주일 동안 블레어 하우스는 오아시스가 되어주었고, 베네딕트 밸런타이너와 그녀의 대리인 랜디 봄가드너가 이끄는 직원들은 그 조용하고 우아한 저택에서 우리를 극진히 대해주었다. 블레어 하우스는 어떤 특별한 요구도 받아들일 수 있는 것으로 유명하다. 미국을 방문한 일부 국가 원수들은 경호원이 어떤 무기도 지니지 못하도록 옷을 다 벗으라고 요구하는가 하면, 염소부터 뱀까지 온갖 동물을 조리할 요리사를 데려오기도 했다. 그들에 비하면 우리 일행은 정말 얌전했다.

빌은 그 일주일 동안 수많은 연설을 했지만, 일생에서 가장 중요한 연설—대통령 취임 연설—은 아직도 다 마무리하지 못한 상태였다. 빌은 글재주와 연설 재능을 타고났기 때문에 연설문을 쉽게 쓰는 것으로 보이지만, 그가 연설문을 끊임없이 수정하고 막판까지 손질하는 것을 보면 신경이 곤두설 정도다. 빌은 어떤 문장도 그대로 넘어가지 않고, 이리저리 뜯어고치며 만지작거린다. 나는 빌이 끊임없이 연설문을 주물럭거리면서 시간을 보내는 데 익숙해져 있었지만, 그런 나까지도 취임식 날이 다가올수록 불안이 고조되는 것을 느낄 수 있었다. 빌은 축하 행사가 이어지는 와중에도 틈만 나면 연설 원고를 다듬었다.

빌은 주위의 모든 사람을 자신의 창조적 혼란 속으로 끌어들이기를 좋아한다. 그의 연설문 담당인 데이비드 커스넷, 빌의 국내 정책 보좌관인 브루스 리드, 빌의 홍보 담당인 조지 스테퍼노펄러스, 그리고 앨 고어와 나는 모두 연설문에 대해 의견을 말했다. 빌은 오랜 친구인 토미 캐플런과 테일러 브랜치에게도 도움을 청했다. 조지타운 대학 시절에 빌의 룸메이트였던 토미는 뛰어난 문장가이자 소설가였고, 텍사스에서 우리와 함께 맥거번의 선거운동을 한 테일러는 퓰리처상을 받은 작가였다. 이런 와중에 빌은 조지타운 대학의 전직 총장이자 뉴욕 시립 도서관장인 팀 힐리 신부한테서 편지를 받았다. 힐리 신부와 빌은 조지타운 대학을 통해 연결되어 있었는데, 힐리 신부는 여행에서 돌아와 빌에게 그 편지를 쓰고 있다가 갑자기 심장마비로 세상을 떠났다. 그 편지는 힐리 신부의 타자기에 끼워진 채 발견되어 빌에게 보내진 것이다. 빌은 힐리 신부가 세상을 뜬 뒤에 받은 그 편지에서 멋진 구절을 발견했다. 힐리 신부는 빌의 당선이 '봄을 재촉' 할 것이고, 이 나라를 소생시킬 새로운 발상과 희망과 활력을 꽃피우게 될 것이라고 말했다. 나는 이 말이 마음에 들었다. 그것은 대통령직에 대한 빌의 포부를 적절히 비유한 표현이었다.

그 일주일 동안 내 남편이 내 눈앞에서 문자 그대로 대통령이 되어가는 과정을 지켜보는 것은 실로 가슴 벅찬 일이었다. 취임 축하 행사가 진행되는 동안, 빌은 이제 곧 짊어지게 될 역사적 책무에 대해 마음의 준비를 갖출 수 있도록 안보 브리핑을 받았다. 빌은 주요 연설에서 안보 문제로 놀랄 만큼 민첩하게 관심을 돌리고 있었다. 미군 폭격기들은 점점 악화되고 있는 보스니아 내전에 대해 상황 설명을 하라는 유엔의 요구를 사담 후세인이 무시한 데 대한 보복으로 이라크를 폭격하고 있었다.

취임식 전날에도 빌은 아직 연설문을 쓰고 있었다. 나는 빌에게 일할 시간을 주려고, 나도 소화해야 할 일정이 있었지만 오후 행사에서 빌의 대리를 맡기로 동의했다. 그날 오후, 나는 내 모교인 웰즐리 대학과 예일 법대가 주최한 행사에도 겨우 짬을 내어 참석했다. 메이플라워 호텔에서 돌아오는 길에 블레어 하우스가 보이는 펜실베이니아 대로에서, 취임식을 보기 위해 주 밖에서 몰려온 자동차와 인파 때문에 내가 탄 차가 옴짝달싹 못하게 되었다. 시간은 자꾸 흘러가고, 나는 안절부절못하다가 차에서 뛰어내려 차량 사이를 달리기 시작했다. 블레어 하우스에서 창 밖을 내다보고 있던 캐프리샤 마셜은 지금도 걸핏하면, 내가 하이힐을 신고 몸에 꼭 맞는 회색 플란넬 드레스를 입은 채 차량 사이를 날쌔게 움직이고 깜짝 놀란 경호원들이 허둥지둥 나를 따라오던 광경을 묘사하면서 깔깔 웃곤 한다.

취임식 날 아침, 동트기 한두 시간 전에 빌은 마침내 중요한 연설문을 완성하고 리허설까지 마쳤다.

우리는 잠깐 눈을 붙인 다음, 메트로폴리탄 A.M.E. 교회에서 열린 감동적인 통합 예배로 그 중요한 하루를 시작했다. 예배가 끝나자 우리는 백악관으로 갔다. 부시 내외가 '북쪽 포티코(열주 회랑)'에서 우리를 맞아주었다. 그들의 애견 두 마리가 부시 내외 주위를 뛰어다니고 있었다. 그들은 우리를 따뜻하게 환영하고 편안하게 해주었다. 두 진영의 선거운동은 치열했지만, 바버라 부시는 전에 만났을 때도 상냥했고 선거가 끝난 뒤에는 나에게 백악관의 가족구역을 안내해주었다. 조지 부시는 전국주지사협의회의 연례회의 때 만나면 늘 친절하게 대해주었다. 나는 백악관에서 열린 전국주지사협의회의 만찬 때나 1989년에 샬러츠빌의 몬티셀로 저택에서 열린 '교육 문제 정상회의' 때 부시의 옆자리에 앉았다. 1983년 메인 주에서 주지사들의 하계 회의가 열렸을 때는 부시 내외가 케너벙크포트에 있는 그들의 소유지를 개방하여 해안에서 조개를 구워 먹으며 신나는 야유회를 즐길 수 있게 해주었다. 그때 겨우 세 살이었던 첼시도 우리를 따라왔는데, 첼시가 화장실에 가겠다고 하자 당시 부통령이었던 부시가 첼시의 손을 잡고 화장실까지 안내해주었다.

고어 부부는 백악관에서 우리와 합류했다. 민주당 전국대회 의장이고 이제 곧 상무장관이 될 론 브라운과 그의 아내 앨마, 취임식의 공동 사회를 맡은 해리 토머슨과 린다도 백악관으로 왔다.

부시 대통령 내외는 우리 일행을 '블루 룸'으로 안내하여, 국회의사당으로 떠날 시간이 될 때까지 20분쯤 커피를 마시며 한담을 나누었다. 빌은 조지 부시와 함께 대통령 전용 리무진에 탔고, 바버라 부시와 나는 다른 차를 타고 그 뒤를 따랐다. 펜실베이니아 대로 연변에 늘어선 군중은 우리가 지나가자 환호를 지르며 손을 흔들었다. 한 대통령이 다른 대통령에게 길을 내주는 것을 지켜볼 준비를 하는 동안 나는 부시 여사의 열정에 탄복했다.

국회의사당에 도착하자 우리는 '서쪽 프런트'에 올라섰다. 거기에 서자 워싱턴 기념탑을 거쳐 링컨 기념관까지 뻗어 있는 몰이 한눈에 바라보였다. 숨이 막힐 만큼 굉장한 전망이었다. 엄청난 군중이 워싱턴 기념탑 너머까지 넘쳐흐르고 있었다.

관례에 따라 미국 해병대 군악대가 정오 직전에 조지 부시 대통령을 위해 마지막으로 「대통령 찬가」를 연주했고, 몇 분 뒤에는 새 대통령을 위해 다시 한 번 그 곡을 연주했다. 나는 그 곡을 들으면 언제나 감동했지만, 내 남편을 위해 그 곡이 연주되는 것을 들었을 때의 감동은 이루 형언할 수가 없었다. 빌이 취임 선서를 하는 동안 첼시와 나는 성경책을 공손히 받쳐들고 있었다. 선서가 끝나자 빌은 첼시와 나를 끌어안고 입을 맞추면서 속삭였다. "사랑해."

빌의 취임사는 미국을 위한 희생과 봉사라는 주제를 강조했고, 선거 운동에서 내세운 변화를 요구했다. "미국의 잘못된 부분은 모두 다 미국의 올바른 부분으로 바로잡을 수 있습니다." 빌은 국내의 불우한 사람들을 위해, 그리고 민주주의와 자유를 누릴 수 있도록 우리가 도와야 하는 전세계 사람들을 위해 '봉사의 계절'을 갖자고 국민에게 호소했다.

선서 의식이 끝난 뒤, 우리의 새 직원들 가운데 일부는 짐을 풀어서 정리하기 위해 서둘러 백악관으로 달려가고, 빌과 나는 의사당에서 의원들과 함께 점심을 먹었다. 취임식 날 정오에 한 대통령에서 다음 대통령으로 권력의 망토가 넘어가듯, 백악관의 소유권도 넘어간다. 새 대통령과 그 가족의 소유물은 취임 선서가 끝난 뒤에야 비로소 백악관에 들어갈 수 있다. 12시 1분에 조지 부시 내외의 이삿짐 트럭이 배달용 출입구를 떠났고, 우리 이삿짐을 실은 트럭이 들어갔다. 의사당에서 취임식이 끝난 뒤 축하 퍼레이드가 끝날 때까지 몇 시간 사이에 우리 짐과 가구와 수백 개의 상자가 맹렬한 속도로 트럭에서 내려졌다. 보좌관들은 우리에게 당장 필요한 물건을 배치하고, 나머지 짐은 나중에 처리하기 위해 벽장과 예비실에 쌓아놓았다.

백악관의 보안 절차 때문에, 직원들은 제복 차림의 비밀검찰국(Secret Service : 지폐 위조범 체포 및 대통령과 그 가족 경호를 담당하는 재무부 산하 기관—옮긴이) 소속 경비원들에게 출입 허가를 받아야 한다. 그 절차를 '근무자 및 방문객 출입 시스템(Workers and Visitors Entry System)'의 머리글자를 따서 '웨이브스'라고 부른다. 미리 선별된 손님이나 직원들의 명단은 백악관 안으로 '웨이브' 되는데, 내 개인 비서인 캐프리샤 마셜은 불행히도 이 시스템에 숙달하지 못했다. 캐프리샤는 그날 내가 입을 드레스를 블레어 하우스에서 갖고 나와, 자기를 '웨이브' 해줄 사람을 찾아 이문 저문을 돌아다니며 경비원들에게 손짓을 했다. 취임식 날 레이스로 뒤덮인 내 보랏빛 야회복이 무사히 백악관의 방어벽을 통과한 것은 캐프리샤의 설득력—그리고 그녀가 결국 '웨이브스' 시스템에 포함된 것—을 입증하는 증거다.

점심을 먹은 뒤, 빌과 첼시와 나는 의사당에서 퍼레이드 루트를 따라 재무부 청사까지 차를 타고 갔다. 그리고 우리는 비밀검찰국의 마지못한 동의를 얻어 펜실베이니아 대로를 따라 백악관 앞에 마련된 사열대까지 걸어갔다. 나는 휴대용 난로 앞에 앉아 퍼레이드를 구경했다. 민주당이 대통령 선거에 승리한 것은 16년 만이었기 때문에, 민주당원들은 모두 퍼레이드에 참가하고 싶어했다. 우리는 안된다고 말할 수 없었고, 그러고 싶지도 않았다. 아칸소에서만 여섯 개의 악대가 세 시간 동안 계속된 퍼레이드에 참여했다.

마지막 장식 마차가 지나간 뒤, 초저녁에 우리는 비로소 백악관에 새 주인으로서 걸어 들어갔다. 손님으로 백악관을 방문했을 때 놀란 눈으로 이 집을 둘러본 것이 기억난다. 이제는 이곳이 내 집이 될 것이다. 백악관을 향해 걸어가 '북쪽 포티코'의 계단을 올라가서 '그랜드 포이어'(대현관)로 들어가는 동안, 비로소 나는 현실을 실감했다. 나는 정말로 미국 대통령과 결혼한 퍼스트 레이디였다. 나는 처음으로 내가 참여하고 있는 역사를 깨달았다.

100명쯤 되는 백악관의 붙박이 직원들이 '그랜드 포이어'에서 우리를 기다리고 있었다. 그들은 이 집을 관리하고 거주자들의 요구를 처리해준다. 백악관에는 자체의 기술자와 목공·배관공·정원사·꽃꽂이 전문가·관리인·요리사·집사·가정부 등이 있다. 정권이 바뀌어도 이들은 계속 백악관에서 일한다. 백악관의 모든 기능을 총괄하는 사람은 '의전관'이다. 의전관은 19세기의 예스러운 용어지만, 아직도 관리직원을 지칭하는 용어로 쓰이고 있다. 2000년에 나는 세번째 책인 『백악관으로의 초대』를 출판했는데, 이 책은 백악관의 붙박이 직원들이 날마다 하고 있는 놀라운 일을 막후에서 보고 그들에게 바친 찬사였다.

우리는 직원들의 호위를 받으며 2층에 있는 거주구역으로 올라갔다('세컨드 플로어'라고 하지만, 맨 아래층을 '그라운드 플로어', 그 위층을 '퍼스트 플로어'라고 부르기 때문에, 높이로 치자면 3층인 셈이다—옮긴이). 그곳은 아직 짐을 풀지 않아서 황량해 보였지만, 그것을 걱정할 시간이 없었다. 우리는 벌써 나갈 준비를 해야 했다.

거주구역에서 가장 편리한 곳은 패트리샤 닉슨이 2층에 들여놓은 미용실이다. 첼시와 첼시의 친구들, 우리 어머니와 시어머니, 시누이 마리아가 미용실에 모여 무도회에 참석하기 위해 신데렐라처럼 변신하고 있었다.

빌은 그날 저녁 열한 군데에서 열린 취임 축하 무도회에 모두 참석하고 싶어했다. 그런 무도회에는 잠깐 들러서 5분쯤 있다가 손을 흔들고 떠나는 것이 관례였지만, 빌은 의례적인 방문이 아니라 축제 소동을 벌일 작정이었다. 첼시와 아칸소에서 온 첼시의 여자친구 넷은 우리와 함께 MTV 무도회를 비롯한 몇몇 행사에 참석한 뒤 잠을 자러 백악관으로 돌아갔다. 워싱턴 컨벤션센터에서 열린 아칸소 무도회는 우리 가족과 1만 2천 명의 친구와 지지자들이 모였기 때문에 가장 규모가 컸고, 우리한테도 가장 즐거운 행사였다. 벤 E. 킹이 빌에게 색소폰을 건네주자 군중은 일제히 환호성을 질렀다.

누구보다도 즐거워한 사람은 빌의 어머니 버지니아였다. 버지니아는 적어도 세 군데 무도회의 여왕이었다. 버지니아는 술을 마시고 흥청대는 사람들 가운데 절반은 벌써 알고 있었을 테고, 나머지 절반과도 금세 안면을 트고 있었다. 버지니아는 그날 밤 특별한 친구도 사귀었다. 바로 바브라 스트레이전드였다. 버지니아와 바브라가 아칸소 무도회에서 맺은 우정은 그후 1년 동안 매주 전화 통화를 하면서 지속되었다.

빌과 나는 무도회에서 계속 춤을 추었고, 선거운동의 비공식 주제가인 「항상 내일을 생각하세요」에 맞춰 너무 많이 춤을 추었기 때문에, 저녁이 끝날 무렵에는 구두를 벗어 던지고 발을 쉬게 해야 했다. 빌도 나도 밤이 끝나기를 바라지 않았지만, 셰라턴 호텔에서 열린 중서부 무도회에서 악사들이 악기를 치우기 시작하자 나는 마침내 빌을 달래어 밖으로 데리고 나왔다. 우리는 오전 2시가 훨씬 지나서야 백악관으로 발길을 돌렸다.

2층에서 엘리베이터를 내렸을 때 우리는 믿을 수가 없어서 서로 얼굴을 마주보았다. 이제는 이곳이 우리 집이었다. 하지만 이 웅장하고 새로운 환경을 탐험하기에는 너무 피곤해서 우리는 침대에 털썩 쓰러졌다.

겨우 몇 시간 눈을 붙였을 때, 침실 문을 기운차게 노크하는 소리가 들렸다.

똑, 똑, 똑.

"누구요?"

똑, 똑, 똑.

빌은 침대에서 벌떡 일어나 앉았고, 나는 어둠 속에서 안경을 찾느라 더듬거렸다. 첫날 아침부터 무언가 긴급한 사태가 벌어진 모양이라고 생각했다. 갑자기 문이 벌컥 열리더니, 턱시도 차림의 남자가 은쟁반을 들고 들어왔다. 부시 대통령 내외는 오전 5시 반에 침실에서 아침을 먹는 것으로 하루를 시작했고, 집사들은 거기에 익숙해져 있었다. 하지만 그 가엾은 남자가 미국 제42대 대통령한테 들은 첫마디는, "이봐! 대체 무슨 일이야?"였다.

그처럼 잽싸게 방에서 되돌아 나가는 사람은 본 적이 없다.

빌과 나는 웃으면서 다시 이불 속으로 들어가 한 시간쯤 더 자려고 애썼다. 백악관도 그곳의 새 거주자인 우리도 공적으로나 사적으로 중대한 조정을 할 필요가 있다는 생각이 들었다.

클린턴의 대통령 취임은 워싱턴의 모든 관행과 제도에 영향을 미칠 세대적·정치적 변화를 상징했다. 지난 24년 가운데 20년 동안 백악관은 공화당의 영역이었다. 백악관 주인은 우리 부모 세대에 속하는 사람들이었다. 레이건 내외는 텔레비전을 보면서 저녁을 먹었고, 부시 내외는 새벽에 일어나 개들을 산책시킨 다음 신문을 읽고 침실에 있는 다섯 대의 텔레비전 수상기로 아침 뉴스를 보았다고 한다. 그렇게 12년을 보낸 백악관의 헌신적인 붙박이 직원들은 예측 가능한 일과와 규칙적인 생활방식에 길들여져 있었다. 1981년에 지미 카터가 떠난 뒤 백악관에는 아이들이 산 적이 없었다. 나는 백악관의 딱딱한 격식이 우리한테 익숙지 않은 것처럼, 백악관 직원들에게도 우리 가족의 불규칙한 생활방식과 24시간 내내 일하는 습관이 익숙지 않을 거라고 생각했다.

빌은 선거운동에서 '국민이 최우선'임을 강조했고, 따라서 백악관에서 맞은 첫날에는 대부분 추첨으로 뽑힌 수천 명의 국민을 백악관에 초대하여 그 약속을 지키고 싶었다. 그들은 모두 초대권을 갖고, 우리와 고어 내외를 만나기 위해 동이 트기도 전에 어둠 속에서 줄을 서 있었다. 하지만 우리는 그들을 모두 맞아들이는 데 시간이 얼마나 걸릴지 예측하지 못해서 충분한 시간을 일정표에 넣지 않았다. 줄은 '이스트 게이트'(동문)에서 백악관 구내를 가로질러 '남쪽 포티코'까지 뻗어 있었다. 나는 추운 바깥에서 기다리고 있는 많은 사람들이 우리가 다음 일정을 위해 떠날 때까지 '영접실'(백악관 본관 출입 공간)에 들어오지 못하리라는 것을 알고 괴로웠다. 우리 네 사람은 밖으로 나가서 추위를 견디며 끈기 있게 남아 있는 사람들에게 다음 일정 때문에 우리가 직접 여러분을 맞이할 수 없어서 유감이지만 여러분의 집인 백악관을 마음대로 구경해도 좋다고 말했다.

그날 오후 늦게 다른 일정을 모두 끝낸 뒤에야 빌과 나는 마침내 편한 옷으로 갈아입고, 비로소 우리의 새 집을 한번 둘러볼 수 있었다. 우리는 백악관에 들어온 처음 며칠을 가장 가까운 친구며 가족들과 함께 보내고 싶었다. 2층에는 '퀸스 룸'과 '링컨 침실'이라고 불리는 손님용 침실이 있었고, 3층에는 일곱 개의 객실이 있었다. 첼시와 리틀록에서 온 첼시의 친구들 이외에 우리 부모님과 빌의 어머니 버지니아, 버지니아의 새 남편인 딕 켈리, 내 남동생인 휴 로댐(과 그의 아내 마리아)과 토니 로댐, 빌의 동생 로저가 우리와 함께 머물고 있었다. 우리는 가장 친한 친구 가운데 네 명—다이앤과 짐 블레어 부부, 린다와 해리 토머슨 부부—도 그날 밤을 같이 보내자고 초대했다.

해리와 린다는 대성공을 거둔 「야망의 여인들」과 「저녁의 어스름」을 비롯한 몇몇 텔레비전 프로그램을 제작하고 대본을 썼지만, 그들의 마음은 한번도 오자크 산지를 떠난 적이 없었다. 해리는 아칸소 주 햄프턴에서 자랐고, 리틀록에서 고등학교 미식축구 코치로 사회생활을 시작했다. 린다는 아칸소 주 경계 바로 너머에 있는 미주리 주의 블러프에서 변호사의 딸로 태어났다. 미주리 주의 그 지역에서 태어난 유일한 유명인사는 보수적인 라디오 프로그램 진행자로 조지 부시의 최고 치어리더였던 러시 림보라고 린다는 웃으면서 말했다. 린다의 가족과 러시의 가족은 서로 잘 아는 사이였고, 오랫동안 우호적인 경쟁관계를 유지해왔다고 한다.

취임 축제가 회오리바람처럼 몰아친 일주일을 보낸 뒤, 우리가 오랫동안 사귀었고 전적으로 신뢰하는 사람들과 함께 느긋한 시간을 보내는 것은 유쾌한 일이었다. 우리는 밤늦게 '서쪽 거실'에서 조금 떨어져 있는 작은 가족용 부엌을 습격하기로 결정했다. 해리와 빌이 찬장을 조사하는 동안 린다와 나는 냉장고를 열어보았다. 냉장고에는 보드카가 반쯤 남아 있는 술병이 하나 들어 있을 뿐이었다. 우리는 그 술로 새 대통령과 미국과 우리의 앞날을 위해 건배했다.

우리 부모님은 벌써 잠자리에 들었고, 첼시와 첼시의 친구들도 마침내 조용해졌다. 전날 밤 그 아이들은 취임 축하 무도회에서 일찍감치 돌아와, 관리직원들이 마련해준 '쓰레기 사냥 게임'(정해진 물건을 구해서 빨리 돌아오는 파티 놀이—옮긴이)을 하며 재미있게 놀았다. 그것은 첼시가 새로운 환경에 익숙해지고 즐겁게 지낼 수 있는 좋은 방법이었다. 직원들은 "노란 새가 그려진 그림"('레드 룸'에 있는 세버린 레젠의 「과일과 술잔과 카나리아가 있는 정물」)을 찾으라거나 "이따금 유령이 나온다는 방"(손님들이 찬바람을 느끼고 유령처럼 희미한 형체를 보았다고 보고

한 적이 있는 '링컨 침실')을 찾으라는 등, 온갖 역사적 단서를 아이들에게 제시했다.

나는 유령의 존재를 믿지 않지만, 백악관에 좀더 현세적인 무언가가 깃들여 있는 것을 이따금 느끼곤 했다. 과거 정부들의 유령은 도처에 있었다. 때로는 메모를 남기기까지 했다. 그날 밤 '링컨 침실' 을 배정받은 것은 해리와 린다였다. 그들은 자단으로 만든 기다란 침대에 들어갔을 때 베개 밑에서 차곡차곡 접힌 종이 한 장을 발견했다.

그 쪽지에는 이렇게 적혀 있었다. "친애하는 린다, 내가 먼저 여기 왔고, 언젠가 반드시 돌아올 거요."

쪽지에 적힌 서명은 '러시 림보' 였다.

백악관의 동쪽과 서쪽

백악관은 대통령의 집무실이자 집이고, 살아 있는 국립박물관이기도 하다. 백악관의 조직 문화는 군대와 비슷하다. 백악관에서는 대개 수십 년 동안 근속한 직원들이 오랫동안 일정한 방식에 따라 일하면서 백악관을 운영하고 보존하는 방식을 완성했다. 수석 정원사인 어빙 윌리엄스는 트루먼 대통령 시절에 일을 시작했다. 대통령이 바뀌어도 백악관이 연속성을 유지하는 것은 이들 붙박이 직원 덕분이다. 이런 사실은 그들도 알고 있다. 많은 점에서 그들은 정부가 바뀌어도 변하지 않는 대통령이라는 제도의 수호자였다. 우리는 일시적인 거주자일 뿐이었다. 부시 전 대통령은 자신의 공식 초상화를 제막하러 왔을 때, 백악관에서 25년이 넘게 집사로 일한 조지 워싱턴 해니 2세를 보고는 "조지, 아직도 여기 있나?" 하고 물었다.

노련한 집사는 이렇게 대답했다. "예, 각하. 대통령들은 왔다가 가지만, 조지는 '늘' 여기 있습니다."

유서 깊은 제도가 대부분 그렇듯이 백악관에도 변화는 천천히 찾아왔다. 전화 시스템은 한 세대 전으로 퇴보한 것이었다. 2층의 거주구역에서 외부로 전화를 걸기 위해서는 수화기를 들고, 백악관 교환수가 대신 다이얼을 돌려주기를 기다려야 했다. 결국 나는 거기에 익숙해졌고, 교환대에서 일하는 친절하고 참을성 많은 교환수들을 높이 평가하게 되었다. 마침내 전화 시스템이 좀더 새로운 설비로 교체된 뒤에도 나는 여전히 교환수들을 통해 전화를 걸었다.

하지만 침실 문밖에 배치된 경호원에 대해서는 결코 익숙해질 것 같지 않았다. 역대 대통령들에게는 관례적인 절차였고, 비밀검찰국도 처음에는 침실 경호를 계속해야 한다고 완강하게 주장했다.

내가 2층에서 우리 침실을 지킬 게 아니라 아래층을 지키면 어떻겠냐고 제의하자, 한 경호원이 되물었다. "각하께서 한밤중에 심장마비라도 일으키면 어떻게 합니까?"

"대통령은 마흔여섯 살이고 아주 건강해요. 심장마비 따위는 절대로 일으키지 않을 거예요!"

비밀검찰국은 우리 요구에 적응했고, 우리도 그들의 요구에 적응했다. 우리의 안전 문제에 관해서는 뭐니뭐니 해도 그들이 전문가였다. 우리는 그들이 임무를 수행하게 하면서 우리가 자연스럽게 행동할 수 있는 방도를 찾아야 했다. 12년 동안 그들은 예측 가능한 일과에 익숙해져 있었다. 자연발생적인 일은 규칙이 아니라 예외였다. 우리는 선거 유세를 하는 동안 위험한 과속을 일삼고, 걸핏하면 차를 세우고, 군중에게 다가가고, 그러면서 경호원들을 허둥거리게 했다. 나는 우리에게 배정된 경호원들과 오랫동안 많은 대화를 나누었다. 나의 경호팀장 돈 플린은 이렇게 말했다. "이제 알겠습니다. 우리가 대통령이어도 비슷할 겁니다. 우리도 여기저기 여행을 다니고 하고 싶은 일을 하고 밤늦게까지 일어나 있기를 좋아하니까요." 경호원들과 우리의 관계는 협조와 융통성을 특징으로 삼게 되었고, 플린의 말은 그런 경향을 고착시켰다. 빌과 첼시와 나는 그들의 용기와 충성심과 직업의식을 칭찬할 수밖에 없다. 우리의 안전을 지켜준 많은 요원들과 아직도 친구로 지낼 수 있어서 다행이다.

매기 윌리엄스는 1992년 대통령 선거전이 막바지에 이르렀을 때 나를 도와주기로 동의했지만, 선거가 끝나면 펜실베이니아 대학에서 박사 과정을 끝내기 위해 필라델피아로 돌아가는 것을 양해해야 한다는 조건을 달았다. 그런데 선거가 끝나자 나는 어느 때보다도 매기가 필요하다는 것을 깨달았다. 나는 애원하고 간청하고 사정하고 꼬드겨서 정권 인수 작업이 진행되는 동안 매기를 붙잡아놓았고, 그후에는 내 비서실장으로 행정부에 참여시켰다.

우리가 맨 처음 한 일은 나머지 직원들을 선발하고, 사무실 공간을 선택하고, 전통적으로 퍼스트 레이디가 맡았던 복잡한 임무를 배우는 것이었다. 트루먼 대통령 시절부터 퍼스트 레이디와 거기에 딸린 직원들은 '이스트 윙'(동관)에서만 근무했다. 이곳에는 2개 층의 사무실 공간, 방문객을 맞는 널찍한 접견실, 극장, 버드 존슨 여사가 재클린 케네디에게 헌정한 '이스트 가든' 가장자리를 따라 뻗어 있는 기다란 유리 회랑이 딸려 있다. 퍼스트 레이디들은 오랜 기간에 걸쳐 차츰 임무를 확대했고, 그에 따라 퍼스트 레이디에 딸린 직원도 점점 많아지고 전문화되었다. 재클린 케네디는 독자적인 공보 비서를 둔 최초의 퍼스트 레이디였다. 버드 존슨 여사는 '웨스트 윙'(서관)을 본떠서 보좌진의 직제를 체계화했다. 로절린 카터의 비서실장은 날마다 대통령 참모회의에 참석했으며, 낸시 레이건은 보좌진의 규모와 중요성을 확대했다.

'웨스트 윙'은 대통령 집무실(오벌 오피스)이 있는 곳이고, '루스벨트 룸'과 '각료회의실'과 '상황실', 백악관 연회장, 대통령 핵심 참모들의 사무실도 여기에 있다. 나머지 직원들은 찻길 건너에 있는 구행정부 건물(1871~88년에 국무부 · 육군부 · 해군부 청사로 지어진 건물로, 지금은 부통령 집무실 · 예산국 · 국가안전보장회의 등이 들어 있다—옮긴이)에서 근무한다. 퍼스트 레이디나 그 참모들은 '웨스트 윙'이나 구행정부 건물에 사무실을 가진 적이 없었다.

퍼스트 레이디의 접견실과 개인 통신 및 행사 담당 비서실은 여전히 '이스트 윙'에 두겠지만, 내 참모들 가운데 일부는 '웨스트 윙'의 대통령 참모진에도 참여하게 될 터였다. 나는 그들이 물리적으로도 통합되어야 한다고 생각했다. 매기는 '웨스트 윙'에도 우리가 원하는 공간을 달라고 정권 인수팀에 요구했고, 퍼스트 레이디의 집무실은 구행정부 건물 1층의 긴 복도 끝으로 옮겨졌다. 나는 '웨스트 윙' 2층의 국내 정책 보좌관실에서 복도를 따라 조금 내려간 곳에 있는 방을 배정받았다. 이것도 백악관 역사상 전례없는 일이어서, 코미디언과 박식한 체하는 정치평론가들은 텔레비전 심야 프로에 나와서 씹어대기 시작했다. 어떤 만평은 2층 천장에서 대통령 집무실이 생겨나는 그림을 그리기도 했다.

매기는 대통령 보좌관—그녀의 전임자들은 '부' 보좌관이었다—이라는 직함을 갖게 되었고, 아침마다 7시 반에 대통령의 참모들과 함께 수석비서관회의에 참석했다. 내 사무실에는 국내 정책을 담당하는 보좌관이 상근으로 배정되었고, 대통령의 연설문 담당자 가운데 하나는 내 연설문 작성을 맡게 되었다. 스무 명에 이르는 내 참모들 중에는 공보 비서, 일정 담당자, 여행 관리자, 일지 편집자도 포함되어 있었다. 원래의 비서진 가운데 둘은 아직도 나와 함께 일하고 있다. 팸 시세티는 무슨 일이든 해내는 살림꾼이었고, 퍼스트 레이디의 서무를 담당한 앨리스 푸시카는 침착성과 상상력을 발휘하여 가장 힘든 임무를 맡았다.

내가 빌의 정책, 특히 여성·아동·가족에게 영향을 미치는 문제와 관련된 정책에 참여하려면 이런 물리적·인적 변화는 필수불가결한 것이었다. 내가 채용한 직원들은 그런 문제에 헌신적이었고, 열심히 일하고 기꺼이 책임을 지는 사람들에게 정부는 기회를 줄 수 있고 또 주어야 한다는 생각을 가지고 있었다. 그들은 대부분 소외되고 불우한 사람들의 경제적·정치적·사회적 지위 향상에 헌신하는 단체나 공공 부문 출신이었다.

오래지 않아 나의 참모들은 정부 내에서, 그리고 언론으로부터 적극적이고 영향력있는 사람들로 인정받게 되었다. 그것은 주로 매기 윌리엄스와 비서실 차장인 멜라니 버비어의 리더십 덕분이었다. 멜라니와 그녀의 남편 필은 조지타운 대학 시절부터 빌의 친구였고, 멜라니는 오랫동안 민주당원으로 활동한 노련한 워싱턴 전문가였고, 복잡하고 미묘한 문제를 좋아하는 진정한 정책 연구자였다. 그녀는 오랫동안 국회와 법조계에서 일했다. 워싱턴에서 멜라니가 모르는 사람은 하나도 없을 거라고 나는 자주 농담을 했다. 수도의 전설적인 존재는 멜라니만이 아니라, 그녀의 '롤로덱스' (회전식 명함첩)도 전설이 되어 있었다. 마지막으로 세어 보았을 때 롤로덱스에는 6천 개의 명함이 꽂혀 있었다. 멜라니가 처음에는 비서실 차장으로, 두번째 임기 때는 실장으로 기안한 프로젝트는 너무 많아서, 그 목록을 만들 수도 없을 정도다. 멜라니는 대통령 참모진에서도 핵심 요원이 되어 여성과 인권, 법률구조와 예술에 관한 정책을 주창했다.

내 참모들은 곧 백악관 주변에서 '힐러리랜드'로 불리게 되었다. 우리는 '웨스트 윙'의 일상적인 기능 속에 완전히 묻혀 있었지만, 백악관 내부에서 우리만의 작은 하위문화도 갖고 있었다. 내 직원들은 신중함과 충성심과 동지애를 자랑했고, 우리만의 독특한 기풍을 갖고 있었다. '웨스트 윙'에서는 정보가 새어나가는 경향이 있었지만, '힐러리랜드'는 결코 그렇지 않았다. 대통령의 수석참모들은 대통령 집무실과 가까운 사무실을 서로 차지하려고 애썼지만, 내 선임참모들은 젊은 보좌역과 기꺼이 사무실을 공유했다. 우리 회의실에는 아이들을 위한 장난감과 크레용이 놓여 있었고, 백악관을 찾아온 아이들은 우리가 쿠키를 숨겨둔 곳을 정확히 알고 있었다. 어느 크리스마스에 멜라니는 '힐러리랜드'라고 새겨진 배지를 주문했다. 멜라니와 나는 혹사당하는 내 직원들의 인내심 많은 배우자와 자녀들에게 이 명예 회원증을 건네주기 시작했다. 회원증을 가진 사람은 언제든지 백악관을 방문할 수 있고 우리 파티에도 참석할 수 있었다.

'웨스트 윙'은 활발하게 돌아가고 있었지만, '이스트 윙'의 의무는 아직도 나한테 불안감을 안겨주고 있었다. 취임식이 끝난 지 겨우 열흘 뒤에 빌과 나는 최초의 큰 행사인 전국주지사협의회(NGA) 연례 만찬을 주최할 예정이었다. 빌은 NGA 의장을 지낸 적이 있었고, 만찬 참석자들은 대부분 우리가 오랫동안 알고 지낸 동료와 친구들이었다. 우리는 만찬이 순조롭게 진행되기를 바랐고, 나는 백악관의 사교 행사를 감독하는 것을 포함하여 퍼스트 레이디의 관례적인 역할에 관심이 별로 없다는 언론의 인식을 말끔히 씻어내고 싶었다. 나는 아칸소 주의 퍼스트 레이디 시절에도 규모는 훨씬 작지만 사교 행사를 치러냈고, 또 그런 책임을 즐겨 수행했다. 그리고 이제 나는 그 책임을 낙으로 삼고 기다리고 있었다. 하지만 내 참모들과 나에게는 지침이 필요했다. 나는 카터 대통령 내외가 피에르 트뤼도 캐나다 총리 부부를 위해 주최한 만찬회에 당시 아칸소 주 검찰총장이었던 빌 클린턴 부부를 초청한 1977년부터 백악관 만찬에 참석해왔다. 빌이 아칸소 주지사일 때는 해마다 전국주지사협의회의 연례 만찬에 참석했다. 그런데 이제는 내가 그 만찬을 마련할 책임을 맡게 된 것이다. 손님으로 참석하는 것과 주인으로 주최하는 것은 엄청난 차이였다.

나는 사교 행사 담당 비서인 앤 스톡의 도움을 받았다. 앤은 나무랄 데 없는 취향과 기품을 가진 활발한 여성이었고, 카터 대통령 시절에 백악관에서 일하다가 '블루밍데일' 백화점의 최고경영자가 되었다. 앤과 나는 다양한 식탁보와 냅킨과 식기를 시험해본 뒤, 레이건 여사가 구입한 황금색과 붉은색 테를 두른 도자기 제품을 사용하기로 결정했다. 우

리는 손님들이 편안한 상대와 더불어 식사를 할 수 있도록 자리 배정에
도 신경을 썼다. 우리는 만찬에 참석할 사람들을 거의 다 알고 있었기 때
문에, 그들의 관심사와 성격을 토대로 서로 잘 어울리는 사람끼리 섞어
놓기로 했다. 백악관의 꽃꽂이 담당인 낸시 클라크는 내가 고른 튤립을
테이블마다 배열하면서 나에게 여러 가지 조언을 해주고 자기 의견을 말
했다. 그날부터 낸시의 쾌활한 활력은 끊임없이 나를 놀라게 했다.

백악관 생활에서는 시시각각 새롭고 예기치 않은 문제가 일어났다.
하지만 진정으로 내 경험을 이해해줄 의논 상대는 거의 없었다. 가까운
친구들은 늘 나를 격려해주었고 언제든지 전화로 대화를 나눌 수 있었지
만, 그들은 아무도 백악관에 살아본 적이 없었다. 하지만 다행히 나는 백
악관에 살아본 적이 있는 사람을 알고 있었다. 그녀는 내가 겪고 있는 어
려움을 이해해주었고, 귀중한 지혜와 충고와 도움을 주었다.

취임식이 끝난 지 며칠 뒤인 1월 26일, 얼어붙을 듯이 추운 아침에 나
는 정기왕복 여객기를 타고 뉴욕으로 날아갔다. 내가 백악관에서 지낸 8
년 동안 민간 여객기를 탄 것은 그때가 처음이자 마지막이었다. 경호 문
제와 다른 승객들에게 주는 불편 때문에 나는 과거 생활과의 연결 고리
인 민간 여객기를 포기하기로 비밀검찰국과 합의했다. 내가 뉴욕에 간
것은 공식적으로는 아동 문제에 대해 노력한 공로로 '루이스 하인 상'을
수상하고, 공립학교인 'P.S. 115'를 방문하여 개인지도 자원봉사를 장
려하기 위해서였다. 하지만 사적으로는 제5번가의 아름다운 아파트에
살고 있는 재클린 케네디 오나시스를 찾아가 점심을 같이 할 계획도 갖
고 있었다.

나는 재키를 몇 번 만난 적이 있었고, 1992년 대통령 선거운동 기간
에도 한번 재키를 방문했다. 재키는 일찍부터 빌을 지지하여 경제적인
도움도 주고 전당대회에도 참석했다. 재키는 뛰어난 공인이었다. 나는
철이 들 무렵부터 재키를 찬양하고 존경했다. 재키 케네디는 백악관에

기품과 우아함과 지성을 가져온 뛰어난 퍼스트 레이디였을 뿐만 아니라, 자녀를 키우는 일도 놀랄 만큼 잘해냈다. 몇 달 전, 나는 대중의 눈에 노출된 상태에서 자녀를 키우는 문제에 대해 재키에게 조언을 청했었다. 이번 방문에서는 재키가 백악관의 기존 문화를 어떻게 다루었는지에 대해 조언을 듣고 싶었다. 재키가 백악관에 산 것은 30년 전이었지만, 그때나 지금이나 별로 달라진 것이 없는 듯한 느낌이 들었기 때문이다.

경호팀은 정오가 되기 직전에 나를 재키의 아파트에 데려다주었다. 재키는 15층 엘리베이터 출입문 앞에서 나를 맞아주었다. 재키는 나무랄 데 없는 옷차림을 하고 있었다. 그녀를 상징하는 색깔—베이지색과 회색을 합친 색깔—의 실크 바지에 은은한 복숭앗빛 줄무늬가 든 블라우스를 받쳐입고 있었다. 나이가 예순셋인데도 재키는 여전히 미국 역사상 두번째로 젊은 대통령의 매력적인 아내로 처음 전국민의 의식 속에 들어온 서른한 살 때와 다름없는 미모와 품위를 지니고 있었다.

1963년에 케네디 대통령이 서거한 뒤 재키는 오랫동안 대중의 시야에서 물러나 있었고, 그리스의 선박왕 아리스토틀 오나시스와 재혼했다가 나중에 뉴욕에서 가장 훌륭한 출판사의 문학 담당 편집자로 활동하기 시작했다. 내가 재키의 아파트에서 맨 처음 알아차린 것은 책이 넘쳐흐른다는 것이었다. 어디에나 책이 쌓여 있었다. 탁자 위에도 밑에도, 소파와 의자 옆에도 책이 무더기로 쌓여 있었다. 서재에는 책이 너무 높이 쌓여 있어서, 책상에서 음식을 먹을 때는 책더미 위에 접시를 올려놓을 수 있었다. 내가 만난 사람들 가운데 아파트를 그야말로 책으로 장식한 사람은 오직 재키뿐이다. 나는 빌과 내가 가지고 있는 책을 총동원하여 재키의 뉴욕 아파트와 마사스비니어드(매사추세츠 주 남동해안 앞바다에 있는 섬. 상류층의 휴양지로 유명하다—옮긴이)에 있는 재키의 집에서 본 것과 비슷한 효과를 내려고 애썼다. 충분히 예상할 수 있겠지만, 우리 집은 그렇게 우아해 보이지 않는다.

우리는 센트럴 공원과 메트로폴리탄 미술관이 내려다보이는 거실에 앉아서, 지난 여름 점심을 먹을 때 시작했던 대화를 계속했다. 재키는 사생활 상실에 대처하는 방법에 대해 귀중한 조언을 해주었고, 자녀인 존과 캐럴라인을 보호하기 위해 어떻게 했는지를 말해주었다. 첼시에게 정상적인 생활을 제공하는 것이야말로 빌과 내가 직면한 문제 중에서도 가장 어려운 문제가 될 거라고 재키는 말했다. 우리는 첼시가 실수를 저지르는 것까지도 허용하면서, 대통령의 딸로서 받게 될 끊임없는 탐색망으로부터 첼시를 지켜주어야 했다. 재키는 존과 캐럴라인에게는 사촌이 많아서 다행이었다고 말했다. 사촌들은 자연스러운 놀이 상대이자 친구였고, 그 아이들도 대부분 대중의 주목을 받는 아버지를 두고 있었다. 형제가 없는 외동아이는 그런 상황을 견디기가 훨씬 힘들 거라고 재키는 생각했다.

"어떤 대가를 치르더라도 반드시 첼시를 보호해야 돼요. 친구와 가족이 첼시의 울타리가 되게 하세요. 하지만 첼시를 버릇없는 아이로 만들면 안돼요. 첼시가 제 자신을 특별한 사람이나 특권을 가진 사람으로 생각하지 못하게 하세요. 가능한 한 첼시를 기자들로부터 떼어놓고, 아무도 첼시를 이용하지 못하게 하세요."

빌과 나는 첼시에 대한 대중의 관심이 어느 정도인지, 백악관에서 자라는 아이에 대해 국민들이 얼마나 흥미와 호기심을 가지고 있는지를 벌써 알아차렸다. 우리가 첼시를 어느 학교에 보내기로 결정할 것인지 그 선택의 상징적인 의미 때문에 워싱턴 안팎에서 열띤 논쟁을 불러일으켰다. 우리는 퀘이커계 사립학교인 시드웰 프렌즈 학교를 선택했다. 나는 공립학교를 옹호하는 이들의 실망을 이해했다. 특히 첼시가 아칸소 주에서는 공립학교에 다녔기 때문에 그들은 더욱 실망했을 것이다. 하지만 빌과 내가 내린 결정은 오직 한 가지 사실에 바탕을 두고 있었다. 사립학교는 사유재산이기 때문에 언론이 접근할 수 없다는 것이었다. 공립학교는 그렇지 않았다. 우리는 텔레비전 카메라와 취재기자들이 공립학교에 다닌 카터 대통령의 딸 에이미한테 그랬듯이 학교에서 온종일 우리 딸을 따라다니는 것을 원치 않았다.

지금까지는 우리의 본능과 재키의 처방이 첼시에게 도움이 되었다. 첼시는 아칸소의 친구들을 그리워했지만, 기대한 대로 새 학교에 잘 적응하고 있었다. 첼시는 2층에 있는 방 두 개에 자리를 잡았다. 그 방들은 존과 캐럴라인이 썼고, 그 다음에는 린다와 루시 존슨이 쓰던 방이었다. 그래서 재키는 그 방이 어디에 있는지 정확히 알고 있었다. 하나는 첼시가 친구와 함께 잘 수 있도록 침대가 두 개 놓인 침실이었고, 또 하나는 첼시가 숙제를 하고 텔레비전을 보고 음악을 듣고 친구들과 놀 수 있는 거실이었다.

나는 재키에게 위층에도 식당을 만들어주어서 얼마나 고마운지 모르겠다고 말하고, 우리 가족이 좀더 느긋하고 자연스런 분위기에서 식사를 할 수 있도록 식기실을 작은 부엌으로 개조할 작정이라고 말했다. 어느 날 밤, 나는 부엌에 중대한 위기를 초래했다. 첼시가 몸이 안 좋아서, 나는 부드러운 스크램블드 에그와 사과 소스를 만들어주고 싶었다. 그것은 백악관에 들어오기 전에 내가 자주 해준 음식이었다. 나는 작은 부엌에서 조리기구를 찾고, 아래층 주방에 전화를 걸어서 음식 재료를 좀 갖다 줄 수 있느냐고 물었다. 주방장과 주방 직원들은 영부인이 누구의 감독도 받지 않고 프라이팬을 사용한다는 생각에 완전히 당황해버렸다. 그들은 내 비서에게 전화를 걸어, 자신들이 만든 음식이 못마땅해서 영부인이 직접 요리를 하려는 거냐고 묻기까지 했다. 이 사건은 엘리너 루스벨트가 백악관 생활에 적응하면서 겪은 비슷한 경험을 생각나게 했다. 엘리너는 자서전에서 이렇게 말했다. "나는 무의식중에 의전관들을 놀라게 하는 일을 많이 했다. 내가 처음 한 행동은 수위가 엘리베이터를 운전해주기를 기다리지 않고 내가 직접 엘리베이터를 조작하겠다고 고집한 것이었다. 그것은 대통령의 아내가 할 일이 아니었다."

재키와 나는 비밀검찰국에 대해, 그리고 대통령의 자녀를 경호하기가 얼마나 어려운 일인가에 대해서도 이야기했다. 나는 경호가 피할 수 없는 것이라 해도 자기를 지켜주는 경호원을 존중해야 한다는 점을 첼시에게 강조하는 것이 중요하다고 생각했다. 재키는 자기도 존과 캐럴라인에게 늘 그 점을 강조했다면서 내 생각을 뒷받침해주었다. 나는 주지사의 자녀들이 그들에게 배정된 중년의 주 경찰관들을 부려먹거나 무시하기까지 하는 것을 자주 보았다. 재키는 존에 얽힌 일화를 들려주었다. 한번은 존이 자기보다 나이 많은 아이한테 자전거를 빼앗기자 경호원한테 가서 자전거를 되찾아달라고 부탁했다는 것이다. 재키는 이 사실을 알고, 앞으로 그런 일은 스스로 처리해야 한다고 존을 타일렀다고 한다. 첼시의 보호를 맡은 경호원들은 첼시가 가능한 한 평범한 10대 소녀의 생활을 할 필요가 있다는 것을 이해해주었다.

비밀검찰국은 경호 대상자를 암호명으로 부른다. 한 가족의 구성원은 모두 같은 글자로 시작되는 암호명을 갖는다. 우리 가족의 암호명은 'E'로 시작되었다. 빌은 'Eagle'(독수리)이 되었고, 나는 'Evergreen'(상록수), 첼시는 'Energy'(활력)라는 적절한 암호명을 갖게 되었다. 암호명을 사용하는 것은 별나게 여겨지지만, 거기에는 냉혹한 현실이 숨어 있다. 현존하는 위협 때문에 경호원들은 철저히 조심하고 주제넘을 정도의 경계 태세를 취해야 한다.

재키는 카리스마를 가진 정치인들의 독특하고 위험한 매력에 대해서도 진솔하게 이야기했다. 그러면서 빌도 케네디 대통령처럼 사람들에게 강렬한 감동을 자아내는 매력을 갖고 있으니 조심하라고 충고했다. 입밖에 내어 말하지는 않았지만, 빌도 표적이 될 수 있다는 뜻이었다.

어디에 가든 계속 어깨 너머를 돌아보아야 한다면 어떻게 정상적인 생활을 할 수 있는지, 나는 아직도 이해하기가 어려웠다. 정상적인 생활을 비슷하게 흉내라도 낼 수 있을까. 우리는 역대 대통령 부부들과는 달리 우리 소유의 집이 없고, 백악관에서 벗어나 휴가를 보낼 곳도 없다는 것을 재키는 알고 있었다. 재키는 대통령 전용 별장인 캠프 데이비드를 이용하고, 일반의 눈과 호기심을 피할 수 있는 한적한 곳에 사는 친구들과 함께 지내라고 권했다.

우리가 그렇게 진지한 대화만 나눈 것은 아니었다. 공통된 친구들에 대해서도 이야기했고, 패션도 화제에 올랐다. 재키는 20세기의 우상 같은 선도자로서 새로운 유행을 정착시켰다. 내 친구들과 일부 언론은 빌이 대통령 출마를 선언한 날부터 줄곧 내 옷차림과 머리 모양과 화장을 참견했다. 나는 일부 언론이 권하는 것처럼 유명한 컨설턴트한테 나를 맡겨서 머리끝부터 발끝까지 변신하면 어떻겠느냐고 재키에게 물어보았다. 그러자 재키는 놀란 표정을 지으며 말했다. "당신은 당신이어야 돼요. 남에게 맡기면 그 사람은 당신이 누구이고 어떻게 보여야 하는지를 자기 주관대로 판단할 테고, 그러면 당신은 결국 남의 생각을 몸에 걸치게 될 거예요. 그보다는 당신에게 중요한 것에 정신을 집중하세요." 재키의 충고는 구원이었다. 나는 재키의 암묵적인 허락을 받아, 그것을 너무 진지하게 받아들이지 않고 계속 즐기기로 마음먹었다.

두 시간 뒤, 마침내 떠날 시간이 되었다. 재키는 궁금한 게 있거나 수다를 떨 말벗이 필요하면 언제든지 전화하거나 연락하라고 말했다. 16개월 뒤 암으로 세상을 떠날 때까지 재키는 계속 나에게 영감과 도움을 주었다.

재키를 방문한 뒤 나는 다시 자신감과 위안을 얻었지만, 그것도 오래 가지는 않았다. 『뉴욕 타임스』의 매리언 버로스와 퍼스트 레이디로서 첫 신문 인터뷰를 하기로 약속했는데, 매리언은 새 정부가 들어설 때마다 처음 열리는 백악관의 대규모 공식 만찬을 관례적으로 취재해온 기자였다. 그녀의 기사는 대개 연회의 음식과 꽃과 여흥 등에 초점을 맞추었다. 그래서 나는 인터뷰를 하면 백악관을 미국 음식과 문화의 전시장으로 만들겠다는 내 의도를 널리 알릴 수 있을 거라고 생각했다.

버로스와 나는 본관 건물 '스테이트 플로어'(State Floor : 의전용 층으로, 그라운드 플로어[1층]에 해당한다—옮긴이)에 있는 '레드 룸'에서 만났다. 우리는 벽난로 옆에 놓인 19세기 엠파이어 양식의 소파에 앉았다. 길버트 스튜어트가 1804년에 그린 유명한 돌리 매디슨의 초상화가 벽에 걸려 있었다. 돌리 매디슨은 제임스 매디슨 대통령의 아내로 아주 씩씩한 퍼스트 레이디였다. 나는 버로스와 대담을 나누면서 이따금 곁눈질로 돌리를 훔쳐보았다. 돌리는 시대를 훨씬 앞선 비범한 여성이었고, 사교와 유행을 선도하는 스타일(그녀는 터번을 좋아했다), 정치 수완과 놀라운 용기로 유명했다. 1812년 전쟁 때 미국을 침공한 영국군이 워싱턴으로 진격하고 있는데도 돌리는 전선에서 돌아올 남편과 그의 군사 참모들을 위해 백악관 만찬을 준비하면서 하루를 보냈다. 돌리는 결국 피신해야 한다는 것을 깨달았지만, 영국군이 문간에 거의 도착할 때까지 백악관을 떠나려 하지 않았다. 그녀는 대통령 관저에서 중요한 국가 문서와 귀중품 몇 점만 들고 입은 옷 그대로 탈출했다. 길버트 스튜어트가 그린 조지 워싱턴의 전신 초상화를 액자에서 떼어내어 돌돌 말아서 은신처로 옮기라고 요구한 것이 그녀의 마지막 행동이었다. 돌리가 탈출한 직후, 콕번 제독과 그의 부하들은 백악관을 약탈하고 돌리가 차려둔 음식을 먹어치우고 저택을 불질렀다.

나는 내 첫번째 백악관 만찬회를 인상적인 행사로 만들고 싶었지만, '그렇게' 인상적인 행사가 되는 것은 바라지 않았다.

나는 역대 대통령 내외들이 그랬듯이 우리도 백악관에 개성적인 각인을 남기고 싶다면서, 그 첫걸음은 미국 요리를 식단에 도입하는 게 될 것이라고 버로스에게 말했다. 케네디 행정부 이래 백악관 주방은 줄곧 프랑스 요리사들이 지배해왔다. 재키가 백악관의 실내장식부터 요리에 이르기까지 많은 것을 개선하고 싶어한 까닭은 나도 충분히 이해할 수 있지만, 그것은 벌써 옛날 일이었다. 재키가 백악관을 떠난 뒤 30년 동안 미국 요리사들은 요리에 혁명을 일으켰다. 그 혁명은 비할 데 없이 뛰어난 줄리아 차일드와 앨리스 워터스에게서 시작되었다. 차일드는 1992년 말에 빌과 나에게 편지를 보내 미국 요리법을 과시하라고 촉구했고, 워터스는 백악관 주방장에 미국인을 임명하라고 권하는 편지를 보내왔다. 나도 그들과 같은 생각이었다. 뭐니뭐니 해도 백악관은 미국에서 가장 눈에 띄는 미국 문화의 상징이었다. 나는 경험이 풍부한 월터 셰이브를 주방장으로 채용했다. 월터는 담백하고 싱싱한 재료를 특징으로 하는 미국 요리가 전문이었고, 미국의 조달업자들이 공급하는 재료와 포도주를 더 많이 사용했다.

만찬은 대성공이었다. 몇 가지 문제도 있었지만, 그 흠은 우리 눈에만 띄었기를 바란다. 대부분 미국에서 개발된 음식 중에는 마리네이드라는 향신료에 담근 훈제 새우, 안심구이, 호박 바구니에 담은 채소들, 비달리아 양파를 곁들인 유콘 감자 등이 포함되어 있었다. 우리는 염소젖으로 만든 매사추세츠산 치즈를 먹고, 미국산 포도주를 마셨다. 손님들은 진심으로 만족한 것 같았다. 특히 만찬이 끝난 뒤, 로렌 바콜과 캐럴 채닝이 출연하고 토니상을 수상한 제임스 노턴이 엮어낸 브로드웨이 스타일의 레뷰(춤과 노래를 중심으로 엮은 코미디 쇼─옮긴이)는 손님들을 무척 즐겁게 해주었다. 나는 안도의 한숨을 내쉬었다.

버로스의 인터뷰 기사는 2월 2일자 『뉴욕 타임스』 1면에 실렸다. 그 기사는 중요하지 않은 몇 가지 뉴스를 전하고 있었다. 나는 '이스트 윙'과 '웨스트 윙'만이 아니라 본관 건물도 금연구역으로 만들 작정이고, 백악관을 대중이 좀더 출입하기 쉬운 곳으로 만들고 싶다고 말했다. 기사와 함께 어깨를 드러낸 검정 이브닝드레스 차림의 사진이 실려 있었다.

그 드레스는 도나 캐런이 디자인한 것이었다.

　기사와 사진은 나한테는 별 문제가 없어 보였지만, 많은 논란을 불러일으켰다. 백악관 출입 기자들은 내가 백악관 정치를 담당하지도 않는 기자에게 독점 인터뷰를 허락한 것을 못마땅하게 생각했다. 그들이 보기에 내가 버로스를 선택한 것은 정책 분야에서 내가 맡을 역할에 대한 도발적 질문을 받지 않겠다는 신호로 비쳤던 것이다. 일부 평자들은 그 기사가 내 이미지를 '부드럽게' 하고 나를 전통적 역할을 맡고 있는 전통적인 여성으로 묘사하기 위해 기획되었다고 암시했다. 나를 열렬히 옹호하는 이들 중에도 불평하는 사람이 있었다. 이유인즉, 인터뷰 기사와 사진이 그들이 나에 대해 품고 있는 영부인으로서의 이미지를 제대로 반영하지 못했다는 것이다. 그들은 이렇게 생각했다. 힐러리가 실질적인 정책을 진지하게 생각하고 있다면, 무엇 때문에 기자한테 음식이나 여흥 따위에 대한 이야기를 한단 말인가? 꽃이나 식탁보 색깔 따위가 정말로 힐러리가 걱정하는 문제라면, 힐러리는 어떻게 주요 정책 입안을 이끌 수 있겠는가? 도대체 힐러리는 어떤 종류의 메시지를 보내고 있는 것이냐?

　사람들은 나를 이것 아니면 저것—열심히 일하는 전문직 여성이나 세심하고 자상한 안주인—어느 한쪽으로만 생각하는 것 같았다. 나는 저명한 언론학 교수이자 펜실베이니아 대학 언론학부장인 캐슬린 홀 제이미슨이 '이중 구속'이라고 부른 것의 의미를 이해하기 시작했다. 성에 대한 고정관념은 여성의 삶이 지니고 있는 복잡성을 반영하지 못하는 방식으로 여성을 분류하여 좁은 테두리 속에 가두어버린다고 제이미슨은 말했다. 나를 전통주의자나 페미니스트라는 테두리 속에 집어넣고 싶어하는 이들은 내 참모습—수없이 다양하고, 때로는 서로 모순되는 역할을 가진 나—에 절대로 완전히 만족하지 못하리라는 것을 나는 차츰 깨닫기 시작했다.

　내 친구들도 같은 방식으로 살고 있었다. 다이앤 블레어는 학교에서 정치학을 가르치고, 몇 시간 뒤에는 호숫가 집에서 수많은 사람들을 위해 저녁을 준비한다. 멜라니 버비어는 백악관에서 회의를 주재하고, 잠시 후에는 전화로 손녀와 이야기를 나눈다. 하버드 출신으로 세 아이의 엄마 노릇을 하면서 백악관에서 나를 위해 일하고 있는 리사 머스커틴은 비행기 안에서 내 연설문을 손질할 수도 있고 집에서 기저귀를 갈고 있을 수도 있다. 그렇다면 누가 '진짜' 여성인가? 사실 우리 대부분은 그 모든 역할을 감당해왔고, 인생을 살아가는 동안에 역할은 날마다 늘어난다.

여성들이 날마다 추구하고 직면하는 다양한 요구와 선택과 활동을 조화시키기가 얼마나 어려운지 나는 알고 있다. 사람들은 우리의 선택을 문제삼아 귀찮게 잔소리를 하고, 우리는 어떤 선택을 하든 죄책감에 시달린다. 내가 내 삶에서 맡은 역할은 아내, 어머니, 딸, 누나, 며느리, 형수, 올케, 학생, 변호사, 아동 권익 옹호자, 법대 교수, 감리교 신자, 정치 참모, 시민, 그밖에도 많다. 이제 나는 하나의 상징이었고, 그것은 나에게 새로운 경험이었다.

빌과 나는 백악관에 들어갈 때 우리가 직면하게 될 문제를 걱정했지만, 내가 규정한 퍼스트 레이디 역할이 그렇게 많은 논란과 혼란을 낳을 줄은 꿈에도 몰랐다. 스스로 생각하기에 나는 전통적인 면도 있고 그렇지 않은 면도 있다고 생각한다. 나는 손님에게 대접하는 음식에 신경을 쓰는 한편, 모든 미국인을 위해 의료보험제도를 개선하고 싶었다. 내 관심사와 활동에는 어떤 모순도 없었다.

나는 해도에 없는 해역을 항해하고 있었다. 그리고 나는 경험이 없고 미숙해서, 사람들이 나에 대해 서로 모순되는 인식을 갖는 데 한몫 했다. 나한테는 중요하지 않은 일이 많은 미국인에게는 대단히 중요해 보일 수도 있다는 사실을 깨닫는 데에는 한참 시간이 걸렸다. 일부 사람들은 아직도 사회의 지도적인 지위와 권력을 가진 여성에게 완전히 상반된 감정을 느낀다. 우리는 그런 시대에 살고 있다. 성역할이 변화하고 있는 이 시대에 나는 미국의 증거물 1호였다.

증거물 1호는 철저한 정밀조사를 받았다. 나는 1992년 7월 뉴욕에서 열린 민주당 전당대회에서 비밀검찰국의 경호 대상이 되었을 때부터 익명성 상실에 적응하려고 애썼다. 이따금 나는 스웨트 셔츠를 입고 선글라스에 야구모자를 쓰고 백악관을 살짝 빠져나갔다. 나는 몰을 걸으면서 워싱턴 기념탑을 바라보거나, 자전거를 타고 조지타운의 C&O 운하를 따라 달리기를 좋아했다. 나는 비밀검찰국과 타협하여 경호원을 한 명으로 줄였다. 경호원은 평상복을 입고 걷거나 자전거를 타고 내 뒤를 따랐다. 하지만 나는, 만약의 경우에 대비하여 경호원을 가득 태운 검은색 밴이 나를 줄곧 따라다니는 것을 곧 알아차렸다. 내가 빨리 움직이면, 내 얼굴을 알아보았다고 생각하는 사람들조차 긴가민가했다. 어느날 아침 관광 여행을 온 한 가족이 워싱턴 기념탑 앞에서 사진을 찍어달라고 부탁했다. 나는 얼른 카메라를 받아들고 기념탑 앞에 서서 웃고 있는 그들을 향해 셔터를 눌렀다. 내가 막 떠나려 할 때 아이 하나가 말하는 소리가 들렸다. "엄마, 저 아줌마 얼굴이 낯익어 보여요." 나는 곧 그들의 말소리가 들리지 않는 곳에 이르렀기 때문에, 그들이 과연 사진을 찍어준 사람의 정체를 알아차렸는지 어떤지는 알 수 없었다.

이처럼 평화로운 익명성을 누릴 수 있는 순간은 덧없이 지나갔고, 가까운 친구들과 함께 보내는 시간도 순식간에 지나갔다. 아칸소에서 온 친구 몇 명이 빌의 행정부에서 일하고 있었지만, 얄궂게도 백악관 생활을 시작한 뒤 처음 몇 주 동안 내가 가장 보고 싶었던 사람은 바로 그들이었다. 그들을 만날 시간이 없었기 때문이다.

2월 초에 빌과 나는 우리 친구 메리 스틴버겐의 40세 생일을 축하하기 위해 백악관의 가족구역 2층 식당에서 조촐한 비공식 만찬회를 열고, 이제 백악관 법률 부고문인 빈스 포스터, 여전히 빌의 가장 가까운 참모이자 여행의 동반자로 법률 고문실에서 일하고 있는 브루스 린지, 그리고 법무부 차관인 웨브 허벨을 초대했다. 아칸소 출신인 메리는 할리우드에서 성공하여 아카데미 연기상을 받았지만 고향과 접촉을 끊지 않았다. 메리와 브루스, 빈스, 웨브는 우리와 가장 가까운 친구들이었다. 내가 기억하기에 그 식사는 우리가 마지막으로 속편하게 어울린 시간이었다. 우리는 몇 시간 동안 근심걱정을 다 잊어버리고 워싱턴에 적응하는 문제와 영원한 화제—아이들, 학교, 영화, 정치—에 대해 환담을 나누었다. 아직도 눈을 감으면 그 식탁에 앉아 있던 빈스의 모습이 떠오른다. 그는 의자 등받이에 기대앉아 빙긋이 웃으면서 이야기에 귀를 기울이고 있었다. 피곤하지만 행복해 보였다. 그 순간에는 그가 워싱턴 정계의 신참자로서 얼마나 중압감에 시달리며 긴장해 있었는지 짐작도 할 수 없었다.

의료 개혁

1월 25일, 빌은 집무실 옆에 딸려 있는 서재에서 점심을 먹자면서 나를 불렀다. 가서 보니 손님 둘이 와 있었는데, 하나는 빌의 아칸소 주지사 시절 함께 일했고 이제 백악관 국내 정책 고문으로 임명된 캐럴 래스코, 또 하나는 의료보험 비용에 대한 혁신적인 연구 결과를 내놓은 바 있는, 우리의 오랜 친구 아이라 매거지너였다.

키가 크고 비쩍 마른 체격에 성격이 불같은 아이라는 일이 순조로울 때에도 걱정을 사서 하는 경향이 있었는데, 그날은 유난히 불안해 보였다. 몇 시간 뒤에 빌은 '의료 개혁 특별위원회'를 가동하고 대통령 취임 100일 안에 개혁안을 내놓겠다고 발표할 예정이었다. 빌이 나에게 위원장을 맡아달라고 부탁한 사실이나, 아이라가 담당 보좌관으로 기획 작업을 맡게 된다는 사실을 아는 사람은 백악관 참모들 중에 거의 없었다.

빌은 새로운 각도에서 의료 개혁에 접근하고 싶어했고, 뛰어난 지성과 창조적 사고력을 가진 아이라는 문제를 독창적으로 바라보는 방법을 찾아내는 요령을 알고 있었다. 아이라는 또한 로드아일랜드에서 경영 컨설턴트로 일하면서 민간 부문에서도 경험을 쌓았다.

해군 하사관들이 백악관 연회장에서 음식을 가져온 뒤 아이라가 골치 아픈 소식을 전했다. 국회의 몇몇 중진 의원들이 100일 안에 의료 개혁안을 내놓겠다는 우리 계획을 현실성이 없다고 경고하더라는 것이다. 우리는 민주당의 해리스 워퍼드가 의료 개혁을 공약으로 내걸어 펜실베이니아 주에서 상원의원에 당선된 데 고무되어 있었다. 워퍼드는 정견을 발표할 때 "범죄자들이 변호사의 도움을 받을 권리가 있다면, 열심히 일하는 미국인은 의사의 도움을 받을 권리가 있다"고 말하곤 했다. 하지만 아이라는 다른 메시지를 받고 있었다.

"우리가 살해될 거라고 생각하는 사람도 있어요." 아이라가 샌드위치에는 손도 대지 않고 말했다. "국회를 통과할 수 있는 일괄 법안을 만들어내려면 적어도 4년 내지 5년은 걸릴 겁니다."

"내 친구들도 그렇게 말하고 있어요." 내가 말했다. 나는 빌과 내가 정치에 참여하기 전부터 오랫동안 이 문제에 관심을 가져왔고, 미국 시민은 적정한 가격으로 양질의 진료를 받을 권리를 보장받아야 한다고 믿었다. 나는 아이라도 같은 생각이라는 것을 알고 있었다. 빌이 이 막중한 사업에 나를 위원장으로 참여시켜 아이라와 함께 일하게 하려는 생각을 처음 입 밖에 냈을 때 내가 비명을 지르며 뛰쳐나가지 않은 것은 아마 그 때문일 것이다. 그날 나를 의자에 붙잡아놓은 것은 빌의 무한한 낙천성과 굳은 결의였다.

"나도 같은 이야기를 듣고 있어." 빌이 말했다. "하지만 그래도 시도해봐야 돼. 어떻게든 계획을 성공시켜야 돼."

계획을 추진해야 할 절박한 이유가 있었다. 빌이 대통령에 당선되었을 당시, 대부분 노동자와 그 자녀인 3,700만 명의 미국인이 의료보험에 들어 있지 않았다. 그들은 목숨이 위기에 빠질 때까지 치료를 받지 못하고 있었다. 흔한 질병에 걸려도 그들은 결국 진료비가 가장 비싼 응급실 신세를 지거나, 자기 부담으로 진료비를 대려고 애쓰다가 파산하기 일쑤였다. 1990년대 초에는 매달 10만 명의 미국인이 보험 혜택을 잃고 있었다. 직장을 바꿀 때 일시적으로 보험 혜택을 받지 못하는 사람도 200만 명에 달했다. 영세기업은 폭발적으로 늘어나는 의료보험료 때문에 종업원들에게 보험 혜택을 제공하지 못하고 있었다. 게다가 의료의 질도 떨어지고 있었다. 보험회사들이 비용을 줄이기 위해 일정한 손실률을 정해 놓고 의사들이 처방한 치료를 거부하거나 지연시키는 경우가 많았기 때문이다.

급증하는 의료비는 국가 경제를 무너뜨리고, 미국의 경쟁력을 약화시키고, 노동자의 임금을 갉아먹고, 개인 파산을 증가시키고, 국가의 예산 적자를 팽창시키고 있었다. 미국은 어느 공업국보다도 많은 돈—GDP(국내총생산)의 14퍼센트—을 의료비에 지출하고 있었다. 1992년에는 의료비 가운데 무려 450억 달러가 의사와 간호사, 병원과 의원, 그밖에 직접 의료를 제공하는 기관으로 가는 대신 관리 비용으로 지출되었다.

의료비는 급등하고 보장 범위는 줄어드는 이 악순환은 주로 보험에 들지 않은 미국인의 수가 늘어난 결과였다. 무보험 환자들은 진료비를 낼 여유가 거의 없기 때문에, 그 비용은 그들을 치료한 의사와 병원이 부담할 수밖에 없었다. 의사와 병원은 의료보험에 들어 있지 않거나 진료비를 내지 못하는 환자를 치료한 비용을 벌충하기 위해 의료수가를 올렸다. 병원에서 이따금 아스피린 한 알에 2달러를 받고 목발 하나에 2,400달러를 청구하는 것은 그 때문이다. 이렇게 턱없이 높은 의료수가를 감당해야 하는 보험회사들은 보험 가입자에 대한 보장 범위를 줄이는 한편, 보험료를 올리고 공제율과 본인 부담률을 높이기 시작했다. 보험료가 올라갈수록 종업원을 위해 보험료를 분담하는 고용주가 점점 줄어들었고, 따라서 보험 혜택을 상실하는 사람이 점점 늘어났다. 그리하여 악순환은 계속되었다.

이 문제를 해결하는 것은 수천만 명의 미국인과 미국 전체의 복지에 결정적인 중요성을 갖고 있었다. 하지만 그것이 어려운 싸움이 되리라는 것은 우리도 알고 있었다. 20세기가 시작된 이래 미국 대통령들은 미국의 의료체계를 개혁하기 위해 애써왔고, 다양한 성과를 거두기도 했다. 시어도어 루스벨트 대통령을 비롯한 진보당 지도자들은 지금으로부터 거의 1세기 전에 보편적 의료보장을 제안한 최초의 사람들이었다. 프랭클린 루스벨트 대통령은 뉴딜 정책의 초석인 사회보장제도의 보완책으로 전국민 의료보험제도를 구상했다. 그러나 이 구상은 주로 미국의사협회(AMA)의 반대 때문에 실현되지 못했다. AMA는 의료보험제도가 의료업을 통제하려는 정부의 술책이라고 주장했다.

트루먼 대통령은 페어딜 정책의 일환으로 전국민 의료보장이라는 대의명분을 채택하고, 1948년 선거에서 그것을 공약에 포함시켰다. 트루먼도 역시 풍부한 자금과 조직을 동원한 AMA와 미국 상공회의소, 그리고 이념적인 이유로 전국민 의료보험에 반대하는 사람들—이들은 전국민 의료보험이 사회주의나 공산주의와 관련되어 있다고 주장했다—의 조직적인 반대에 부딪혀 뜻을 이루지 못했다. 지금과 마찬가지로 그때도 반대자들은 미국이 의료비에 어느 나라보다 많은 돈을 쓰면서도 모든 국민에게 의료보험을 제공하지 못하는 모순을 외면하고, 기존 체계가 현재 상태로도 충분히 잘 돌아가고 있다고 믿었다. 트루먼은 반대에 굴복한 뒤, 사회보장 수혜자들에게만 의료보험을 제공한다는 좀더 온건한—그리고 실제적인—방안을 제시했다.

1940년대와 1950년대에 노동조합들은 노사협상에서 의료수당을 요구했다. 비노조원에게 의료수당을 지급하는 고용주도 늘어나기 시작했다. 이리하여 고용주에 바탕을 둔 광범위한 의료체계가 만들어졌고, 보험보장과 고용은 점점 밀접한 관계를 갖게 되었다.

1965년에 존슨 대통령은 '위대한 사회'를 제창하여 연방 기금으로 두 소외 집단—빈민층과 노인층—에 의료보험을 제공하는 메디케이드

(저소득층에 대한 의료보장제도)와 메디케어(65세 이상의 노인에 대한 의료보험제도)를 만들었다. 이 프로그램은 오늘날 7,600만 명에게 혜택을 주고 있다. 존슨이 성공한 것은 1964년 대통령 선거에서 압도적 승리를 거둔 데다 민주당이 의회에서 절대 다수를 차지하고 있었기 때문이다. 트루먼 대통령의 목표를 실현한 존슨의 이 성과는 아직도 20세기에 의료 분야에서 거둔 최대의 성공으로 남아 있다.

취업 노동자들의 급료에서 일부를 떼어 적립한 것을 재원으로 삼는 메디케어는 65세 이상의 노인들에게 의사와 병원의 서비스를 받을 자격을 줌으로써 노인들의 걱정을 크게 덜어주었다. 메디케어가 처방약에는 적용되지 않지만—또한 마땅히 그래야 하지만—미국 노인들에게는 여전히 인기있고 중요한 서비스다. 메디케어의 관리 비용은 민간 의료보험회사의 관리 비용보다 훨씬 적다. 미국의 극빈층과 장애자를 위한 메디케이드는 주정부와 연방 정부가 공동으로 자금을 제공하고, 연방 정부의 지침에 따라 주정부가 관리한다. 빈곤층은 노인들보다 정치적으로 힘이 없기 때문에 메디케이드는 메디케어보다 정치적 공격을 받기 쉽지만, 많은 미국인들—특히 어린이와 임신부—에게는 하늘의 선물이었다.

닉슨 대통령은 의료비가 경제에 미치는 소모적 영향을 인식하고, '고용주의 의무'에 바탕을 둔 보편적인 의료보장체계를 제안했다. 여기에 따르면 모든 고용주는 종업원에게 제한된 액수의 의료수당을 지급해야 한다. 닉슨 행정부 시절에 무려 20건의 의료 개혁안이 국회에 제출되었지만, 전국민 의료보장을 위한 법안은 거의 20년 뒤인 1994년까지 한번도 국회 상임위를 통과하지 못했다.

공화당의 포드 대통령과 민주당의 카터 대통령도 1970년대에 의료 개혁을 추진했지만, 그들도 20세기에 거의 줄곧 변화를 봉쇄해온 정치적 걸림돌에 부딪혔다. 수십 년 동안 의료보험회사들은 점점 강력해졌다. 많은 보험회사들이 전국민 의료보장을 반대한 이유는 그것이 보험회사가 청구할 수 있는 보험료 액수를 제한하고 고위험 환자들의 보험 가입을 거절하기 어렵게 만들 거라고 우려했기 때문이다. 전국민 의료보장은 민간 보험의 사망을 알리는 종소리처럼 들린다고 생각하는 보험회사도 있었다.

역사적으로 볼 때 빌은 승산이 없었다. 민주당원들마저 의료 개혁에 대해 다양한 태도를 보였기 때문이다. 어떤 전문가가 말했듯이, 여론은 신의 뜻에 좌우된다. 따라서 이치나 증거나 주장에는 영향을 받지 않는다. 하지만 빌은 계속 전진하여 의료 문제에 대해 즉각적인 조치를 취하겠다는 선거공약을 이행할 정치적 의지가 있다는 사실을 대중과 의원들에게 보여주어야 한다고 생각했다. 의료 개혁은 수백만 미국인에게 도움이 될 훌륭한 공공 정책일 뿐만 아니라, 재정 적자를 줄이는 것과도 밀접하게 연결되어 있었다.

나도 빌처럼 지난 12년 동안 계속된 레이건 행정부와 부시 행정부의 무책임한 재정 운용과 경제를 심각하게 걱정하고 있었다. 부시 행정부가 얼마 전에 내놓은 재정 적자 추정치는 경제 불황의 영향을 과소평가하고 위기에 빠진 상호신용금고들을 구제하기 위한 연방 정부의 자금 지원과 의료비 지출의 영향을 과소평가하여 실제 적자 규모를 은폐한 것이었다. 그런 비용을 합하면 4년 동안의 재정 적자는 어림잡아 3,870억 달러로 늘어났다. 그것은 부시가 백악관을 떠날 때 공개한 추정치보다 훨씬 많은 액수였다. 하지만 나는 예산에 대한 걱정보다 의료 개혁이 부유한 미국에서 경제적 어려움에 시달리는 노동자들의 고통을 덜어줄 수 있다고 믿었다. 나는 주지사의 아내로서, 그리고 이제는 대통령의 아내로서 우리 가족의 의료 접근권은 걱정할 필요가 없었다. 그리고 다른 사람도 그것을 걱정할 필요가 있다고는 생각지 않았다.

내가 미국의 의료체계에 내재되어 있는 문제점—개혁에 대한 정치적 술책, 메디케이드 혜택을 받기에는 너무 '부유하고' 자기 돈으로 진료비를 내기에는 너무 '가난한' 가정이 직면해 있는 경제적 궁지 등—을 처음 깨달은 것은 아칸소 아동병원 이사회와 아칸소 주의 농촌보건위원회에서 일할 때였다. 나는 1980년대에 아칸소 주를 여행하고 대통령 선거운동 기간에 미국 전역을 순회하면서 잘못된 의료체계를 바로잡아야 한다는 믿음이 더욱 강해졌다. 빌이 의료 개혁에 몰두한 것은 열심히 일하는 수백만 사람들에게 마땅히 받아야 할 의료 서비스를 보장해주고 싶다는 소망을 나타내고 있었다.

빌과 아이라와 캐럴과 나는 대통령 집무실을 나와서, 에이브러햄 링컨 흉상을 지나 좁은 복도 건너편에 있는 '루스벨트 룸'으로 들어갔다. 그곳에서는 각료들과 백악관 수석참모들과 기자들이 공식 일정표에 적혀 있는 '특별위원회 회의'를 기다리고 있었다.

'루스벨트 룸'으로 들어가는 것은 미국의 역사 속으로 들어가는 것이다. 그 방에 들어가면 미국의 모든 군사작전 때 나부꼈던 깃발과 미군의 모든 사단기, 시어도어 루스벨트와 프랭클린 루스벨트의 초상화, 시어도어 루스벨트가 1906년에 러일전쟁의 종식을 중재하여 받은 노벨 평화상 메달 등에 둘러싸이게 된다. 나는 백악관에서 지내는 동안 엘리너 루스벨트의 작은 청동 흉상을 그 방에 추가로 들여놓았다. 삼촌과 남편의 성을 딴 방에서 '루스벨트' 가문의 일원으로 엘리너가 세운 공헌도 인정받게 하기 위해서였다.

이 역사적인 방에서 빌은 "미국의 의료비를 억제하고 모든 미국인에게 필요한 의료 서비스를 제공하는 강력한 조치를 취하게 될" 의료 개혁안을 100일 안에 국회에 제출하겠다고 선언했다.

이어서 빌은 새로 구성된 대통령 직속의 의료 개혁 특별위원회 위원장은 힐러리가 맡게 될 것이며, 위원회에는 보건후생부 장관 · 재무부 장관 · 국방부 장관 · 상무부 장관 · 노동부 장관, 그리고 백악관의 예산국장과 수석참모들도 포함될 것이라고 발표했다. 그리고 빌은 힐러리가 아이라와 내각을 비롯한 여러 사람과 협력하여, 선거 유세와 취임 연설에서 제시한 윤곽을 토대로 개혁안을 만들 것이라고 설명했다. "의료비를 억제하고…… 국민 모두에게 의료 서비스를 제공하기 위해서는 힘든 선택을 해야 할 것입니다. 힐러리가 위원장을 맡기로 동의해준 데 감사하고 있습니다. 그것은 내가 일으킬 맹렬한 분노의 열기를 힐러리가 나누어 받게 된다는 것을 의미하기 때문만은 아닙니다."

열기는 사방에서 몰려왔다. 빌의 발표는 백악관과 행정부 내에서도 놀라운 사건이었다. 빌의 참모들 가운데 일부는 내가 국내 정책 고문으로 임명될 줄 알았고(그 문제에 대해서는 사실 한번도 의논한 적이 없었다), 다른 일부는 내가 과거에 교육이나 아동 문제를 다룬 경험이 있으니까 그 분야에서 일할 거라고 예상했다. 어쩌면 참모들한테 미리 알려주는 게 옳았을지 모르나, 민감한 내부 정보가 벌써 백악관 밖으로 유출되고 있었다. 빌은 그 소식을 직접 발표하고, 기자들의 질문에 직접 답변하고 싶어했다.

백악관의 많은 보좌관들은 그것을 멋진 생각으로 받아들였다. 국가 경제위원회 의장이고 나중에 재무장관이 된 로버트 루빈을 비롯한 핵심 참모들은 그 계획을 진심으로 지지했다. 로버트는 빌의 정부에서 내가 가장 좋아한 사람 가운데 하나인데, 그는 나중에 이렇게 말했다. 내가 그 자리에 임명된 것이 정치적으로 핵폭탄이 터진 것 같은 결과를 낳을 줄은 미처 몰랐다고. 그러면서 자신의 정치적 통찰력이 그렇게 형편없는 줄 처음 알았다고 농담을 했다. 나도 사람들의 반응에 깜짝 놀랐다.

우리 친구들 가운데 일부는 앞으로 일어날 일을 유쾌한 투로 경고하기도 했다. 당시 뉴욕 주지사였던 마리오 쿠오모는 백악관을 방문했을 때 나에게 물었다. "당신이 도대체 어떻게 했기에 남편이 그렇게 화가 난 거요?"

"그게 무슨 말씀이세요?"

"뭔지는 몰라도 당신한테 화가 잔뜩 나지 않았다면, 생색도 나지 않는 그런 일을 맡겼을 리가 없잖소."

나는 경고를 들었지만, 우리가 시작한 일의 규모를 충분히 깨닫지 못했다. 의료 개혁의 규모는 아칸소에서 농촌보건위원회와 교육개혁위원회를 관장하던 것과는 비교도 되지 않았다. 하지만 아칸소에서 진행한 일이 둘 다 성공적이라는 평가를 받았기 때문에, 의료 개혁이라는 새로운 도전에 나섰을 때 나는 한껏 들뜨고 희망에 차 있었다. 가장 큰 문제는 빌이 공표한 마감 시간이었다. 빌은 세 명의 주자가 나선 대통령 선거에서 과반이 안되는 득표율—43퍼센트—로 승리했기 때문에, 새 정부가 출범한 초기의 정치적 기세를 조금도 낭비할 수 없었다. 우리 친구이자 조언자이며 미국 정계에서 가장 뛰어난 전략가인 제임스 카빌은 빌에게 이렇게 경고했다. "현상태를 옹호하는 사람들에게 세력을 규합할 시간을 주면 그들은 대열을 정비하여 조직적인 반격에 나설 수 있고, 각하의 계획을 분쇄할 가능성도 더욱 높아질 겁니다."

민주당 의원들도 우리한테 빨리 움직이라고 권하고 있었다. 빌이 의료 개혁 계획을 발표한 지 며칠 뒤, 하원의 다수당(공화당) 원내총무인 딕 게파르트가 나에게 면담을 요청했다. 그는 국회에서 중서부 특유의 기질과 감성으로 알려져 있었고, 예산 문제에 정통한 의원으로 유명했다. 그가 가난한 계층을 동정하는 것은 어린 시절에 받은 가르침을 반영했고, 몇 년 전 아들이 암에 걸린 뒤로 의료 개혁에 대한 관심이 더욱 높아졌다. 게파르트는 그 지위와 경험 때문에 국회에서 의료 개혁 문제를 심의할 때 중요한 영향력을 행사할 터였다. 2월 3일, 게파르트와 그의 의료보험 보좌관이 전략을 논의하기 위해 '웨스트 윙'에 있는 내 집무실로 찾아왔다. 한 시간 동안 게파르트는 의료 개혁에 대한 자신의 입장을 개략적으로 설명했고, 우리는 열심히 경청했다. 진지하고 긴장된 회합이었다.

게파르트가 가장 염려한 것은 가장 유리한 상황에서도 단결한 적이 별로 없는 민주당원을 통합할 수 없으리라는 것이었다. 의료 개혁 문제는 기존의 틈새를 더욱 벌려놓았다. 나는 윌 로저스(미국의 유머 작가. 1879~1935-옮긴이)의 유머를 생각했다.

"당신은 어느 조직적인 정당에 소속되어 있습니까?"

"아뇨, 나는 민주당원입니다."

나는 잠재적인 불화를 알고 있었지만, 민주당이 미국을 위해 무엇을 해낼 수 있는가를 보여주기 위해 민주당 출신 대통령을 중심으로 단결하리라고 기대했다.

민주당 의원들은 대통령의 계획에 영향을 미치기 위해 벌써 나름대로 만든 독자적인 개혁안을 제시하기 시작했다. 고용주에 바탕을 둔 현재의 시스템 대신 유럽과 캐나다의 의료보험제도를 본뜬 '단일 지급자' 방식을 제안한 의원도 있었다. 이 방식에 따르면 연방 정부가 납세를 통해 대부분의 의료 행위에 대가를 지불하는 유일한 지급자가 될 것이다. 일부에서는 우선 55세부터 65세까지의 연령층을 시작으로 메디케어를 차츰 확대하여, 결국 보험에 들지 않은 모든 미국인에게 의료를 보장해주는 방식을 선호했다.

빌과 나머지 민주당 의원들은 단일 지급자 방식과 메디케어 확대 방식을 거부하고, 시장 경쟁을 통해 보험료를 떨어뜨리는 이른바 '통제된 경쟁'이라는 준(準)민간 시스템을 선호했다. 이 방식에 따르면 정부의 역할은 급부 대상이 되는 의료 행위의 기준을 정하고 구매협동조합 조직을 도와주는 정도로 축소될 터였다. 구매협동조합은 보험을 구입하기 위해 개인과 기업이 만드는 단체였다. 그들은 보험회사와 흥정하여 더 싼 보험료로 더 많은 혜택을 받을 수 있고, 영향력을 행사하여 양질의 의료 서비스를 확보할 수 있다. 가장 좋은 모델은 900만 명의 연방 공무원을 조합원으로 가입시켜 다양한 보험 선택권을 제공하고 있는 '연방 공무원 의료보험조합'이었다.

'통제된 경쟁' 체제에서는 모든 사람이 메디케어나 메디케이드, 또는 재향·현역군인 의료보험조합이나 구매협동조합을 통해 보험에 가입할 테니까, 병원과 의사들이 더 이상 무보험 환자들의 진료비를 부담하지 않을 것이다.

가장 중요한 것은 이 제도가 환자들에게 의사 선택권을 부여하리라는 점이었다. 환자가 자신의 주치의를 선택하는 것은 양도할 수 없는 권리라는 게 빌의 생각이었다.

의료 개혁에 대한 접근법이 다양하기 때문에 국회에서 의견 대립이 심해지고 있다고 게파르트는 말했다. 일주일 전에 게파르트는 원내총무실에서 의료 개혁 문제에 대한 모임을 가졌는데, 두 의원이 너무 격렬하게 대립해서 하마터면 주먹다짐까지 벌어질 뻔했다는 것이다. 게파르트는 국회가 대개 늦봄에 심의하는 예산 조정안에 의료 개혁안을 첨부하여 제출해야 국회를 통과할 가능성이 가장 높다고 강조했다. 예산 조정안은 의회 예산과 조세 확정안을 하나의 의안으로 통합한 것이어서, 필리버스터에 걸릴 염려 없이 상원에서 단순 다수결로 가결되거나 부결될 수 있다. 필리버스터는 논란의 여지가 있는 법안을 저지하기 위해 흔히 쓰는 지연 전술인데, 이 방해 전술을 깨려면 60표의 찬성표가 필요하다. 많은 예산 항목―특히 조세 정책과 관련된 항목―은 너무 복잡해서, 하원 본회의와 상원에서 끝없는 토론으로 의안 처리가 한없이 지연될 수 있다. 예산 조정안은 국회에서 논란의 여지가 있는 세입세출안을 처리하기 위한 절차상의 수단이다. 게파르트는 미국 사회보장 정책에 중대한 변화를 가져올 법률을 제정하기 위해 그 수단을 전례없는 방법으로 이용하라고 제의하고 있었다.

게파르트는 우리가 어떤 의료 개혁안을 제출해도 상원의 공화당 의원들은 필리버스터 전술을 쓸 거라고 확신했다. 상원에서 민주당은 56대 44로 근소한 우위를 차지하고 있을 뿐이기 때문에, 60표의 찬성표를 모으기는 어려우리라는 것도 그는 알고 있었다. 따라서 의료 개혁안을 예산 조정안에 한 묶음으로 집어넣어 일괄 처리하는 방식으로 필리버스터를 피하자는 것이 게파르트의 전략이었다. 그러면 단순 다수만 얻으면 의안을 통과시킬 수 있고, 50 대 50일 경우에는 상원의장인 고어 부통령이 결정표를 던질 수 있다.

그러나 아이라와 나는 예산 조정안에 의료 개혁안을 포함시키는 전략을 백악관 경제팀이 거부할 가능성이 있다는 것을 알고 있었다. 그것은 재정 적자를 줄이고 경제를 살리려는 정부의 노력을 복잡하고 어렵게 만들 수 있기 때문이었다. 나는 회의를 중단하고, 게파르트가 빌에게 직접 전략을 설명할 수 있도록 그를 대통령 집무실로 데려갔다. 빌은 게파르트의 주장을 납득하고, 아이라와 나에게 상원 지도부와 함께 그 전략을 검토해보라고 말했다.

아이라와 나는 게파르트의 제안과 빌의 격려로 무장하고 이튿날 국회로 가서, 상원의 다수당(민주당) 원내총무인 조지 미첼을 사무실에서 만났다. 의료 개혁 과정에서 수백 번이나 거듭된 의원 방문이 시작된 것이다. 상원의 민주당 의원들을 이끄는 미첼은 강한 의지를 부드러운 태도로 감추고 있었다. 나는 미첼의 의견을 존중했고, 미첼은 게파르트의 의견에 동의했다. 즉 의료 개혁안이 예산 조정안에 포함되지 않으면 국회를 통과할 수 없으리라는 것이다. 미첼은 상원의 재정위원회도 걱정했다. 의료 개혁안을 예산 조정안에 첨부하지 않으면, 재정위원회가 의료 개혁안의 많은 측면에 관할권을 갖게 되리라는 것이다. 미첼은 특히 뉴욕 출신 상원의원인 대니얼 패트릭 모이니헌 재정위원장의 반응을 걱정했다. 민주당 원로 의원인 모이니헌은 의료 개혁에 회의적인 태도를 보이고 있었다. 모이니헌은 상원의원에 출마하기 전에 하버드 대학에서 사회학을 가르친 학자이자 위대한 지성인이었고, 빈곤과 가족 문제 전문가였다. 그는 대통령과 국회가 우선 복지 개혁부터 착수하기를 원했다. 빌이 100일 안에 의료 개혁안을 제출하겠다고 발표했을 때 모이니헌은 못마땅한 반응을 보였고, 또 그것을 모든 사람에게 알렸다.

처음에 나는 모이니헌의 주장에 실망했지만, 그를 이해하기 시작했다. 빌과 나는 모이니헌 상원의원이 복지 개혁에 전념하는 데 공감했지만, 빌과 그의 경제팀은 의료비를 줄이지 않고는 연방 정부의 재정 적자를 통제할 수 없다고 믿었다. 그들은 의료 개혁이 빌의 경제 정책에 필수 불가결한 기본 요소이고 복지 문제는 뒤로 미루어도 된다고 결론지었다. 모이니헌 상원의원은 의료 개혁안이 재정위원회를 통과하기가 어려울 거라고 예상했다. 빌의 경제 활성화 정책을 재정위원회에서 통과시켜 상원 본회의에 회부하는 책임은 전적으로 그의 몫이었다. 그것은 비범한 정치 수완과 영향력이 요구되는 일이었다. 일부 공화당 의원들은 벌써부터 경제 개혁안의 내용이 무엇이든 반대표를 던지겠다고 공공연히 밝히고 있었다. 일부 민주당 의원들에 대해서도 설득 작업을 벌일 필요가 있었다. 특히 빌의 경제 정책이 세금 인상을 필연적으로 포함할 경우에는 민주당 의원들을 설득하는 것도 만만찮은 일이었다.

미첼의 사무실을 나올 때 우리는 무엇을 어떻게 해야 할 것인지를 더욱 분명히 깨닫고 있었다. 특히 의료 개혁안은 반드시 예산 조정안에 포함시킬 필요가 있었다. 이제 우리는 의료 개혁안을 예산 조정안에 포함시키는 것은 재정 적자 감축안에서 다른 데로 주의를 돌리지 않고 대통령이 추구하는 전반적인 경제 전략에 도움이 되리라는 점을 경제팀—특히 리언 파네타 예산국장—에게 납득시켜야 했다. 그만한 일을 해낼 수 있는 정치적 밑천을 가진 사람은 대통령 자신뿐이었지만, 빌은 그 밑천을 핵심 공약 가운데 하나인 재정 적자 감축에 사용할 생각이었다. '웨스트 윙'의 일부 구역에서는 빌이 의료 개혁에 초점을 맞추면 미국인의 관심이 빌의 경제적 메시지에서 벗어나 정치적 파문이 일어날 거라고 걱정했다.

의료 개혁안을 예산 조정안에 포함시키려면 버지니아 출신 민주당 상원의원인 로버트 버드도 설득해야 했다. 상원 세출위원장을 맡고 있는 버드는 그 당시 벌써 34년 동안 상원의원을 지낸 원로였다. 당당한 풍채에 백발이 성성한 그는 상원의 비공식 역사가였고, 회의장 연단에 서서 고전 인용구로 동료 의원들의 감탄을 자아내는 것으로 유명했다. 그는 또한 절차상의 규칙과 예절에 까다로웠고, 예산 조정안에 포함된 항목이 예산 및 세법과 밀접한 관계가 있는지를 확인하기 위해 '버드 원칙'이라는 절차상의 걸림돌을 만들어냈다. 국가 예산안 통과와 별로 관계가 없는 잡동사니 의안들이 예산 조정안에 섞여 들어가 있으면 민주주의의 토대가 허물어진다고 그는 생각했다. 의료 개혁안은 세출·세입과 자격 부여에 영향을 미치니까 분명 예산과 관련된 의안이었다. 하지만 버드 상원의원의 생각이 다르면, 의료 개혁안을 예산 조정안에 포함시키기 위해서는 '버드 원칙'을 포기할 필요가 있을 터였다.

나는 우리가 얼마나 가파른 산을 올라가고 있는지를 서서히 깨닫게 되었다. 대공황 같은 위기가 없는 상황에서 경제 개혁안이나 의료 개혁안을 하나만 통과시키기도 어려울 텐데, 두 가지를 모두 통과시키는 것은 거의 불가능한 일로 여겨졌다. 의료 개혁은 미국의 장기적인 경제성장에 필수적인 요소일지 모르나, 국민이 한 번에 얼마나 많은 변화를 소화할 수 있을지 의문이었다.

우리 목표는 간단했다. 변죽만 울리는 식의 땜질 처방이 아니라 의료 시스템 전반을 다루는 철저한 개혁안을 만들고 싶었다. 그 과정에서 다양한 생각을 검토하고 건전한 토론과 논쟁을 허용하고 싶었다. 그리고 최대한 국회의 요구에 충실하고 싶었다.

우리는 당장 난기류에 부닥쳤다.

빌은 아이라에게 의료 개혁 과정을 기획하는 일을 맡겼지만, 이것은 워싱턴 사정에 정통하지 않은 사람에게는 지나친 부담이었다. 아이라는 나와 각료들과 백악관 참모들로 이루어진 대통령의 '태스크 포스'의 일원으로 일하면서, 의료 문제의 모든 측면을 검토할 전문가들로 거대한 실무팀을 조직했다. 다양한 정부 부처와 국회, 의료단체에 소속된 600명이 실무팀을 이루었다. 의사·간호사·병원 관리자·경제학자 등이 포함된 이 실무팀은 정기적으로 아이라를 만나 의료 개혁안의 구체적인 부분을 자세히 검토하고 토론을 벌였다. 실무팀은 너무 규모가 커서, 요원들 가운데 일부는 자기가 실제 작업이 이루어지고 있는 중심부에서 벗어나 있다고 생각했고, 또 다른 일부는 실망하여 아예 회의에도 참석하지 않았다. 나머지는 종합적인 개혁안에 신경을 쓰지 않고 자신의 전문 분야에만 편협하게 관심을 쏟게 되었다. 요컨대 개혁안을 마련하는 과정에 되도록 많은 사람과 관점을 포함시키려는 시도는—원칙적으로는 좋은 생각이었지만—우리의 입장을 강화시키기는커녕 오히려 약화시키는 결과를 낳았다.

2월 24일, 우리는 누구도 예상치 못한 타격을 받았다. 의료산업과 관계가 있는 세 단체가 의료 개혁 특별위원회를 고소한 것이다. 그들은 내가 원칙적으로 국가 공무원이 아니기 때문에(퍼스트 레이디는 봉급을 받지 않는다) 특별위원회 위원장을 맡는 것은 물론이고 비공개 회의에 참석하는 것조차 법적으로 허용되지 않는다고 주장했다. 이들 단체는 이해 당사자인 민간인이 정부의 결정에 은밀히 영향력을 행사하고 대중의 알 권리를 침해하는 것을 막기 위해 제정한 모호한 연방법을 이용했다. 수백 명이 참여하는 일에 무슨 비밀이 있을까마는, 회의에 초청받지 못한 언론은 옳다꾸나 하고 이 문제에 덤벼들었다. 내가 회의에 참석할 수 있다면, 정보 공개법에 따라 기자들을 비롯한 외부인에게도 비공개 회의를 공개해야 한다고 고소인측은 주장했다. 그것은 우리의 작업을 교란시키고 우리가 '비밀' 회의를 하고 있다는 인상을 대중과 언론에 주기 위한 교묘한 정치적 술수였다.

그 직후에 우리는 더 나쁜 소식을, 이번에는 버드 상원의원으로부터 직접 받았다. 대통령을 비롯하여 우리가 생각할 수 있는 모든 민주당 사절들이 버드 상원의원에게 의료 개혁안을 예산 조정안에 포함시켜달라고 부탁했었다. 하지만 3월 11일 버드 상원의원은 대통령과의 전화 통화에서 절차상의 이유로 그 방법에 반대하며 또한 '버드 원칙'을 포기할 수 없다고 말했다. 상원이 예산 조정안을 토의할 수 있는 시간은 20시간뿐이었는데, 그렇게 방대한 규모의 의료 개혁안을 심의하기에는 턱없이 부족한 시간이라고 생각한 것이다. 그는 빌에게, 의료 개혁안은 예산 조정안에 포함시키기에는 너무 복잡한 문제라고 말했다. 상원의원이 된 지금, 내 경험을 토대로 돌이켜 생각해보면 버드 상원의원의 판단에 수긍이 간다. 하지만 그때는 엄청난 정치적 좌절이었다. 우리는 전략 방향을 바꿔야 했고, 정상적인 입법 절차를 통해 의료 개혁안을 통과시킬 방법을 모색해야 했다. 우리는 국회에 제출할 개혁안의 요소들을 최종 결정하기 위해 서둘러 하원 및 상원 의원들과 회의를 열었다. 우리는 예산 조정안에 대한 버드의 견해가 '붉은 깃발', 즉 위험 신호라는 것을 깨닫지 못했다. 우리는 앞으로 오랫동안 미국의 사회보장 정책과 경제 정책을 근본적으로 바꾸어놓을 의안을 마련하는 일을 너무 서둘렀다.

이런 정세에서, 그리고 빌이 군대에 동성애자를 받아들이는 문제와 법무부 장관 지명에 따른 논란에 휘말린 상태에서, 우리는 조금이나마 성공을 맛보았다. 3월 중순, 하원이 빌의 경제 활성화 계획안을 통과시킨 것이다. 나와 참모들은 조촐한 축하 파티를 열기로 결정했다. 3월 19일, 20명 정도가 백악관 연회장에서 열린 오찬회에 참석했다. 참나무 판벽이 해군의 주요 사건을 알려주는 기념물로 장식되어 있고 가죽 쿠션을 씌운 의자가 놓여 있는 연회장은 마음껏 웃고 떠들며 사적인 대화를 나누기에는 안성맞춤인 곳이었다. 내가 신뢰하는 참모들과 허물없이 대화하고 화제에 오른 문제에 대해 내 생각을 거리낌없이 털어놓을 수 있는 기회는 좀처럼 얻기 어려웠지만, 이 모임은 그런 기회를 제공했다. 나는 연회장에 발을 들여놓은 순간부터 기분이 밝아지고 오랜만에 마음이 편해지는 것을 느낄 수 있었다.

식사가 나오고, 우리는 백악관에서 보낸 몇 주에 대해 이야기를 나누기 시작했다. 그때 캐럴린 휴버가 방으로 들어오는 것이 보였다. 아칸소에서 함께 워싱턴으로 온 캐럴린은 오랫동안 나를 도와준 분이었다. 캐럴린은 나한테 다가와서 허리를 구부리고 내 귀에 속삭였다. "아버님이 뇌졸중으로 입원하셨답니다."

무언가의 종말

나는 연회장을 나와 위층으로 올라가서, 리틀
록에 있는 아버지의 주치의에게 전화를 걸었다. 드루 컴퍼리스 박사는
아버지가 심각한 뇌졸중으로 쓰러져 구급차로 성 빈센트 병원에 실려 왔
으며, 혼수 상태로 집중치료실에 누워 있다고 확인해주었다. "지금 당장
오셔야겠습니다" 하고 드루는 말했다. 나는 빌에게 소식을 알리고 옷가
지를 꾸렸다. 몇 시간도 지나기 전에 나는 첼시와 남동생 토니와 함께 비
행기를 타고 아칸소로 날아가고 있었다. 길고도 슬픈 여행이었다.

그날 저녁 리틀록에 착륙한 것도, 병원으로 달려간 것도 기억나지 않
는다. 어머니가 집중치료실 밖에서 나를 맞아주었다. 어머니는 수척한
얼굴에 근심이 잔뜩 서려 있었지만, 우리를 보고 한시름 놓은 듯했다.

컴퍼리스 박사는 아버지가 회복 불능의 깊은 혼수 상태에 빠졌다고
말했다. 우리가 아버지를 볼 수는 있었지만, 아버지가 우리를 알아볼지
는 의심스러웠다. 처음엔 첼시를 할아버지한테 데려가는 게 걱정되었지
만, 첼시가 할아버지를 보겠다고 고집을 부렸다. 나는 첼시가 할아버지
를 얼마나 따르는지 알고 있었기 때문에 마음을 바꾸었다. 집중치료실에

누워 있는 아버지는 평온해 보였다. 나는 마음이 놓였다. 의사들이 아버지의 손상된 뇌를 수술해도 아무 소용이 없었을 것이다. 그래서 아버지는 10년 전 관상동맥 우회술을 받았을 때처럼 촉수 같은 튜브와 배액관과 모니터에 묶여 있을 필요가 없었다. 인공호흡기가 아버지를 대신해서 숨을 쉬고 있었지만, 침대 옆에는 점적장치와 모니터가 몇 대 있을 뿐이었다. 첼시와 나는 아버지의 손을 잡았다. 나는 아버지가 다시 눈을 뜨고 내 손을 잡아줄지 모른다는 한 가닥 희망에 매달려 아버지의 머리를 쓰다듬으며 말을 걸었다.

첼시도 몇 시간 동안이나 할아버지 곁에 앉아서 말을 걸었다. 첼시는 할아버지의 상태에 심란해진 것 같지 않았다. 나는 첼시가 이 상황에 침착하게 대처하는 것을 보고 놀랐다.

그날 밤늦게 첫째 남동생 휴가 마이애미에서 도착했다. 휴는 가족이 함께 살던 시절을 회고하더니 노래를 부르기 시작했다. 특히 옛날에 아버지를 화나게 했던 노래를 많이 불렀다. 아버지는 텔레비전 프로그램을 선택하는 남동생들의 안목—아니, 안목이 없음—에 대해 자주 잔소리를 했다. 아버지는 특히 「프린트스톤」(1960년대 초반에 ABC-TV에서 방영된 애니메이션 시리즈—옮긴이)의 주제가를 경멸했다. 그래서 휴와 토니는 아버지의 침대 양쪽에 서서, 우리가 어렸을 때처럼 아버지가 "그 잡음 좀 꺼!"라고 고함을 지르기를 바라면서 그 노래를 불렀다. 그날 밤 아버지는 우리가 부르는 노래를 들었을까? 그렇다는 것을 아버지가 보여주지는 않았지만, 우리가 당신의 병상을 지킨 것은 알았으리라 믿고 싶다.

우리는 교대로 아버지의 침대 곁에 앉아 모니터에서 초록빛 영상이 오르내리는 것을 지켜보다가, 쉬지 않고 윙윙거리는 인공호흡기 소리에 굴복하여 잠이 들곤 했다. 온갖 의무와 회의로 가득 찬 혼란스러운 내 우주의 중심은 리틀록의 그 작은 병실로 응축되더니, 마지막에는 그 병실이 가장 중요한 일을 빼고는 모든 근심걱정에서 벗어난 하나의 세계가 되었다.

빌은 3월 21일 일요일에 도착했다. 빌을 보자 무척 기뻤다. 빌이 의사들과 의논하는 일을 맡아주었기 때문에 나는 이틀 만에 처음으로 한숨 돌릴 수 있었다. 우리는 이제 곧 아버지에 대해 의학적 결정을 내려야 했고, 빌은 내가 그 문제를 검토하는 것을 도와주었다.

캐럴린 휴버와 리사 캐푸토가 나와 함께 워싱턴에서 와 있었다. 캐럴린은 특히 우리 부모님과 가까운 사이였다. 나는 로즈 법률회사에 들어갔을 때 그녀를 처음 만났는데, 캐럴린은 오랫동안 사무실 관리자로 일해오고 있었다. 그후 캐럴린은 빌이 아칸소 주지사가 되었을 때 관저를 관리했고, 우리가 백악관에 들어가게 되었을 때는 나의 개인 통신을 맡아달라고 부탁했다.

리사 캐푸토는 전당대회 때부터 내 공보 비서였다. 리사와 우리 아버지는 처음 만났을 때 둘 다 펜실베이니아 주의 스크랜턴-윌크스배러 지역 출신인 것을 알고 당장 죽이 맞았다. 아버지는 나에게 "내 고향 사람을 채용하다니, 정말 잘했다!"고 말했다.

해리 토머슨은 로스앤젤레스에서 날아왔고, 때마침 리틀록을 떠나 있던 시어머니 버지니아와 딕 켈리가 돌아올 수 있도록 교통편을 주선해주었다. 두 분은 일요일 밤에 병원에 도착했다. 빌과 나는 그분들이 평소에 자주 가는 라스베이거스에 간 줄만 알았는데, 해리가 빌과 나를 한쪽 구석으로 데려가서 슬픈 소식을 전해주었다. 두 분은 휴가를 즐기러 네바다 주에 간 게 아니라, 덴버에 가서 실험적인 치료법을 알아보고 있었다는 것이다. 시어머니는 2년 전 유방 절제술을 받았는데, 암이 재발하여 다른 장기로 퍼져 있었다. 고통이 심한데도 우리한테 알리고 싶어하지 않았다. 우리가 물어봐도 부인할 거라고 해리는 말했다. 하지만 해리는 우리가 사실을 알아야 한다고 생각했고, 그래서 우리한테 알려준 것이었다. 빌과 나는 해리의 분별과 인정에 감사하고, 우리 어머니랑 남동생들과 이야기를 나누고 있는 버지니아와 딕에게 돌아갔다. 우리는 당분간 버지니아의 소원을 존중하기로 했다. 그것이 한꺼번에 닥친 우리 가족의 위기를 처리하는 최선책이었다.

빌은 리틀록에 도착한 이튿날 다시 워싱턴으로 날아가야 했다. 첼시는 봄방학이었기 때문에 다행히 학교를 빠질 필요가 없었다. 첼시는 나와 함께 리틀록에 남았다. 침착하고 사랑스러운 첼시가 내 곁에 있어주는 것이 정말 고마웠다. 시간은 천천히 지나갔다. 며칠이 지나도 아버지는 여전히 위독한 상태였다. 친구들과 친척들이 우리를 격려하고 위로하기 위해 사방에서 나타나기 시작했다. 우리는 시간을 보내기 위해 끝말잇기와 카드놀이를 했다. 토니가 작은 휴대용 컴퓨터로 테트리스 게임을 가르쳐주었다. 나는 아무것도 신경 쓰지 않고 모니터에서 천천히 떨어지는 기하학적 조각들을 맞추면서 몇 시간 동안이나 앉아 있곤 했다.

나는 퍼스트 레이디로서의 의무에 정신을 쏟을 수가 없었다. 그래서 일정을 모두 취소했고, 리사 캐푸토에게 부탁해서 아이라 매거지너를 비롯한 모든 사람에게 나 없이 작업을 진행해야 하는 사정을 설명하게 했다. 티퍼 고어는 친절하게도 미리 예정된 의료 개혁 공개 토론회에 여러 번 참석해주었고, 앨 고어는 나를 대신해서 워싱턴의 미국의사협회 지도부와 면담하고 의료 개혁 특별위원회의 첫번째 공개 회의를 주재했다. 나는 부모님 곁을 떠날 수가 없었다. 평소에는 많은 일을 한꺼번에 처리할 수 있지만, 지금이 평상시인 체할 수는 없었다. 나는 우리 가족이 이제 곧 아버지를 생명유지장치에서 떼어놓을 결단을 내려야 한다는 것을 알고 있었다.

나는 병원에서 보낸 긴 시간 동안 기분을 달래기 위해 의사와 간호사, 약제사, 병원 관리자, 다른 환자의 가족들과 현재의 의료체계에 대해 이야기를 나누었다. 의사 한 분은 처방약을 살 돈이 없는 것을 뻔히 알면서 메디케어 환자들에게 처방전을 써줄 때마다 심한 좌절감을 느낀다고 말했다. 약값은 다행히 치렀지만 복용량을 처방된 것보다 줄이는 환자도 많았다. 그래야 약을 좀더 오래 먹을 수 있기 때문이다. 결국 그런 환자들은 곧장 병원으로 돌아올 경우가 많았다. 우리가 워싱턴에서 씨름하고 있는 의료 정책 문제는 이제 내 일상적인 현실의 일부였다. 의약계에 종사하는 분들과 환자들을 직접 만나보고, 나는 빌이 나에게 맡긴 임무의 어려움과 중요성을 더욱 절실히 깨달았다.

빌은 3월 28일 일요일에 다시 리틀록으로 날아왔다. 우리는 직계 가족을 불러모아 의사들을 만났다. 의사들은 우리가 선택할 수 있는 길을 자세히 설명해주었다. 휴 로댐은 뇌사 상태였고, 기계장치의 힘으로 목숨을 유지하고 있을 뿐이었다. 우리가 아는 아버지는 지독히 자립적인 사람이었다. 아버지의 육신을 그런 상태로 계속 놓아두는 것은 아버지 자신도 바라지 않을 터였다. 1983년에 관상동맥 우회술을 받은 뒤 화를 내고 우울해하던 아버지의 모습이 생각났다. 아버지는 거의 평생 동안 건강을 누렸고, 자수성가한 것을 자랑스럽게 여겼다. 그때 아버지는 나에게, 병들고 무력해져서 남의 도움에 의지해 살기보다는 차라리 죽는 게 낫다고 말했다. 적어도 지금은 아버지가 자신의 상태를 모르는 것 같았지만, 이번은 그때보다 훨씬 상태가 나빴다. 가족들은 그날 밤 아버지한테 마지막 작별인사를 하고 하나님이 아버지를 영원한 안식처로 데려갈 수 있도록 인공호흡기를 떼어내기로 동의했다. 컴퍼리스 박사는 호흡기를 떼면 아버지가 24시간 안에 돌아가실 거라고 말했다.

하지만 미식축구 선수이자 권투 선수였던 아버지의 영혼은 아직 떠날 준비가 되어 있지 않았다. 호흡기를 제거하자 아버지는 당신 혼자 힘으로 숨을 쉬기 시작했고, 심장도 계속 뛰었다. 빌은 화요일까지 우리와 함께 지내다가 일정을 재개해야 했다. 첼시와 나는 끝까지 남아 있기로 결정했다.

나는 시카고의 리글리 구장에서 열리는 '커브스' 팀의 개막전에서 시구할 기회를 포함하여 대중 앞에 나가는 일정을 모두 취소했지만, 한 가지 약속만은 아무래도 깰 수가 없을 것 같았다. 버드 존슨 여사(린든 B. 존슨 대통령 부인)의 공보 비서였던 리즈 카펜터는 이제 다양한 활동을 하고 있었는데, 오스틴에 있는 텍사스 대학에서 강연회를 주최하는 것도 그중 하나였다. 몇 달 전에 나는 4월 6일 강연해달라는 요청을 받았다. 아버지가 생사의 갈림길을 헤매고 있었기 때문에 나는 리즈에게 전화를 걸어 강연회를 취소하거나 연기해달라고 부탁했다. 리즈는 거침없고 솔직한 여성이고, 아무도 흉내낼 수 없는 독특한 방식으로 반드시 승낙을 받아내곤 한다. 리즈한테 안된다고 대답할 수 있는 사람은 아무도 없을 것이다. 리즈는 몇 시간만 시간을 내주면 되고, 그렇게 하면 잠시나마 아버지 걱정도 잊을 수 있을 거라고 말했다. 리즈는 버드 존슨 여사한테 나를 전화로 설득해달라고 부탁하기까지 했다. 리즈는 내가 버드 존슨 여사를 얼마나 존경하는지 알고 있었다. 버드 존슨 여사는 우아하고 상냥한 분이었고, 미국 역사상 가장 유능하고 영향력있는 퍼스트 레이디였다. 막판에는 계속 안된다고 하기보다 차라리 강연을 하겠다고 말하는 편이 더 속편할 것 같았다.

4월 4일 일요일, 아버지는 여전히 생명에 매달려 있었다. 인공적인 도움도 받지 않고 음식도 먹지 않은 채 아버지는 일주일을 버텼다. 병원측은 다른 환자를 집중치료실에 수용하기 위해 아버지를 다른 병실로 옮겨야 했다. 이제 일반 병실에 누워 있는 아버지는 잠깐 잠이 들어 금방이라도 깨어날 것처럼 보였다. 아버지는 여든두 살의 나이보다 젊고 편안해 보였다. 병원측은 아버지를 요양원으로 옮길 수 있도록 이제 곧 급식 튜브 삽입술을 요청하겠다고 어머니와 나에게 말했다. 우리는 제발 그런 악몽을 피할 수 있게 해달라고 기도했다. 한편에서는 남은 목숨이 서서히 빠져나가고 있는데 다른 한편에서는 급식 튜브로 음식을 공급받게 된다면 아버지가 얼마나 충격을 받을까. 하지만 아버지의 식물인간 상태가 지속된다면 다른 대안이 없었다.

  첼시는 이제 학교로 돌아가야 했다. 우리는 4월 4일 늦게 백악관으로 돌아왔다. 이틀 뒤에 나는 오스틴으로 날아갔다. 그 동안 경황이 없어 쓰지 못했던—아니, 강연이 취소되거나 연기될 줄 알고 쓰지 않았던—강연 원고를 써야 했다. 비행기에 탑승한 뒤에도 무슨 말을 할지 전혀 실마리가 잡히지 않았다.

  우리의 마음이 슬픔으로 아릴 때는 더 상처받기 쉽지만, 새로운 통찰을 얻기도 더 쉽다. 아버지의 임박한 죽음이 나를 얼마나 바꾸어놓았는지는 모르나, 내가 오랫동안 고민하고 부대꼈던 많은 문제들이 한꺼번에 내 마음속으로 물밀듯이 들어왔다. 내가 쓴 강연 초고는 매끄럽지도 않고 별로 조리있지도 않았지만, 당시의 내 생각을 고스란히 반영하고 있었다.

  나는 몇 해 전부터 메모와 나에게 영감을 주는 인용문과 격언과 속담, 내가 좋아하는 성경 구절을 잔뜩 적어넣은 작은 수첩을 가지고 다녔다. 오스틴으로 가는 비행기 안에서 그 수첩을 뒤적거리다가 리 애트워터가 마흔 살 나이에 뇌종양으로 죽기 전에 쓴 잡지 기사를 발견했다. 애트워터는 레이건 대통령과 조지 부시 대통령의 선거운동에 참여한 정치 귀재였고, 1980년대에 공화당의 우세를 확립한 주요 설계자였다. 그는 정가의 투사였고 무자비한 전술로 유명했다. 중요한 것은 오로지 승리뿐이라고, 병에 걸릴 때까지는 그렇게 주장했다. 죽기 직전에 애트워터는 "미국 사회의 심장부는 영적 진공 상태"라는 글을 썼다. 그 글을 처음 읽었을 때도 그의 메시지에 감동했지만, 지금은 그것이 더욱 중요하게 여겨졌기 때문에 리즈 카펜터의 강연회에 모일 1만 4천 명의 청중 앞에서 그 말을 인용하기로 했다.

  애트워터는 그 기사에서 이렇게 말했다. "나는 암에 걸리기 오래 전에 미국 사회에서 꿈틀거리는 무언가를 느꼈다. 그것은 자신의 삶에 무

언가가, 아주 중요한 무언가가 빠져 있다는 느낌이었다. 미국인은 공화
당원이든 민주당원이든 모두 그것을 의식했다. '그것'이 무엇인지, 나는
정확히 알지 못했다. 병에 걸린 뒤, 나는 우리 사회에 빠져 있는 것이 나
한테도 빠져 있다는 것을 깨달았다. 내 병이 그것을 깨닫도록 도와주었
다. 그것은 약간의 동정과 많은 우애였다.

1980년대는 얻음의 시대였다. 부를 얻고, 권력을 얻고, 명성을 얻었
다. 나는 안다. 나는 대다수 사람들보다 훨씬 많은 부와 권력과 명성을
얻었다. 하지만 원하는 것을 모두 얻어도 여전히 공허감을 느낄 수 있다.
가족과 좀더 많은 시간을 보낼 수만 있다면 어떤 권력인들 아깝겠는가?
친구들과 하루 저녁을 함께 보낼 수 있다면 어떤 대가라도 기꺼이 치르
지 않겠는가? 나는 치명적인 병에 걸린 뒤에야 비로소 그 진실을 직시했
지만, 그것은 무자비한 야심과 도덕적 타락에 사로잡힌 이 나라가 당장
배울 수 있는 진실이다."

나는 다른 자료를 인용하여 "새 천년을 눈앞에 앞둔 20세기 말에 인
간의 의미를 다시금 규정하여 사회를 개조해야 할" 필요성에 대한 주장
을 종합했다.

"우리에게는 새로운 의미의 정치학이 필요합니다. 개인의 책임과 관
심에 대한 새로운 시대정신이 필요합니다. 시장 세력과 정치 세력이 제
기한 대답할 수 없는 질문—어떻게 하면 우리를 다시 가득 채우고 우리
를 자신보다 훨씬 큰 무언가의 일부로 느끼게 해주는 사회를 가질 수 있
는가—에 대답해주는 시민 사회에 대한 새로운 정의가 필요합니다."

나는 리 애트워터의 통렬한 질문—"누가 우리를 이 '영적 진공 상태'
에서 끌어내줄 것인가?"—을 되풀이 던지고, 내 나름의 대답을 제시했
다. "그 대답은 '우리 모두'입니다."

나는 강연을 마치고 리즈 카펜터와 앤 리처즈 주지사와 버드 존슨 여
사를 끌어안았다. 그런 다음 백악관으로 돌아가기 위해 공항으로 갔다.

백악관에 도착하여 내 딸이 잘 지내고 있는지 확인하고 남편을 만난 다음, 아버지를 요양원으로 옮겨야 하는 현실에 직면해 있는 어머니를 돕기 위해 다시 백악관을 떠났다.

강연을 끝내자 한시름 놓은 기분이었다. 나는 그것으로 다 끝난 줄 알았다. 그런데 몇 주 뒤에 『뉴욕 타임스 매거진』이 '성녀 힐러리'라는 우스꽝스러운 제목의 커버 스토리로 내 강연을 조롱했다. 내가 '영성'을 논한 것을 두고 그 기사는 "얄팍하고 감상적인 신세대 은어로 포장한 안이하고 도덕주의적인 설교"로 깎아내렸다. 그러나 많은 사람들이 전화를 걸어 우리의 삶과 사회의 의미에 대해 문제를 제기해주어서 고맙다고 말했을 때는 정말 기쁘고 고마웠다.

내가 오스틴에서 강연한 이튿날, 아버지가 숨을 거두셨다.

나는 아버지와 나의 관계가 세월과 함께 어떻게 달라졌는지를 생각하지 않을 수 없었다. 어렸을 때 나는 아버지를 누구보다도 숭배했다. 출근하는 아버지를 창문으로 지켜보고, 퇴근하여 귀가하는 아버지를 마중하기 위해 거리를 달려가곤 했다. 나는 아버지의 격려와 코치를 받아 야구와 축구와 농구를 했다. 아버지한테 칭찬을 받고 싶어서 우수한 성적표를 집에 가져오려고 애썼다. 하지만 나이가 들면서 아버지와 나의 관계도 변할 수밖에 없었다. 그것은 아버지와는 전혀 다른 시대와 장소에서 성장한 내 경험 때문이기도 하고, 아버지가 달라졌기 때문이기도 하다. 아버지는 내가 남동생들과 함께 집 앞의 느릅나무 주위를 뛰어다니며 놀고 있으면 밖으로 달려나와 축구공을 패스하듯 던지곤 했지만, 어느덧 그런 활력을 차츰 잃어버렸다. 그 당당하던 느릅나무들이 병들어 미국 전역의 수많은 동네에서 베어내야 했듯이, 아버지의 활력과 기백도 세월과 더불어 쇠약해지는 것 같았다.

1960년대 중엽에 할아버지와 두 삼촌이 몇 년 사이에 모두 세상을 뜨

자 아버지의 세계는 점점 더 오그라드는 듯했다. 1970년대 초에 아버지
는 돈을 충분히 모았다고 판단하여 일을 그만두고 작은 회사를 접었다.
내가 고등학교와 대학교에 다닐 때는 차츰 침묵이나 언쟁이 아버지와 나
의 관계를 규정하게 되었다. 나는 아버지에게 할 말을 찾았지만 이야깃
거리가 별로 없었고, 아버지가 항상 정치와 문화—베트남 전쟁, 히피족,
브래지어를 불태우는 식의 전투적 페미니즘, 닉슨과 워터게이트 사건—
에 대해 나와 한바탕 싸우고 싶어하는 것을 알고 있었기 때문에, 대개는
내가 먼저 아버지를 건드려 말다툼을 벌이곤 했다. 그러나 나는 알고 있
었다. 아버지가 나한테 화를 낼 때도, 속으로는 내 자립심과 성취욕에 탄
복하고 진심으로 나를 사랑하고 있다는 것을.

　최근에 나는 웰즐리대와 예일대에 다닐 때 아버지한테서 받은 편지
를 다시 읽어보았다. 내 능력에 회의가 들거나 내 인생이 어디로 가고 있
는지 갈피를 잡을 수 없을 때면 나는 집으로 전화를 걸어서 풀죽은 목소
리로 하소연을 늘어놓곤 했다. 아버지의 편지는 대개 그런 내 전화에 대
한 응답이었다. 아버지를 만난 적이 있거나 아버지의 신랄한 비판을 전
화로 들어본 적이 있는 사람은 아버지가 나를 격려하고 바른 길로 나아
가게 하려고 얼마나 다정한 사랑과 충고를 주었는지 상상할 수도 없을
것이다.

　아버지는 견해를 바꾸었다는 것을 좀처럼 인정하려 들지 않았지만,
다른 견해가 옳다고 여겨지면 기꺼이 견해를 바꾸었다. 나는 그런 아버
지를 존경했다. 아버지는 노동계층의 개신교 가정이 갖고 있는 온갖 편
견—민주당원 · 카톨릭교도 · 유대인 · 흑인에 대한 혐오감—을 물려받
은 상태에서 인생을 시작했다. 여름에 위놀라 호수에 놀러 갔을 때 아버
지의 그런 태도에 화가 나면, 나는 자라서 카톨릭을 믿는 민주당원과 결
혼할 거라고 로댐 집안 사람들에게 선언하곤 했다. 그들은 그것을 내가
만날 수 있는 최악의 운명으로 여겼다. 세월과 함께 온갖 부류의 사람들

을 겪으면서 아버지의 태도도 한결 부드러워지고 달라졌다. 아버지는 시카고 번화가에 있는 건물 한 채를 흑인 남자와 공동으로 소유하고 있었는데, 그 흑인을 높이 평가하고 존경하게 되면서 인종에 대한 견해를 바꾸었다. 내가 자라서 남부 출신의 침례교도 민주당원과 사랑에 빠지자 아버지는 당황했지만, 다시 기운을 얻어 빌의 가장 강력한 지지자가 되었다.

우리 부모님은 1987년에 리틀록으로 이사하여 아파트를 한 채 샀다. 바로 옆집에는 간호사인 래리 커보와 신경과 의사인 딜러드 덴슨 박사가 살고 있었다. 어머니의 친구인 그들은 우리 부모님이 옆집으로 이사하자 잘 지내는지 수시로 확인하고, 집에 놀러 와서 주식시장과 정치에 대해 아버지와 토론하고, 어머니의 집안일을 거들기 시작했다. 빌과 내가 부모님을 찾아가면, 군대와 비밀검찰국은 그들의 집을 지휘본부로 이용했다. 하루는 두 분이 동성애자가 출연하는 텔레비전 프로그램을 보고 있었다. 아버지가 동성애를 비난하자 어머니가 말했다. "딜러드와 래리는 어때요?"

"그게 무슨 소리야?" 아버지가 되물었다.

그래서 어머니는 아버지한테 설명해주었다. 당신의 친구이자 이웃인 그들은 오랫동안 헌신적인 관계를 맺고 있는 동성애 커플이라고. 아버지의 마지막 고정관념 가운데 하나가 무너졌다. 래리와 딜러드는 병원에 혼수 상태로 누워 있는 아버지를 찾아왔다. 어느날 밤에는 어머니가 집에 가서 쉴 수 있도록 래리가 어머니 대신 아버지 병상을 지켜주었다. 아버지가 숨을 거두는 순간 당신의 손을 잡고 작별인사를 한 것도 래리였다. 감리교도인 아버지가 생애의 마지막 며칠을 훌륭한 카톨릭계 병원인 성 빈센트 병원에서 보낸 것도 적절한 일이었을 것이다. 그것은 아버지의 편견 가운데 또 하나가 사라졌다는 증거였다.

이튿날 아침 일찍, 빌과 첼시와 나는 가까운 가족·친구들과 함께 다시 리틀록으로 날아가 제일연합감리교회에서 열린 추도 예배에 참석했다. 우리와 함께 간 사람은 내 동생 토니, 토니의 아내가 될 니콜 복서, 줄곧 우리와 함께 머물러 있었던 내 친구 다이앤 블레어, 브루스 린지, 빈스 포스터, 웨브 허벨이었다. 앨과 티퍼 고어 부부가 리틀록까지 날아와 준 데는 감동했다. 어릴 적부터 빌의 가장 좋은 친구였고 이제 백악관 비서실장인 맥 매클라티와 그의 아내 도나도 함께 왔다. 그 성금요일에 교회는 에드 매슈스 원로 목사와 우리 결혼식 때 주례를 본 빅 닉슨 목사가 이끄는 '죽음과 부활의 예배'를 보기 위해 모인 신자로 가득 찼다. 예배가 끝난 뒤 우리 가족은 딜러드와 래리, 캐럴린, 파크리지에서 온 내 남동생들의 친구인 존 홀든 박사와 함께 아버지의 유해를 스크랜턴으로 운구했다. 아버지는 과연 아버지답게 벌써 몇 해 전에 고향 스크랜턴에 묏자리를 잡아두셨다.

우리는 아버지가 자란 집에서 조금 내려간 곳에 있는 감리교회에서 두번째 장례 예배를 올렸다. 빌은 휴 로댐의 무뚝뚝함과 헌신적인 사랑을 기리는 애정 어린 추도사를 했다.

"1974년에 나는 중서부 출신 공화당원이 많이 사는 선거구에서 처음으로 하원의원에 출마했습니다. 그러자 미래의 장인어른이 일리노이 주 번호판이 달린 캐딜락을 타고 오셔서, 내가 당신 딸과 사랑에 빠졌다고는 아무한테도 말하지 않고, 그냥 사람들한테 다가가서 이렇게 말씀하셨습니다. '보아하니 공화당원인 것 같은데, 나도 공화당원이오. 민주당은 공산당이나 다를 게 없다고 생각하지만, 이 친구는 정말 괜찮은 녀석이오.'"

우리는 아버지를 워시번 공동묘지에 묻었다. 4월인데도 춥고 비가 억수로 쏟아지는 날이었다. 내 마음은 잔뜩 찌푸린 하늘처럼 우울했다. 육군 의장대의 나팔수가 부는 장송곡 소리가 들렸다. 매장식이 끝난 뒤 우리는 아버지의 옛 친구들과 함께 식당에 가서 아버지를 회고했다.

우리는 아버지의 삶을 기리고 있었지만, 아버지가 이제 세상에 없다는 슬픔이 나를 짓눌렀다. 나는 아버지가 대통령이 된 사위를 얼마나 자랑스러워했는지, 첼시의 성장을 얼마나 기쁜 마음으로 지켜보았는지를 생각했다. 리틀록에서 스크랜턴으로 오는 비행기 안에서 빌이 혼자 추도사를 준비하고 있을 때, 우리는 모두 아버지 이야기를 나누었다. 첼시는 할아버지가 입버릇처럼 하던 말을 우리한테 상기시켰다. 아버지는 첼시가 대학을 졸업하면 커다란 리무진을 빌려서 하얀 양복 차림으로 첼시를 데리러 가겠다고 말하곤 했다. 아버지한테는 이루지 못한 꿈이 많았다. 하지만 나는 아버지가 나에게 생명과 기회와 꿈을 주신 것에 감사했다.

빈스 포스터

빌과 첼시와 나는 부활절 휴가를 캠프 데이비드에서 보내고 싶었다. 우리는 스크랜턴에 온 친구들과 직계 가족을 캠프 데이비드로 초대했다. 몇 주 동안 걱정에 싸여 지냈고 또 장례까지 치른 뒤인지라, 우리 모두 긴장을 풀고 휴식을 취할 시간이 필요했다. 캠프 데이비드는 우리가 갈망하는 평화와 프라이버시를 누릴 수 있는 유일한 피난처였다. 재클린 케네디 오나시스는 메릴랜드 주 케이톡틴 산맥의 보안림에 둘러싸여 있는 그 안전한 별장에서 가까운 가족과 함께 지내라고 권했다. 재키의 단순하고 실제적인 충고는 늘 그렇듯이 값진 것이었다. 대통령 취임식이 끝난 직후 아버지가 이 별장을 방문한 것도 다행이었다. 그 통나무집에서 우리는, 아이젠하워 대통령이 손자 이름을 따서 캠프 데이비드로 이름을 바꾼 대통령 전용 별장을 보고 기뻐하던 아버지의 모습을 떠올리면서 새삼 당신의 존재감을 느낄 수 있었다. 이제 우리는 아버지의 손녀 첼시와 함께 당신의 죽음을 애도하고 있었다.

그 부활절 주말은 춥고 비가 내렸다. 내 기분에 딱 들어맞는 스산한 날씨였다. 나는 어머니와 함께 가랑비 속을 오랫동안 거닐었다. 그러면서 어머니한테 우리랑 함께 백악관에서 살고 싶지 않으냐고 물었다. 그러자 어머니는, 당분간은 백악관에 머물겠지만 집에 돌아가서 아버지의 사망에 따른 문제를 처리하고 싶다고 당신 특유의 독립적인 태도로 대답했다. 그러고는 딜러드 덴슨과 래리 커보를 캠프 데이비드에 초대해주어서 고맙다고 말했다. 앞으로 혼자 살아가야 할 어머니로서는 곁에 계속 있어줄 그들이야말로 가장 소중한 친구들이었다.

우리는 새로 지은 에버그린 교회에서 부활절 예배를 보았다. 목재와 스테인드글라스로 지은 A자 모양의 그 교회는 주위의 숲과 아름답게 어울렸다. 나는 내 자리에 앉아서 아버지가 음정이 틀린 찬송가를 유난히 큰 소리로 불러서 식구들을 난처하게 만들곤 했던 일을 생각했다. 나도 아버지를 닮아서 음치지만, 그날 아침 찬송가를 부를 때는 귀에 거슬리는 내 목소리가 하늘까지 닿기를 바라면서 큰 소리로 불렀다.

나는 육체적으로나 감정적으로 녹초가 되어 있었기 때문에, 좀더 오래 휴식을 취하면서 마음껏 슬픔에 잠겨야 했을지도 모른다. 하지만 일을 다시 시작하라는 요구를 무시할 수가 없었다. 아이라는 예산을 둘러싼 전쟁 때문에 의료 개혁안이 뒷전으로 밀리고 있다면서 나에게 SOS 신호를 보내오고 있었다. 그리고 첼시는 기숙학교로 돌아가야 했다. 빌과 첼시와 나는 손님들과 함께 부활절 만찬을 즐긴 뒤 워싱턴으로 돌아왔다.

일요일 저녁 침실에 들어선 순간, 무언가가 잘못되었다는 느낌이 확 들었다. 나는 여행가방을 풀다가 가구 몇 점이 제자리에 놓여 있지 않은 것을 알아차렸다. 침대 옆 탁자에 놓여 있는 물건도 누군가가 손을 댄 흔적이 있었고, 남쪽 벽의 커다란 창문 사이에 놓여 있는 목제 텔레비전 캐비닛에는 긁힌 자국이 나 있었다. 서쪽 거실에 가보니 다른 가구들도 제자리에 놓여 있지 않았다. 나는 수석의전관 게리 월터스를 불러, 우리가 없는 동안 무슨 일이 일어났느냐고 물었다. 게리는 보안팀이 도청장치와 안전에 위협이 되는 것을 찾기 위해 우리 물건을 모두 뒤졌는데, 나한테 말하는 것을 깜박 잊었다고 말했다.

내 참모나 대통령의 참모들 가운데 이 작전을 미리 통고받은 사람은 아무도 없었다. 리틀록에서 온 친구 헬렌 디키는 토요일 밤에 3층에서 늦게까지 깨어 있다가 무슨 소리를 들었다. 무슨 일인지 확인하러 아래층으로 내려가자 검은 옷차림의 무장 군인들이 앞을 가로막고 그 구역에서 나가라고 명령했다.

해리와 린다가 잠을 잔 '링컨 침실'의 침대에 러시 림보의 쪽지가 놓여 있었던 일이 갑자기 생각났다. 잡지에 실린 이상한 기사들의 출처도 궁금해졌다. 어떤 잡지는 경호실 직원의 말을 인용하여, 내가 남편한테 스탠드를 던졌다고 주장했다. 다른 상황이라면 주요 잡지가 악의적인 험담에 불과한 뜬소문을 근거로 그런 터무니없는 기사를 실은 것을 웃어넘길 수도 있었을 것이다.

나는 몇 년 동안 좋은 이야기도 나쁜 이야기도 많이 들었지만, 내 '전설적인 성깔'에 대한 소문은 모두 과장이다. 하지만 이 경우에는 당장이라도 폭발할 준비가 되어 있었다는 것을 솔직히 인정하겠다. 나는 빌의 비서실장인 맥 매클라티와 백악관 관리국장 데이비드 왓킨스에게 전화를 걸어 내가 무엇을 발견했으며 또 그것을 어떻게 생각하는지를 정확히 알려주었다. 나는 두 번 다시 그런 일이 우리 몰래 일어나지 않도록 못을 박아두고 싶었다.

맥과 데이비드는 한참 동안 내가 분노를 터뜨리도록 내버려두었다. 그들은 사실을 조사한 뒤, 보안 점검이 의전관 사무실을 통해 이루어졌다고 보고했다. 맥은 또 그런 일이 있을 때는 반드시 자기한테 미리 알리라고 명령했고, 대통령도 거기에 동의했다.

나는 아버지의 죽음으로 비탄에 빠져 있었고, 프라이버시 침해에 당황했다. 우리는 국가 소유의 집에서 살고 있었다. 하지만 그 집에 사는 개인에게는 어느 정도 자신만의 공간이 허용된다는 암묵적인 양해가 존재한다. 우리의 공간은 침해당했고, 나는 우리 가족이 조용히 슬픔을 삭이러 갈 수 있는 곳이 어디에도 없다는 느낌이 들었다.

그날 밤 나는 별로 잠을 자지 못했다. 유난히 짧은 밤이었다. 오전 5시부터 부모들이 아이들을 데리고, 해마다 부활절 다음날 백악관 '남쪽 잔디밭'에서 열리는 '부활절 달걀 굴리기'에 참가하기 위해 문밖에 줄을 서기 시작했다. 오전 8시쯤 창 밖을 내다보니 수천 명의 아이들이 손에 숟가락을 들고 모여 있었다. 화려하게 색칠한 부활절 달걀을 잔디밭에 굴리는 놀이가 시작되기를 기다리고 있는 것이다. 아이들의 가슴은 백악관에 온 흥분으로 설레고 있었다. 내 개인적인 걱정으로 그 아이들의 하루를 망칠 수는 없었다. 그래서 나는 옷을 차려입고 햇볕 속으로 나갔다. 처음에는 마지못해 시늉만 내고 있었다. 하지만 넓은 잔디밭을 잔물결처럼 퍼져가는 아이들의 웃음소리와 들뜬 감동이 가슴에 와 닿자 내 기분도 덩달아 유쾌해졌다.

지난 몇 달은 워싱턴의 무자비한 계절에 적응하기 시작한 힘든 시간이었다. 이제 와서 돌이켜보면 그때 나를 가장 강력하게 떠받쳐준 것은 가족과 친구들과 신앙이었다. 그리고 이것들은 백악관 시절 내내 나를 떠받쳐준 버팀목이었다. 특히 신앙은 늘 내 삶의 중요한 일부였다. 아버지는 뇌졸중으로 쓰러질 때까지 밤마다 침대 옆에 무릎을 꿇고 기도를 올렸다. 나도 아버지처럼 기도의 힘과 중요성을 믿었다. 1992년 이전에는 기도의 힘을 믿지 않았다 해도 백악관 생활을 하면서 기도의 힘을 확신하게 되었을 거라고, 나는 강연이나 연설에서 자주 말하곤 했다.

아버지가 뇌졸중으로 쓰러지기 전에 나는 친구 린다 레이더한테서 초청을 받았다. 린다는 남편 필과 함께 '르네상스 위켄드'를 시작했고, 빌과 첼시와 나는 1983년부터 새해를 맞을 때마다 거기에 참가하고 있었다. 이 모임은 언제나 우리에게 자극과 격려가 되었고, 그 모임에서 우리 인생에 중요한 친구들도 많이 만났다.

린다는 티퍼 고어와 나를 여성 기도회가 후원한 오찬회에 초청했다. 민주당원과 공화당원이 섞여 있는 그 기도회에는 조지 부시 대통령의 첫 국무장관이었던 제임스 베이커의 아내 수잔 베이커, 전직 공화당 하원의원인 잭 켐프의 아내 조앤 켐프, 이제 내 동료가 된 플로리다 출신 민주당 상원의원인 빌 넬슨의 아내 그레이스 넬슨도 포함되어 있었다. 홀리 리치먼은 스파크를 일으켜 남을 자극하고 활기를 불어넣는 정신적 지도자였다. 홀리는 나를 위해 계속 스파크를 일으켰고 내 좋은 친구가 되었다. 내가 백악관에서 지내는 동안 홀리는 날마다 성경 구절이나 신앙 메시지를 팩스로 보내주었고, 나를 격려하거나 나와 함께 기도하기 위해 자주 백악관을 찾아왔다.

1993년 2월 24일의 오찬회는 포토맥 강변에 있는 시더스 저택에서 열렸다. 이 저택은 '국가조찬기도회'와 그것이 전세계에 퍼뜨린 각종 기도회의 본부로 쓰인다. 오랫동안 '국가조찬기도회'를 주재해온 더그 코는 워싱턴에서는 특이한 존재다. 더그는 정당이나 신앙에 관계없이 하나님과 좀더 깊은 관계를 원하고 불우한 사람들을 위해 봉사하고 싶어하는 모든 사람에게 진심으로 순수한 사랑을 베푸는 영적 스승이자 지도자다. 더그는 힘과 우정의 원천이 되었고, 홀리처럼 나에게 자주 격려 편지를 보내주었다. 이런 관계는 모두 그 놀라운 오찬회에서 시작되었다.

나의 '기도 파트너들'은 모두 나를 위해 매주 기도를 올리겠다고 말했다. 게다가 그들은 내가 워싱턴에서 지내는 동안 나를 지탱해줄 메시지와 인용문과 성경 구절로 가득 찬 책을 손수 제작해서 나에게 선물했다. 나는 백악관에서 지낸 8년 동안 수천 점의 선물을 받았지만, 손으로 만질 수 없는 열두 가지 선물—통찰력·평화·동정·신앙·우정·선견지명·용서·은총·지혜·사랑·기쁨·용기—만큼 고맙고 나에게 꼭 필요한 선물은 없었다. 그후 몇 년 동안 그들은 나를 위해, 그리고 나와 함께 충실히 기도해주었다. 나는 그들의 관심을 고맙게 여겼고, 그들이 워싱턴의 정치적 분열과는 관계없이 모든 사람에게 도움의 손길을 내미는 것을 높이 평가했다. 나는 그들이 선물로 준 작은 책을 자주 꺼내 읽었다. 수잔 베이커는 나를 찾아오거나 편지를 보내, 아버지의 죽음에서부터 빌을 둘러싼 정치적 폭풍에 이르기까지 온갖 사건에 대해 위로와 격려를 해주었다.

새 정부가 출범한 지 100일째인 4월 말이 다가오자, 우리가 스스로 정한 의료 개혁안의 마감 시간을 맞출 수 없으리라는 것이 분명해졌다. 그것은 내가 리틀록에서 보름을 보냈기 때문은 아니었다. 전국민을 대상으로 한 보편적 의료보장을 위해 우리가 고려하고 있는 방안들에 대한 정보가 언론에 보도되었고, 흥분한 의원들은 아직 어떤 결정도 내려지지 않았는데 벌써 그것을 저지할 전략을 짜고 있었다. 우리는 개혁안을 완성하기도 전에 벌써 수세에 몰려 있었다. 나는 사람들이 언론에 거리낌 없이 정보를 누설하는 데 놀라지 않을 수 없었다. 어떤 사안에 자기가 영향력을 행사하고 있다고 믿는 사람도 있었고, 익명의 소식통으로만 인용되더라도 언론에 제 말이 나왔다는 자만심을 맛보고 싶어하는 사람도 있는 것 같았다.

미국은 텍사스 주 웨이코에서 다윗파와 공권력의 대치 상태가 빚어낸 끔찍한 결과에 아직도 휘청거리고 있었다. '알코올·담배·총기 단속반'이 수색 영장을 집행하려 하자, 다윗파 신도들이 총격을 가해 단속반원 네 명이 죽고 20명이 다쳤다. 그후 대치 상태가 계속되다가 4월 19일 일어난 대결에서 다윗파 신도들이 건물에 불을 질러, 어린이를 포함하여 적어도 80명의 다윗파 신도들이 목숨을 잃었다. 엄청난 인명 손실이었다. 특별조사반은 다윗파 지도부가 많은 사람을 죽음으로 몰아넣은 화재와 총격의 책임자라고 결론지었지만, 사이비 종교가 초래한 폭력과 죽음에 대해 우리 모두가 느낀 슬픔은 조금도 누그러지지 않았다.

옛 유고슬라비아에서는 보스니아의 세르비아인들이 '인종청소'라는 광기에 사로잡혀 이슬람교도의 도시인 스레브레니차를 포위하고 있었다. 이것도 정치 권력을 얻기 위해 종교적 차이를 악용한 사례다. 언론은 유럽에서의 나치 잔학상을 연상시키는 민간인 학살 현장과 수척해진 포로들의 소름끼치는 사진을 보내오고 있었다. 사망자가 늘어나면서 상황은 더욱 어려워졌다. 나는 유엔이 개입하지 못하고, 하다못해 이슬람교도를 보호하지도 못하는 데 정나미가 떨어졌다.

이런 사건들이 일어나고 있을 때인 4월 22일 빌과 나는 '홀로코스트 박물관' 개관식에 참석하기 위해 워싱턴에 온 열두 명의 외국 대통령과 총리들을 백악관으로 초청했다. 미국에 온 외국 지도자들 중에는 보스니아에서 학살을 중단시키려는 유엔의 노력에 미국이 좀더 적극적으로 참여하라고 강력하게 요구하는 분들도 있었다. 이런 관점을 가장 열정적으로 대변한 이는 박물관 개관식에서 보스니아에 대해 연설한 엘리 위젤(1928년 헝가리에서 유대인으로 태어나, 16세 때 나치의 강제수용소에 끌려갔다가 가족을 잃고 혼자 살아남았다. 1956년 미국으로 건너가 귀화했으며, 수용소 체험을 바탕으로 많은 소설을 썼다—옮긴이)이었다. 나치의 '죽음의 수용소'에서 살아남아 나중에 노벨 평화상을 받은 위젤은 빌을 돌아보며 말했다. "대통령 각하…… 저는 옛 유고슬라비아 땅에 다녀왔습니다…… 그곳에서 참상을 목격한 뒤로는 잠을 이룰 수가 없습니다. 저는 유대인으로서 말하겠습니다. 우리는 그 땅에서 벌어지고 있는 유혈 사태를 중단시키기 위한 조치를 취해야 합니다." 나는 위젤의 『밤』을 읽은 적이 있었다. 이 작품에는 폴란드와 독일에 있었던 '죽음의 수용소'인 아우슈비츠와 부헨발트에서 위젤이 실제로 겪은 체험이 소름끼치도록 생생하게 묘사되어 있었다. 나는 그의 글과 인권에 대한 헌신에 탄복했고, 그날부터 위젤과 그의 아내 매리언은 내 친구가 되었다.

나는 음산한 가랑비 속에 앉아서 엘리 위젤의 말에 공감했다. 보스니아의 대학살을 중단시키는 방법은 세르비아의 목표물을 골라서 폭격하는 선택적인 공습뿐이라고 확신했기 때문이다. 유럽은 보스니아가 유럽의 뒷마당에 있고 따라서 보스니아 사태는 유럽이 해결해야 할 문제라고 주장해놓고는 아무런 조치도 취하지 않았다. 나는 그것 때문에 빌이 몹시 실망한 것을 알았다. 빌은 평화 유지 노력에 미국이 참여하는 문제와 충돌을 끝낼 수 있는 다른 방법을 검토하기 위해 보좌관들과 회의를 열었다. 사망자 수가 늘어날수록 상황은 더욱 참담해졌다.

국내와 세계 전역에서 좋은 소식과 나쁜 소식이 번갈아 들어와 마치 롤러코스터를 타는 기분이었지만, 우리는 차츰 거기에 적응해가고 있었다. 대통령의 경제 활성화 계획안은 하원을 통과했지만, 상원에서 공화당이 필리버스터 전술로 그것을 좌절시켰다. 너무 많은 일들이 일어나고 있어서, 정부가 잘한 일이 그늘에 가려지는 경우도 있었다. 빌은 4월 22일 '지구의 날'을 기념하여, 부시 대통령이 거부한 '국제생물다양성협약'에 서명하겠다고 약속했다. 그 다음 주에는 '아메리코(AmeriCorps)'의 발족을 발표했다. 이것은 평화봉사단과 '비스타'(VISTA: 미국 내 빈곤 퇴치를 위해 1964년에 창설된 자원봉사단—옮긴이)의 이상주의를 되살려, 현재 미국이 당면하고 있는 문제와 맞서는 쪽으로 젊은 자원봉사자들의 활력을 유도하게 될 국가 차원의 봉사활동 프로그램이었다.

우리의 공적 임무가 무엇이든, 빌과 나는 부모로서 첼시에 대한 의무를 잊지 않으려고 애썼다. 우리는 첼시의 학교 행사에 빠짐없이 참석했고, 첼시가 숙제를 끝낼 때까지 첼시와 함께 깨어 있었다. 빌은 첼시의 8학년 수학 숙제를 도와줄 수 있었고, 빌이 여행중일 때면 첼시는 팩스로 아빠한테 문제를 보내곤 했다. 그러고는 둘이서 문제의 해답에 대해 통화를 나누었다. 우리는 첼시의 사생활을 끊임없이 강조하여 일부 언론과 빌의 참모들을 낙담시켰다. 백악관 공보 비서실은 NBC 방송 카메라가 빌을 온종일 따라다니면서 대통령의 「생활 속의 하루」를 필름에 담는 것을 허락해달라고 설득했다. 이 프로그램은 5월 초에 방영될 예정이었다. 나는 참여하기로 동의했지만, 첼시한테 접근하는 것은 허락할 수 없다고 말했다. 빌의 참모들은 우리가 첼시와 함께 아침을 먹거나 숙제에 대해 이야기를 나누는 장면이 방영되면 우리의 이미지에도 도움이 될 거라고 나를 설득하려 했다. 그래도 소용이 없자 이번에는 프로듀서가 나섰다. 마지막에는 앵커인 톰 브로코가 나에게 전화를 걸었다. 톰의 명예를 위해 사실을 밝히면, 내가 "절대 안된다"고 말하자 톰은 내 결정을 존중하겠다고 말했다.

우리는 또한 백악관의 가족 공간을 진짜 집으로 만들고 있었다. 페인트를 칠하고 벽지를 바르고 책장을 놓을 수 있는 곳에는 어디에나 책장을 설치했다는 뜻이다. 먼지와 페인트, 그밖에 개장공사에 필요한 온갖 화학제품 속에서 첼시가 부활절 직후에 심한 호흡기 알레르기 반응을 일으켰다. 나는 어느 때보다도 첼시 옆에 줄곧 붙어 있고 싶었다. 우리는 첼시의 건강 상태를 비밀로 유지하려고 애썼기 때문에 내가 얼마나 걱정하는지를 아는 사람은 거의 없었다.

다행히 첼시는 곧 회복되었다. 나는 첼시의 기운도 북돋워주고 나도 기분을 달래기 위해 첼시를 뉴욕으로 데려갔다. 아메리칸 발레 시어터가 공연하는 「잠자는 숲속의 미녀」를 볼 계획이었다. 내 머리가 말썽을 부린 것은 그때였다. 수잔 토머시즈는 뛰어난 미용사인 프레드릭 페카이한테 머리를 맡겨보라고 권했다. 나는 그럴 마음이 내켜서, 그날 밤 우리가 외출하기 전에 월도프-아스토리아 호텔의 우리 방으로 프레드릭을 데려와달라고 부탁했다. 나는 프레드릭을 보자마자 마음에 들어서 새로운 헤어스타일을 시도해보기로 동의했다. 그것은 방송기자인 다이앤 소여의 머리 모양과 비슷한 '편안한' 커트였다. 완성된 머리는 다이앤보다 좀 짧았고, 극적인 변화였다. 내 머리는 국제적으로 중요 뉴스가 되었다.

그날 밤 내 공보 비서인 리사 캐푸토는 나와 함께 뉴욕에 온 캐프리샤 마셜의 전화를 받고 내가 머리를 자른 것을 알았다.

"나한테 화내지 말아요." 캐프리샤가 말했다. "영부인이 머리를 잘랐어요."

"뭐라고요!"

"수잔이 미용사를 영부인의 호텔 방으로 데려왔는데, 영부인이 방에서 나왔을 때는 머리가 사라져 있었어요."

"이런, 맙소사!"

리사가 걱정한 문제는 일시적인 홍보상의 착오가 아니라—리사는 내 헤어스타일에 대한 기사를 처리하는 데 익숙해져 있었다—훨씬 복잡한 것이었다. 내 보좌진은 의료 개혁안이 5월까지 국회에 제출될 것으로 생각했기 때문에, 케이티 쿠릭이 진행하는 「투데이」(NBC-TV의 아침 프로그램)에 출연하여 일반을 상대로 설명하도록 나를 설득했다. 나는 케이티와 인터뷰를 하기에 앞서서, 제작팀이 백악관에서 나를 따라다니며 내 일상의 이모저모를 녹화하는 데 동의했다. 그래서 NBC는 지난주에 퍼스트 레이디를, 머리를 어깨까지 늘어뜨린 나를 몇 시간 동안 녹화했다. 그런데 케이티 쿠릭이 생방송으로 인터뷰할 퍼스트 레이디는 몰라보게 달라진 모습이었다. 프로그램에서 내가 처음부터 끝까지 똑같아 보이려면 지난주에 찍은 백악관 장면을 다시 촬영해야 하겠지만, 그것은 불가능한 일이었다.

케이티는 백악관에 도착하여 달라진 내 머리 모양을 보고도 눈 하나 깜짝하지 않았다. 나의 분홍색 투피스가 자신의 다홍색 옷을 보완해주지 않는다고 불평하지도 않았다. 나는 텔레비전에서 케이티를 보는 게 늘 즐거웠지만, 그녀가 화면에서 보이는 것만큼 현실에서도 실제적이고 싹싹한 성격인 것을 알고 기뻤다.

나는 아직도 요령을 배우고 있었고, 미국의 퍼스트 레이디가 된다는 게 어떤 것인지, 그 의미를 새롭게 깨달아가고 있는 중이었다. 주지사의 아내와 대통령의 아내는 하늘과 땅만큼이나 다르다. 어느날 갑자기 주위 사람들이 한 사람을 행복하게 해주기 위해 궁리하고 짐작하고 실천하면서 많은 시간을 보낸다. 그들이 상대를 잘 모르거나 오해하는 경우도 있다. 퍼스트 레이디가 하는 말은 모두 증폭된다. 그래서 무언가를 원한다고 말할 때는 극도로 조심해야 한다. 그렇지 않으면 그것을 몇 상자씩 무더기로 받게 된다.

내가 퍼스트 레이디가 된 뒤 처음으로 혼자 여행하고 있을 때 한 젊은 보좌관이 물었다.

"방에 어떤 음료를 넣어드릴까요?"

"다이어트 닥터 페퍼."

그후 몇 년 동안 어디에 가든지 호텔 방에서 냉장고를 열어보면 '다이어트 닥터 페퍼' 캔이 가득 들어 있었고, 사람들이 음료가 가득 든 유리잔을 들고 나에게 다가왔다. 나는 걸작 애니메이션 「판타지아」에 나오는 미키 마우스처럼 마법사의 제자가 된 기분이었다. 나는 다이어트 닥터 페퍼가 쏟아져 나오는 기계를 도저히 끌 수가 없었다.

이것은 물론 친절한 일이지만, 거기에 담겨 있는 함의는 나를 정신이 번쩍 나게 했다. 나를 즐겁게 해주기 위해서라면 무엇이든 하고 싶어하는 사람이 많다는 것, 또한 그들은 내가 원하는 것을 심각하게 오해할 수도 있다는 것을 나는 인식해야 했다. 어떤 문제가 생겼을 때 가벼운 마음으로 "한번 조사해보라"고 말해서는 안된다. 그것을 진작 깨달았어야 했지만, 백악관 여행국의 잘못된 자금 관리와 낭비를 걱정하는 얘기를 듣고 내가 즉석에서 별 생각 없이 한 말이 중대한 결과를 초래할 때까지는 그것을 미처 깨닫지 못했다. 나는 맥 매클라티 백악관 비서실장에게 그런 문제가 있다면 "한번 조사해보라"고 가볍게 말했다.

언론에서 '트래블게이트'라고 부르게 된 그 문제는 수명을 열흘쯤 단

축시킬 만한 가치는 있었을 것이다. 하지만 당파적인 정치 풍토에서 그것은, 새 천년까지 끈질기게 지속된 조사에 대한 강박증의 첫번째 징후가 되었다.

백악관에 들어오기 전에는 빌도 나도 측근 참모들도 백악관에 여행국이라는 부서가 있다는 사실조차 알지 못했다. 여행국은 비행기를 전세내고, 호텔을 예약하고, 식사를 주문하고, 대통령의 순방에 동행하는 기자들을 뒷바라지한다. 비용은 언론기관에 청구한다. 우리는 백악관 여행국이 하는 일을 잘 몰랐지만, 백악관 내부에서 자금이 오용되고 있다는 주장을 무시하거나 눈감아주는 것처럼 보이고 싶지 않았다. 'KPMG 피트 매릭' 사의 회계 감사 결과, 여행국장이 비밀 장부를 갖고 있고, 최소한 1만 8천 달러에 이르는 청구서의 사용 내역이 제대로 밝혀지지 않았으며, 여행국의 장부 기록이 '엉망진창' 이라는 사실이 밝혀졌다. 이 조사 결과를 토대로 백악관 비서실장과 법률 고문실은 여행국장을 해고하고 그 부서를 개편하기로 결정했다.

이 조치는 그런 결정을 내린 관계자들에게는 머리를 쓸 필요도 없는 일로 여겨졌지만, 뜻밖에도 격렬한 항의와 분노를 불러일으켰다. 1993년 5월 19일 오전 브리핑에서 대통령의 대변인—그 자리에 앉은 최초의 여성—디 디 마이어스가 여행국장에 대한 해고 조치를 발표했을 때 우리는 기자실의 반응에 깜짝 놀랐다. 정부는 국가만이 아니라 언론의 재정적 이익에도 신경을 써주고 있었는데, 일부 기자들은 자신들과 친분이 있는 여행국 직원들이 해고당했다는 사실에만 관심을 쏟았다. 빌의 먼 친척이고 여행사 경험이 있는 백악관 직원이 개편된 여행국을 임시로 맡게 되었다는 사실 때문에, 정부는 아마추어적이고 정실 인사를 한다는 비난을 받았다. 일찍이 법률회사에서 내 파트너였고 이제 백악관 법률 고문실에서 일하는 빌 케네디는 FBI에 그 사건을 조사해달라고 요구하여 기자들을 더욱 격분시켰다. 나는 빌 케네디의 정직성과 변호사로서의 수완을 높이 평가한다. 하지만 우리가 대부분 그랬듯이 빌도 워싱턴과 워싱턴 방식에 익숙지 않은 신출내기였다. 빌 케네디도 자신이 직접 FBI 와 접촉하여 자금 오용 혐의를 조사해달라고 요구하는 것이 워싱턴의 관례에서 크게 벗어나는 일이라는 것을 미처 알지 못했다.

백악관의 내부 보고서가 언론에 공개된 뒤, 맥 매클라티는 왓킨스와 케네디를 포함한 네 명의 관리가 판단 착오로 문제를 적절히 다루지 못했다고 공개적으로 비난했다. 하지만 백악관, 일반회계국, FBI, 케네스 스타의 특별검사실이 조사한 것을 포함하여 적어도 일곱 차례의 조사가 별도로 이루어졌지만, 어떤 관리한테서도 불법 행위나 비위 사실을 찾아내지 못했고, 결국 여행국에 대한 조치의 정당성을 확인해주었을 뿐이다. 예를 들면 특별검사는 여행국 직원을 해고한 것은 적법했으며 여행국의 자금 오용과 부정 행위를 입증해주는 증거가 있다고 결론지었다. 법무부는 전직 여행국장을 횡령죄로 기소하기에 충분한 증거를 찾아냈다. 언론 보도에 따르면 전직 여행국장은 범죄 혐의에 대해 유죄를 시인하고 단기 복역을 제의했지만 검사는 중죄 혐의로 재판을 받아야 한다고 고집했다. 몇몇 이름난 언론인들이 재판에서 성격 증인(피고의 평판·소행·품성을 증언하는 사람)으로 증언한 뒤, 그는 결국 무죄로 풀려났다.

백악관의 사건 처리에는 어떤 위법 사실도 없었다는 일치된 결론이 나왔지만, 그것은 백악관 출입 기자들과의 불길한 첫 데이트였다. 나는 사태를 정확히 파악하지 못한 채 말하거나 행동하면 어떤 결과가 초래될 수 있는지를 배웠다. 그렇게 많은 것을 그렇게 빨리 배우기는 난생 처음이었던 것 같다. 그후 오랫동안 나는 한밤중에 잠에서 깨어나, 여행국에 대한 조치와 그에 대한 반응이 빈스 포스터를 자살로 몰아넣는 데 한몫한 게 아닐까 하고 괴로워하곤 했다. 빈스 포스터는 여행국 사건으로 괴로워하고 있었다. 꼼꼼하고 겸손하고 명예를 중하게 여기는 빈스 포스터는 자신이 워싱턴 드라마를 제대로 읽어내지 못함으로써 결국 대통령과 빌 케네디와 맥 매클라티와 나를 실망시켰다고 생각했다. 클린턴 행정부에 들어온 아칸소 출신 변호사들의 정직성과 능력을 싸잡아 공격한 악의적인 사설이 『월스트리트 저널』에 연달아 실린 것이 결정타였다. 1993년 6월 17일자 사설은 '빈스 포스터는 누구인가?'라는 제목으로 클린턴 행정부의 가장 '불온한' 점은 '법을 지키는 데 소홀하다'는 것이라고 주장했다. 그후 한 달 동안 『월스트리트 저널』은 로즈 시절의 내 동료들과 클린턴의 백악관을 부패한 도당처럼 묘사하는 사설 캠페인을 계속했다.

빌과 나는 백악관에서의 역할에는 미숙했을지 모르나, 거친 정치 세계에서 충분히 단련되어 있었다. 우리는 공격을 고립시키고 우리 생활의 현실에 정신을 집중해야 한다는 것을 알고 있었다. 빈스 포스터는 그런 방어책을 전혀 갖고 있지 않았다. 그는 이 같은 문화에 익숙지 않았고, 비판을 너무 진지하게 받아들였다. 생애의 마지막 몇 주 동안 그의 마음 속에서 무슨 일이 일어났는지는 영원히 알 수 없겠지만, 나는 그가 모든 비판을 가슴에 새기면서 고통과 비탄 속으로 점점 깊이 빠져들었다고 믿는다. 그와 함께 좀더 많은 시간을 보냈더라면, 그가 절망에 빠진 징후를 어떻게든 빨리 알아차렸더라면 얼마나 좋았을까 하는 후회를 나는 죽을 때까지 떨쳐버리지 못할 것이다. 하지만 그는 속내를 좀처럼 드러내지 않는 사람이어서 아무도—그의 아내 리사도, 가장 가까운 동료들도, 그가 평생 가깝게 지낸 누이 실라도—그가 얼마나 깊은 우울증에 빠져 있는지를 전혀 몰랐다.

내가 빈스와 마지막으로 대화를 나눈 것은 6월 중순 토요일, '아버지날' 전날 밤으로 기억한다. 빌이 대학 졸업식에서 연설하기 위해 워싱턴을 떠나 있었기 때문에, 나는 웨브 허벨과 그의 아내 수지, 포스터 부부와 아칸소에서 온 몇몇 커플과 함께 저녁을 먹으러 외출할 계획이었다. 우리는 7시에서 8시 사이에 허벨 부부의 집에서 만나기로 약속했다.

내가 백악관을 나갈 준비를 하고 있을 때, 리사 캐푸토가 내일자 『워싱턴 포스트』의 '스타일' 섹션에 실릴 머리기사가 빌의 생부인 윌리엄 블라이스에 관한 내용이라고 전화로 알려주었다. 그 기사는 윌리엄 블라이스가 빌의 어머니를 만나기 전에 적어도 두 번 결혼한 적이 있다—가족도 몰랐던 사실이다—고 폭로하고, 빌의 이복형이라고 주장하는 남자의 이름을 밝힐 예정이었다. 정말 즐거운 '아버지 날'이었다.

빌의 공보 비서실에서는, 기자들이 생부에 대해 질문했을 때 빌이 무방비 상태로 있다가 허를 찔리지 않도록 그 기사 내용을 미리 전화로 알려주라고 나에게 부탁했다. 빌에게 알린 뒤에는 빌과 함께 버지니아를 찾아야 했다. 시어머니도 첫 남편의 과거를 전혀 모르고 있었다. 시어머니의 암이 점점 악화되고 있었기 때문에 나는 더욱 걱정이 되었다. 이런 일로 스트레스를 받지 않아도 버지니아는 이미 심신 모두 심한 고통을 겪고 있었다.

내가 저녁 일정을 취소하려고 웨브의 집에 전화를 걸자 빈스가 전화를 받았다. 나는 그날 밤 외출할 수 없는 이유를 빈스에게 설명했다.

"나는 빌을 찾아야 하고, 그 다음에는 시어머니를 찾아야 돼요. 그런 기사가 나온다는 것을 시어머니한테 알리는 역할은 빌이 맡아야 돼요."

"그거 정말 유감이군요." 빈스가 말했다.

"정말이지 이런 일에는 넌더리가 나요."

그것이 내가 기억하는 빈스와의 마지막 대화였다.

그때부터 7월까지 빈스는 백악관 법률 고문인 버니 너스봄과 함께, 대법원에서 은퇴하는 바이런 '휘저' 화이트 판사와 FBI 국장을 사임할 윌리엄 세션스의 후임으로 물망에 오른 후보자들을 심사하느라 바빴다. 나는 아직도 의료 개혁안 심의가 국회의 의사 일정에서 제외되지 않도록 애쓰고 있었다. 그리고 퍼스트 레이디로서의 첫 해외 여행을 준비하는 데에도 신경을 쓰고 있었다. 빌은 7월 초에 도쿄에서 열리는 G-7 정상회담(서방 선진 7개국 정상의 연례회의)에 참석할 예정이었고, 나도 동행하기로 되어 있었다.

나는 일본 방문을 즐거운 마음으로 기다리고 있었다. 나는 빌이 주지사일 때 일본에 간 적이 있었는데, 성문 밖에 서서 왕궁을 바라본 일이 아직도 기억에 생생하다. 이번에는 왕궁 안에서 일왕 부처가 주최하는 공식 만찬에 참석할 예정이었다. 온화하고 예술적이고 지적이며 매력적인 일왕 내외는 일본 예술의 아취만이 아니라 왕궁을 둘러싼 정원의 고요함을 구현하고 있다. 나는 왕궁에 갔을 때 마침내 그 정원을 둘러볼 수 있었다. 이 여행에서 나는 뛰어난 일본 여성들도 만나, 여성들이 어디서나 직면해 있는 문제를 알게 되었다. 이는 내가 전세계에서 수십 차례나 가진 그런 만남의 시작이었다.

어머니가 여행에 동행할 수 있었던 것이 나를 더욱 기쁘게 해주었다. 나는 어머니가 완전히 다른 풍경을 보면 아버지를 여읜 슬픔을 견디는 데 도움이 될 거라고 생각했다. 어머니는 일본과 한국에서 우리와 함께 즐거운 시간을 보냈고, 이어서 어머니와 나는 하와이로 가서 첼시를 만났다. 하와이에서 나는 하와이 주의 의료 시스템에 대한 회의에 참석했다. 7월 20일, 첼시와 나는 어머니를 내려드리고 친구들을 방문하기 위해 아칸소로 날아갔다. 그날 밤 8시에서 9시 사이에 맥 매클라티가 어머니 집에 있는 나에게 전화를 걸어 끔찍한 소식이 있다고 말했다. 빈스 포스터가 죽었는데 자살한 것으로 보인다는 것이었다.

나는 깜짝 놀라 정신이 멍해져서, 그날 밤 무슨 일들이 있었는지 아직도 확실히 기억할 수가 없다. 울면서 맥에게 정말이냐고 물은 것은 생각난다. 도저히 믿을 수 없다. 뭘 잘못 안 게 아니냐? 맥은 시체가 공원에서 발견되었을 당시의 정황을 대충 설명했다. 권총이 현장에 남아 있었고, 머리에 총상이 있었다고 한다. 대통령께는 언제 말씀드리는 게 좋겠느냐고 맥이 물었다. 그때 빌은 백악관에서 CNN 방송의 「래리 킹 라이브」라는 생방송 프로그램에 출연하고 있었고, 인터뷰 시간을 30분 연장하기로 방금 동의한 상태였다. 맥은 빌이 프로그램을 끝낼 때까지 기다리는 게 좋겠느냐고 물었다. 나는 맥이 인터뷰를 중단시키고 빌에게 되도록 빨리 알려야 한다고 생각했다. 가장 가까운 친구가 비극적으로 죽었다는 소식을 빌이 텔레비전 생방송으로 듣는 것은 생각만 해도 참을 수가 없었다.

맥이 전화를 끊자마자 나는 어머니와 첼시에게 그 소식을 전했다. 그런 다음, 빈스를 아는 모든 사람에게 전화를 걸기 시작했다. 이런 일이 어떻게, 무엇 때문에 일어날 수 있었는지를 알려주는 실마리를 누군가가 쥐고 있을지도 모른다고 생각했기 때문이다.

나는 산소를 갈망하듯 정보를 갈망했다. 내가 너무 멀리 떨어져 있는 듯한 기분이 들어서 미칠 것만 같았다. 나는 무슨 일이 일어나고 있는지 이해할 수가 없었다. 빌이 방송을 끝내자마자 나는 그에게 전화를 걸었다. 빌의 목소리는 전쟁 후유증에 걸린 사람 같았다. "어떻게 이런 일이?"와 "어떻게든 막았어야 하는 건데……" 하는 말만 되풀이했다. 빌은 나와 통화를 끝내자마자 빈스와 리사가 세들어 사는 조지타운의 연립주택으로 갔다. 빌은 나와 전화로 수없이 통화했는데, 한번은 웨브 허벨이 얼마나 의지가 되는지 모른다고 말했다. 웨브는 강한 정신력과 능률의 화신처럼 든든한 기둥이 되어, 리틀록에서 치를 장례식과 여행 준비와 유가족에게 필요한 일들을 모두 도맡아 처리하고 있었다. 그 점에 대해서는 웨브에게 평생 감사할 것이다. 나는 그에게 내가 도울 일이 있으면 무엇이든 돕겠다고 말했다. 나는 빈스의 아내인 리사와 누이인 실라와도 통화했다. 우리는 빈스의 죽음에 대해 이야기하면서도 그것을 도무지 믿을 수가 없었다. 우리는 아직도 이 끔찍한 악몽이 오해에서 비롯되었을지 모른다는, 예컨대 사망자의 신원 확인에 무슨 착오가 있었을지도 모른다는 터무니없는 희망에 매달려 있었다.

나는 매기 윌리엄스에게 전화를 걸었다. 빈스에게 헌신적이었고 날마다 빈스를 만난 매기는 그저 울기만 했다. 그래서 우리는 둘 다 훌쩍이면서 이야기를 나누려고 애썼다. 나는 1980년대부터 빈스와 알고 지낸 수잔 토머시즈한테도 전화를 걸었다. 티퍼 고어한테도 전화해서, 카운슬러를 초빙하여 참모들에게 우울증에 대한 교육을 시킬 필요가 있지 않겠느냐고 물었다. 티퍼는 자살하려는 사람의 경고 신호를 읽는 법을 모르기 때문에 가까운 사람이 자살하면 깜짝 놀라는 경우가 많다고 설명하면서 나를 위로해주었다.

나는 밤새도록 자지 않고 울면서 친구들과 전화로 이야기를 나누었다. 나나 누군가가 빈스의 행동에서 이상한 점을 알아차렸다면 이 비극을 막을 수 있지 않았을까 하는 생각이 끊임없이 나를 괴롭혔다. 『월스트리트 저널』의 사설이 빈스를 빈정거리기 시작했을 때 나는 그 기사를 무시하라고 빈스에게 말했다. 나로서는 하기 쉬운 충고였지만, 빈스 자신으로서는 받아들이기 힘든 충고였을 것이다. 빈스는 친구들에게, 아칸소에 살 때 자기도 친구들도 의뢰인들도 『월스트리트 저널』을 구독했다면서, 신문에 그런 기사가 실렸는데 어떻게 낯을 들고 그들을 대할 수 있을지 모르겠다고 말했다.

빈스의 장례식은 리틀록의 성 앤드루 성당에서 열렸다. 빈스는 카톨릭교도가 아니었지만, 리사와 아이들은 카톨릭교도여서 성당에서 장례식을 치르는 것이 자신들한테는 아주 중요한 의미를 갖는다고 주장했다. 장례식에서 빌은 평생 우정을 나눈 죽마고우에 대해 감동적인 추도사를 읽고, 마지막에 리언 러셀의 노랫말을 인용했다. "공간도 시간도 없는 곳에서 자네를 사랑하네. 목숨을 걸고 자네를 사랑하네. 자네는 진정한 내 친구일세."

장례식이 끝난 뒤 우리는 긴 애도 행렬을 이루어 호프로 갔다. 호프는 빈스가 태어나서 자란 고향이었다. 타는 듯이 뜨거운 여름날이었다. 먼지가 자욱한 잿빛 들판 위로 열기가 물결처럼 피어올랐다. 빈스는 호프 교외에 묻혔다. 그때쯤 나는 이미 말을 잊고 있었다. 내가 느낄 수 있는 것은 빈스가 마침내 있어야 할 곳에 돌아와 안전하고 편안하게 쉴 수 있게 되었구나 하는 막연한 느낌뿐이었다.

그후 며칠은 아주 천천히 지나가는 듯했다. 우리는 정상적인 일과를 재개하려고 애썼다. 하지만 빈스와 가까웠던 사람들은 아직도 '왜?' 라는 의문에 사로잡혀 있었다. 특히 매기는 심한 비탄에 빠져 있었다. 버니 너스봄은 빈스가 죽던 날 아침에 함께 지냈으면서도 전혀 낌새를 채지 못했기 때문에 제정신이 아니었다. 법률 고문실에는 취임식 이후 최고의 주일이었다. 루스 레이더 긴스버그는 대법관에 임명될 예정이었고, 빈스가 죽은 그날 아침 대통령은 루이스 프리 판사를 FBI 신임 국장에 임명했다. 버니는 빈스가 느긋하고 쾌활해 보이기까지 한다고 생각했다.

하지만 임상적인 우울증에 대해 좀더 많이 알게 되자, 빈스가 죽음을 결심하고 마음이 편해져서 정말로 행복해 보였을지 모른다는 생각이 들기 시작했다. 늘 그랬듯이 빈스는 꼼꼼히 계획을 세웠다. 아버지의 콜트 권총은 이미 자기 차에 갖다놓았다. 죽음을 구원처럼 느끼게 할 만한 고통이 어떤 것인지는 상상하기 어렵지만, 빈스는 그런 고통을 느끼고 있었다. 우리는 빈스가 자살하기 며칠 전에 정신과 의사에게 도움을 청한 것을 나중에야 알았지만, 정신과 치료도 빈스를 구하기에는 너무 늦었다. 빈스는 포토맥 강변의 한적한 공원으로 차를 몰고 가서 총구를 입에 물고 방아쇠를 당겼다.

빈스가 죽은 지 이틀 뒤, 버니 너스봄은 법무부와 FBI에서 파견된 요원들과 함께 빈스의 사무실로 가서, 그의 자살 이유를 해명해줄 단서를 찾기 위해 서류를 모두 점검했다.

버니는 빈스가 유서를 남기지 않았을까 싶어 사무실을 뒤졌지만 아무것도 찾지 못했다. 그후의 수많은 증언에 따르면, 이 첫번째 수색 과정에서 버니는 빈스가 사무실에 보관해둔 개인 서류를 발견했다. 그것은 빈스가 리틀록에서 빌과 나의 법률 대리인으로 일할 때의 자료가 담긴 서류였고, 화이트워터의 토지거래에 관한 서류도 포함되어 있었다. 버니는 이 서류를 매기 윌리엄스에게 가져갔고, 매기는 그것을 집으로 가져갔다. 얼마 후 서류는 워싱턴에서 우리의 사적 법률 대리인을 맡고 있는 보브 바넷의 사무실로 넘어갔다. 빈스의 사무실은 범죄 현장이 아니었기 때문에 이런 조치는 충분히 이해할 수 있고 합법적이며 정당한 것이었다. 하지만 그것은 곧 빈스가 '화이트워터에 대해 알고 있는 것'을 은폐하기 위해 살해되었다고 주장하면서 그것을 입증하려고 애쓰는 음모 이론가와 조사원들의 영세산업을 낳았다.

이 소문은 빈스의 죽음을 자살로 판정한 공식 보고서와 버니가 빈스의 서류가방에서 발견한 유서와 함께 사라졌어야 한다. 편지지에 쓴 유서는 27조각으로 찢어진 채 서류가방 밑바닥에서 발견되었지만, 유서라기보다는 오히려 가슴속에서 터져 나오는 절규였다. 그것은 빈스의 영혼을 갈기갈기 찢고 있었던 일을 설명해주었다.

"나는 세상의 주목을 받는 워싱턴의 공직에는 맞지 않았다. 이곳에서는 사람의 인생을 망치는 것을 재미난 오락으로 생각한다."

"……대중은 클린턴 부부와 그들의 충성스런 참모들의 결백을 결코 믿지 않을 것이다……"

"WSJ(『월스트리트 저널』)의 논설위원들은 터무니없이 거짓말한다."

이 말들은 나를 비탄에 빠뜨렸다. 빈스 포스터는 조국에 봉사하고 싶어한 훌륭한 사람이었다. 그가 리틀록에 변호사로 남아 있었다면, 언젠가는 아칸소 변호사협회 회장이 되고, 평생 험담은 한마디도 듣지 않고 살 수도 있었을 것이다. 하지만 그는 호프 시절부터 친구였던 빌을 돕기 위해 워싱턴으로 왔다. 짧은 공직생활은 그의 자아상을 파괴했고 그의 평판을 돌이킬 수 없이 손상시켰다. 빈스가 죽은 직후, 『타임』지에 기고한 어느 칼럼니스트는 그의 생활에 일어난 슬픈 변화를 빈스 자신의 말로 이렇게 요약했다. "여기 오기 전에는 우리 자신을 훌륭한 사람으로 생각했다." 빈스는 자신만이 아니라 아칸소에서 워싱턴으로 온 우리 모두를 대변하고 있었다.

취임식 날의 열광이 지난 뒤에 이어진 여섯 달은 잔인했다. 아버지와 소중한 친구가 세상을 떠났다. 빈스의 아내와 아이들, 친척과 친구들은 넋을 잃었다. 시어머니는 죽어가고 있었다. 새 정부의 실수는 문자 그대로 연방 당국이 조사해야 할 사안으로 변해가고 있었다. 나는 어디로 가야 할지 몰랐기 때문에, 역경에 부딪혔을 때 내가 자주 하는 일을 했다. 생각에 잠길 시간을 갖지 않으려고 정신없이 바쁜 일정 속에 몸을 내던진 것이다. 이제 와서 생각해보면 그때 나는 자동 태엽으로 움직여지고 있었다. 나 자신을 억지로 몰아세워 국회에서 열리는 의료 개혁 회의에 참석하고, 연설을 하면서 눈물을 흘릴 뻔한 적도 많았다. 아버지를 생각나게 하는 사람을 만나거나 빈스를 헐뜯는 말을 들으면 나도 모르게 눈물이 복받치곤 했다. 나도 때로는 불안정하고 슬프고 화가 난 것처럼 보이기도 했을 것이다. 실제로 그랬으니까. 하지만 나는 고통을 드러내지 말고 계속 전진해야 한다는 것을 알고 있었다. 그때는 내가 순전히 의지력만 가지고 전진한 시절이었다.

치열한 예산 전쟁도 드디어 8월에 막을 내렸고, 빌의 경제 개혁안이 통과되었다. 표결이 있기 전에 나는 갈팡질팡하는 민주당 의원들과 대화를 나누었다. 그들은 걱정을 털어놓았다. 예산안을 통과시키는 것도 어려운 판인데, 의료 개혁과 총기 규제와 자유 무역에 대한 법안들까지 줄줄이 뒤를 잇고 있어서 더욱 힘들 거라는 것이다. 공화당의 한 여성 의원은 나한테 전화를 걸어, 자신은 재정 적자를 억제하겠다는 대통령의 목표에 공감하지만 공화당 지도부가 그녀의 소신과는 관계없이 반대표를 던지라고 명령했다고 말했다. 결국 공화당 의원은 단 한 명도 균형 예산안에 찬성하지 않았다. 예산안은 한 표 차이로 하원을 간신히 통과했고,

상원에서는 50 대 50의 균형을 깨기 위해 고어 부통령이 상원의장 자격으로 한 표를 던져야 했다. 마저리 메즈빈스키 하원의원을 비롯한 용기 있는 민주당 의원들은 장기적으로 미국에 이익이 된다고 믿는 일을 했기 때문에 다음번 선거에서 낙선했다.

정부가 원한 것은 경제 개혁안만이 아니었지만, 그것은 재정상의 책임을 정부에 되돌려주는 신호였고, 미국 경제가 방향을 전환하기 시작했다는 신호였다. 이것은 미국 역사상 전례없는 일이었다. 경제 개혁안은 재정 적자를 절반으로 줄였다. 메디케어 신탁기금의 수명을 연장하고, 근로소득세 공제라고 부르는 감세 범위를 확대하여 1,500만 명의 저소득 노동자에게 혜택을 주었고, 학자금 대출 프로그램을 개혁하여 납세자들의 부담을 수십억 달러나 줄여주었고, 빈곤 지역에 대한 투자를 장려하는 유인책으로 일정한 권리를 부여하는 특별지구와 사업 공동체를 만들어 세제 혜택을 주었다. 이런 개혁 조치에 필요한 재원을 마련하기 위해 휘발유세와 고소득자에 대한 세금을 올렸다. 고소득자는 세금을 많이 내는 대신 낮은 금리의 혜택을 받고, 경기가 호전되면 주식시장이 활기를 띠면서 주가가 올라가기 때문에 또 그만큼 이익을 얻을 터였다. 빌은 1993년 8월 10일 법률에 서명했다.

8월 중순에는 빌도 나도 벌써 일에 파묻혀 있어서, 참모들이 우리를 꽁꽁 묶고 입에 재갈을 물려 마사스비니어드로 가는 비행기에 억지로 태워야 할 정도였다. 하지만 그렇게 떠난 휴가는 내 상처를 치료해준 멋진 시간이었다.

비니어드 섬으로 오라고 우리를 설득한 사람은 오랫동안 그곳에서 휴가를 보낸 앤과 버넌 조던 부부였다. 그들은 우리를 위해 더할 나위 없이 완벽한 곳을 찾아주었다. 케네디 대통령과 존슨 대통령 시절에 국방장관을 지낸 로버트 맥나마라의 소유인 작은 외딴 집이었다. 침실이 두 개인 코드 곶의 별장은 비니어드 섬 남해안에서 조금 떨어져 있는 커다란 염수호인 '오이스터 폰드' 가장자리에 자리잡고 있었다. 나는 잠자고 헤엄을 치면서 몇 달 동안 계속된 긴장이 풀리는 것을 느꼈다.

8월 19일, 조던 부부가 빌의 47세 생일을 축하하기 위해 파티를 열었다. 오랜 친구들과 낯선 사람들이 파티장을 가득 메웠다. 나는 마음껏 웃고 떠들며 긴장을 풀었다. 취임식 이래 가장 즐거운 시간이었다. 재키 케네디 오나시스도 오랜 친구인 모리스 템플스먼과 함께 왔다. 언제 보아도 우아한 『워싱턴 포스트』 발행인 캐서린 그레이엄도 왔고, 믿을 만한 친구가 된 빌과 로즈 스타이런 부부도 왔다.

짓궂고 지적인 스타이런(미국의 소설가)은 남부 출신으로, 멋지게 풍화된 얼굴과 꿰뚫어보듯 날카로운 눈을 갖고 있었다. 그는 최근에 우울증과의 싸움을 털어놓은 『보이는 어둠: 광기의 회고록』을 출판했다. 나는 식사를 하면서 그에게 빈스 이야기를 했고, 이튿날도 비니어드 섬의 아름다운 해변을 오랫동안 산책하면서 대화를 계속했다. 그는 압도적인 상실감과 절망감에 사로잡히면 일상적인 고통과 방향 감각 상실에서 해방되고 싶은 마음 때문에 죽음이 바람직하고 합리적인 선택처럼 여겨질 수도 있다고 설명했다.

나는 재키와도 시간을 보냈다. 비니어드 섬에서 가장 아름다운 수십만 평의 땅에 둘러싸인 재키의 집은 책과 꽃으로 가득 차 있었고, 창문으로는 멀리 바다로 이어지는 완만한 모래언덕이 바라보였다. 그 집도 재키 특유의 소박한 우아함을 지니고 있었다.

나는 재키와 모리스가 함께 있는 것이 보기 좋았다. 매력적이고 재치 있고 박식한 모리스는 재키에 대한 사랑과 존경과 관심, 그리고 재키와 함께 있는 기쁨을 온몸으로 발산하고 있었다. 그들은 서로 상대에게 웃음을 주었다. 이것은 내가 사람들의 관계를 판단하는 기준 가운데 하나였다.

재키와 모리스는 우리를 모리스의 요트로 초대했다. 재키의 딸 캐럴라인 케네디와 그녀의 남편 에드 슐로스버그, 재키의 시동생 테드 케네디와 그의 아내 비키, 앤과 버넌 조던도 초대되었다. 캐럴라인은 첼시의 남다른 경험을 이해할 수 있는, 세계에서 몇 안되는 사람 가운데 하나다. 모리스의 요트에서 만난 이후, 캐럴라인은 내 딸에게 이해심 많은 친구이자 역할 모델이 되었다. 캐럴라인의 숙부이고 케네디 일가의 가장인 테드 케네디는 미국을 위해 봉사한 상원의원 가운데 가장 유능할 뿐만 아니라 노련한 뱃사람이기도 하다. 그는 해적과 해전에 대해 실황 방송이라도 하듯 계속 이야기했고, 지적이고 명랑한 그의 아내 비키는 그 실황 방송에 배경 정보를 덧붙여 재미를 더해주었다.

맑고 화창한 날, 우리는 메넴샤 항구를 출발하여 작은 섬 근처에 닻을 내리고, 점심을 먹기 전에 수영을 하러 갔다. 내가 아래로 내려가 수영복으로 갈아입고 갑판으로 올라오자, 재키와 테드와 빌은 벌써 물 속에 들어가 있었다. 캐럴라인과 첼시는 수면에서 10미터 가량 위에 있는 상갑판에 올라가 있었다. 내가 올려다보자 그들은 함께 점프하여 첨벙 소리와 함께 물 속으로 뛰어들었다.

그들은 깔깔 웃으면서 수면 위로 올라와, 다시 점프하기 위해 배로 돌아왔다.

첼시가 말했다. "엄마도 해보세요! 어서요!"

테드와 빌도 고함을 지르기 시작했다. "그래, 한번 해봐!" "해봐요!" 오늘까지도 그 이유를 알 수 없지만, 나는 좋다고 말했다. 나는 이제 운동 선수가 아니지만, 문득 깨닫고 보니 캐럴라인과 첼시를 따라 좁은 사다리를 기어오르고 있었다. 그때쯤에는 벌써 후회하고 있었다. 내가 어쩌다 말려들었지? 캐럴라인과 첼시는 상갑판에 도착하자마자 풍덩! 하고 다시 물 속으로 뛰어들었다. 이제 상갑판에 혼자 올라서서 아래를 내려다보니, 선 자세로 헤엄치는 사람들의 모습이 아주 작아 보였다. 그때 또다시 외치는 소리가 들렸다. "자, 어서 뛰어내려! 어서!"

그때 다른 사람들보다 더 크게 외치는 재키의 목소리가 들렸다. "하지 마, 힐러리! 이 사람들이 무슨 말을 해도 듣지 마! 하지 마!"

나는 혼자 생각했다. 그래, 저건 이성과 경험에서 나온 목소리야. 재키도 "아니, 난 하지 않겠어" 하고 말한 적이 수없이 많았을 것이다. 재키는 내 마음속에서 오가는 생각을 정확히 알고 나를 구하러 온 것이다.

"그 말이 맞아요!" 나는 마주 소리를 질렀다.

그러고는 최대한 위엄을 갖추며 천천히 사다리를 내려왔다. 그러고는 물 속으로 들어가 내 친구 재키와 함께 헤엄치러 갔다.

분만실

우리는 노동절 일주일 전에 워싱턴으로 돌아왔다. 정부가 예산안 표결에서 중요한 승리를 거두었기 때문에 이제는 백악관이 의료 개혁 문제에 전력을 기울일 때였다. 아니, 나는 그렇게 되기를 기대했다. 빌이 예정했던 100일 기한은 지난 지 오래였고, 특별위원회는 5월 말에 해산했다. 그후 몇 달 동안 의료 개혁 문제는, 대통령과 그의 경제팀·입법팀이 재정 적자 감축안에 전념할 수 있도록 뒷전으로 밀려나 있었다. 여름 동안에는 나도 하원의원들에게 전화를 걸어 빌의 경제 개혁안을 통과시켜달라고 설득했다. 경제 개혁안은 빌이 미국을 위해 이루고자 하는 모든 일의 성패를 좌우하는 열쇠였다.

그러나 예산안 표결에서 중요한 승리를 거두었는데도 의료 개혁안은 여전히 다른 법안들과 우선 순위를 다투어야 했다. 로이드 벤첸 재무장관은 의료 개혁안이 2년 안에 국회를 통과할 가능성에 회의적이어서 시간표를 너무 빡빡하게 짜지 말라고 경고했다. 8월 말에 벤첸 장관과 워렌 크리스토퍼 국무장관, 로버트 루빈 경제 고문은 의료 개혁을 뒤로 미루고 '북미자유무역협정(NAFTA)'을 먼저 추진하자고 주장했다. 그들은 자유 무역도 미국의 경제 회복에 중요하다고 여겼고, 게다가 NAFTA 는 즉각적인 행동을 보장해주었다. 북아메리카에 자유 무역 지역—세계 최대의 자유 무역 지역—을 구축하면 미국의 수출이 확대되고 일자리가 창출되어 미국 경제가 세계화의 부담이 아니라 혜택을 받게 될 터였다. 노동조합에는 인기가 없었지만, 교역 기회를 확대하는 것은 정부의 주요 목표였다. 문제는 백악관이 한꺼번에 두 가지 법안에 역량을 집중할 수 있느냐 하는 점이었다. 나는 그럴 수 있다고, 의료 개혁을 미루면 성공할 가능성이 더욱 희박해질 뿐이라고 주장했다. 그러나 그것은 빌이 결정할 문제였다. NAFTA의 입법 마감 시한이 눈앞에 닥쳐왔기 때문에 빌은 그 것을 먼저 국회에 제출해야 한다고 결정했다.

빌은 특히 미국 남쪽에 있는 가장 가까운 이웃나라와 관계를 강화하 는 데 열중했다. 멕시코는 수백만 명에 이르는 멕시코계 미국인의 고국 일 뿐만 아니라, 라틴아메리카 전역에 확산될 가능성이 있는 중요한 정 치적·경제적 변화를 겪고 있었다. 빌은 경제학자 출신의 멕시코 대통령 에르네스토 세디요를 돕고 싶어했다. 세디요 대통령은 멕시코 정부를 일 당체제에서 복수정당체제의 민주주의로 바꾸어가고 있었다. 여기에 성 공하면 멕시코는 오랫동안 계속된 빈곤과 부패만이 아니라 불법 이민과 마약과 밀무역 같은 문제와도 대결할 수 있을 터였다.

의료 개혁은 또다시 기다려야 했다. 그래도 아이라와 나와 의료 개혁 팀의 핵심 요원들은 모든 국민이 알맞은 가격으로 양질의 치료를 받을 수 있게 해줄 법안의 기초 공사를 계속했다. 여름 동안 빌이 국회에서 연 달아 극적인 승리를 거두었기 때문에 우리는 승산을 낙관했다. 우리는 개혁이 복잡한 공공 정책만이 아니라 국민 생활에도 관계가 있다는 점을 늘 잊지 않으려고 애썼다. 그리고 그 해결책을 찾는 과정에서 시민들의 삶은 내 생활에 영향을 주었다.

빌과 그의 참모들이 경제 활성화 정책을 다듬어내는 동안 나는 전국을 돌아다니며 많은 국민들의 이야기에 귀를 기울였다. 그들은 급등하는 의료비와 불공평한 치료와 관료적 관행에 날마다 부닥치면서 겪는 어려움을 토로했다. 루이지애나에서 몬태나까지, 플로리다에서 버몬트까지 여행하는 동안, 치료가 필요한 사람은 누구나 치료를 받을 수 있도록 보장하면서 기존 의료체계의 효율성을 높이고 비용을 낮출 수 있다는 내 확신은 더욱 굳어졌다.

나는 직장을 옮겼기 때문에 일시적으로 의료보험 혜택을 잃은 사람들과 이야기했다. 이런 일은 매달 평균 200만 명의 노동자에게 일어나고 있었다. 이미 암이나 당뇨병 진단을 받아 병력을 가진 사람은 '선행 질병'이 있었다는 이유로 보험금을 받을 수 없었다. 고정 수입으로 살아가는 노인들은 집세를 내든가 처방약을 사든가 둘 중 하나를 택해야 한다고 말했다. 아버지의 입원을 겪으면서 나는 최고의 배려와 지원을 받아도 사랑하는 사람을 잃는 것은 형언할 수 없는 고통이라는 사실을 알았다. 그런데 경제적 손해까지 감수해야 한다면 얼마나 더 힘들지, 생각만 해도 참을 수가 없었다.

내 가슴을 희망으로 부풀게 하는 미국인도 만났다. 어느날 의료 개혁론자들에게 연설하러 국회에 갔을 때 맨 앞줄에 앉아 있는 한 소년이 눈에 띄었다. 휠체어에 앉아 있었는데, 귀여운 얼굴에 더없이 사랑스러운 미소를 띠고 있었다. 나는 그 아이한테서 눈을 뗄 수가 없었다. 연설하기 전에 나는 그 아이에게 다가갔다. 내가 허리를 굽혀 "안녕" 하고 말하자 소년은 내 목을 끌어안았다. 나는 소년을 안아 올렸다. 그런데 소년은 온몸에 20킬로그램은 됨직한 신체 고정기를 차고 있었다. 나는 그 아이를 안은 채 연설했다. 그것이 나와 라이언 무어의 첫 만남이었다. 네브래스카 주 사우스수 시티에서 온 일곱 살의 라이언은 희귀한 선천성 왜소증 환자였다. 라이언은 복합 수술과 지속적인 치료를 받을 필요가 있었다. 그의 가족은 그 수술비와 치료비 때문에 보험회사와 끊임없이 싸웠다.

라이언의 질병은 신체 성장을 방해했지만 그 아이의 긍정적인 마음가짐까지 방해하지는 못했다. 나와 참모들은 라이언을 무척 귀여워했다. 멜라니는 라이언의 사진을 커다랗게 확대해서 '힐러리랜드' 벽에 걸어두었다. 모든 국민이 의료보험 혜택을 받을 수 있도록 하려고 애쓰는 동안 우리는 라이언과 같은 사연들을 들으면서 잠시도 우리의 목표에서 눈을 떼지 않았다. 오늘날에도 라이언의 용기와 희망은 내게 영감을 준다. 라이언은 지금 고등학교에 다니면서 스포츠 방송 아나운서를 꿈꾸고 있다.

9월 초에 빌은 이스라엘 총리 이츠하크 라빈과 팔레스타인 지도자 야시르 아라파트의 미국 방문과 새로운 중동평화협정 조인을 앞두고 준비에 몰두하고 있었다. 1993년 9월 13일 백악관 '남쪽 잔디밭'에서 열린 역사적 회담은 노르웨이 오슬로에서 몇 달 동안 계속된 협상의 결과여서, 이 중동평화협정은 '오슬로 협정'으로 불리게 되었다. 합의 사항을 이행하도록 양쪽을 압박할 수 있고, 또한 이스라엘이 유사시에 믿을 수 있는 나라는 미국뿐이기 때문에, 미국 정부가 평화협정을 지원하는 것은 매우 중요했다. 라빈 총리와 아라파트 의장은 대표단이 협상을 통해 합의한 협약안에 직접 서명할 것이고, 그것을 중동 사람들과 세계인들도 지켜볼 것이다.

나는 그해 봄에 라빈 총리 내외가 백악관을 예방했을 때 그들을 처음 만났다. 라빈 총리는 중기에 조용한 성품이어서 주의를 끌 만한 일은 전혀 하지 않았지만, 조용한 위엄과 진지함은 나—그리고 다른 많은 사람들—를 끌어당겼다. 라빈 총리는 강한 힘을 발산했다. 그와 함께 있으면 안전하다는 느낌이 들었다. 부인인 레아 라빈은 검은 머리에 꿰뚫어보는 듯한 푸른 눈을 가진 인상적인 여성이었다. 레아에게서는 활력과 지성이 배어나왔다. 레아는 또한 박식하고 관찰력이 뛰어나고 예술에 대한 소양을 갖추고 있었다. 백악관을 두번째 방문한 레아는 내가 백악관 컬렉션 가운데 그림 몇 점을 어디에 옮겨 걸었는지를 알아차렸다. 레아는 사람

과 사건에 대한 의견을 퉁명스러울 만큼 솔직하게 털어놓아 당장 내 호
감을 샀다. 라빈 내외는 이스라엘 앞에 놓여 있는 어려운 문제들에 대해
현실적인 생각을 가지고 있었다. 그들은 이스라엘의 안전한 미래를 확보
하려면 팔레스타인과 협상할 수밖에 없다고 생각했다. 그들의 태도는
"최선을 기대하고 최악에 대비하라"는 옛 속담을 상기시켰다. 그것은 빌
과 나의 판단이기도 했다.

그 좋은 날, 빌은 평화협정을 반드시 지키겠다는 의지의 증표로 아라
파트 의장과 악수를 하라고 라빈 총리를 설득했다. 라빈은 아랍인의 관
습인 키스를 하지 않는다는 조건으로 동의했다. 조인식이 거행되기 전에
빌과 라빈은 악수하는 연습을 하면서 즐거워했다. 빌이 아라파트 역을
맡아, 팔레스타인 지도자가 라빈 총리에게 너무 가까이 다가가지 못하게
하는 복잡한 행동 전략을 라빈과 함께 연습했다.

악수와 협정은 큰 희망을 줄 것으로 여겨졌지만, 일부 이스라엘인과
아랍인은 그들의 정치적 권익과 종교적 믿음에 대한 비난으로 받아들였
고, 이는 결국 폭력 사태와 라빈의 비극적인 암살로 이어졌다. 하지만 그
날 오후—신의 축복처럼 보이는 밝고 따뜻한 햇빛 아래에서—나는 최선
만을 기대했고, 지속적이고 안전한 평화를 위해 이런 위험을 무릅쓴 이
스라엘의 용기있는 결단을 내 힘껏 지원하기로 결심했다.

빌은 이렇게 다양하고 긴급한 일들을 처리하면서도 의료 개혁안을
설명하기 위해 9월 22일 프라임 타임에 텔레비전으로 생중계될 국회 연
설을 스케줄에 넣었다. 그후 나는 의료 개혁안을 심의할 5개 상임위원회
에 출두하여 증언할 예정이었다. 우리는 10월 초에 의료 개혁 법안을 국
회에 제출할 수 있게 되기를 바라고 있었다.

9월에는 이렇게 의욕적인 일정이 잡혀 있었기 때문에 우리는 앞길에
더 많은 걸림돌이 나타나는 것을 바라지 않았다. 의료 개혁안 자체는 아
직 완성되지 않았지만, 빌과 아이라와 나는 우리가 그런 결정을 내린 이

유를 민주당 의원들이 이해할 수 있도록, 빌이 국회에서 연설하기에 앞서 민주당 의원들에게 의료 개혁안 내용을 자세히 알리고 싶었다. 하지만 의료 개혁안에 포함된 수치는 아직 통계 처리가 되어 있지 않았기 때문에 예산 전문가들이 그것을 계산하고 확인할 필요가 있었다. 그 작업은 예상했던 것보다 몇 주일이 더 걸렸다. 우리는 미완성 문서를 배포하는 대신 '열람실'을 만들어, 그곳에서 민주당원들이—숫자는 바뀔 수 있다는 점을 양해하고—의료 개혁안을 볼 수 있게 했다. 문서 내용은 언론에 새어나갔고, 신문 기사를 본 많은 의원들은 그 초안이 최종안이라고 생각했다. 가뜩이나 의료 개혁에 경계심을 품고 있던 모이니헌 상원의원은 의료 개혁안이 '환상적인' 수치에 근거를 두고 있다면서 그 계획 전체를 비난했다.

개혁 찬성론자와 반대론자들은 결과에 영향을 미치기 위해 조직적인 활동을 벌이기 시작했다. 소비자와 가족 · 노동자 · 노인 · 아동병원 · 소아과 의사를 대표하는 단체들은 대부분 찬성하는 쪽에 섰다. 하지만 기업체, 특히 영세기업과 제약회사와 거대한 보험회사들은 오래 전부터 의료 개혁을 위협으로 간주했다. 의사들도 개혁안의 특정 부분에 반대하고 있었다.

반대 세력의 조직력과 자금력이 얼마나 막강한지를 깨닫는 데에는 오랜 시간이 걸리지 않았다. 9월 초, 미국의 보험회사들을 대표하는 강력한 이익단체인 의료보험연합회가 개혁안의 평판을 떨어뜨리기 위한 텔레비전 광고를 시작했다. 한 부부가 부엌 식탁에 앉아 진료비 청구서를 검토하면서, 원치도 않는 새로운 의료보험에 가입하도록 정부가 강요하려 하고 있다고 걱정한다. 그때 목소리가 말한다. "상황이 달라지고 있습니다. 그것도 꼭 좋은 쪽으로 달라지고 있는 것은 아닙니다. 정부는 행정 관료들이 만든 몇 가지 의료보험 가운데 하나를 택하도록 강요할지도 모릅니다." 이것은 오해를 불러일으키는 허위 광고였지만, 사람들을 겁주기 위해 짜여진 교묘한 전술은 바라던 결과를 얻었다.

빌이 국회에서 의료 개혁안을 공개하기 이틀 전인 9월 20일, 빌은 연설문 작성팀으로부터 받은 초안을 보아달라고 나에게 부탁했다. 오랫동안 빌과 나는 상대를 상담역으로 삼아 서로 의지해왔다. 중요한 연설문이나 글을 쓸 때는 서로 교정자 역할을 맡아주었다. 일요일 오후였다. 나는 백악관 꼭대기층의 내가 좋아하는 방—일광욕실—으로 들어가 커다란 의자에 자리를 잡았다. 우리는 카드놀이를 하고 텔레비전을 보고 평범한 가정 분위기를 느끼면서 편히 쉬고 싶을 때는 자주 그 방을 이용했다. 연설문 초안을 서둘러 훑어보고 나는 다소 미흡하다는 느낌을 받았다. 그런데 빌이 연설할 시간은 48시간밖에 남아 있지 않았다. 나는 공황 상태에 빠졌다. 수화기를 집어들고 백악관 교환수에게 매기를 불러달라고 부탁했다. 폭풍 속에서도 늘 침착한 매기는 연설문 초안을 훑어보고는 그날 저녁에 당장 의료 개혁 보좌관들과 연설문 작성자들의 합동 회의를 소집했다. 빌과 나는 여남은 명의 직원들과 함께 일광욕실에 앉아 멕시코 요리를 먹으면서 연설 주제를 의논했다. 나는 의료 개혁이 미국이 걸어가야 할 여로의 일부라고 말했다. 이것은 적절한 비유였다. 빌의 견해에 따르면 의료 개혁은 우리 세대가 미래 세대를 위한 요구에 응답할 기회였기 때문이다. 우리는 여로를 주제로 정하고, 다급함과 안도감이 뒤섞인 기분으로 초안을 연설문 작성팀에 다시 넘겼다. 그들은 빌의 끊임없는 교정과 수정을 받으면서 화요일 밤에 발표할 원고를 다듬었다.

대통령의 국회 연설은 하원 본회의장에서 행해진다. 그리고 그 절차는 사뭇 의례적이다. 대통령이 본회의장에 들어가면 수위관이 엄숙한 목소리로 "미합중국 대통령이십니다" 하고 알린다. 청중은 모두 일어나고, 대통령은 전통에 따라 중앙 통로를 사이에 두고 양쪽에 앉아 있는 양당 의원들에게 인사를 한다. 이어서 대통령은 연단으로 올라간다. 부통령과 하원의장은 대통령 바로 뒤에 앉는다.

퍼스트 레이디는 백악관 고위직 및 그밖의 고위 인사들과 함께 특별 방청석에 앉는다. 누가 퍼스트 레이디와 함께 앉을 것인가를 알아맞히는 것이 워싱턴에서 인기있는 게임이었다. 그날 저녁 내 오른쪽에는 미국의 저명한 소아과 의사이자 내가 좋아하는 베리 브래즐턴 박사가 앉았다. 나는 10년 가까이 아동 문제 해결을 위해 브래즐턴 박사와 협력해왔다. 그보다 놀라운 인물은 내 왼쪽에 앉은 에버렛 쿠프 박사였다. 소아과 전문의인 쿠프 박사는 레이건 대통령 시절 공중보건국장이었다. 턱수염을 기르고 안경을 쓴 그는 공화당원이었고, 완고한 낙태 반대론자로서 신랄한 전투를 견뎌낸 인물이었다. 빌과 나는 그가 공중보건국장으로서 과감한 입장을 취하는 것을 보고 그에게 탄복하게 되었다. 그는 흡연의 위험과 에이즈의 확산을 국민들에게 경고하고, 면역과 콘돔 사용과 건강에 유익한 환경과 더 나은 영양 섭취를 위한 캠페인을 벌였다. 쿠프 박사는 임상의이자 정책 입안자로서 현행 의료체계의 문제점을 직접 목격했기 때문에 의료 개혁을 거침없이 지지하는 옹호자가 되었다. 그는 우리에게 헤아릴 수 없이 귀중한 조언자이자 동맹자였다.

빌은 의원들과 방청객들에게 앉으라는 손짓을 한 뒤 연설을 시작했다. 빌의 명예를 위해서 사실을 말하면, 무언가가 잘못되었다는 것을 나도 알아차리지 못했다. 우리는 TV용 프롬프터에 엉뚱한 연설문이 잘못 들어가 있는 것을 나중에야 알았다. 프롬프터에 떠오른 것은 빌이 몇 달 전 경제 문제에 대해 연설했을 때의 원고였다. 빌은 즉석 연설과 애드리브에 대해서는 '전설적'인 존재지만, 이 연설은 너무 길고 너무 중요해서 전체를 즉흥적으로 할 수는 없었다. 보좌관들이 서둘러 실수를 바로잡는 데에는 7분이나 걸렸고, 나는 온 신경이 고문당하는 기분이었다. 그 동안 빌은 기억을 더듬어 연설을 했다.

열정과 지혜가 알맞게 섞인 훌륭한 연설이었다. 그날 밤에는 빌이 정말 자랑스러웠다. 그것은 새 대통령에게는 용기가 필요한 일이었다. 프랭클린 루스벨트 대통령은 사회보장제도를 통해 미국 노인들에게 경제적 안정을 주는 길을 찾았다. 빌은 의료 개혁을 통해 수천만 명에 달하는 불우한 미국인들의 삶의 질을 크게 향상시키고 싶어했다. 빌은 적색·백색·청색으로 이루어진 '의료보장카드'를 내보이면서, 이런 카드가 모든 국민에게 발급되기를 바란다고 말했다. 그리고 모든 국민이 의료보험으로 진료비를 보장받을 수 있고 또한 알맞은 가격으로 양질의 치료를 받을 수 있는 개혁안을 제출하겠다고 약속했다.

"오늘밤 우리는 미국 역사에 새 장을 쓰기 위해 한자리에 모였습니다." 빌은 국민에게 말했다. "수십 년 동안 잘못된 시작이 되풀이되었지만, 이제 우리는 모든 국민에게 의료를 보장해주는 것을 최우선 사항으로 삼아야 합니다. 의료는 결코 빼앗길 수 없고, 늘 가까이 있어야 합니다."

빌이 52분 동안 계속된 연설을 마치자 청중은 기립 박수를 보냈다. 몇몇 공화당 의원은 당장 개혁안의 세부를 쟁점으로 삼았지만, 많은 양당 의원들은 역대 대통령들을 그토록 괴롭혀온 문제에 빌이 도전한 것을 높이 평가했다. 어떤 기자가 말했듯이, 의료 개혁은 "사회보장 정책의 에베레스트 산을 오르는 것"과 마찬가지였다. 우리는 힘든 여행을 시작했다. 나는 고무된 기분이었지만, 연설로 사람들을 감동시키는 것과 법안을 만들어 통과시키는 것은 별개 문제라는 사실을 잘 알고 있었기 때문에 불안하기도 했다. 하지만 빌의 헌신과 열변에는 고마움을 느꼈다. 미국의 장기적인 경제 부흥과 사회 복지가 의료 개혁에 달려 있었기 때문에 나는 결국 타협에 도달할 수 있으리라고 믿었다.

국회 연설이 끝난 뒤 우리는 카 퍼레이드를 벌이며 백악관으로 돌아갔다. 본관에서 뒤풀이를 할 계획이었지만, 그보다 먼저 구행정부 건물로 가기로 결정했다. 의료 개혁에 참여한 스태프들이 그 건물 160호실에 임시변통으로 만든 비좁은 칸막이 방에서 일하고 있었다. 빌과 나는 의료 개혁을 위해 밤낮으로 애써준 그들에게 감사했다. 나는 의자 위에 올라서서, 의료 법안의 탄생이 임박했으니까 이제부터 이 방의 이름을 '분만실'로 바꾸겠다고 선언했다. 사람들은 모두 웃음과 박수로 환영했다.

빌의 연설과 의료 개혁에 대한 평이 대체로 긍정적이었기 때문에 우리는 법안 통과를 낙관했다. 대중은 의료 개혁에 압도적인 지지를 보냈다. 신문도 '의료 개혁—무엇이 잘되었는가?'라는 제목으로 의료 개혁안 내용과 초당파적 합의를 이끌어내려는 우리의 노력에 찬사를 보냈다.

법안을 '분만'하려면 앞으로도 한 달이 더 걸리겠지만, 나는 개혁안을 심의할 위원회에서 하루빨리 증언하고 싶었다. 빌이 국회에서 연설한 지 엿새 뒤인 9월 28일, 나는 하원 세입위원회에 출두할 기회를 얻었다. 퍼스트 레이디가 정부의 주요 입법안에 대해 주요 증인으로 출두한 것은 사상 처음 있는 일이었다. 물론 엘리너 루스벨트와 로절린 카터를 비롯한 몇몇 퍼스트 레이디들도 국회에서 증언한 적이 있었다. 로절린 카터는 1979년에 상원 소위원회에 출두하여, 정신질환자와 치료시설을 지원하는 프로그램에 재정 지원을 늘려야 한다고 주장했다.

내가 국회에 도착했을 때 청문회실은 만원이었다. 나는 몹시 떨렸다. 자리는 모두 차 있었고, 옆벽과 뒷벽에도 빈 공간이 한 치도 남아 있지 않을 만큼 사람들이 빽빽이 들어차 있었다. 수십 명의 사진기자가 증언대 앞 바닥에 앉아서 자리에 앉는 나를 향해 맹렬히 셔터를 눌러댔다. 모든 방송사가 이 사건을 녹화하기 위해 촬영팀을 보냈다.

나는 열심히 증언을 준비했다. 증언 준비를 위한 미팅에서 맨디 그룬월드는 내가 정말로 전달하고 싶은 게 무엇이냐고 물었다. 맨디는 1992년 대통령 선거 때 제임스 카빌과 함께 일했고, 그후에도 민주당 전국위원회에서 일하고 있는 언론 컨설턴트였다.

나는 사실 관계에서 실수를 저지르면 안된다는 것을 알고 있었지만, 인간의 불안과 고통에 대한 이야기가 공공질서와 미풍양속이라는 애매

모호함 속에 묻혀버리는 것도 바라지 않았다. 나는 의료 문제를 현실 그 대로 전달하고 싶었다. 그래서 내가 왜 그토록 간절하게 의료체계를 개 선하고 싶어하는가 하는 사적인 이야기로 증언을 시작하기로 결정했다. 오전 10시, 세입위원장인 댄 로첸코프스키—시카고 출신의 우락부락하 고 완고한 보수파 정객—가 개회를 선언하고 나를 소개했다.

나는 모두 발언을 이렇게 시작했다. "지난 몇 달 동안 저는 우리 나라 와 미국 시민이 의료와 관련하여 직면해 있는 문제점을 알려고 애쓰는 과정에 많은 것을 배웠습니다. 제가 오늘 이 자리에 나온 공식적인 이유 는 그 책임을 맡았기 때문입니다. 하지만 저에게 보다 더 중요한 것은, 제가 어머니로서, 아내로서, 딸로서, 누이로서, 한 여성으로서 이 자리에 나왔다는 것입니다. 저는 가족의 건강과 나라의 건강을 걱정하는 미국 시민으로서 여기에 서 있습니다."

그후 두 시간 동안 나는 세입위원회 위원들의 질문에 답변했다. 그날 오후에는 에너지통상위원회에서 증언했다. 이 위원회의 위원장은 가장 오랫동안 하원의원을 지냈고 오래 전부터 의료 개혁을 지지해온 미시간 주 출신 민주당 의원인 존 딩겔이었다. 그후 이틀 동안 나는 또 하나의 하원 위원회와 두 개의 상원 위원회에 출두했다. 흥미롭지만 심신을 지 치게 하는 경험이었다. 우리 계획에 대해 공개적으로 발언할 기회를 얻 은 것은 기뻤고, 평이 대체로 긍정적인 것도 만족스러웠다. 하원의원들 은 내 증언을 칭찬했고, 신문 보도에 따르면 내가 복잡한 의료 시스템을 잘 알고 있는 데 깊은 인상을 받았다고 한다. 이런 평가는 나에게 희망을 주었다. 내 증언은 의료 개혁이 미국 시민과 그들의 가족만이 아니라 국 가 경제에도 그토록 중요한 이유를 사람들이 이해하는 데 도움이 되었을 지 모른다. 어쨌든 나는 청문회 증언을 끝냈고, 나 자신이나 남편을 난처 하게 만들지 않아서 한시름 놓은 기분이었다. 남편은 그렇게 중요한 프 로젝트에서 대통령을 대리할 사람으로 나를 선택한 책임이 있었다.

대다수 의원들은 의료 문제 논의의 미묘한 점을 정당하게 평가했지만, 일부는 내 증언을 지나치게 찬양했다. 나는 그런 반응이 아칸소 주지사 부인 시절에 배운 '말하는 개 신드롬'의 또 다른 예에 불과하다는 것을 깨달았다. 새뮤얼 존슨 박사(영국의 시인·비평가. 1709~84─옮긴이)의 전기를 쓴 제임스 보즈웰(영국의 변호사. 20대에 존슨 박사를 만나 친교를 맺었으며, 박사가 죽은 뒤 펴낸 『새뮤얼 존슨의 생애』는 전기문학의 백미로 꼽힌다. 1740~95─옮긴이)은 존슨 박사도 그와 비슷한 생각을 가지고 있었다고 말했다. "설교하는 여자는 뒷다리로 걷는 개와 비슷하다. 개는 뒷다리로 잘 걷지 못하지만, 잘하든 못하든 개가 뒷다리로 걷는 것을 보면 모두 놀란다."

의원들의 칭찬은 내가 메모를 이용하지 않았고, 보좌관들과 상의하지도 않았으며, 증언하는 내용을 내가 대체로 숙지하고 있었다는 사실에 모아졌다. 요컨대 내 증언을 평가하고 칭찬했다고 해서 개혁안 내용까지 받아들인 것은 아니었다.

내가 워싱턴 밖에서도 인기가 있고 의원들이 나를 긍정적으로 받아들이고 국회가 의료 개혁안을 검토하려는 자세를 보이는 것이 오히려 공화당의 경각심을 불러일으켰다. 빌 클린턴이 모든 국민에게 의료보험을 제공하는 법안을 통과시키는 데 성공하면 재선은 따놓은 당상일 것이다. 공화당 지도부는 그런 결과를 예방하기로 작정했다. 우리 쪽 정치 전문가들은 보수파 쪽에서 초토화 전략으로 나오는 것을 알아차렸다. 백악관과 상원의 연락 업무를 맡은 스티브 리체티는 그것을 걱정했다. 어느날 오후에 스티브가 내 사무실에 와서 말했다. "보수파가 영부인을 노릴 겁니다. 영부인께서는 이번 과정에 너무 강력해졌어요. 보수파는 무슨 수를 써서라도 영부인께 치명상을 입히려 들 겁니다."

나는 전에도 압박을 받은 적이 있었고, 적어도 이번에는 내가 옳다고 믿는 일을 위해서니까 기꺼이 압박을 감수하겠다고 스티브 리체티를 안심시켰다.

나의 청문회 증언도 끝나고 했으니, 이제는 '롤아웃'(roll-out: 시험 비행)―대통령이 정책에 대한 관심과 지지를 불러일으키기 위해 행하는 일련의 연설과 행사―에 나설 때가 되었다. 빌은 10월 전반부를 대부분 '롤아웃'에 바치기로 일정을 짰다. 우선 10월 3일 캘리포니아 주로 가서 소도시를 순방하며 시민 간담회를 열어 되도록 많은 사람을 지지파로 돌려놓을 작정이었다. 하지만 대통령의 일정은 외부 사건에 좌우되는 경우가 많다. 빌이 10월 3일 캘리포니아로 가고 있을 때 보좌관들이 백악관 상황실로부터 긴급 연락을 받았다. 소말리아에서 '블랙호크' 헬기 두 대가 격추되었다는 것이다. 아직 자세한 내용은 알 수 없지만 미군이 살해된 것은 분명했고, 폭력 사태가 벌어지고 있을 가능성도 있었다. 부시 대통령이 소말리아에 파병한 미군은 원래 내전과 기근으로 황폐해진 나라를 돕는다는 인도주의적인 사명을 띠고 있었지만, 좀더 적극적인 평화유지군으로 임무가 바뀌었다.

대통령들은 골치 아픈 사건이 일어날 때 재빨리 전략을 채택해야 한다. 다른 일을 모두 중단하고 공개적으로 위기 해결에 전념할 수도 있고, 공식 일정을 소화하면서 사태를 처리할 수도 있다. 빌은 캘리포니아에 남아서 국가 안보팀과 계속 접촉을 유지했다. 그런데 사태가 더욱 악화되었다. 소말리아 군중이 모가디슈 시내에서 미군 시체를 질질 끌고 다니는 모습이 텔레비전에 방영된 것이다. 소름끼칠 만큼 야비한 이 잔학 행위는 소말리아 군벌인 모하메드 아이디드 장군이 주도한 것이었다.

빌은 러시아에 대해서도 끔찍한 정보를 받았다. 보리스 옐친 대통령에 대한 군사 쿠데타가 일어났다는 것이다. 10월 5일, 캘리포니아 주 컬버 시티 시청에서 의료 개혁에 관한 시민 간담회를 열고 있던 빌은 모임을 중단하고 급히 워싱턴으로 돌아왔다. 그후 몇 주 동안 빌과 언론과 국민들은 소말리아와 러시아 사태에 이목을 집중했고, 의료 개혁안은 뒷전으로 밀려나고 말았다.

우리는 원래 의료 개혁안의 골자가 될 개략적인 원칙을 하원에 제출할 계획이었다. 하지만 댄 로첸코프스키 의원은 우리가 당연히 법률 용어로 표현된 자세한 법안을 제출하리라고 예상하고 있었다. 처음부터 국회에 포괄적인 법안을 제출하는 것은 우리에게 엄청난 부담이었고 전술적인 실수였다. 우리는 법안이 기껏해야 250쪽 정도 될 줄 알았는데, 초안 작업을 계속하는 과정에 그보다 훨씬 길 필요가 있다는 사실이 분명해졌다. 그것은 의료 개혁안이 워낙 복잡했기 때문이기도 하지만, 우리가 여러 이익단체의 구체적인 요구를 수용했기 때문이기도 하다. 예컨대 미국 소아과학회는 아동기에 아홉 가지 예방접종을 받고 건강한 어린이가 여섯 번 병원에 오는 것을 보험 급여로 보장해주어야 한다고 주장했다. 이치에 맞는 요구일지는 모르나, 이렇게 구체적이고 상세한 내용은 초안 작업 과정이 아니라 법안이 국회에 상정된 뒤에 협상을 통해 결정할 문제였다. 10월 27일 백악관이 국회에 제출한 '의료보장법안'은 무려 1,342쪽에 달했다. 몇 주 뒤 국회 회기의 마지막 날, 상원의 다수당인 민주당 원내총무 조지 미첼은 법안을 의제에 올렸다. 팡파르는 울리지 않았다. 에너지나 예산 같은 복잡한 문제를 다룬 법안은 대부분 1천 쪽이 넘었지만, 반대파는 우리 법안의 길이를 걸고 넘어졌다. 우리는 주요한 사회보장 정책을 능률적으로 합리화하고 간소화하려고 애쓰고 있었지만 우리 법안을 능률적으로 합리화하고 간소화하는 일은 불가능해 보였다. 그것은 교묘한 전술이었고, 우리의 의료 개혁안이 이미 법전에 올라 있는 수천 쪽의 보건 관련법과 조례를 대체할 수 있다는 사실을 효과적으로 덮어버렸다.

그렇게 많은 일들이 일어나고 있었기 때문에 나는 10월 26일 내 생일조차 잊고 넘어갈 뻔했다. 하지만 내 참모들은 파티 기회를 놓칠 사람들이 아니었다. '힐러리랜드' 주민들은 내 가족과 친구들을 전국에서 100

명이 넘게 초대하여 백악관에서 내 46세 생일을 축하하는 깜짝 파티를 열었다. 나는 그날 저녁 모이니헌 상원의원과, 여성 상원의원 가운데 최고참으로 알려진 메릴랜드 출신의 바버라 미쿨스키 상원의원을 만나고 백악관으로 돌아왔다. 본관 건물로 다가갔을 때 나는 무슨 일인가가 일어나고 있다는 것을 알아차렸다.

관저는 불이 모두 꺼져 있었다. 직원은 정전이라고 말했다. 그것이 내가 얻은 첫번째 단서였다. 백악관은 절대로 정전되지 않는다. 직원은 나를 위층으로 안내하더니, 검은 가발을 쓰고 후프 스커트를 입으라고 말했다. 그것은 식민지 시대 스타일의 차림새였고, 돌리 매디슨(제4대 대통령 제임스 매디슨의 부인)의 패션을 흉내내려는 시도였다. 이어서 직원은 나를 데리고 '스테이트 플로어'로 내려갔다. '힐러리의 열두 가지 모습'—머리띠를 두른 힐러리, 쿠키를 굽는 힐러리, 의료 개혁에 골몰하는 힐러리 등—을 나타내는 열두 명의 직원이 금발 가발을 쓰고 나를 맞아주었다. 빌은 제임스 매디슨 대통령으로 분장하고 있었다(하얀 가발과 몸에 꼭 끼는 타이츠). 나는 그런 차림의 빌이 사랑스러웠지만, 우리가 20세기 말에 살고 있다는 게 기뻤다. 빌은 양복을 입는 편이 훨씬 멋져 보인다.

화이트워터

1993년 핼러윈 데이였다. 『워싱턴 포스트』 일요판을 집어든 나는 아칸소 시절에 큰 손해를 보았던 부동산 투기가 망령처럼 또다시 우리를 괴롭히러 돌아온 것을 알았다. 익명의 '정부 소식통'에 따르면, 파산한 상호신용금고를 조사하는 연방 기관인 '정리신탁공사(RTC)'가 짐 맥두걸의 소유인 '매디슨 신용금고'의 불법 행위에 대한 수사를 의뢰했다는 것이다. 맥두걸과 그의 아내 수잔은 우리와 동업으로 '화이트워터 개발회사'를 차렸지만, 이 회사는 맥두걸이 매디슨 신용금고를 인수하기 4년 전에 구입한 토지를 유지 관리하기 위해 만든 완전한 별개 회사였다. 하지만 우리는 과거에 맥두걸과 관계가 있었기 때문에 그후 맥두걸의 재난에 부당하게 말려들었다. 1992년 대통령 선거전이 한창일 때, 맥두걸이 우리와 사업상 관계가 있었기 때문에 주지사인 빌한테서 특혜를 받았다는 주장이 언론에 제기되었다. 물론 이 주장은 곧 근거 없는 것으로 확인되었다. 빌과 내가 화이트워터 투자로 손해를 보았고, 또한 빌이 주지사로 재직하는 동안 아칸소 보안국이 맥두걸을 해임하고 매디슨 신용금고를 파산 처리하도록 '연방보증보험공사

(FDIC)'에 요청했다는 사실을 입증하자 기사는 슬그머니 꼬리를 감추었다.

이제 『워싱턴 포스트』는 맥두걸이 1986년에 빌의 주지사 재선운동을 포함하여 아칸소의 정치운동에 불법으로 자금을 대기 위해 자신 소유의 신용금고를 이용했다는 혐의를 신탁공사 검사팀이 조사하고 있다고 보도했다. 나는 아무리 조사해도 나오는 게 없을 거라고 확신했다. 빌과 나는 매디슨 신용금고에 돈을 예치한 적도 없고 대출을 받은 적도 없었다. 선거자금을 기부받기는 했지만, 빌은 기부금 액수를 선거당 1,500달러로 엄격히 제한하고 있는 아칸소 주 법률을 지켰다. 맥두걸은 빌이 대통령에 출마하기 전에 이미 매디슨 신용금고 운영 과정에 발생한 혐의로 기소되어 재판을 받고 무죄 석방되었다.

빌과 나는 느닷없이 재등장한 화이트워터의 정치적 의미를 미처 깨닫지 못했다. 점점 확산되는 논란을 다루는 방식에서 우리가 홍보상의 실수를 저지른 것은 그 때문이었는지도 모른다. 하지만 나는 우리의 적들이 그 문제를 어디까지 끌고 갈지 예측할 수 없었다.

화이트워터라는 이름은 우리의 생활에 대한 끝없는 조사를 상징하게 되었다. 특별검사의 조사에만 7천만 달러가 넘는 세금이 쓰였지만, 그렇게 철저한 조사에서도 우리의 불법 행위는 전혀 드러나지 않았다. 빌과 나는 자진해서 조사에 협력했다. 조사관들이 새로운 혐의를 발설하거나 제기할 때마다 우리는 중요한 사안을 놓치거나 눈감아주지 않았는지를 돌이켜보곤 했다. 하지만 혐의가 꼬리를 물고 제기되자 우리는 거울 방에서 유령들을 쫓아다니고 있다는 것을 깨달았다. 우리가 이쪽으로 달려가면 유령은 우리 뒤에서 불쑥 나타나곤 했다. 화이트워터는 현실처럼 보이지 않았다. 사실이 아니었기 때문이다.

조사의 목적은 대통령과 정부의 신뢰를 떨어뜨리고 정부의 기세를 꺾는 것이었다. 조사 대상은 중요하지 않았다. 중요한 것은 조사가 진행되고 있다는 사실뿐이었다. 우리가 아무 잘못도 저지르지 않았다는 것은 중요하지 않았다. 중요한 것은 우리가 잘못을 저질렀다는 인상을 대중에게 심어주는 것뿐이었다. 조사에 1천만 달러의 세금이 쓰인 것은 중요하지 않았다. 중요한 것은 우리 생활과 대통령의 일을 계속 혼란시키는 것뿐이었다. 화이트워터는 정쟁에 새로운 전술이 등장했음을 알리는 신호탄이었다. 수사를 정치적 파괴 무기로 이용하는 전술이다. 화이트워터는 우리의 정적들이 계획할 수 있는 모든 공격에 두루두루 이용할 수 있는 편리한 다목적 무기가 되었다. 화이트워터는 처음부터 정치적 전쟁이었고, 그 전쟁은 빌 클린턴의 대통령 임기가 끝날 때까지 계속되었다.

하지만 당시에는 화이트워터가 낯익은 등장인물에 구태의연한 이야기를 살짝 비틀어 새로운 각도에서 다룬 것처럼 보였다. 나에게 그것은 위협이라기보다 성가신 골칫거리일 뿐이었다.

그러나 핼러윈 데이의 『워싱턴 포스트』 기사와 『뉴욕 타임스』에 곧 뒤따라 나온 비슷한 기사를 읽고 우리는 변호사를 따로 고용하여 만약의 사태에 대비해야겠다고 생각했다. 우리의 개인 고문 변호사인 보브 바넷은 아내인 리타 브레이버가 CBS 방송의 백악관 출입 기자이기 때문에 화이트워터 사건을 맡을 수 없었다. 보브는 오래 전부터 민주당원이었고, 민주당 대통령 · 부통령 후보 지명자들이 선호하는 토론 상대다. 후보자들이 상대의 공격이나 주장에 대비할 수 있도록 열리는 모의 토론회에서 보브는 공화당 후보 역할을 완벽하게 연기한다. 1984년에는 민주당 부통령 후보인 여성 하원의원 제럴딘 페라로, 1988년에는 마이클 듀카키스 주지사, 1992년에는 빌 클린턴 주지사를 상대로 조지 부시 역할을 맡았다. 2000년 부통령 토론회에서는 전 국방장관 딕 체니의 역할을 맡아 민주당 상원의원 조 리버먼을 상대했고, 2000년 상원의원 선거 때는 내 토론회에 대비하여 릭 라치오 하원의원 역할을 맡기까지 했다. 보브는 1992년에 내 고문이자 조언자가 되었다. 그후 몇 년 동안 보브보다 더 좋은 친구는 바랄 수 없었을 것이다.

보브는 화이트워터 문제에서 우리를 대리할 변호사로 '윌리엄스 · 코널리 법률회사' 동료인 데이비드 켄들을 추천했다. 우리는 데이비드를 몇 년 동안 알고 지냈다. 그는 빌과 나보다 몇 살 위지만 예일 법대를 함께 다녔다. 데이비드도 빌과 마찬가지로 로즈 장학생이었다. 데이비드와 나는 같은 중서부 출신으로서—데이비드는 인디애나 주 시골 농장에서 태어나 자랐다—자연스러운 친밀감을 느꼈다. 그는 곧 우리 생활의 지주가 되었다.

데이비드는 그 일을 맡기에는 더할 나위 없이 안성맞춤이었다. 그는 바이런 화이트 대법관 밑에서 일했고, 언론 관련 사건과 회사법을 다룬 경험이 있었다. 그는 또한 1980년대에 여러 상호신용금고가 조사를 받을 때 의뢰인을 대리한 적이 있었기 때문에 신용금고 문제에도 정통했다. 게다가 그는 확고한 사회적 양심을 가지고 있었다. 그는 '자유의 여름'이라고 불리는 1964년 여름, 미시시피 주에서 민권운동에 적극적으로 참여하여 흑인 투표권 운동을 벌이다가 투옥된 적도 있었다. 그의 사무실 벽에는 그때의 체포 영장 사본이 걸려 있다. 그가 변호사로서 맨 처음 맡은 일은 '전국흑인지위향상협회'의 의뢰를 받아 사형수를 변호한 것이었다.

진정으로 훌륭한 변호사들이 모두 그렇듯이 데이비드도 언뜻 보기에는 아무 상관도 없어 보이는 단편적인 사실들을 짜맞추어 설득력 있는 이야기로 바꾸는 재능을 갖고 있다. 하지만 화이트워터 이야기를 재구성하는 것은 그의 재능을 시험대에 올려놓곤 했다. 데이비드는 우선 빈스 포스터의 사무실에 있던 서류를 입수했다. 그 서류는 빈스가 죽은 뒤 보브 바넷에게 넘어가 있었다. 이어서 데이비드는 다른 서류를 찾아 워싱턴에서 화이트워터 부지 근처에 있는 아칸소 주 플리핀까지 내려갔다.

데이비드는 그후 석 달 동안 거의 매주 백악관에서 우리를 만났다.

그는 화이트워터 기록의 빈틈을 이어맞추고 점점 기묘해지는 짐 맥두걸의 투자를 추적하면서 알아낸 것을 우리에게 알려주었다. 나는 흥미롭게 귀를 기울였다. 맥두걸의 서류가 남긴 흔적을 재생하려고 애쓰는 것은 연기를 그러모으는 것과 비슷하다고 그는 말했다.

빌과 나는 화이트워터 부지에 한번도 가본 적이 없었다. 사진만 보았을 뿐이다. 데이비드는 사건을 이해하기 위해서는 그곳을 '삼차원 실시간으로' 볼 필요가 있다고 판단했다. 그는 미주리 주 남부(리틀록보다는 이곳이 화이트워터와 더 가까웠다)로 날아가 차를 한 대 빌렸다. 시골길에서 길을 잃고 몇 시간을 헤맨 뒤 그는 마침내 불도저로 땅을 고른 울퉁불퉁한 샛길을 발견했다. 그 길은 숲속을 지나 아직 다 개발되지 않은 화이트워터 단지로 이어져 있었다. 여기저기 '매물' 간판이 서 있었지만 집에는 아무도 없었다. 몇 달 뒤, 언론이 화이트워터와 조금이라도 관계가 있는 사람이면 누구하고나 인터뷰하고 사진을 찍으려고 벌떼처럼 몰려간 뒤에 다시 그곳에 갔다면, 데이비드는 그곳에서 사람이 살고 있는 몇 집 가운데 하나에 커다란 벽보가 붙어 있는 것을 보았을 것이다. 그 벽보에는 "꺼져라, 멍청이들아!" 하고 씌어 있었다.

데이비드는 화이트워터 단지의 현 소유자를 추적하여, 결국 일부 필지의 소유권이 크리스 웨이드라는 부동산업자에게 넘어간 것을 알아냈다. 1985년 5월 맥두걸이 회사 소유로 남아 있던 24필지를 웨이드에게 팔아넘긴 것이다. 물론 우리는 까맣게 모르고 있었다. 그때는 우리가 아직 동업자였는데도 맥두걸은 우리한테 알리지도 않았고, 매매계약서에 서명을 요청하지도 않았고, 3만 5천 달러의 수익금을 나누어 갖자고 제의하지도 않았다. 우리는 맥두걸이 이 거래를 통해 그의 '회사 비행기'가 된 중고 파이퍼 세미놀 경비행기를 입수한 사실도 알지 못했다.

1980년 중엽에 맥두걸은 적어도 서류상으로는 작은 기업 제국을 거느리고 있었다. 1982년에 그는 '매디슨 신용금고'라는 작은 금융기관을 인수하여 현금 유출 통로를 열었다. 맥두걸은 대중주의적 금융업자가 되고 싶어했고, 원대한 구상을 갖고 있었다. 데이비드 켄들의 추론에 따르면 맥두걸의 거래는 대부분 문제가 있었다. 데이비드는 맥두걸이 '지나치게 낙관적인 투자'를 했다고 조심스럽게 표현했다. 맥두걸은 지출을 감당할 수 없게 되자, 불행히도 갑에게 돈을 빌려 을에게 갚는 식의 돌려막기로 겨우 꾸려나갔다. 우리는 몰랐지만, 맥두걸은 화이트워터 개발회사를 이용하여 리틀록 남쪽 트레일러 주차장 근처에 있는 땅을 사들이기까지 했다. 그는 이 땅을 거창하게 '그랜드 캐슬 단지'라고 이름지었다. 그의 동업자들과 실패한 사업 계획은 거미줄처럼 복잡하게 얽혀 있어서, 그것을 풀려면 몇 년은 걸릴 터였다.

매디슨 신용금고는 수천 곳의 상호신용금고와 마찬가지로 부동산을 담보로 소액을 빌려주는 대출금융업체로 출발했다. 그러다가 1982년에 레이건 행정부가 상호신용금고업에 대한 규제를 철폐했다. 그러자 맥두걸과 같은 상호신용금고 소유주들은 하루아침에 전통적인 영업 범위에서 벗어나 큰돈을 마구 빌려줄 수 있게 되었고, 이런 무모한 대출로 결국 매디슨 신용금고를 포함한 상호신용금고업계 전체를 심각한 재정 위기로 몰아넣었다. 신용금고 경영자와 그들의 변호사는 망해가는 회사를 살리려고 여러 가지 자구책을 강구했다. 그중 하나는 우선주를 팔아서 자본금을 모으는 것이었다. 연방법은 각 주의 감독기관에서 승인을 받으면 우선주를 발행하는 것을 허용하고 있었다.

1985년, 로즈 법률회사의 젊은 변호사인 릭 매시는 맥두걸 밑에서 일하는 친구와 함께 매디슨 신용금고에 바로 이 자구책을 제안했다. 로즈 법률회사는 전에 맥두걸에게 법률 서비스를 제공하고 청구서를 보냈지만 맥두걸이 돈을 내지 않아서 애를 먹은 적이 있었기 때문에, 릭 매시가 그 일을 맡기 전에 맥두걸이 월정 수임료 2천 달러를 선불해야 한다고 주장했다. 내 파트너들은 맥두걸에게 변호사 수임료를 요구하고, 릭 매시를 대신하여 수임료 청구서를 작성하는 일을 나에게 부탁했다. 매시는 고용 변호사여서 의뢰인에게 직접 청구서를 보낼 수 없었기 때문이다. 나는 수임료 문제를 조정한 뒤, 청구서 작성에 최소한으로 관여했다. 우선주 발행은 아칸소 주 감독기관의 승인을 받지 못했고, 상호신용금고를 감독하는 연방 기관은 매디슨 신용금고를 접수하고 맥두걸을 해임하고 회사 거래를 조사하기 시작했다. 맥두걸이 회사 자금을 사적으로 유용한 자체 거래 혐의가 있었기 때문이다.

맥두걸은 연방 기관의 조사와 그에 따른 형사 고발에 몇 년 동안 시달렸다. 1986년 맥두걸은 우리한테 화이트워터 개발회사의 우리 지분 50퍼센트를 양도하지 않겠느냐고 물었다. 그것은 좋은 생각으로 여겨졌다. 우리가 그 회사에 투자한 지 8년이 지났는데도 이익을 얻기는커녕 밑 빠진 독처럼 계속 돈만 들어가고 있었기 때문이다. 하지만 우리 지분을 넘기기 전에 나는 저당증서에서 우리 이름을 빼줄 것, 회사에 남아 있는 자산을 100퍼센트 취득하는 대신 남은 부채도 모두 맥두걸이 책임질 것, 현재 남아 있는 채무나 앞으로 발생할 채무를 우리한테 떠넘기지 말 것 등을 요구했다. 맥두걸이 주저하는 것을 보고 내 머릿속에서 경종이 울리기 시작했다. 1978년에 동업자가 된 이후 처음으로 나는 장부를 보여달라고 요구했다. 왜 진작에 장부를 보여달라고 요구하지 않았느냐, 맥두걸의 행동을 어떻게 그처럼 모를 수 있었느냐는 질문을 많이 받았다. 나도 그 점을 자문해보았다. 나는 우리가 투자를 잘못했고, 손해를 본 것은 하필이면 금리가 치솟을 때 별장용 토지를 샀기 때문이라고 생각했을 뿐이다. 우리는 손해본 투자에 꼼짝없이 묶여서, 부동산 시장이 살아나거나 땅을 팔 수 있을 때까지 기다릴 수밖에 없었다. 맥두걸을 의심할 이유는 전혀 없었다. 맥두걸이 1970년대에는 인상적인 투자 실적을 올렸고, 아무리 그런 그도 돼지 가죽으로 비단 지갑을 만들 수는 없다고 생각했기 때문이다. 나는 맥두걸이 요구하는 대로 돈을 치렀고, 내 생활에서 더 긴급한 문제—아기를 갖는 일, 2년마다 빌의 선거운동에 참여, 변호사 개업 준비 등—에 몰두했다. 나는 수잔 맥두걸의 도움으로 몇 달 동안 화이트워터 관계 서류를 모아서 회계사에게 넘겼다. 회계사가 그 서류를 분석한 뒤에야 나는 기록이 엉망이고 화이트워터가 대실패라는 것을 알게 되었다. 나는 빌과 함께 모든 것을 정상으로 돌려놓고 맥두걸의 곤경에서 빠져나와야 한다고 판단했다. 맥두걸의 문제가 워낙 복잡했기 때문에, 그렇게 하는 데 몇 년이 걸렸다.

나는 우선 회사가 연방 국세청과 아칸소 주 세무청에 내야 할 세금과 재산세를 처리하고 싶었다. 화이트워터는 한푼도 벌지 못했지만 그래도 법인세 신고서를 제출할 의무가 있었다. 나는 몇 년 동안 맥두걸이 그 의무를 다하지 않은 것을 1989년에야 알게 되었다. 맥두걸이 우리한테는 재산세를 냈다고 말했지만, 실제로는 그것도 내지 않았다. 이제 세금 신고서를 제출하려면 화이트워터 개발회사 임원의 서명이 필요했지만, 그런 직함을 가진 사람은 맥두걸 부부뿐이었다. 나는 세금 신고서를 제출하고 세금을 내고 땅을 팔아서 빚을 갚기 위해 맥두걸한테서 대리인 위임장을 받아내려고 1년 동안 애썼다.

그러는 동안에 맥도걸의 생활은 산산이 부서지고 있었다. 아내 수잔은 1985년에 그를 떠났고, 나중에 캘리포니아로 이사했다. 이듬해 맥두걸은 뇌졸중을 일으켜 몸이 쇠약해졌고, 그 때문에 조울증이 더욱 심해졌다. 그런 맥두걸과는 접촉하고 싶지 않았다. 나는 1990년에 캘리포니아에 있는 수잔에게 전화를 걸어서 내가 원하는 바를 설명하고, 회사 임원 명의로 세금 신고서에 서명해줄 것을 요구했다. 수잔은 여기에 동의했고, 내가 보낸 서류에 서명하여 반송해주었다. 맥두걸은 그것을 알고는 전화에 대고 수잔에게 고래고래 고함을 지르고, 내 사무실로 전화하여 나를 협박했다. 나는 그를 적으로 만든 것이다.

맥두걸은 협잡과 사기, 허위 진술과 회계 부정 등 여덟 가지 혐의로 기소되어 재판을 받은 뒤 더욱 적개심에 사로잡혔다. 그는 1990년에 재판을 앞두고 정신병원에 입원했다. 그리고 빌에게 '성격 증인'으로 출두하여 자기를 좋게 말해달라고 부탁했다. 하지만 나는 빌에게 그러지 말라고 했다. 빌은 증거가 불충분할 때는 항상 혐의점을 피고에 유리한 쪽으로 해석해주고, 상대가 오랜 친구일 때는 더욱 그렇다. 하지만 그런 빌도 맥두걸에 대해서는 유리한 증언을 하지 못할 거라고 생각했다. 그런데 막상 돌이켜보니, 맥두걸이 실제로 어떤 인물이고 지난 몇 년 동안 무슨 짓을 했는지, 빌이나 나나 전혀 모르고 있었다. 배심원은 무죄 평결을 내렸고, 그후 맥두걸은 나를 다시 협박했다. 이번에는 내가 화이트워터 세금 신고서를 제출한 데 대해 앙갚음하겠다고 암시했다.

그리고 실제로 그는 빌의 정적들한테 상당한 지원을 받아 그 협박을 실행에 옮겼다. '아칸소-루이지애나 가스회사(Arkla)'의 전임 최고경영자인 셰필드 넬슨은 공화당으로 넘어가 1990년에 빌의 상대로 주지사 선거에 출마했다. 자수성가한 사람답게, 원하는 것은 어떤 일이 있어도 손에 넣어야 직성이 풀리는 인물이었다. 그런 그가 선거에서 빌에게 지자 복수심에 불타 강한 적개심을 품게 되었다. 1991년에 빌이 대통령 출마를 발표하자마자 넬슨은 빌을 떨어뜨리기 위해 어떤 협력도 기꺼이 제공하겠다는 뜻을 부시 대통령 진영에 전했다. 그 목적을 위해 넬슨은 맥두걸에게 접근하여, 빌과 나에 대해 불만이 있으면 아무리 터무니없는 불평이라도 큰 소리로 떠들어대라고 설득했다.

그 결과가 최초의 '화이트워터' 기사였다. 그 기사는 민주당 예비선거가 한창이던 1992년 3월 『뉴욕 타임스』 일요판 제1면에 실렸다.

기사는 처음부터 끝까지 짐 맥두걸의 말을 인용하고 있었다. 맥두걸은 우리의 동업 관계에 대한 허위 정보를 아낌없이 흘렸다. 기자는 맥두걸과 우리의 '복잡한 관계'를 중시하고, 맥두걸이 화이트워터 거래에서 우리한테 돈을 벌게 해주고 그 보답으로 특혜를 받았다고 암시했다. 기사는 '클린턴 부부, 신용금고 경영자와 오자크에서 부동산 투기하다' 라는 표제를 달아 선언했지만, 우리는 짐 맥두걸이 신용금고를 인수하기 4년 전에 그들 부부와 공동으로 그 땅에 투자했다. 클린턴 선거대책본부는 당장 짐 라이언스를 법률 고문으로 고용했다. 덴버 출신의 기업 전문 변호사로 명망 높은 라이언스는 화이트워터 투자에 대한 기록을 모으고 설명하기 위해 회계사를 고용했다.

2만 5천 달러의 비용을 들여 3주 만에 완성된 라이언스 보고서는 빌과 내가 화이트워터를 구입하기 위해 대출받은 원금 때문에 맥두걸 부부한테 발목이 잡혔고, 우리가 그 투자 때문에 수만 달러―마지막에는 4만 6천 달러가 넘었다―의 손해를 보았다는 사실을 입증했다. 10년 뒤인 2002년에 발표된 특별검사의 화이트워터 최종 보고서는 수천만 달러의 비용이 들었지만 짐 라이언스의 결론을 뒷받침하는 데 그쳤고, '정리신탁공사' 가 의뢰한 별도의 조사에서도 같은 결과가 나왔다. 빌의 선거대책본부가 1992년 3월에 라이언스 보고서를 공개한 뒤 신문에서는 화이트워터 관련 기사가 사라졌다. 하지만 일부 공화당원과 그 동맹 세력은 그렇게 쉽사리 포기하지 않았다. 1992년 8월, 신탁공사의 하급 조사관인 진 루이스는 매디슨 신용금고에 관한 범죄 조회서를 제출했다. 그것은 빌과 나를 엮어넣으려는 시도였다. 리틀록의 연방 검사이자 공화당원이고 부시 대통령의 지명으로 연방 판사 후보에 오른 적도 있는 척 뱅크스는 이 범죄 조회서에 대해 조치를 취하고 대배심 소환장을 발부하라는 법무부의 압력을 받게 되었다. 대배심 소환장은 필연적으로 공개될 것이고, 그렇게 되면 우리는 어쨌든 범죄 수사에 연루된 것으로 널리 알려질 터였다. 뱅크스는 3년 전에 짐 맥두걸을 조사할 때 신탁공사가 이 정보를 자기한테 보내주지 않은 데 놀라움을 표하면서 법무부의 요구를 거부했다. 뱅크스는 이 범죄 조회서만으로는 우리가 범죄 행위를 저질렀다고 의심하거나 우리를 조사할 근거가 없으며, 선거전이 막바지에 이른 시기에 수사를 하면 정보가 누설되어 대통령 선거에 영향을 미칠 것이 우려된다고 말했다. 놀랍게도 화이트워터 최종 보고서는 실제로 선거 몇 주전에 부시 행정부가 '10월의 깜짝쇼'를 연출하려는 시도에 연루되었음을 문서로 입증하고 있다. 법무장관 윌리엄 바가 직접 개입했을 뿐만 아니라, 백악관 고문인 보이든 그레이도 신탁공사의 범죄 조회서에 대해 알아내려고 애썼다. 1993년 가을에 화이트워터 풍문이 다시 수면 위로 떠올랐을 때, 백악관에서 여러 세력이 한 점에 집결하려 한다는 사실을 상상할 수 있었던 사람은 아무도 없었다. 그것은—우리의 정적들에게는—더할 나위 없이 완벽한 정치적 폭풍을 일으키게 되었다.

데이비드 켄들이 사실 확인에 몰두해 있을 때인 1993년 11월 중순, 『워싱턴 포스트』는 화이트워터와 맥두걸에 대한 장문의 질의서를 백악관에 제출했다. 그후 몇 주 동안 정부 내에서는 이 언론의 요구를 어떻게 처리할 것인가를 놓고 열띤 논쟁이 벌어졌다. 질문에 답변해야 하나? 그들에게 증거 서류를 보여줘야 하나? 그렇다면 어떤 서류를 보여줄 것인가? 조지 스테퍼노펄러스와 매기 윌리엄스를 비롯한 정치 참모들은 증거 서류를 언론에 넘기자고 주장했다. 닉슨과 포드와 레이건 시절에 백악관에서 일했고 그후 빌의 참모가 된 데이비드 저겐도 같은 의견이었다. 언론은 정보를 얻을 때까지는 가만히 있지 않겠지만, 일단 정보를 얻으면 다른 문제로 관심을 돌릴 거라고 저겐은 주장했다. 숨길 것도 없는데 정보를 내주지 않을 이유가 어디 있는가? 그 기사는 한동안 버섯처럼 급격히 퍼지다가 사라질 것이다.

하지만 변호사인 데이비드 켄들과 버니 너스봄과 브루스 리지는 문서를 언론에 공개하는 것은 '미끄러운 비탈을 타는 짓'이라고 주장했다. 보고서는 아직 불완전하고 또 영원히 완성되지 않을 수도 있기 때문에, 맥두걸과 그의 사업상 거래에 대한 질문 중에는 우리가 대답을 모르는 것도 많았다. 언론은 결국 만족하지 않을 것이고, 우리가 모든 것을 다

밝혔는데도 무언가를 감추고 있다는 의심을 끝내 버리지 않을 것이다. 나는 변호사로서 이 견해에 동의하는 쪽으로 기울어졌다. 빌은 주지사 시절에 맥두걸에게 특혜를 준 적이 없고 게다가 금전적으로 큰 손해까지 보았기 때문에 이 문제에 별로 관심을 기울이지 않았다. 대통령의 직무에 몰두해 있는 빌은 언론의 요구에 어떻게 대처해야 할지는 데이비드와 상의해서 결정하라고 나에게 말했다.

버니 너스봄과 나는 1974년에 닉슨 탄핵을 경험했기 때문에, 아무도 우리가 조사를 방해하거나 대통령의 특권을 요구한다고 주장할 수 없도록 정부의 조사에 전적으로 협력해야 한다고 믿었다. 그래서 나는 정부 조사관들에게 모든 서류를 자진해서 제공하고 대배심 조사에도 기꺼이 협력하겠다는 뜻을 전하라고 데이비드에게 지시했다. 나는 법무부에 증거 서류를 제공하면, 언론이 같은 서류를 자기네한테 넘기지 않았다는 이유로 우리를 비난하지는 않으리라고 믿었다. 하지만 이것은 틀린 생각이었다.

법무부가 소환장을 발부하기도 전에 우리는 데이비드를 통해 조사에 전적으로 지체없이 협력하기로 동의하고, 화이트워터와 관련하여 우리가 찾아낼 수 있었던 서류를 모두 제출하겠다고 제의하고, 우리가 제출할 서류—빈스 포스터가 우리의 법률 대리인으로서 한 일을 포함하여—에 대해 모든 특권을 포기했다.

우리가 보기에 이 일은 전혀 스캔들이 아니었고, 선거운동 때 그랬듯이 곧 흐지부지될 거라고 믿었다. 그래서 우리는 추수감사절을 보내기 위해 캠프 데이비드로 떠났다. 우리에게는 달콤쌉쌀한 휴가였다. 아버지가 이제 다시는 식탁에서 칠면조 다리를 놓고 아들들과 다투지 않을 것이고, 아버지가 어릴 적부터 좋아한 넌출월귤과 수박 피클을 더 달라고 요구하지도 않을 것이다. 그리고 우리는 버지니아가 점점 쇠약해지고 있

는 것을 알았다. 이번이 어쩌면 우리가 함께 보내는 마지막 추수감사절
이 될지도 모른다. 우리는 버지니아가 즐거운 시간을 보낼 수 있도록 마
음을 쓰면서 수선을 떨지 않고 조용히 보살피기로 했다. 버지니아는 자
신 때문에 공연히 법석을 떠는 것을 좋아하지 않았다. 버지니아는 며칠
마다 수혈을 받아야 했기 때문에 캠프 데이비드에서도 수혈을 받을 수
있도록 준비했다. 캠프 데이비드에는 대통령과 가족과 손님들, 또한 이
곳에 배치된 해병대원을 치료할 수 있는 설비가 완전히 갖추어져 있다.

버지니아의 새 남편 딕은 제2차 세계대전 때 해군으로 태평양에서 복
무했기 때문에 캠프 데이비드에 오는 것을 무척 좋아했다. 그는 비번인
해병대원들한테 놀러 가서 기지에 있는 작은 식당과 술집에서 시간을 보
내곤 했다. 버지니아는 딕과 함께 앉아서 술을 홀짝거리며 젊은 하사한
테서 그의 가족과 약혼녀 이야기를 듣기를 좋아했다. 빨간 부츠를 신고
하얀 바지와 스웨터에 빨간 가죽 재킷을 걸친 버지니아가 딕과 젊은 군
인들과 함께 농담을 하면서 깔깔 웃는 모습이 지금도 눈에 선하다. 버지
니아와 함께 시간을 보내는 즐거움을 누려본 사람은 누구나 버지니아가
타고난 미국인―도량이 넓고, 명랑하고, 장난을 좋아하고, 편견이나 가
식이 전혀 없는―이라는 것을 알고 있었다.

11월 초에 언론은 버지니아의 암이 재발했다고 보도했지만, 버지니
아의 태도가 적극적이고 여전히 건강해 보였기 때문에 대다수 사람들은
버지니아의 상태가 얼마나 심각한지를 모르고 있었다. 버지니아는 아무
리 몸이 아파도 곱게 화장하고 인조 속눈썹을 달았다. 로스앤젤레스의
미용사 크리스토프 섀트먼은 아칸소로 날아가, 화학요법 때문에 머리가
다 빠진 뒤 버지니아가 쓰고 다니는 가발을 진짜 머리와 똑같아 보이도
록 손질해주었다. 이렇게 친절을 베풀어준 그에게 나는 지금도 고마운
마음을 가지고 있다.

내 동생 토니는 얼마 전에 니콜 복서와 약혼했다. 니콜은 캘리포니아

출신 상원의원인 바버라 복서와 그녀의 남편 스튜어트 사이에 태어난 딸이다. 우리는 이듬해 봄에 백악관에서 톰과 니콜의 결혼식을 올릴 계획이었기 때문에, 니콜과 그녀의 부모와 오빠 더그를 캠프 데이비드에서 열리는 추수감사절 만찬에 초대했다.

캠프 데이비드는 대통령과 퍼스트 레이디가 바뀔 때마다 취향에 따라 독특한 색채를 덧칠해왔기 때문에 끊임없이 '공사중'이었다. 원래 캠프 데이비드는 대공황 때인 1930년대에 '자연보호청년단(CCC)'과 '공공사업기획청(WPA)'이 노동자 합숙소로 지은 것이었다. 프랭클린 루스벨트 대통령이 처음으로 그곳을 대통령 전용 별장으로 쓰기로 결정하여 '샹그릴라'라는 이름을 붙이고 편의시설을 개량했다. 우리가 갔을 때는 군사시설과 별장을 겸하고 있었다. 손님들이 묵는 통나무집 열 채에는 각각 나무 이름이 붙어 있었다. 통나무집 중에서 가장 큰 '미루나무'는 대통령 전용으로 언덕마루에 올라앉아 있다. 언덕 비탈을 내려가면 아이젠하워 대통령이 만든 퍼팅 연습장과 닉슨 대통령이 만든 수영장이 나온다. 거실 창문으로는 캠프를 둘러싸고 있는 보호림이 바라보인다. 주위를 둘러싼 보안 울타리와 감시 카메라와 해병 순찰대는 그곳에서는 보이지 않아서, 이 평화로운 곳이 군사기지라는 사실을 잊을 수 있다. 대통령에 대한 특별 경호 때문에 이곳은 더욱 안전하다.

캠프의 활동 중심지는 가장 큰 건물인 '월계수'다. 우리는 이곳에 모여 미식축구 중계를 보고, 게임을 하고, 2층짜리 벽돌 벽난로 앞에 앉아 함께 식사를 했다. 그곳에서 시간을 보낸 뒤, 나는 '월계수'의 중심이 되는 방을 개조하면 전망을 좀더 이용할 수 있겠다고 생각했다. 숲 쪽에 면해 있는 뒷벽에는 창문이 거의 없었고, 한복판에 있는 커다란 기둥 하나가 교통의 흐름을 방해하고 있었다. 나는 친구인 실내 장식가 카키 호커 스미스와 함께 설계도를 그렸다. 기둥을 없애고, 뒷벽에 창문을 더 내어 햇빛을 좀더 많이 받아들이고, 바깥의 계절 변화를 방에서도 느낄 수 있게 했다.

추수감사절 만찬은 해군 소속의 요리사와 급사들이 한껏 전통적인 상차림으로 마련했다. 음식이 가득 차려진 뷔페 식탁은 그 무게에 짓눌려 신음소리를 냈다. 우리는 모든 종교를 초월하는 하나의 전통을 지켜 배불리 먹고 마셨다.

주말에는 친구 둘이 아이들을 데리고 찾아왔다. 스트로브 탤벗은 옛 소련인 독립국가연합의 순회 대사였고, 나중에 국무차관이 되었다. 스트로브의 아내인 브룩 시어러는 백악관의 인사국장이었고, 나와 함께 유세를 다닌 길동무였다. 우리는 화이트워터 이야기는 별로 하지 않았다. 그것은 레이더 스크린에서 잠시 깜박이다가 사라질 영상으로 여겨졌다. 우리의 화제는 지난 1년 동안 일어난 사건들이었다. 우리는 미국의 미래에 대해 어느 때보다도 희망에 차 있었다. 우리는 개인적으로 힘든 1년을 보냈지만, 빌의 표현을 빌리면 생산적인 1년이었다. 버지니아가 좋아한 경마에 비유하면, 게이트를 박차고 나갔을 때는 속도가 느렸지만 차츰 가속이 붙고 있었다. 미국은 경제 회복의 징후를 보이고 있고, 소비자 신용도가 높아지고 있었다. 실업률은 1991년 이래 가장 낮은 6.4퍼센트로 떨어졌다. 새 집을 구입하는 사람이 늘어났고, 금리와 물가인상률은 떨어지고 있었다. 빌은 경제성장의 획기적인 토대가 될 개혁안을 마련했고, '국가봉사법'을 제정하여 '아메리코'를 창설했고, 부시 대통령이 두 번이나 거부권을 행사한 '가족 및 의료 휴가법'을 제정했으며, 대학생에게 학자금을 지원하여 대학에 다니는 비용을 줄여주었다. 또한 스트로브가 우선적으로 추진한 러시아 경제 원조는 이제 겨우 날갯짓을 시작한 러시아의 민주주의를 뒷받침하기 위한 것이었다.

우리는 휴가를 마치고, 몸무게는 몇 킬로그램 늘었지만 상쾌해진 기분으로 워싱턴에 돌아왔다. 1993년 11월 30일 빌이 '브래디 법안'에 서명한 것도 나를 기쁘게 해주었다. '가족 및 의료 휴가법'과 마찬가지로 브래디 법안도 부시 대통령의 반대에 부닥쳤다. 오랫동안 지체된 그 법안은 총기를 구입하려는 사람은 신원 확인을 위해 닷새를 기다려야 한다는 상식적인 법안이었다. 이 법안이 성립될 수 있었던 것은 제임스와 사라 브래디 부부의 지칠 줄 모르는 노력 덕분이었다. 일찍이 백악관 언론 비서였던 제임스 브래디는 1981년 한 정신이상자가 로널드 레이건 대통령을 암살하려고 쏜 총에 머리를 맞아 두뇌 손상을 입었다. 브래디와 그의 아내 사라는 범죄자와 정신질환자가 총을 손에 넣지 못하도록 하는 데 평생을 바쳤다. 그들의 끈기와 불굴의 의지는 백악관의 대통령 집무실에서 감동적인 장면을 낳았다. 빌은 브래디 부부 사이에 서서 25년 만에 제출된 가장 중요한 총기 규제 법안에 서명했다.

1993년 12월 8일 '북미자유무역협정'이 비준되었다. 이로써 정부는 마침내 모든 관심을 의료 개혁 지원에 돌릴 수 있게 되었다. 쿠프 박사와 나는 여세를 유지하기 위해 다시 순회에 나섰다. 12월 2일 우리는 뉴햄프셔 주 해노버에서 열린 '3개 주 농촌 의료 공개 토론회'에 참석한 800명의 의사 및 의료 관계자들에게 연설했다.

쿠프 박사는 우리가 추진하는 의료 개혁안을 점점 열렬히 옹호하게 되었다. 쿠프 박사가 말할 때는 구약성서에 나오는 예언자의 말을 듣고 있는 듯한 기분이 들었다. 그가 "미국에는 전문의는 너무 많고 일반의는 부족하다"라고 말하면, 전문의가 대다수인 청중은 옳은 소리라고 고개를 끄덕이곤 했다.

뉴햄프셔 주에서 열린 공개 토론회는 텔레비전으로 생중계되었기 때문에 우리에게는 특히 중요한 행사였고, 클린턴 개혁안의 장점을 설명할 수 있는 좋은 기회였다. 나는 토론에 열중했다. 한번은 청중 쪽으로 눈길을 돌리자, 내 수행 비서인 켈리 크레이그헤드가 허리를 구부린 채 강당의 중앙 통로를 걸어오는 것이 보였다. 켈리는 미친 듯한 손짓으로 제 정수리를 탁탁 때리고 나를 가리켰다. 나는 켈리가 왜 그러는지 이해할 수가 없어서 계속 이야기하고 상대의 발언에 귀를 기울였다.

이번에도 머리가 말썽이었다. 워싱턴에서 텔레비전을 보고 있던 캐프리샤 마셜은 내 머리 한복판에서 길 잃은 머리카락이 곤두서 있는 것을 알아차렸다. 캐프리샤는 청중이 내 말을 듣는 대신 내 머리만 바라보고 있는 게 아닐까 걱정이 되었다. 그래서 켈리의 휴대폰으로 전화를 걸었다. "영부인 머리를 눌러요!"

"안돼요. 영부인은 지금 수백 명 앞에 앉아 계신다고요."

"어쨌든 신호를 보내요."

행사가 끝나고 켈리가 나한테 그 이야기를 했을 때 우리는 모두 배꼽을 쥐었다. 새로운 생활을 시작한 지 거의 1년 만에 나는 드디어 하찮은 것의 중요성을 깨달아가고 있었다. 그때부터 우리는 내가 제멋대로 뻗치는 머리를 매만지거나 이에 묻은 립스틱을 닦아낼 필요가 있을 때 나에게 알려줄 수 있도록 야구 감독과 투수가 주고받는 사인 비슷한 수신호 체계를 만들어냈다.

워싱턴으로 돌아오자 백악관의 크리스마스 의식이 한창 진행되고 있었다. 지난 5월의 따뜻한 날 수석의전관인 게리 월터스가 "지금부터 크리스마스 준비를 시작하지 않으면 늦습니다" 하면서 재촉했었는데, 이제 나는 그가 권고한 그 초현실적인 계획의 진가를 인정할 수 있었다. 게리는 백악관의 크리스마스 카드 디자인을 결정하고, 장식의 주제를 선정하고, 12월에 열 파티 계획을 세워야 한다고 말했다. 나는 크리스마스를 좋아하지만, 크리스마스 플랜을 짜는 데 가장 좋은 때는 언제나 추수감사절이었다. 따라서 5월부터 크리스마스를 준비하는 것은 내 방식에 커다란 변화가 일어난 것을 의미했다. 나는 새로운 방식에 충실하게 적용하여, 목련꽃 향기가 창문으로 흘러드는 5월에 백악관 잔디밭에 눈이 쌓여 있는 카드 그림을 골라내기 시작했다.

몇 달에 걸친 준비는 기대 이상의 성과를 거두었다. 나는 미국의 수

공예를 내 주제로 삼기로 결정하고 전국의 장인들에게 손수 만든 장식품을 보내달라고 요청했다. 그리고 그들이 보내온 장식품을 관저 곳곳에 놓인 20여 그루의 크리스마스 트리에 걸었다. 우리는 꼬박 3주 동안 하루 평균 한 번씩 리셉션이나 파티를 주최했다. 나는 식단과 여흥 프로그램을 짜는 게 즐거웠고, 크리스마스 장식을 돕기 위해 백악관으로 몰려오는 수십 명의 자원봉사자들과 함께 일하는 것도 즐거웠다. 백악관이 이제 더는 우리 때처럼 개방적이지 않은 것은 2001년 9월 11일의 비극이 낳은 슬픈 결과다. 우리가 백악관에서 처음 맞은 크리스마스 시즌에는 약 15만 명의 방문객이 백악관에 와서 장식을 구경하고 쿠키를 맛보았다. 우리는 종교에 관계없이 모든 사람을 축제 시즌에 참여시키고 싶었다. 그래서 그해 12월 하누카(유대교의 신전 정화제) 때는 가지 촛대를 주문하여 촛불을 밝혔다. 3년 뒤에는, 백악관에서는 처음으로 라마단(이슬람교의 단식월)이 끝난 것을 기념하는 에이드 알-피트르 행사를 열었다.

크리스마스는 클린턴 집안에서 큰 행사다. 빌과 첼시는 쇼핑을 하고 선물을 포장하고 크리스마스 트리를 장식하는 데 열중한다. 나는 빌과 첼시가 함께 트리를 장식하는 것을 지켜보는 게 즐겁다. 그들 부녀는 장식을 하다 말고 이따금 각 장식품의 유래를 즐겁게 회상한다. 올해 크리스마스도 전혀 다를 게 없었다. 다만 우리 가족의 크리스마스 장식품을 찾느라 시간이 좀 걸렸다. 우리 물건은 대부분 꼬리표도 안 달린 상자에 담겨 백악관 3층이나 메릴랜드 주의 대통령 전용 창고에 쌓여 있었기 때문이다. 하지만 마침내 우리가 보물처럼 소중히 여기는 크리스마스 양말이 '옐로 오벌 룸'의 벽난로에 걸렸다. 백악관이 정말로 내 집처럼 느껴지기 시작했다.

이것이 버지니아에게는 마지막 크리스마스가 될 터였다. 버지니아는 점점 쇠약해져서 이제 정기적으로 수혈을 받아야 했다. 그래도 불굴의 버지니아 켈리 여사는 생애의 마지막 순간까지 철저히 살기로 결심했고,

빌과 나는 되도록 많은 시간을 버지니아와 함께 보내고 싶었다. 그래서 우리는 일주일 동안 백악관에서 지내라고 버지니아를 설득했다. 버지니아는 동의했지만, 남편 딕과 함께 라스베이거스에서 열리는 바브라 스트레이전드의 연주회에 갈 예정이기 때문에 새해까지 머물 수는 없다고 말했다. 버지니아와 깊은 우정을 맺은 바브라는 대망의 복귀 무대에 버지니아와 딕을 초청했던 것이다. 버지니아는 그 여행을 하려고 그때까지 의지력으로 버틴 것 같다. 버지니아가 카지노를 순례하고 바브라 스트레이전드의 무대 공연을 보는 것보다 더 좋아한 일은 없었기 때문이다.

언론은 여전히 화이트워터에 병적으로 집착했다. 『뉴욕 타임스』와 『워싱턴 포스트』와 『뉴스위크』가 특종 경쟁을 벌이면서 크리스마스 시즌에도 내내 화이트워터를 물고 늘어졌다. 상원과 하원의 공화당 의원들—특히 보브 돌 상원의원—은 화이트워터에 대한 '독자적인 재조사'를 요구했다. 논설위원들은 특별검사를 임명하라고 재닛 르노 법무장관을 못살게 굴었다. 워터게이트 스캔들 이후 제정된 특별검사법은 얼마 전에 기한이 끝나 폐기되었기 때문에, 이제 조사는 법무장관의 승인을 받아야 했다. 특별검사 임명의 유일한 기준—범죄가 저질러졌다는 믿을 만한 증거—에 비슷하게나마 들어맞는 사실은 전혀 드러나지 않았는데도 압력은 나날이 거세지고 있었다.

빈스 포스터는 저승에 가서까지 시달림을 받고 있었다. 크리스마스 일주일 전, 언론은 버니 너스봄이 화이트워터 서류를 포함한 빈스의 서류를 빈스의 사무실에서 '몰래 빼돌렸다'고 보도했다. 물론 법무부는 빈스의 개인 서류가 법무부에서 파견한 검사와 FBI 요원들의 입회 아래 사무실에서 회수되어 우리의 개인 고문 변호사들에게 건네진 뒤 조사를 위해 법무부로 넘어가 있다는 것을 잘 알고 있었다. 하지만 이 '뉴스' 보도는 연기를 내고 있던 불에 기름을 끼얹었다.

이어서 우리는 터무니없는 당파적 공세에 직면하게 되었다. 12월 18일 토요일, 내가 크리스마스 리셉션을 열고 있을 때 데이비드 켄들이 전화를 걸어왔다.

"말씀드릴 게 있습니다. 너무나도 추악한……"

나는 자리에 앉아서 귀를 기울였다. 데이비드는 정기적으로 정부를 공격하는 우익 월간지 『아메리칸 스펙테이터』에 실릴 장문의 기사를 요약해서 말해주었다. 데이비드 브록이 쓴 그 기사는 내가 이제껏 들어본 적도 없는 역겨운 이야기로 가득 차 있었다. 슈퍼마켓에 널려 있는 타블로이드 신문의 추잡하고 쓰레기 같은 기사보다 더 지독했다. 브록의 주요 정보원은 빌의 경호원 출신인 아칸소 주 경찰관(트루퍼) 네 명이었다. 그들은 빌이 주지사일 때 자신들이 빌에게 여자를 조달해주는 뚜쟁이 노릇을 했다고 주장했다. 몇 년 뒤에 브록은 당시의 정치적 동기와 배경을 고백하면서 제 주장을 철회하는 충격적인 글을 썼다.

데이비드가 말했다. "이 기사는 천박하기 이를 데 없지만, 어쨌든 세상에 나갈 겁니다. 미리 대비를 하셔야 합니다."

내 머리에 처음 떠오른 생각은 첼시와 우리 어머니, 그리고 이미 너무 많은 고통을 겪은 시어머니였다.

나는 데이비드에게 물었다. "어떻게 하면 되죠? 무슨 '방법'이 있나요?"

데이비드는 침착성을 잃지 말라고, 또한 우리가 무슨 말을 하면 오히려 그 기사를 선전해줄 뿐이므로 아무 말도 하지 말라고 충고했다. 아칸소 주 경찰관들은 돈만 주면 무슨 이야기든 팔겠다고 떠벌려 스스로 평판을 떨어뜨리고 있었다. 하기야 그런 야비한 자들이 야비한 짓을 하는 것은 당연했다. 네 명 가운데 둘은 신분을 밝혔고, 게다가 자기가 쓸 책을 살 사람을 찾아다니고 있었다. 그들의 실체를 더욱 분명히 보여주는 것은, 아칸소에서 빌과 천적 관계인 클리프 잭슨이라는 자가 그들의 대리인이라는 사실이었다. 브룩의 기사는 대부분 확인할 수도 없을 만큼 모호했지만 몇 가지 세부는 쉽게 반박할 수 있었다. 예를 들면 브룩은 내가 빌의 간통을 은폐하기 위해 주지사 관저의 출입일지를 폐기하라고 지시했다고 주장했지만, 주지사 관저에서는 애당초 그런 일지를 기록한 적도 없었다. 그러나 불행하게도 브룩의 정보원들이 빌의 경호원이었던 주 경찰관이라는 사실이 그들의 거짓말에 신빙성을 덧칠해주었다.

나는 이튿날 저녁 백악관에서 친구와 가족들을 위해 크리스마스 파티를 열 때까지는 그 기사의 효과를 실감하지 못했다. 파티에 온 리사 캐푸토는 두 경찰관이 그날 밤 CNN에 출연해서 떠들어댈 예정이고, 『로스앤젤레스 타임스』도 경찰관들의 주장을 발표하려 한다고 전해주었다. 그것은 너무 지나쳤다. 빌은 나라를 위해 그토록 노심초사하고 있는데, 그가 한 일이 과연 우리 가족과 친구들을 이런 고통과 굴욕에 빠뜨릴 만한 것인지 의심스러웠다. 나는 참담한 기분이었고, 보브 바넷이 다가와서 도와줄 일이 없겠느냐고 물은 것을 보면 기분만이 아니라 얼굴도 참담해 보였던 모양이다. 나는 늦어도 내일까지는 대응책을 결정해야 한다고 말했다. 그리고 빌과 함께 잠깐 위층에 올라가서 그 문제를 의논하자고 제의했다. 빌은 중앙 홀을 신경질적으로 오락가락하고 있었다. 내가 벽 앞에 놓인 의자에 털썩 주저앉자 보브는 내 앞에 무릎을 꿇었다. 온화한 얼굴에 커다란 안경을 쓴 보브는 누구나 좋아하는 아저씨처럼 보인다. 이제 보브는 달래는 듯한 목소리로 말하고 있었다. 올해 그렇게 많은 일이 일어났는데, 또 다른 싸움에 나설 만한 기력이 우리한테 남아 있는지 알아내려고 애쓰는 눈치였다.

나는 보브를 바라보면서 말했다. "이런 일은 이제 지긋지긋해요."

보브는 고개를 저었다. "대통령은 국민에 의해 뽑힌 자리입니다. 그러니 나라를 위해서, 그리고 가족을 위해서도 이런 일쯤 참고 견뎌야 합니다. 이 일이 아무리 힘들게 느껴져도 꿋꿋이 버텨야 합니다." 보브는 내가 모르는 이야기를 하고 있는 게 아니었다. 나의 일거수일투족이 빌의 대통령으로서의 지위를 강화시킬 수도 약화시킬 수 있다는 충고를 처음 들은 것도 아니었다. 나는 "대통령에 선출된 것은 빌이지 내가 아니에요!" 하고 외치고 싶었다. 내 이성은 보브의 말이 옳다는 것을 알고 있었다. 내가 남은 힘을 총동원해야 하리라는 것도 알고 있었다. 나도 노력하고 싶었다. 하지만 너무 피곤했다. 그리고 그 순간에는 세상 천지에 나 혼자뿐인 것처럼 외로웠다.

나는 우리에 대한 공격이 이 나라를 다른 궤도에 올려놓으려는 빌의 노력을 위태롭게 할 수도 있다는 것을 깨달았다. 대통령 선거전 이래, 나는 백악관을 계속 장악하고 싶어하는 공화당의 집념이 얼마나 집요하고 강렬한지를 실감했다. 빌의 정적들이 여기에 얼마나 큰 이해관계가 걸려 있는지도 알고 있었다. 그것을 생각하자 나도 반격하고 싶었다. 나는 아래층 파티장으로 돌아갔다.

나는 몇몇 언론과 취소할 수 없는 인터뷰 일정이 잡혀 있었다. 12월 21일, 나는 백악관 출입 기자들 가운데 최고참인 헬렌 토머스와 다른 통신사 기자를 만나 한 해를 결산하는 연말 인터뷰를 했다. 당연히 그들은 『스펙테이터』의 기사에 대해 물었고, 나는 답변하기로 결심했다. 여론조사에서 빌에 대한 지지율이 취임식 이래 최고 수준일 때 그런 공격이 개시된 것은 단순한 우연의 일치로 생각되지 않았다. 그래서 나는 기자들에게 그렇게 말했다. 나는 그 기사의 이면에 당파적이고 이념적인 이유가 숨겨져 있다고 믿었다.

"내 남편은 그 동안 이 나라를 진심으로 걱정하고 대통령직을 존중한다는 것을 분명히 입증했다고 생각합니다……결국 중요한 것은 공평무사한 미국인들이 내 남편을 어떻게 평가하느냐 하는 것입니다. 그런 기사는 모두 쓰레기통에 들어갈 테고, 그래야 마땅합니다."

데이비드가 권고한 침착하고 조용한 반응은 아니었다.

이미 피해는 보았지만, 언론은 마침내 경찰관들의 동기를 조사하기 시작했다. 두 경찰관은 빌이 고마워하지 않는 것 같아서 화가 났던 것으로 밝혀졌다. 또한 그들이 타고 다니던 관용차가 1990년에 파손되었는데, 이와 관련하여 보험금 사기를 꾀했다는 혐의로 조사받은 사실도 드러났다. 또 다른 경찰관은 입을 다무는 대가로 빌에게 연방 정부 일자리를 제의받았다고 주장했지만, 그후 그런 일은 결코 없었다고 맹세하는 진술서에 서명했다. 하지만 '트루퍼게이트'라고 불리게 된 이 사건의 소름끼치는 내막을 우리가 완전히 알게 되기까지는 10년 가까운 세월이 걸렸다.

『스펙테이터』의 기사를 쓴 데이비드 브록이 1998년에 양심의 가책에 사로잡혀, 자신이 퍼뜨린 거짓말에 대해 빌과 나에게 공개 사과했다. 그는 우파의 신임을 얻는 데 골몰한 나머지, 정보원들의 주장이 의심스러운데도 자신이 정치적으로 이용되는 것을 용납하고 말았다고 말했다. 2002년에 출간된 그의 회고록 『우파에 눈이 멀어』는 자칭 '우파의 악역'으로 활동한 시절을 연대기 형식으로 서술하고 있다. 그는 『스펙테이터』의 정규 직원일 뿐만 아니라 우리에 대한 험담을 발굴하여 잡지에 싣는 대가로 뒷돈을 받고 있었다고 주장했다. 뉴트 깅리치의 주요 후원자인 시카고의 금융업자 피터 스미스도 그에게 뒷돈을 대주는 물주였다. 스미스는 브록이 아칸소에 가서 경찰관들을 취재하도록 여비를 대주었고, 클리프 잭슨은 경찰관들과 브록의 타합을 중재했다. 브록의 말에 따르면, 피츠버그의 극우파 억만장자인 리처드 멜론 스카이프는 경찰관 기사가 성공한 데 영감을 얻어, 그와 비슷한 기사에 자금을 지원하는 이른바 '아칸소 프로젝트'라는 비밀 계획까지 세웠다고 한다. 스카이프는 또한 클린턴에 대한 '피의 복수'를 지원하기 위해 교육재단을 통해서 『스펙테이터』에 수십만 달러를 쏟아부었다.

브록이 묘사한 음모는 복잡하게 얽혀 있고, 등장인물은 터무니없다.

하지만 트루퍼게이트와 그 사건을 전후하여 타블로이드 신문들을 장식한 스캔들의 의미를 미국인들이 완전히 이해하려면 막후에서 무슨 일이 벌어지고 있었는지를 알아야 한다.

브록은 회고록에서 이렇게 말하고 있다. "나는 우파를 위해서 적의 스캔들을 캐는 일로 출세하려 했고, 그 과정에 근거 없는 천박한 주장으로 클린턴에게 오명을 씌우려는 우파의 작전에 관여했다. 충분한 자금의 뒷받침을 받은 우파의 작전은 해괴하고 때로는 실소가 나올 만큼 어리석은 것이었다. 그 작전은 공화당의 공식 조직이나 운동 조직과 연계하되 그 조직 바깥에서 벌어졌고, 선거운동이 전개될 때는 미국 대중이나 기자들의 레이더망에 포착되지 않도록 물밑 작전을 벌였다. 그것은―은밀함과 집념만이 아니라 증거나 원칙이나 타당성의 기준을 거의 무시했다는 점에서도―정치운동이 일반적으로 실시하는 조사의 범위를 훨씬 넘어서는 것이었다. 이런 활동은…… 우파가 앞으로 10년 동안 클린턴 부부를 파멸시키기 위해 어떤 짓도 서슴지 않으리라는 것을 일찌감치 알려주는 징후였다."

브록은 스카이프의 은밀한 '아칸소 프로젝트'에 참여한 다른 사람들과 함께 빌 클린턴의 인품과 통치 능력에 대한 의심의 씨앗을 심고 키우는 일을 맡았다. 브록의 회고록에 따르면 "미국은 전적으로 공화당 우파가 꾸며낸 허구를 보는 데 익숙해지고 있었다…… 클린턴 부부가 아칸소에서 벗어나 전국 무대에 오른 순간부터 미국은 그들의 참모습을 다시는 보지 못했다."

크리스마스가 지나고 새해를 맞기 전의 어느 추운 날 아침, 매기 윌리엄스와 나는 본관의 '서쪽 거실'에서 커피를 마시고 있었다. 그 방의 커다란 부채꼴 창문 앞이 우리가 좋아하는 장소였다. 우리는 이야기를 나누면서 신문을 뒤적이고 있었다. 신문 1면은 대부분 화이트워터 관련 기사로 도배되어 있었다.

"이것 좀 보세요!" 매기가 나한테 『USA 투데이』를 건네면서 말했다. "영부인과 대통령이 세계에서 가장 존경받는 사람으로 나와 있어요."

나는 웃어야 할지 울어야 할지 알 수가 없었다. 내가 할 수 있는 일은, 내가 공정함과 선의를 잃지 않으려고 애쓰듯이 미국 국민도 공정함과 선의를 잃지 말았으면 하고 바라는 것뿐이었다.

특별검사

한밤중에 울리는 전화벨 소리는 세상에서 가장 신경에 거슬리는 소리다. 1994년 1월 6일 자정이 훨씬 지났을 때 우리 침실 전화가 울렸다. 딕 켈리의 전화였다. 딕은 버지니아가 핫스프링스의 집에서 잠을 자다가 방금 숨을 거두었다고 빌에게 말했다.

그후 우리는 전화를 걸거나 받으면서 밤을 꼬박 새웠다. 빌은 동생 로저와 두 번 통화했다. 우리는 빌의 불알친구인 패티 하우 크리너에게 전화하여, 딕과 함께 장례식을 준비해달라고 부탁했다. 앨 고어가 오전 3시쯤 전화를 걸어왔다. 나는 첼시를 깨워 할머니가 돌아가셨다고 말했다. 첼시는 1년도 채 안되는 기간에 외할아버지와 친할머니를 잃은 셈이었다.

동이 트기 전에 백악관 공보실은 버지니아의 사망 소식을 언론에 알렸다. 우리가 침실의 텔레비전을 켜자 화면에 톱뉴스가 떠올랐다. "오랫동안 암과 투병하던 대통령의 모친이 오늘 새벽에 타계하였습니다." 그 뉴스를 듣고 나자 시어머니의 죽음이 실감나게 다가왔다. 우리는 아침 뉴스를 본 적이 거의 없었지만, 배경음처럼 들리는 텔레비전 소리는 생각에 잠기는 것을 방해하여 오히려 위안이 되었다. 이어서 보브 돌과 뉴트 깅리치가 예정대로 아침 토크쇼 「투데이」에 출연했다. 그들은 화이트워터에 대해 이야기하기 시작했다. "나는 정식으로 특별검사를 임명해야 한다고 생각합니다" 하고 돌은 말했다. 나는 빌의 얼굴을 쳐다보았다. 빌은 분명 괴로워하고 있었다. 빌의 어머니는 쓰러진 사람을 때리지 말라고, 생활이나 정치에서 이해관계가 대립하는 적에게도 예의를 지켜야 한다고 빌에게 가르쳤다. 몇 년 뒤, 누군가가 돌에게 그날 당신이 한 말이 빌에게 마음의 상처를 주었다고 말한 모양이다. 돌은 빌에게 사과 편지를 보내왔다.

빌은 그날 오후 밀워키에서 연설을 할 예정이었다. 그러나 당장 아칸소로 가야 했기 때문에 앨 고어 부통령에게 대신 연설해달라고 부탁했다. 나는 가족과 친지들에게 연락하고 그들의 여행 준비를 돕기 위해 뒤에 남았다. 첼시와 나는 이튿날 핫스프링스로 날아가서, 곧장 버지니아와 딕이 살았던 호숫가의 집으로 갔다. 친구와 가족들이 수수한 방에 가득 들어차 있었다. 바브라 스트레이전드는 캘리포니아에서 날아왔다. 바브라의 존재는 조문객들에게 반갑고 활기찬 기분을 자아냈다. 버지니아도 그런 분위기를 좋아했을 것이다. 우리는 여기저기 모여 서서 커피를 마시고 산더미처럼 장만된 음식을 먹었다. 아칸소의 초상집에서는 그렇게 음식을 푸짐하게 차려 조문객을 대접한다. 우리는 버지니아의 파란만장한 생애와 이제 곧 출판될 자서전에 대해 이야기를 나누었다. 자서전 제목은 『가슴이 이끄는 대로』였다. 버지니아에게 잘 어울리는 제목이었다. 버지니아는 자서전이 나오는 것을 보지 못했지만, 주목할 만하고 진솔한 이야기가 담겨 있다. 버지니아가 살아서 판촉 활동을 했다면 베스트셀러가 되었을 뿐만 아니라 사람들이 빌을 좀더 잘 이해하는 데에도 도움이 되었을 것이다. 몇 시간 뒤에도 집은 여전히 부활절 일요일의 교회처럼 북적거렸지만, 버지니아가 없으니까 성가대가 빠진 듯한 느낌이었다.

핫스프링스에는 버지니아가 평생 사귄 친구들을 모두 수용할 만큼 큰 교회가 없었다. 그래서 추모 예배는 핫스프링스 시내의 컨벤션센터에서 하기로 했다. 빌은 "날씨가 좋았다면 오클론 경마장에서 예배를 볼 수도 있었을 텐데. 그랬다면 어머니가 좋아하셨을 거야!" 하고 말했다. 나는 경마장을 가득 메운 수천 명의 경마 팬들이 그들처럼 경마를 좋아했던 이에게 환호를 보내는 광경을 상상하며 빙긋 웃었다.

이튿날 아침 장례 행렬이 핫스프링스 시내를 지나가자 길가에 늘어선 사람들은 말없이 고인에게 조의를 표했다. 예배는 추도사와 찬송가로 버지니아의 생애를 기렸지만, 살아오면서 마주친 모든 이에게 삶에 대한 사랑을 나누어준 이 남다른 여인의 본질은 어떤 말이나 노래로도 포착할 수 없었다.

예배가 끝난 뒤 우리는 차를 타고 호프의 묘지로 갔다. 이곳에서 버지니아는 부모와 첫 남편 빌 블라이스와 함께 안장되었다. 버지니아는 마침내 고향으로 돌아간 것이다.

'에어포스 원'(대통령 전용기)이 호프의 공항에서 우리를 태우고 다시 워싱턴으로 날아갔다. 슬픈 비행이었다. 비행기에 가득 탄 가족과 친구들은 빌의 기운을 북돋워주려고 애썼다. 하지만 어머니를 땅에 묻은 날에도 빌은 화이트워터의 망령에서 벗어나지 못했다.

백악관 참모들과 고문들이 대통령 주위에 모였다. 특별검사를 임명하라는 요란한 북소리가 빌의 메시지를 삼켜버리고 있다고 다들 걱정했지만, 특별검사를 요청하면 과연 북소리가 잠잠해질지는 아무도 예측할 수 없었다. 앤드루스 공군기지에 착륙하여 헬기로 바꿔 타고 백악관으로 갈 때쯤에는 빌도 토론에 진력이 나 있었다. 빌은 그날 밤 앤드루스 기지로 돌아가서 유럽으로 날아가야 했다. 나토(NATO: 북대서양조약기구)를 동쪽으로 확대하는 문제에 대해 브뤼셀과 프라하에서 회의를 여는 것은 오래 전에 잡힌 일정이었다. 회의가 끝나면 러시아를 공식 방문하여, 나토의 동진 계획을 우려하는 보리스 옐친 대통령과 회담하기로 되어 있었다. 백악관을 떠나기 전에 빌은 화이트워터 문제가 어떤 식으로든 되도록 빨리 해결되기를 바란다는 뜻을 나에게 분명히 밝혔다.

나는 1월 13일 모스크바에서 빌과 합류하여 러시아를 공식 방문할 계획이었다. 우리는 버지니아의 장례식 자리에서 첼시를 러시아에 함께 데려가기로 결정했다. 그렇게 슬픈 시기에 첼시를 백악관에 혼자 남겨두고 싶지 않았기 때문이다. 나는 러시아로 떠나기 전에 특별검사에 대한 결정을 내려야 한다는 것을 알았다. 그 주 일요일, 많은 민주당 지도자들이 토크쇼에 출연하여 특별검사 임명을 지지했다. 하지만 그 조치가 적절하거나 필요한 이유에 대해서는 아무도 정확히 설명하지 못했다. 그들은 언론의 압력을 두려워하고 정치적 추세에 사로잡혀 있는 듯했다. 기세는 계속 강해졌고, 내 결단력은 점점 약해지고 있었다.

나는 변호사였고, 워터게이트 탄핵 조사팀에 참여한 경험이 있었다. 그런 나의 직관적인 생각은, 적법한 범죄 수사에는 전적으로 협력하되 누군가에게 무차별로 무한정 파고들 수 있는 자유재량권을 부여하는 데에는 강력히 저항해야 한다는 것이었다. '특별' 수사는 범죄 행위가 저질러졌다는 믿을 만한 증거가 있어야 하는데, 그런 증거는 전혀 없었다. 믿을 만한 증거도 없이 특별검사를 요청하는 것은 무서운 선례가 될 터였다. 일단 그런 선례가 생기면, 그때부터는 대통령의 일생에 일어났던 온갖 사건들과 관련하여 혐의—근거가 있든 없든—가 제기될 때마다 특별검사를 요구하게 될 것이다.

대통령의 정치 고문들은 결국에는 특별검사를 수용할 수밖에 없다고 예상하고, 어차피 그렇게 될 바에는 특별검사를 임명하여 귀찮은 문제를 하루라도 빨리 처리해버리는 편이 낫다고 주장했다. 조지 스테퍼노펄러스는 과거의 특별검사들을 조사한 뒤, 카터 대통령과 그의 동생 빌리가

1970년대 중반에 땅콩 창고를 짓기 위해 부정 대출을 받은 혐의로 조사 받은 사례를 인용했다. 카터가 요청한 특별검사는 7개월 만에 수사를 마치고 카터 형제에게 면죄부를 주었다. 그것은 고무적인 사례였다. 그와는 반대로 레이건-부시 행정부 때 시작된 '이란 - 콘트라 사건' 조사는 7년 동안이나 계속되었다. 하지만 그 경우에는 백악관과 미국의 외교 정책을 맡고 있는 정부 요원들이 불법 행위를 저질렀다. 캐스퍼 와인버거 국방장관과 국가안전보장회의 참모인 올리버 노스 중령을 비롯한 정부 관리 몇 명이 기소되었다.

특별검사를 반대해야 한다는 내 생각에 동의한 사람은 데이비드 켄들과 버니 너스봄과 데이비드 저겐뿐이었다. 저겐은 특별검사 요청을 '위험한 제의'라고 생각했다. 빌의 참모들은 줄줄이 차례로 나를 찾아와 압력을 넣었다. 그들의 메시지는 모두 똑같았다. 내가 그들의 전략을 지지하지 않으면 남편을 망치게 된다는 것, 의료 개혁을 포함하여 정부가 해야 할 일을 계속할 수 있으려면 화이트워터를 신문 1면에서 밀어내야 한다는 것이었다.

나는 우리가 옳을 때 우리 입장을 고수하는 것과 정치적 편의주의나 언론의 압력에 굴복하는 것은 구별할 필요가 있다고 믿었다. 나는 "특별검사를 요청하는 것은 실수"라고 말했다. 하지만 그들의 생각을 바꿀 수는 없었다.

1월 3일, 빌의 오랜 친구이자 1992년 대선 때 법률 고문을 맡았던 해럴드 아이크스가 비서실 차장으로 정부에 합류했다. 빌은 모랫빛 머리카락에 운동 과다증인 해럴드에게 이제 곧 시작될 의료 개혁 캠페인의 총지휘를 맡아달라고 부탁했다. 그런데 며칠도 지나기 전에 그의 임무는 '화이트워터 대책팀'을 조직하는 일로 바뀌었다. 대책팀은 몇몇 수석참모와 공보실 및 법률 고문실 직원들로 구성되었다. 해럴드는 전투에서 최고의 아군이었다. 켄들과 마찬가지로 해럴드도 남부에서 민권운동에 참여했다. 사실 그는 미시시피 델타에서 흑인 유권자들을 조직하다가 심하게 얻어맞아 신장 하나를 잃었을 정도였다. 그는 아버지의 유산을 피하면서 젊은 시절의 대부분을 보냈지만—한때는 소를 키우는 목장에서 말을 길들이는 일을 하기도 했다—사실 그는 프랭클린 루스벨트 내각에서 가장 중요한 각료였던 해럴드 아이크스의 아들이었다. 정치는 해럴드의 핏속을 흐르고 있었다. 백악관은 그의 자연 서식지처럼 보였다.

해럴드는 화이트워터 논쟁을 자신의 통제 아래 두려고 애썼지만, '웨스트 윙'에서는 혼란이 계속되었다. 신문에 실리는 기사는 우리를 치명적인 결정 쪽으로 점점 밀어붙였다. 내가 핫스프링스에서 백악관으로 돌아온 이튿날, 해럴드는 내키지는 않지만 특별검사를 요청해야 한다는 결론에 도달했다고 말했다.

1월 11일 화요일 저녁, 나는 프라하에 있는 빌과의 전화 회의를 준비했다. 데이비드 켄들과 나는 화이트워터 문제에 대해 최종 토론을 벌이기 위해 대통령 집무실에서 빌의 수석참모들을 만났다. 그 광경은 내가 전에 본 만평을 연상시켰다. 한 남자가 두 개의 문 앞에 서서 어느 문으로 들어갈까 망설이고 있다. 첫번째 문에는 '들어가면 저주받을 것이다'라고 적혀 있고, 두번째 문에는 '안 들어가면 저주받을 것이다'라고 적혀 있다.

유럽은 한밤중이었다. 빌은 며칠 동안 기자들한테 화이트워터에 관한 질문만 받았기 때문에 잔뜩 화가 나고 지쳐 있었다. 게다가 평생 동안 변함없이 옆을 지켜주면서 절대적인 사랑과 도움을 베풀어준 어머니를 잃고 비탄에 잠겨 있었다. 나는 빌이 가여웠고, 이런 상황에서 그렇게 중요한 결정을 내려야 하는 빌의 처지가 참으로 안타까웠다. 빌의 목소리는 잔뜩 쉬어 있어서 알아듣기 힘들었다. 우리는 박쥐날개 모양의 검은색 전화기 쪽으로 귀를 바싹 들이대야 했다.

"이런 처지를 내가 얼마나 더 견딜 수 있을지 모르겠어" 하고 빌이 말했다. 나토는 일찍이 바르샤바 조약기구에 가입했던 나라들에 이제 곧 문호를 개방할 예정이었다. 그런데 기자들은 역사적으로 중요한 이 나토 확대에 대해서는 별로 관심이 없었다. 그래서 빌은 낙담했다. "기자들이 알고 싶어하는 건 한 가지뿐이야. 우리가 왜 독자적인 수사를 회피하고 있는지, 오직 그것만 알고 싶어해."

조지 스테퍼노펄러스는 특별검사 임명에 찬성하는 정치적 이유를 차분하게 설명했다. 특별검사를 임명하면 언론은 더 이상 빌을 괴롭히지 않을 것이고, 어차피 특별검사 임명은 피할 수 없게 되었으며, 더 이상 미루면 우리가 국회에 제출한 법안마저 묻혀버리게 될 것이라고 말했다.

다음에는 버니 너스봄이 반대 의견을 강력하게 주장했다. 버니는 검사들이 어떻게든 우리를 기소해서 자신들의 노력을 정당화해야 한다는 엄청난 압력을 받게 될 것이라고 말했다. 나도 같은 생각이었다. 버니가 계속 강조했듯이 우리는 이미 서류를 법무부에 넘겼고, 범죄를 저질렀다는 믿을 만한 증거가 전혀 없기 때문에, 법률에 따르면 특별검사를 임명할 수 없었다. 우리는 단지 특별검사를 요청할 수 있을 뿐이지만, 그것은 정말로 불합리하게 여겨졌다. 끝없이 계속될 수도 있는 법적 절차에 비하면 정치적 곡예를 하는 편이 낫다는 생각이었다.

열띤 공방전이 몇 라운드 벌어진 뒤, 빌은 기진맥진하여 더 이상 들을 수가 없었다. 나는 회의를 끝내고, 데이비드 켄들만 남아서 대통령과 몇 마디 더 통화해달라고 부탁했다.

잠시 침묵이 흐르다가 이윽고 빌이 입을 열었다.

"아무래도 특별검사를 요청해야 할 것 같아. 우리는 아무것도 숨길 게 없고, 이런 일이 계속되면 우리 법안이 묻혀버리게 될 거야."

이제는 내가 포기해야 할 때였다. "우리가 이 상황을 벗어나야 한다는 건 나도 알고 있어. 하지만 결정을 내리는 건 당신이야."

데이비드 켄들은 버니 너스봄의 의견을 강력하게 지지했다. 그들은 둘 다 형사 전문 변호사로 일한 경험이 있어서, 무고한 사람이 기소될 수도 있다는 것을 알고 있었다. 하지만 언론이 화제를 바꾸기만 바라는 정치 고문이 훨씬 많았다. 데이비드는 방을 나갔고, 나는 빌과 단둘이 통화하기 위해 수화기를 들었다.

"결정을 하룻밤 늦추는 게 어때? 하룻밤 더 생각한 뒤에도 여전히 특별검사를 요청하고 싶다면, 내일 법무장관한테 요청서를 보낼게."

"아니야. 이 일은 이제 그만 해치워버려." 빌도 나 못지않게 이 결정의 결과를 우리가 과소평가하고 있는 게 아닐까 하고 걱정했지만, 특별검사를 요청하라고 말했다. 나는 기분이 참담했다. 빌은 사람들한테 떠밀려서 편치 않은 결정을 내릴 수밖에 없었다. 하지만 우리는 강한 압력을 받고 있어서 어쩔 도리가 없었다.

나는 버니 너스봄의 사무실로 들어가서 나쁜 소식을 전하고, 내 오랜 친구를 껴안았다. 밤이 늦었지만 버니는 재닛 르노 법무장관에게 보낼 편지를 쓰기 시작했다. 화이트워터 문제를 독자적으로 수사할 특별검사를 임명하라는 대통령의 공식 요청을 법무장관에게 전달하는 편지였다.

국회가 결국은 우리에게 특별검사를 강요했을까? 그 대답은 영원히 알 수 없을 것이다. 그리고 불완전할 수밖에 없는 개인 서류를 『워싱턴 포스트』에 넘겼다고 해서 특별검사를 피할 수 있었을까? 이 대답도 영원히 알 수 없을 것이다. 이제 와서 생각해보면, 내가 참모들의 설득을 받아들여 최소한의 저항만 하는 길을 택하지 말고 좀더 강력하게 맞서 싸웠더라면 좋았을걸 하는 생각이 든다. 버니와 데이비드가 옳았다. 우리는 법률 분석가인 제프리 투빈이 나중에 형사사법체계의 정치화와 정치체제의 범죄화라고 부른 것 속에 휩쓸려 들어가고 있었다. 우리의 정치적 문제를 좀더 빨리 해결하기 위한 응급조치로 추진한 일이 그후 7년 동안 정부의 힘을 약화시켰고, 무고한 사람들의 생활을 부당하게 침해했으며, 미국의 관심을 미국이 직면해 있는 국내외의 난제에서 다른 곳으로 돌려버렸다.

빌을 지탱해주고 나에게 기운을 준 것은 빌의 타고난 낙천성과 회복력이었다. 빌이 두 번의 임기를 마칠 때까지 미국을 위해 세운 계획을 대부분 실행할 수 있었던 것도 그 낙천성과 회복력 덕택이었다. 하지만 그 모든 것은 첼시와 내가 러시아에서 빌과 합류하기 위해 비행기에 탑승할 때는 아직 닥쳐오지 않은 미래의 일이었다.

모스크바에 내릴 때는 날씨가 몹시 사나웠다. 비행기에서 걸어나가는데 구역질이 났다. 첼시는 캐프리샤 마셜과 같은 차에 탔고, 나는 러시아 주재 미국 대사 부인인 앨리스 스토버 피커링과 함께 공식 리무진에 탔다. 미국 대사인 토머스 피커링과 앨리스는 전세계의 수많은 외교 공관을 돌아다녔다. 토머스 피커링은 나중에 매들린 올브라이트 국무장관 밑에서 정치 담당 국무차관으로 뛰어난 수완을 발휘했다. 나는 나이나 옐친을 만나기 위해 시내로 들어가는 동안에도 계속해서 속이 메슥거렸다. 앞뒤에서 러시아 경찰차들의 호위를 받으며 빠르게 달리는 자동차는 멈출 수가 없었다. 리무진 뒷좌석은 깨끗했다. 컵도 수건도 냅킨도 보이지 않았다. 나는 고개를 숙이고 바닥에 토했다. 앨리스 피커링은 조금도 동요하지 않는 것 같았고―내 당혹감을 줄여주기 위해―계속 바깥 풍경을 가리켰다. 앨리스는 그 불상사에 대해 아무한테도 말하지 않았다. 나는 정말 고마웠다. 미국 대사관저인 스파소 하우스에 도착했을 때쯤에는 내 기분도 한결 나아져 있었다. 나는 재빨리 샤워를 하고 옷을 갈아입고 이를 닦았다. 무엇보다 칫솔과의 만남이 가장 중요했다. 이제 일정을 시작할 준비가 되었다.

나는 지난해 여름 도쿄에서 옐친 부인을 만나 즐거운 한때를 보냈기 때문에, 다시 만나는 게 너무 반가웠다. 나이나는 예카테린부르크에서 토목기사로 일했고, 남편은 그곳의 공산당 지부장이었다. 나이나는 유머 감각이 풍부했다. 우리는 대중 앞에 나가고 그 지역의 유지들과 식사를 하면서 하루를 보내는 동안 줄곧 웃었다.

이 첫번째 러시아 방문은 빌과 옐친 대통령이 옛 소련의 핵무기 해체와 나토의 확대 같은 문제를 건설적으로 논의할 수 있도록 두 사람의 관계를 강화하는 것이 목적이었다. 남편들이 정상회담을 하는 동안, 나이나와 나는 우리의 방문을 기념하여 새로 페인트칠한 병원에 가서 양국의 의료 시스템에 대해 이야기를 나누었다. 러시아의 의료체계는 그 동안 받았던 정부 지원이 끊기면서 악화되고 있었다. 우리가 만난 의사들은 미국의 의료 개혁안에 대해 궁금해했다. 그들은 미국의 의학 수준이 높은 것을 인정했지만, 전국민에게 의료를 보장해주지 못하는 것을 비판했다. 그들도 우리처럼 보편적인 의료보장을 목표로 삼고 있었지만, 그 목표를 이루는 데 어려움을 겪고 있었다.

나는 그날 저녁에야 빌을 만날 수 있었다. 옐친 부부가 주최한 공식 만찬은 새로 개장한 성 블라디미르 홀에서 손님을 영접하는 것으로 시작하여, 파세트 홀에 마련된 정찬으로 이어졌다. 수많은 거울로 둘러싸인 파세트 홀은 내가 세계 어디에서 본 방보다 아름다웠다. 나는 옐친 대통령 옆자리에 앉았는데, 옐친 대통령은 음식과 포도주에 대해 실황 중계를 하듯 해설과 비평을 계속하면서, 적포도주가 핵 잠수함을 타는 러시아 수병들을 스트론튬 90(원자로 내에서 생성되는 방사성 동위원소로, 인체에 치명적인 방사성 핵종의 하나다—옮긴이)의 악영향에서 보호해준다고 진지하게 말했다. 나는 언제나 적포도주를 좋아했다.

첼시는 저녁을 먹은 뒤 성 조지 홀에서 여흥을 즐기기 위해 우리와 합류했다. 이어서 보리스 옐친과 나이나는 우리에게 크렘린궁의 비공개 구역을 구경시켜주었다. 우리는 그곳에서 밤을 보냈다. 우리는 옐친 내외를 무척 좋아했고, 좀더 자주 만나고 싶었다.

이튿날 아침, 긴 자동차 행렬이 크렘린궁을 떠났다. 그런데 어찌된

셈인지 첼시와 캐프리샤가—첼시의 경호요원과 빌의 수행요원과 함께 계단에 서 있다가—차에 타지 못하고 뒤에 남겨졌다. 그들은 마지막 차가 떠나고 두 남자가 붉은 카펫을 둘둘 마는 것을 보았을 때에야 무슨 일이 일어났는지 알아차렸다. 경호원과 캐프리샤는 낡은 흰색 밴을 발견하고, 그 차를 징발하기 위해 달려갔다. 시트를 배달하고 있던 운전자는 다행히 영어를 할 줄 알았다. 경호원과 캐프리샤의 이야기를 듣고는 네 사람을 뒷좌석에 태우고 공항을 향해 미친 듯이 달렸다. 겨우 공항에 도착했지만 입구에서 차단당했다. 러시아 경비원은 첼시를 알아보았지만, 왜 첼시가 공항 안에 부모와 함께 있지 않고 밖에 있는지 이해할 수가 없었다. 당황한 경비원들이 문제를 해결하려고 애쓰는 동안 첼시 일행은 가방을 들고 터미널을 향해 달렸다. 나는 비행기에 탑승할 준비가 끝난 뒤에야 첼시가 없는 것을 알아차렸다. 그때 첼시 일행이 헐떡거리며 터미널로 들어왔다. 지금 생각하면 우습지만, 그때는 너무 걱정이 돼서 제정신이 아니었다. 나는 순방이 끝날 때까지 첼시와 캐프리샤를 내 시야에서 놓치지 않기로 단단히 결심했다.

다음 목적지는 벨로루시의 민스크였다. 민스크는 내가 가본 곳 중에서 가장 음울해 보이는 곳이었다. 소련 양식의 을씨년스러운 건축물은 아직도 사라지지 않은 공산 독재의 권위주의적 분위기를 자아내고 있었다. 비가 내려 날씨마저 우중충했다. 벨로루시는 독립된 민주주의 국가를 세우려고 애썼지만 성공할 가능성은 희박했다. 나는 소련이 붕괴한 뒤 정부를 꾸려나가려고 애쓰는 지식인과 학자들을 만났지만, 잔존해 있는 공산주의자들과는 상대도 안될 것 같았다. 우리가 돌아본 민스크 시내는 벨로루시가 과거에 당한 재난을 상기시켜주는 것들로 가득 차 있었다. 우리는 쿠로파티 기념관에서 스탈린의 비밀경찰에 살해된 30만 명의 영전에 꽃을 바쳤다. 체르노빌 원자로 폭발 사고의 영향으로 암에 걸린 아이들을 치료하는 병원을 방문했을 때는 소련 당국의 원자력 발전소 사고 은폐가 어떤 결과를 초래했는지를 뼈저리게 실감했고, 핵무기 확산을 포함한 원자력의 잠재적 위험성을 절실히 깨달았다. 하지만 밝은 면도 있었다. 국립 아카데미 오페라 발레 대극장에서 본 발레 공연은 웅장하고 화려했다. 「카르미나 부라나」를 발레로 각색한 작품이었다. 첼시와 나는 완전히 매혹되어 의자 끝에 엉덩이만 걸친 채 공연을 보았다. 우리가 그곳을 방문한 뒤의 몇 년은 벨로루시에 친절하지 않았다. 벨로루시에는 옛 소련 공산주의자들의 독재 정권이 다시 들어서서 언론 자유와 인권을 탄압하고 있다.

1994년 1월 20일, 클린턴 정부 출범 1주년 기념일에 재닛 르노는 로버트 피스크를 특별검사로 임명하겠다고 발표했다. 공화당원인 피스크는 검사 경력을 가진 철저하고 공정한 변호사로 높은 평가를 받고 있었다. 포드 대통령은 피스크를 뉴욕 남부지구 연방 검사로 임명했고, 피스크는 카터 행정부 시절에도 그 자리를 지켰다. 이제 그는 월스트리트의 법률회사에서 일하고 있었다. 피스크는 신속하고 공정한 수사를 약속했고, 모든 시간과 노력을 바칠 수 있도록 직장에서 휴가를 얻었다. 피스크가 임무를 계속 수행할 수 있었다면, 나와 버니와 데이비드와 빌의 걱정은 근거 없는 것으로 드러났을 것이다.

며칠 뒤, 대통령은 연두교서를 발표했다. 연설은 힘차고 희망적이었다. 빌은 데이비드 저겐의 반대를 뿌리치고 의료 문제를 언급하면서 연극적인 몸짓까지 덧붙였다. 연단 위로 펜을 들어올리고, 전국민에 대한 보편적 의료보장을 포함하지 않는 의료 개혁 법안에는 거부권을 행사하겠다고 약속한 것이다. 닉슨과 포드와 레이건 행정부에서 일한 경력을 가진 저겐은 그 몸짓이 지나치게 도발적이라고 걱정했다. 연설문 작성팀과 정치 고문들은 그것이 자신의 신념을 관철하기 위해 강력하게 싸우겠다는 대통령의 의지를 효과적으로 보여주는 시각적 신호가 될 거라고 생각했다. 나도 그들의 생각에 동의했다. 하지만 우리가 타협할 근거를 찾으려고 애써야 하는 형편이 되자, 저겐의 걱정이 타당했던 것으로 밝혀졌다.

긴장 속에서 몇 주가 지난 뒤, 나는 1994년 동계 올림픽이 열리는 노르웨이 릴레함메르로 미국 대표단을 이끌고 가게 되었다. 빌이 나한테 부탁했고, 나는 그 기회를 고맙게 생각하여 첼시도 데려가기로 했다. 첼시는 전에 러시아를 방문했을 때 막판에 불상사를 겪기는 했지만 무척 즐거워했다. 첼시가 긴장을 풀고 웃는 것을 보면서 나도 기뻤다. 워싱턴으로 이사한 뒤 첼시는 가까운 사람을 여럿 잃었다. 외할아버지와 친할머니, 제트스키를 타다가 사고로 죽은 리틀록 시절의 학교 친구, 그리고 빈스 포스터. 빈스의 아내 리사는 집 뒷마당에 있는 수영장에서 첼시에게 수영을 가르쳐주었고, 빈스의 아이들은 첼시의 친구들이었다. 워싱턴으로 이사하고 대통령 가족으로 사는 것은 우리만이 아니라 첼시한테도 결코 쉬운 일이 아니었다.

매력적인 마을 릴레함메르는 그림처럼 완벽한 올림픽 개최지였다. 우리 일행은 자체 스키장이 딸려 있는 교외의 작은 호텔에 숙소를 배정받았다. 첼시와 나는 개회식에 미국을 대표하여 참석했는데, 따뜻한 스키복을 몇 겹씩 껴입어서 마치 북극에서 온 사람처럼 보였다. 반면에 영국의 앤 공주처럼 대부분 왕족인 유럽 대표단은 모자도 쓰지 않은 채 우아한 캐시미어 코트를 입고 다녔다. 우리는 크로스컨트리 경기가 벌어지는 산길 옆에 구경하기 좋은 자리를 차지하려고 눈 덮인 숲속에서 야영하고 있는 억센 노르웨이인들도 보았다. 여행의 하이라이트는 의사 출신으로 당시 노르웨이 총리였던 그로 브룬틀란을 만난 것이었다.

브룬틀란 총리는 마이호이겐 민속박물관에서 아침식사를 같이 하자고 나를 초대했다. 박물관은 커다란 벽난로에서 장작불이 이글이글 타오르고 있는 소박한 통나무집이었다. 식탁에 앉자마자 그녀가 처음 한 말은 "의료 개혁안을 읽어보았는데, 몇 가지 여쭤볼 게 있어요"였다.

그 순간부터 그녀는 내 평생 친구가 되었다. 의료 개혁안에 대해 얘기하고 싶어하기는 고사하고 개혁안을 읽어보았다는 사람조차 좀처럼 만나지 못했기 때문에, 여기서 그런 사람을 만나고 나는 무척 행복했다. 물론 그녀가 의사라는 점도 작용했겠지만, 나는 감동했고 기뻤다. 우리는 생선과 빵, 치즈와 진한 커피로 아침을 먹으면서 유럽의 여러 의료보험제도가 갖고 있는 상대적 장단점을 비교한 다음, 그와 관련된 다른 문제들을 파고들었다. 브룬틀란은 나중에 노르웨이 정계를 떠나 세계보건기구(WHO) 사무총장이 되어, 결핵과 에이즈와 금연에 관한 적극적인 대처를 주창했다.

이것은 내가 대통령과 동행하지 않은 최초의 공식 해외 여행이었다. 나는 대통령 대리로 미국을 대표하는 것이 즐거웠고, 느긋한 일정을 충분히 이용했다. 스키도 좀 탔고, 활강과 회전에서 메달을 딴 토미 모 같은 우리 선수들을 응원했고, 눈 속에서 서서 건강한 사람들이 로켓처럼 내 옆을 휙휙 지나가는 것을 바라보기도 했다. 나는 또한 시끄러운 싸움 현장에서 멀리 떨어진 곳에서 첼시와 조용히 대화할 기회를 얻었다. 첼시는 영리하고 호기심이 많다. 나는 첼시가 신문에서 화이트워터 연재소설을 읽고 있다는 것을 알고 있었다. 그리고 첼시가 거기에 대해 나한테 묻고 싶은 마음과 나로 하여금 그 일을 잊게 해주고 싶은 마음 사이에서 고민하고 있다는 것도 알 수 있었다. 나도 이번 사태에 대한 좌절감을 첼시한테 털어놓고 싶은 마음과 첼시를 정치적 공세만이 아니라 내 분노와 환멸에서도 최대한 지켜주고 싶은 마음 사이에서 갈등하고 있었다. 이것은 끊임없는 감정적 줄다리기였고, 첼시도 나도 평정을 유지하기 위해 애써야 했다.

예상대로 특별검사 임명은 며칠 동안 화이트워터 소동을 잠잠하게 해주었다. 하지만 역시 예상했던 대로 며칠 뒤에는 새로운 고발과 뜬소문들이 스캔들의 공백을 가득 채웠다. 뉴트 깅리치와 뉴욕 출신 공화당 상원의원인 앨 다마토는 하원과 상원에서 화이트워터 의혹을 조사하기 위한 금융위원회 청문회를 열자고 요구했다.

로버트 피스크는 청문회가 열리면 호전적인 공화당 의원들이 특검 수사에 간섭할 우려가 있다고 경고하여 기선을 제압했다. 그는 증인들에게 소환장을 보내고 워싱턴과 리틀록의 대배심 앞에 증인들을 불러내면서, 약속한 대로 발빠르게 움직이고 있었다.

피스크는 재무부 산하 기관인 '정리신탁공사'가 매디슨 신용금고의 범죄 혐의를 조회한 데 대해 백악관 참모들을 심문했다. 범죄 조회서 및 로저 앨트먼 재무차관의 신탁공사 임시 사장직 사임 결정과 관련하여 백악관과 앨트먼 사이에 어떤 접촉이 이루어졌느냐가 그의 관심사였다. 내가 알기로 백악관과 재무부가 이 문제를 논의한 것은 1993년 가을에 기자들의 질문—이것은 기밀로 되어 있는 신탁공사의 조사 내용이 누설된 결과였다—이 시작되어 백악관과 재무부가 거기에 대응할 필요가 생겼을 때뿐이었다. 그렇지 않았다면 백악관과 재무부는 거기에 주의를 돌리지 않았을 것이다. 피스크와 그 뒤를 이은 수사팀은 화이트워터 사태의 다른 측면들과 마찬가지로 백악관과 재무부의 접촉도 적법하다고 판단했지만, 공화당은 앨트먼과 그밖의 관계자들에게 끊임없이 비난을 퍼부었다. 2002년에 화이트워터 최종 보고서가 발표되었을 때, 부시 대통령의 백악관이 1992년 가을에 신탁공사 관리들과 접촉한 사실이 확인되었지만, 그것을 비난하는 목소리는 전혀 들리지 않았다. 대통령과 국가를 위해 봉사한 정직하고 유능한 로저 앨트먼은 결국 공직을 사임하고 야인으로 돌아갔고, 역시 헌신적인 공직자였던 내 오랜 친구 버니 너스봄도 같은 길을 걸었다.

1994년 봄에는 우리 곁을 떠났거나 부당한 공격을 받은 친구들과 동료들과 친척들을 그리워하며 잠에서 깨어나는 아침이 많았다. 우리 아버지와 시어머니, 빈스 포스터, 버니 너스봄, 로저 앨트먼…… 어떤 날 아침에는 신문 보도가 너무 난폭해서 주식시장에 영향을 미친 것으로 보이기까지 했다. 1994년 3월 10일자 『워싱턴 포스트』에는 '화이트워터 루머로 다우존스 지수 23포인트 하락―특정한 악재가 아니라 막연한 불안감으로 시장 위축'이라는 표제의 기사가 실렸다. 같은 날, 당시 CNBC 회장이었고 지금은 폭스사를 경영하고 있는 로저 아일스는 정부가 "화이트워터와 관련하여 토지 사기·불법 기부·권력 남용·자살 은폐―타살 가능성―등을 은폐하고 있다"고 비난했다.

이어서 3월 중순에 웨브 허벨이 갑자기 법무부를 떠났다. 신문들은 웨브가 의뢰인에게 수임료를 과잉 청구하고 경비를 실제보다 부풀리는 등 청구서 작성에 문제가 있었다는 이유로 로즈 법률회사가 아칸소 변호사협회에 웨브를 고소할 계획이라고 보도했다. 이 혐의는 웨브가 고위직을 사임할 만큼 중대했다. 하지만 이때쯤에는 나도 부당한 비난을 재치 있게 받아넘기는 데 익숙해져 있었기 때문에, 웨브도 부당한 비난을 받고 있는 것일 거라고 생각했다. 나는 백악관 3층의 일광욕실에서 웨브를 만나 어떻게 된 거냐고 물었다. 웨브는 대답하기를, 장인인 세스 워드를 대리해 맡은 특허권 침해 송사에서 소송 비용을 성공 사례금 원칙에 따라 처리했는데, 그 처리 방식을 둘러싸고 파트너들과 분쟁이 생겼다는 것이다. 웨브가 패소하자 세스는 비용 지불을 거부했다. 나는 세스를 알고 있었기 때문에, 세스라면 그러고도 남을 사람이라는 것을 인정할 수밖에 없었다. 웨브는 자기가 로즈 법률회사의 파트너들과 계약을 맺고 일했다면서, 분쟁은 곧 해결될 거라고 나를 안심시켰다. 나는 그 말을 믿었고, 일이 해결될 때까지 당신과 당신네 가족을 돕기 위해 내가 할 수 있는 일이 뭐냐고 물었다. 웨브는 로즈 법률회사에 촉수를 뻗어 염탐했다고 말하고, "이 불화가 가라앉을 때까지" 자기는 괜찮을 거라고 자신있게 말했다.

화이트워터 수사와 기자들의 질문은 이제 화이트워터 대책팀이 처리하고 있었다. 이 대책팀은 맥(백악관 비서실장)과 매기(영부인 비서실장)를 비롯한 고위 참모들의 권유에 따라 화이트워터 문제에 대한 논의를 한곳에 집중시키기 위해 만들어졌다.

해럴드 아이크스가 이끄는 화이트워터 대책팀은 '재난 관리팀'이라는 별명으로 불렸는데, 대책팀을 만든 이유는 네 가지였다. 첫째, 우리는 참모들이 행정부의 중요한 일에 정신을 집중하기를 바랐다. 둘째, 어떤 문제에 모든 사람이 관여하면 책임질 사람이 아무도 없게 된다. 셋째, 피스크의 특검팀이 너무 많은 소환장을 보내오고 있어서, 서류를 찾고 특검의 요구에 응하려면 우리도 조직적인 체계를 가질 필요가 있었다. 넷째, 참모들이 빌이나 나와 함께, 또는 자기들끼리 화이트워터에 대해 이야기하면, 장문의 진술서를 쓰거나 막대한 변호사 비용을 지불하거나 전체적으로 불안에 휩싸일 위험이 더 높아질 터였다.

나는 특히 내 참모들—매기 윌리엄스, 리사 캐푸토, 캐프리셔 마셜 등—을 걱정했다. 그렇게 열심히 일한 그들이 그 보답으로 소환장과 놀라 자빠질 만큼 많은 변호사비 청구서를 받고 있었다. 일단 매기가 조사를 받게 되면, 나는 매기의 조언을 청할 수도 없고 매기를 위로해줄 수도 없을 것이다. 우리가 부닥친 어려움을 불평하거나 거기에서 빠져나간 사람이 아무도 없었던 것은 나를 위해 일한 이들이 불굴의 정신으로 꿋꿋이 견뎌냈고 매기의 인간적인 매력이 강했기 때문이다.

데이비드 켄들은 외부 세계와 나를 연결하는 주요 통로가 되어가고 있었다. 그는 하늘이 보내준 선물이었다. 처음부터 그는 특검 수사나 그밖의 관련 '스캔들'에 대한 신문 보도를 읽지 말라고, 텔레비전도 보지 말라고 충고했다. 내 공보 비서는 내가 기자들의 질문을 받았을 경우에 대비하여 꼭 알아둘 필요가 있는 내용만 요약해서 보고했다. 그 나머지는 아예 생각지도 말라고 데이비드는 권했다.

"그건 제가 할 일입니다. 변호사를 고용하는 이유가 뭡니까. 자신의 걱정거리를 변호사한테 떠맡기기 위해서지요." 물론 데이비드는 모든 기사를 읽었고, 다음에 일어날 일에 대해 끊임없이 걱정했다. 나는 다소 강박적인 성격이라서 데이비드의 충고에 따르는 것은 쉬운 일이 아니었다. 하지만 나는 데이비드에게 파수꾼 역할을 맡기는 법을 배웠다.

며칠에 한 번씩 매기는 내 사무실에 얼굴을 내밀고 "데이비드 켄들이 말씀드릴 게 있답니다" 하고 말하곤 했다. 데이비드가 들어오면 매기는 방을 나갔다. 나를 만날 때마다 데이비드는 짐 맥두걸과 그의 개인적인 거래와 금융거래에 대한 이야기를 풀어놓았다. 나는 매번 새로운 정보를 얻었다.

나는 새로운 정보를 혼자 처리하려고 애썼다. 중요한 일이 일어났을 때에만 빌에게 이야기했다. 나는 그가 대통령 직무에 전념할 수 있도록, 가급적 빌을 힘들게 하지 않으려고 애썼다. 흔히 대통령은 세상에서 가장 외로운 직업이라고 말한다. 해리 트루먼은 백악관을 "미국의 형벌 시스템에서 으뜸가는 보석"이라고 말한 적이 있다. 빌은 자기 일을 사랑했지만, 나는 정쟁이 그에게 영향을 미치고 있음을 알 수 있었다. 나는 내가 할 수 있는 일은 모두 내가 처리하여 최대한 빌을 보호하려고 애썼다.

데이비드는 기록의 공백을 대부분 메울 수 있었다. 기록은 우리가 화이트워터 거래에서 손해를 보았고 맥두걸이 신용금고에서 멋대로 횡령한 일에는 일절 관여하지 않았다는 우리 주장을 뒷받침해주었다. 데이비드는 우리의 옛날 서류에서 잘못을 찾아냈다는 골치 아픈 소식도 가져왔다. 그는 모래를 체로 쳐서 사금을 골라내는 광부처럼 모든 서류를 꼼꼼히 조사하여 납덩어리를 몇 개 찾아냈다. 하나는 우리가 화이트워터 투자로 손해본 돈이 6만 8천 달러가 넘는다고 계산한 라이언스 보고서였다. 이 보고서에는 빌이 핫스프링스에 집을 사려는 어머니를 돕기 위해 끊은 수표가 화이트워터의 대출금을 갚는 데 쓰인 것으로 잘못 처리되어 있었다. 데이비드가 이 잘못을 발견한 뒤 우리는 손실액을 2만 2천 달러 줄여야 했다. 데이비드는 리틀록에서 우리가 고용한 공인회계사가 1980년도 세금 신고서를 작성할 때 실수를 저지른 것도 발견했다. 중개회사에서 보내온 계산서가 부실한 탓에 회계사는 우리가 상품거래에서 1천 달러를 손해보았다고 계산했지만, 사실은 6,500달러를 벌었던 것이다. 세무 고발 기간은 지났지만, 우리는 자진해서 체납 세금과 이자로 1만 4,615달러짜리 수표를 끊어 연방 국세청 및 아칸소 세무청과의 문제를 말끔히 매듭짓기로 했다.

우리의 재정 기록이 공개되거나 신문에 실리면, 그것이 또 다른 기사를 만들어냈다. 3월 중순에 『뉴욕 타임스』는 '아칸소 최고 변호사가 힐러리 클린턴을 도왔다'는 표제의 기사를 1면 톱기사로 내보냈다. 이 기사는 내가 1979년에 상품거래에서 번 돈은 정확하게 보도했지만, 우리 친구인 짐 블레어가 자신의 고객인 '타이슨 식품'을 위해 빌에게 영향력을 행사하려고 교묘한 공작으로 내 횡재를 도왔을 거라고 암시한 것은 잘못이었다. 블레어와 돈 타이슨이 주지사 시절의 빌과 맺은 관계를 다룬 부분은 잘못투성이였다. 나는 그런 기사가 사실로 확인되기도 전에 보도되는 이유가 궁금했다. 『뉴욕 타임스』의 주장대로 타이슨이 빌을 제 마음대로 부렸다면, 1980년과 1982년 주지사 선거 때 타이슨이 왜 빌의 정적인 프랭크 화이트를 지지했겠는가?

짐은 통이 크고 너그러운 성품이어서, 상품거래에 관한 전문지식을 가족과 친지들에게 아낌없이 나누어주었다. 나는 짐의 도움으로 이 변덕스러운 시장에 들어가 단기간에 1천 달러의 밑천을 10만 달러로 불렸다. 내가 겁을 먹고 시장이 무너지기 전에 빠져나온 것은 행운이었다. 짐이 아니었다면 내가 해낼 수 있었을까? 아니다. 나는 내 중개인에게 1만 8천 달러가 넘는 돈을 수수료로 지불해야 했는가? 그렇다. 내 상품거래가 주지사인 빌의 결정에 영향을 미쳤는가? 그것은 절대로 아니다.

내가 상품거래로 큰돈을 벌었다는 기사가 나오자, 백악관은 내 거래 기록을 검토하기 위해 전문가에게 도움을 청했다. 일찍이 시카고 상품거래소 소장을 지낸 공화당원 레오 멜러메드는 우리가 의견을 듣고 싶다면 파장을 고려하지 않고 솔직한 의견을 제시하겠다고 말했다. 그는 내 거래 기록을 철저히 검토한 뒤, 내가 아무 잘못도 저지르지 않았다고 결론지었다. 논란은 '찻주전자 속의 태풍'이라는 것이 그의 의견이었다. 나는 그의 결론에 놀라지 않았다. 우리는 1979년에 제출한 세금 신고서에서 상품거래로 소득이 크게 늘어났다고 보고했었다. 국세청은 회계 감사를 실시했지만 우리 기록은 완전무결했다. 사실 국세청은 빌이 백악관에 있는 동안에도 해마다 우리가 제출하는 세금 신고서에 대해 회계 감사를 실시했다.

끊임없는 비난이 나와 언론의 관계에 영향을 미쳤다는 것을 나는 이제 이해하고 있다. 나는 너무 오랫동안 백악관 출입 기자들을 가까이하지 않았다. 나는 언론이 의료 개혁에 대해 보도해주기를 바랐기 때문에, 전국 곳곳에서 행사와 연설을 취재하는 수행 기자들에게 인터뷰를 제의했다. 하지만 백악관 출입 기자들은 나한테 접근할 기회를 거의 얻지 못했다. 그들이 나를 원망하고 화를 내는 것도 당연했다. 내가 그것을 깨닫는 데에는 한참 시간이 걸렸다.

1994년 4월 말, 나는 화이트워터와 그것을 둘러싼 쟁점에 대한 내 인식과 데이비드 켄들의 조사에 자신감을 얻어, 언론이 원하는 것을 기꺼이 제공하기로 했다.

나는 비서실장에게 전화를 걸었다. "매기, 그걸 하고 싶어. 기자회견을 하겠어."

"기자회견을 열면, 기자들이 어떤 질문을 던져도 '모든' 질문에 답변하셔야 할 거예요."

"알아. 각오는 되어 있어."

이 문제를 내가 미리 상의한 사람은 대통령과 데이비드 켄들과 매기 뿐이었다. 그런 다음, 기자회견을 준비하기 위해서 내 공보 비서인 리사 캐푸토와 백악관 고문인 로이드 커틀러, 해럴드 아이크스, 맨디 그룬월드 등에게 계획을 털어놓았다. 나는 대통령 참모들이 줄지어 찾아와 내 사무실 문을 두드리고, 이래라저래라 조언하는 것을 바라지 않았다. 나는 되도록 진솔하게 말하고 싶었다.

4월 22일 아침, 백악관은 퍼스트 레이디가 오후에 '스테이트 다이닝 룸'에서 기자회견을 가질 예정이라고 발표했다. 우리는 환경을 바꾸면 언론의 접근 방식도 새로워질 거라고 기대했다.

나는 이 행사에 어떤 옷을 입을지는 생각지 않았다. 옷은 항상 마지막 순간에 결정한다. 나는 검정 스커트에 핑크빛 스웨터를 입고 싶었다. 일부 기자들은 당장에 그것을 내 이미지를 '부드럽게 하려는' 시도로 해석했고, 그리하여 68분 동안 계속된 나와 '제4부'(언론을 일컫는 말로, 언론이 행정·입법·사법부에 견줄 만한 영향력을 가지고 있다는 뜻이다—옮긴이)의 만남은 역사에 '핑크빛 기자회견'으로 기록된다.

나는 식당을 가득 메운 기자와 카메라맨 앞에 앉았다.

"이렇게 많이 와주셔서 고맙습니다. 이렇게 기자회견을 가지고 싶었던 이유 중의 하나는, 내가 그 동안 전국 곳곳을 돌아다니며 질문에 답변했지만 여러분의 질문을 받고 답변하는 일에서는 여러분을 충분히 만족시키지 못했다는 사실을 깨달았기 때문입니다. 지난주에 헬렌이 그랬다더군요. '나는 영부인과 함께 여행할 수 없는데 어떻게 영부인한테 질문할 수 있느냐?' 그 때문에 우리가 여기 모인 겁니다. 헬렌, 첫 질문은 당신이 하세요."

헬렌 토머스(백악관을 40년 넘게 출입한 최고참 여기자—옮긴이)는 곧장 요점으로 들어갔다.

"매디슨 신용금고에서 화이트워터 사업이나 대통령의 정치자금으로 흘러들어갔을지도 모르는 돈에 대해 아십니까?"

"아뇨. 모릅니다."

"다음 질문도 사실상 같은 주제예요. 영부인께서 상품거래에서 번 돈 말인데요, 투자한 액수와 이익의 규모를 확인하는 것은 일반인한테는 어려운 일입니다. 아마 전문가들도 쉽지 않을 겁니다. 그걸 어떻게 설명하실 수……"

그래서 나는 설명하기 시작했다. 설명하고 또 설명했다. 기자들은 차례로 화이트워터에 대해 생각해낼 수 있는 모든 것을 물었고, 같은 질문을 다른 식으로 되풀이했다. 나는 기자들이 더 이상 질문 방식을 찾아내지 못할 때까지 질문에 답변했다.

기자들의 질문은 그 시점에서 내가 알고 있는 모든 것을 털어놓을 기회를 주었다. 그것이 나는 고마웠다. 나는 또한 처음부터 나를 괴롭힌 문제에 대해서도 이야기할 수 있었다. 기자들은 언론에 정보를 주기를 꺼리는 내 태도가 "무언가를 감추려고 애쓴다는 인상을 주는 데 한몫 했다"고 생각지 않느냐고 물었다.

"예, 그렇게 생각합니다. 그리고 그것이 내가 가장 후회하고 있는 점이고, 이 기자회견을 열고 싶었던 이유이기도 합니다. 우리 아버지나 어머니가 나한테 골백번도 넘게 말한 게 있다면, 그것은 '남의 말에 따르지 마라. 남의 의견에 끌려가지 마라. 자존심을 가져야 한다'였습니다. 그것이야말로 훌륭한 충고라고 생각합니다.

하지만 그 충고와 그것이 옳다는 내 믿음이 프라이버시 의식과 결합해…… 언론과 대중의 관심을 충분히 인식하지 못했고, 언론과 대중은 나와 내 남편에 대해 알 권리가 있다는 것도 인식하지 못한 것 같습니다.

그러니까 여러분 말이 맞습니다. 나는 언제나 사생활 영역을 지키는 것이 옳다고 믿었어요. 일전에 한 친구가 이런 말을 하더군요. 프라이버시 존에서 끌려나가지 않으려고 오랫동안 발버둥치다가 결국 다른 권역에 재배치된 기분이라고."

이 말에 사람들은 모두 웃음을 터뜨렸다.

기자회견이 끝난 뒤 데이비드 켄들과 나는 '서쪽 거실'에서 술을 한 잔 마셨다. 창 밖에서는 해가 지고 있었다. 사람들은 모두 내가 잘해냈다고 생각했지만, 내가 느끼는 상황은 암담했다. 그날의 사건들을 평가하면서 나는 데이비드에게 말했다. "기자들은 공격의 고삐를 늦추지 않을 거예요. 우리가 무엇을 하든, 계속해서 우리한테 덤벼들 거예요. 우리가 어느 쪽을 선택해도 마찬가지예요. 여기에는 좋은 선택이란 건 존재하지 않아요."

그날 밤, 나흘 전에 뇌졸중으로 쓰러진 리처드 닉슨 대통령이 81세를 일기로 세상을 떠났다. 1993년 이른 봄에 닉슨은 러시아에 대한 통찰이 가득 담긴 편지를 빌에게 보내왔다. 빌은 그것을 나에게 읽어주고, 닉슨은 너무 똑똑해서 비극적인 인물인 것 같다고 말했다. 빌은 러시아 문제를 의논하기 위해 닉슨을 백악관으로 초청했다. 첼시와 나는 2층에서 엘리베이터를 내리는 닉슨을 맞이했다. 닉슨은 첼시에게 자기 딸들도 첼시가 다니는 시드웰 프렌즈 학교에 다녔다고 말했다. 그러고는 나를 돌아보았다.

"나는 20여 년 전에 의료체계를 바로잡으려고 애썼소. 언젠가는 해야 할 일이지."

"저도 알아요. 각하의 제안이 성공했다면 오늘날 우리가 좀더 행복하게 살고 있을 텐데요."

『스펙테이터』의 기사에 언급된 여자들 가운데 하나가 아칸소 주 경찰관의 말을 문제삼고 나섰다. 기사에서 여자의 신원은 '폴라'라고만 밝혀져 있을 뿐인데, 정치 집회가 열렸을 때 리틀록의 호텔 방에서 빌을 만났고 나중에 한 경찰관에게 주지사의 '정식 걸프렌드'가 되고 싶다고 말한 여자가 자기라는 것을 친구들과 가족이 알아차렸다고 주장했다.

'보수정치행동위원회'의 2월 집회에서 폴라 코빈 존스는 기자회견을 열고, 자기가 문제의 기사에 나온 그 폴라라고 인정했다. '트루퍼게이트 고발자 기금'을 위해 모금하고 있던 클리프 잭슨이 그녀를 기자들에게 소개했다. 그녀는 명예를 되찾고 싶다고 말했다. 하지만 그녀는 『스펙테이터』를 명예훼손죄로 고소하겠다고 발표하는 대신, 빌 클린턴이 달갑잖은 구애를 하면서 자신을 성희롱했다고 비난했다. 처음에 주류 언론은 존스의 주장을 무시했다. 존스는 잭슨만이 아니라 불만을 품은 경찰관들과도 관계가 있어서 신뢰성이 손상되었기 때문이다. 우리는 이 기사가 다른 거짓 '스캔들'처럼 곧 사라질 거라고 생각했다.

하지만 고소 기간이 끝나기 이틀 전인 1994년 5월 6일, 폴라 존스는 미국 대통령을 상대로 70만 달러의 손해배상을 요구하는 민사 소송을 제기했다. 누군가가 이 게임에 걸린 판돈을 끌어올리고 있었다. 게임은 타블로이드 신문에서 법정으로 옮아갔다.

D-데이

워싱턴은 의식(儀式)의 도시라고 할 만큼 수많은 기념 행사가 벌어진다. 그 많은 행사들 중에서도 해마다 어김없이 열리는 것 하나가 '그리다이언 만찬(Gridiron Dinner)'이다. 워싱턴의 중견 언론인들이 하얀 나비넥타이에 연미복 차림으로 참석해서, 대통령 부부를 포함한 현 정부를 조롱하는 노래를 부르고 촌극을 공연한다. 이 만찬 모임에는 60명의 회원 이외에 그들의 동료와 정계·재계·언론계의 유명인사들도 손님으로 초대된다. 그러나 '그리다이언 클럽'은 시대의 변화를 따라가지 못해, 1975년까지만 해도 여성은 가입할 수 없었다. (엘리너 루스벨트는 이 클럽에 들어가지 못한 여성 언론인들을 위해 '그리다이언 위도(과부)' 파티를 열곤 했다.) 1992년에 백악관 출입 기자인 헬렌 토머스가 이 클럽 최초의 여성 회장으로 뽑혔다. 가입 조건은 여전히 까다롭고, 수도 워싱턴에서는 봄에 열리는 이 만찬 모임에 초대받기를 무엇보다 갈망한다. 대통령 부부는 무도회장 귀빈석에 자리를 잡고 앉아서, 어떤 조롱도 너그럽게 받아들인다. 때로는 스스로 자신을 조롱하기까지 한다.

1994년 3월, 제109회 그리다이언 만찬회가 다가오고 있을 때, 빌과 나는 막강한 자금력과 조직력으로 무장한 반대 세력에 맞서서 대중의 지지를 불러일으키거나 국회를 움직일 수 있을 만큼 간단명료하게 정부의 의료 개혁안을 설명하지 못했다는 것을 깨달았다. 보험회사의 권익이 축소될 것을 우려한 의료보험연합회는 개혁에 대한 불안감을 부추기기 위해 해리와 루이즈라는 부부를 내세운 광고 제2탄을 내보내기 시작했다. 해리와 루이즈는 식탁에 마주앉아 의료 개혁안에 대해 교묘하게 고안된 질문을 주고받으며, 개혁안이 시행되면 어떤 손해를 보게 될까 궁금해한다. 이미 의료보험에 가입한 85퍼센트의 국민은 가뜩이나 의료보험을 빼앗길지 모른다는 위구심을 품고 있었는데, 이 광고는 의도한 대로 그 불안감을 정확히 겨냥하여 거기에 부채질을 했다.

우리는 빌이 '해리' 역을 맡고 내가 '루이즈' 역할을 맡아, 보험연합회의 텔레비전 광고를 패러디한 촌극을 그리다이언 만찬에서 공연하기로 결정했다. 반대 세력이 채택한 '겁주기 전술'을 웃음거리로 만들어 즐길 수 있는 절호의 기회였다. 맨디 그룬월드와 코미디언 앨 프랭큰이 대본을 썼다. 빌과 나는 대사를 외고 몇 번 연습한 뒤, 백악관판 '해리와 루이즈'를 비디오테이프에 녹화했다.

그것은 이런 식으로 진행되었다. 빌과 나는 소파에 앉아 있다. 빌은 격자무늬 셔츠를 입고 커피를 마신다. 나는 파란색 스웨터와 스커트를 입고 방대한 서류 다발—의료보장법안—을 뒤적인다.

빌 : 루이즈, 오늘은 어떻게 지냈어?

나 : 잘 지냈어, 해리. 방금 전까지는.

빌 : 그런데, 당신 왜 그래? 꼭 유령이라도 본 것 같군.

나 : 그 정도가 아니야. 난 방금 클린턴의 의료 개혁안을 읽었거든.

빌 : 의료 개혁은 멋진 생각인 것 같던데.

나 : 응, 나도 알아. 하지만 몇 가지 세부 내용 때문에 겁이 나.

빌 : 어떤 게?

나 : 예컨대 여기 3,764쪽을 보면, 클린턴의 의료 개혁이 시행되면 병에 걸려도 괜찮다고 씌어 있어.

빌 : 그건 끔찍하군.

나 : 그래. 그리고 이걸 좀 봐. 이건 더 심해. 여기 12,743쪽—아니, 내가 잘못 읽었군—27,655쪽이야. 여기에는 우리가 언젠가는 모두 죽게 될 거라고 씌어 있어.

빌 : 클린턴의 개혁이 시행되면? 그럼 빌과 힐러리가 그 많은 관료들과 세금을 우리한테 떠맡긴 뒤에도 우리는 여전히 죽어야 한다는 거야?

나 : 리언 파네타(예산국장)까지도.

빌 : 우와! 정말 겁나는군. 이렇게 겁이 난 건 난생 처음이야.

나 : 나도 마찬가지야.

함께 : 더 좋은 방법이 반드시 있을 거야.

목소리 : '여러분을 겁주는 보험연합회가 대가를 치르게 하세요.'

대통령 부부로서는 파격적인 공연이었다. 관객들은 발을 구르며 좋아했다. 그리다이언 만찬회는 비공개로 되어 있고, 거기에 참석하는 언론인은 만찬회에 대해 보도하면 안된다. 그러나 이튿날 아침이면 어김없이 노래와 촌극에 대한 기사가 신문 지면을 장식하곤 한다. 우리의 녹화 공연은 널리 보도되었고, 일요일 아침 뉴스쇼에 재방영되기까지 했다. 일부 전문가들은 이 패러디가 해리와 루이즈 광고에 대한 관심만 더 높여줄 거라고 예상했지만, 나는 보험연합회의 겁주기 작전과 그 주장의 불합리성에 의문을 제기한 것이 기뻤다. 게다가 재미없는 상황에 가벼운 해학을 주입한 것도 기분이 좋았다.

우리의 촌극은 워싱턴 정계와 언론계를 실컷 웃겼지만, 우리는 의료 개혁안에 대한 홍보전에서 여전히 밀리고 있었다. 공직의 권위로 무장한, 게다가 인기있는 대통령도 부정적이고 왜곡된 광고와 그밖의 온갖 수단에 수억 달러를 쏟아붓는 조직과는 상대가 되지 않았다. 게다가 우리는 정부가 처방약 값을 통제하면 자기네 이익이 줄어들 것을 우려한 제약회사들과 전국민 의료보장을 반대하기 위해 비용을 아끼지 않는 보험업계와도 대결하고 있었다. 설상가상으로 우리 지지자들 가운데 일부는 의료 개혁안이 자기네 요구를 모두 충족시키지 못했기 때문에 차츰 열의를 잃어가고 있었다. 끝으로 우리 개혁안은—의료 문제 자체가 복잡한 것처럼—본질적으로 복잡해서, 그것을 홍보하는 것은 그야말로 악몽이었다. 거의 모든 이익단체가 의료 개혁안에서 반대할 꼬투리를 찾아낼 수 있었다.

우리는 의료 개혁안에 대한 반대—화이트워터도 그중 하나였다—가 우리가 옹호하는 쟁점보다 훨씬 규모가 큰 정치적 전쟁의 일환이라는 사실을 깨닫기 시작했다. 중도파 민주당과 점점 더 오른쪽으로 기울고 있는 공화당 사이에서는 이념 투쟁이 갈수록 치열해지고 있었고, 우리는 그 전쟁의 최전선에 서 있었다. 정부와 민주주의에 대한 미국인의 개념과 미국이 앞으로 몇 년 동안 택하게 될 노선이 이 전쟁에 달려 있었다. 이 전쟁에는 접근금지 구역이 존재하지 않고, 우리는 상대가 정치적 전쟁 무기—자금·언론·조직—로 우리보다 훨씬 잘 무장하고 있다는 사실을 곧 알게 되었다.

넉 달 전인 1993년 12월, 공화당 전략가이자 작가이며 댄 퀘일 전 부통령의 비서실장을 지낸 '공화당의 미래를 위한 프로젝트' 의장 윌리엄 크리스틀이 국회의 공화당 지도자들에게 의료 개혁안을 부결시키라고 촉구하는 메모를 보냈다. 그는 메모에서 의료 개혁안은 "공화당에 대한 심각한 정치적 위협"이며, 의료 개혁안을 부결시키는 것은 "대통령에게 심대한 좌절"이 될 것이라고 말했다. 그는 개혁안 자체를 반대하는 것이 아니라, 당파적 정치 논리를 적용하고 있었다. 그는 법안에 대해 협상하거나 양보하지 말라고 공화당 의원들에게 지시했다. 크리스틀의 말에 따르면, 훌륭한 전략은 개혁안을 완전히 죽이는 것뿐이었다. 메모는 보험에 가입하지 않은 수백만 명의 미국인에 대해서는 한마디도 언급하지 않았다.

크리스틀 메모에 따라 잭 켐프와 일찍이 레이건 행정부의 교육부 장관을 지낸 윌리엄 베넷은 의료 개혁 반대에 초점을 맞춘 라디오와 텔레비전 광고로 공화당을 도왔다. 내가 의료 개혁안을 홍보하기 위해 도시나 읍을 방문하면, 그 지역의 공중파 방송은 개혁을 비난하는 광고로 메워지곤 했다.

크리스틀이 공화당 의회 지도부에 보낸 메모는 바라던 효과를 얻었다. 1994년 11월의 중간선거가 다가오면서 개혁에 헌신적이었던 온건한 공화당 의원들도 정부의 개혁안과 거리를 두기 시작했다. 돌 상원의원은 진심으로 의료 개혁에 관심을 가지고 있었지만, 1996년 대통령 선거에 출마하고 싶어했다. 빌이 예산안과 브래디 법안과 북미자유무역협정에서 성공을 거둔 지금, 보브 돌 의원으로서는 현직 대통령 빌 클린턴에게 더 이상 승리를 안겨줄 수는 없었다. 우리는 돌 상원의원에게 협력을 제의했다. 공동 법안을 제출하고, 그것이 통과되면 그 공을 나누어 갖자고 제의한 것이다. 돌 상원의원은 우리가 먼저 법안을 제출한 뒤 타협안을 만들자고 제의했다. 그 일은 끝내 이루어지지 않았다. 크리스틀의 전략이 효과를 발휘하고 있었다.

우리는 한 걸음 전진하면 두 걸음을 후퇴하는 것처럼 보였다. 중요한 두 경제인 단체—상공회의소와 미국제조업연합회—는 1993년 중엽에 의료 개혁안의 핵심 요소 가운데 한 가지—사용자 의무 조항—는 수용할 수 있다고 아이라에게 말했다. 그것은 종업원 50명 이상의 기업체는 종업원들에게 의무적으로 의료보험을 제공해야 한다는 조항이었다. 이들 단체는 많은 종업원을 고용한 사용자는 대부분 종업원들에게 이미 의료보험을 제공하고 있다는 것을 알고, 이 의무 조항을 받아들이면 종업원들에게 의료보험을 제공하지 않고 혜택만 보는 무임승차자를 배제할 수 있다고 결론지었다. 하지만 1994년 3월 말 하원 세입위원회 소위원회가 6 대 5로 사용자 의무 조항을 가결하자, 공화당과 개혁 반대파의 압력을 받은 이 두 단체는 손바닥 뒤집듯 입장을 바꾸었다. 의무 조항은 분명 논란의 여지가 있었고, 빌은 의회와 타협하고 양보하기 시작했다. 빌은 보편적 의료보장이 포함되지 않은 법안에는 거부권을 행사하겠다고 으름장을 놓았지만, 그보다 미흡한 것도 지지할 수 있다고 암시했다. 이것은 입법 흥정 과정에서 당연히 예상되는 '기브 앤드 테이크'의 일부였고, 모이니헌 상원의원을 비롯한 재무위원회 위원들이 지지하는 개혁안—100퍼센트가 아니라 95퍼센트의 미국인에게 의료보험을 제공하는 방안—이 상원에서 검토될 수 있는 길을 열어주었다. 그렇게 양보했는데도 지지 세력은 크게 늘어나지 않고, 오히려 강경 노선 지지자들의 지지만 잃어버렸다. 이들은 우리가 의료보장 범위를 100퍼센트 이하로 낮추는 데 동의한 것은 대의명분을 포기하는 것이라고 생각했다.

봄에 댄 로첸코프스키가 정부를 속이려는 음모를 꾸몄다는 열일곱 가지 공소 사실로 기소되었다. 그가 결국 의원직을 사임하고 유죄 선고를 받자 우리는 하원에서의 중요한 동맹자를 잃어버렸다. 이것은 상원의 다수당 원내총무인 조지 미첼이 다음 선거에 출마하지 않기로 결정했다는 실망스러운 소식에 뒤이어 일어난 사건이었다. 미첼의 출마 포기 선언은 상원에서 가장 강력한 민주당 의원이자 우리 개혁안의 옹호자가 이제 사실상 힘을 쓸 수 없는 '절름발이 오리'가 되어버린 것을 의미했다.

우리는 의료 개혁안이 적지 않은 의원들에게 가파른 '학습 곡선'을 의미한다는 것을 알았다. 그들이 표결해야 하는 법안이나 의안의 양이 워낙 방대하기 때문에, 하원이나 상원에 제출되는 안건들의 복잡한 내용을 다 검토할 시간이 없다. 그래서 대다수 의원들은 자신이 소속된 상임위와 관련된 입법에만 정신을 쏟는다. 아무리 그렇더라도, 연방 기금으로 운영되는 의료보험 프로그램인 메디케어와 메디케이드의 차이점도 모르는 하원의원이 한둘이 아닌 것을 알고 나는 깜짝 놀랐다. 자신이 정부로부터 어떤 종류의 의료보험 혜택을 받고 있는지를 모르는 의원들도 있었다. 1995년에 하원의장이 된 공화당의 뉴트 깅리치는 1994년에 「언론과의 만남」에 출연하여, 자신은 정부의 의료보험 혜택을 받은 적이 없고 '블루 크로스 블루 실드' 의료보험에 가입했다고 주장했다. 사실 그것은 '연방 공무원 의료공제 플랜' 을 통해 연방 공직자들에게 제공되는 많은 보험 가운데 하나였다. 정부는 깅리치를 비롯한 의원들을 위해 매달 400달러씩 청구되는 의료비 가운데 75퍼센트를 부담하고 있었다.

나는 어느날 의사당에서 상원의원들을 만났을 때 이런 인식 부족을 절감했다. 나는 의료 개혁 법안에 대한 질문에 답변해달라는 요청을 받고, 우리 제안을 요약한 보고서를 미리 의원들에게 배포해두었다. 의료 문제를 비롯한 많은 문제의 진정한 전문가인 에드워드 케네디 상원의원은 의자를 뒤로 기울인 채 동료들이 차례로 던지는 질문을 듣고 있었다. 마침내 그의 의자 앞다리가 마룻바닥을 때리더니, 케네디 의원이 버럭 고함을 질렀다. "브리핑 자료 34쪽을 보면 그 질문에 대한 답을 찾을 수 있을 거요." 그는 모든 세부―쪽수까지―를 환히 꿰차고 있었던 것이다.

의료 개혁안을 옹호하는 동지들까지도 문제를 일으켰다. 개혁안을 지지하는 가장 중요한 조직 가운데 하나는 '미국은퇴자협회(AARP)' 였다. 노인들의 강력한 압력단체인 AARP는 국회가 처방약의 보장을 요구하는 의료 개혁안을 통과시켜야 한다고 주장하면서 1994년 3월 독자적인 광고를 내보내기 시작했다. AARP는 처방약에 대해 완고했고, 나도 마찬가지였다. AARP는 우리를 도울 작정이었지만, 광고는 우리 개혁안에 처방약 조항이 포함되어 있지 않다는 인상을 주었기 때문에 오히려 역효과를 냈다. 그 조항은 물론 개혁안에 포함되어 있었다.

나는 개혁 지지 세력을 '의료 개혁 프로젝트' 의 우산 아래 통합하려고 애썼지만, 우리가 모금한 돈은 겨우 1,500만 달러뿐이었다. 그 돈으로 대중에게 정보를 제공하는 홍보전을 벌이고 강연자를 모집하여 전국에 파견해야 했다. 개혁을 분쇄하는 작전에 적어도 3억 달러를 쏟아부은 것으로 추산되는 헤비급 조직의 공세에 우리는 탈진하고 말았다.

보험업계는 우리의 개혁안을 효과적으로 왜곡했기 때문에, 많은 미국인들은 그들이 지지하는 개혁의 핵심 요소가 실제로 클린턴 개혁안에 들어 있다는 사실을 알지 못했다. 1994년 3월 10일자 『월스트리트 저널』은 '자신이 원하는 게 클린턴 개혁안이라는 사실을 깨닫지 못하는 사람이 많다'는 표제의 기사에서 우리의 딜레마를 요약했다. 기사는 이렇게 지적하고 있다. "국민들이 강력하게 지지하고 있는데도 클린턴 대통령은 자신의 개혁안을 명확하게 정의하는 전쟁에서 패배하고 있다. 텔레비전의 네거티브 광고와 저격수로 나선 비판자들이 쏟아내는 요란한 소음 속에서 적들은 대통령과 힐러리 로댐 클린턴에게 설명할 시간도 주지 않고 클린턴 개혁안에 대한 의문을 제기하고 있다. 클린턴 부부가 혼란을 돌파하지 못한다면 개혁안의 주요 요소가 국회를 통과할 전망은 불확실하다."

워싱턴은 의료 개혁안과 화이트워터에 사로잡혀 있었지만, 나머지 세계는 그렇지 않았다. 5월 초에 유엔은 아이티의 군사 정부에 대한 제재를 강화했고, 새로 발생한 아이티 난민의 물결이 미국 해안으로 밀려왔다. 위기가 고조되고 있었다. 때문에 빌은 넬슨 만델라의 대통령 취임식에 참석하기 위해 남아프리카공화국에 갈 예정이었지만, 앨 고어 부통령에게 대신 가달라고 부탁할 수밖에 없었다. 티퍼 고어와 나도 미국 사절단의 일원이 되었다. 이 중요한 행사에 참석할 생각을 하자 가슴이 설레었다. 1980년대에 나는 남아프리카공화국의 아파르트헤이트(소수 백인에 의한 극단적 인종차별 및 인종격리 정책) 정권이 국제적인 압력에 굴복하기를 기대하여 그 나라를 국제적으로 고립시키고 배척하는 것을 지지했었다. 1990년 2월 만델라가 오랜 투옥생활 끝에 석방되던 그날, 빌은 드라마가 펼쳐지는 것을 함께 보려고 동도 트기 전에 첼시를 깨웠다.

나는 사람들로 가득 찬 비행기를 타고 요하네스버그까지 16시간을 비행했다. 우리 일행은 밤새 자지 않고 카드놀이를 하거나 음악을 듣거나, 우리가 이제 곧 목격하게 될 역사적 변화에 대해 열띤 대화를 나누었다. 만델라는 반역죄로 27년을 감옥에서 보낸 뒤, 남아프리카공화국 최초로 행해진 흑백 동시 선거에서 승리하여 최초의 흑인 대통령이 되었다. 남아프리카공화국의 흑인해방 투쟁은 미국의 민권운동과도 깊이 연결되어 있었고, 아프리카계 미국인 지도자들의 열렬한 지지를 받았다. 이 지도자들 가운데 상당수가 만델라에게 경의를 표하기 위해 우리와 함께 아프리카로 가고 있었다.

우리는 남아프리카공화국의 건조한 중부 산악지방에 있는 거대한 근대 도시 요하네스버그 교외에 착륙했다. 그날 밤 우리는 유명한 마켓 극장에서 공연을 보았다. 이 극장에서는 아톨 푸가드를 비롯한 극작가들이 오랫동안 정부의 검열을 무시하고 아파르트헤이트의 고통을 묘사해왔다. 그후 우리는 고기 절편과 샐러드와 함께 다양한 아프리카 특유의 명물 요리가 나온 뷔페를 대접받았다. 매기를 비롯한 내 참모들은 튀긴 메뚜기와 땅풍뎅이 애벌레를 한번 먹어보라고 서로 권했지만, 나는 그런 요리를 맛볼 만큼 대담하지 못했다.

우리 사절단은 차를 타고 북쪽에 있는 수도 프리토리아로 갔다. 신임 대통령이 선서하기 전에는 권력이 공식적으로 이양되지 않기 때문에, 대통령 관저는 아직 F.W. 드 클레르크가 차지하고 있었다. 이튿날 아침 앨 고어가 드 클레르크와 장관들을 만나는 동안 티퍼와 나는 마리케 드 클레르크 여사와 떠나가는 국민당 관리들의 부인과 함께 아침을 먹었다. 우리가 앉아 있는 방은 나무로 벽을 두르고 주름진 직물과 도자기 골동품이 빽빽하게 장식되어 있는 거실이었다. 커다란 원형 식탁 한복판에 있는 회전 쟁반에는 잼과 빵, 비스킷과 달걀이 잔뜩 놓여 있었다. 전형적인 네덜란드 농가의 아침식사였다. 우리는 음식과 아이들과 날씨에 대해 가벼운 대화를 나누었지만, 그 순간의 의미는 말로 표현되지 않은 것 속에 들어 있었다. 그것은 이제 몇 시간만 지나면 이 여자들이 살았던 세상은 영원히 사라지리라는 것이었다.

취임식에는 5만 명이 참석했다. 취임식은 축하와 해방과 지지로 장관을 이루었다. 인종차별의 공포와 증오로 황폐해진 나라에서 권력 이양이 질서있게 이루어진 데 모두 경탄했다. 우리 사절단의 일원인 콜린 파월은 남아프리카공화국 방위군 제트기가 축하 비행을 하는 동안 감격의 눈물을 흘렸다. 새 국기의 색깔인 빨강·검정·초록·파랑·하양·금색으로 물든 비행운이 하늘을 가로지르는 줄무늬를 그렸다. 몇 년 전만 해도 그 제트기는 아파르트헤이트의 군사력을 나타내는 강력한 상징이었는데, 지금은 날개를 기울여 새로운 흑인 최고사령관에게 경의를 표하고 있었다.

만델라는 취임사에서 인종차별과 남녀차별을 비난했다. 이 두 가지 차별은 아프리카와 전세계의 대부분 지역에 깊이 뿌리박혀 있는 편견이었다. 취임식장을 떠날 때 나는 제시 잭슨 목사가 기쁨의 눈물을 흘리고 있는 것을 보았다. 잭슨 목사는 나에게 몸을 기울이고 말했다. "우리가 살아서 이런 날을 보게 되리라고 생각하셨어요?"

우리는 자동차 행렬을 이루어 대통령 관저로 돌아갔다. 관저는 그 사이에 완전히 달라져 있었다. 몇 시간 전만 해도 초록빛 잔디밭을 지나는 구불구불한 찻길에는 무장 군인들이 줄지어 늘어서 있었지만, 지금은 남아프리카공화국 전역에서 온 고수와 무용수들이 화려한 옷차림으로 그 길에 정렬하여 북을 치고 춤을 추고 있었다. 분위기는 밝고 즐거웠다. 오후에는 공기 자체가 바뀐 듯했다. 우리는 관저 안으로 안내되어 칵테일을 마시고, 수십 명의 국가 원수 및 외국 사절단과 어울렸다. 그날 오후에 내가 겪어야 했던 어려움 가운데 하나는 피델 카스트로였다. 국무부 직원들은 카스트로가 나를 만나고 싶어한다면서, 무슨 수를 써서라도 카스트로를 피하라고 말했다. 우리는 쿠바와 외교 관계가 없을 뿐만 아니라 수출입까지 금지하고 있었기 때문이다.

국무부 직원들은 말했다. "카스트로와 악수를 하시면 안됩니다. 대화를 나누셔도 안되고요." 내가 우연히 카스트로와 마주친다 해도, 플로리다의 반카스트로파는 미친 듯이 화를 낼 것이다.

나는 리셉션이 계속되는 동안 자주 어깨 너머를 살피며 수많은 얼굴 속에서 카스트로의 텁수룩한 턱수염을 찾았다. 스와질란드 국왕 므스와티 3세 같은 이들과 재미나게 대화를 나누다가도 카스트로가 내 쪽으로 다가오는 게 보이면 구석 쪽으로 서둘러 피하곤 했다. 우스꽝스러운 일이지만, 단 한 장의 사진이나 무심코 나온 말, 우연한 만남도 뉴스가 될 수 있다는 것을 나는 알고 있었다.

점심은 마당에 쳐진 거대한 천막 아래 차려졌다. 만델라가 손님들에게 연설하기 위해 일어섰다. 나는 천천히 위엄있게 말하는 그의 말투를 좋아한다. 격식을 차리면서도 생기에 넘치는 말투다. 만델라는 우리를 환영한다고 말했다. 그것은 예상된 인사말이었지만, 그 다음에 나온 말이 나를 놀라게 했다. 만델라는 많은 고위 인사를 모실 수 있어서 기쁘지만, 자신이 감옥에 있는 동안 정중하게 대해준 로벤 섬의 간수 세 명이 참석해준 것이 가장 기쁘다고 말했다. 그러고는 그들을 손님들께 소개할 수 있도록 일어서달라고 말했다.

그의 너그러운 정신은 나를 감동시키고 겸허하게 했다. 몇 달 동안 나는 화이트워터와 여행국 문제와 관련된 비열한 공격과 대립에 열중해 있었다. 하지만 만델라는 자신을 죄수로 붙잡아두었던 세 남자에게 경의를 표하고 있었다.

내가 좀더 잘 알게 되었을 때 만델라는 자기도 젊은 시절에는 성미가

급했다고 말했다. 감옥에서 살아남기 위해 감정을 통제하는 법을 배웠다고 했다. 감옥 생활은 자신의 가슴속을 좀더 깊이 들여다보고 거기에서 찾아낸 고통을 처리할 수 있는 시간과 동기를 주었다. 감사와 용서는 고통과 수난의 결과인 경우가 많고, 엄청난 정신적 수련이 필요하다는 사실을 만델라는 나에게 일깨워주었다. 감옥 생활이 끝나던 날 "감방에서 걸어나와 나를 자유롭게 해줄 문을 향해 걸으면서, 내 고통과 증오를 이곳에 남겨두고 가지 않으면 나는 여전히 감옥 안에 갇혀 있게 되리라는 것을 알았다"고 만델라는 말했다.

나는 남아프리카공화국에서 돌아온 날 밤에도 여전히 만델라가 보여준 본보기를 생각하면서, '국립식물원 축제'에서 다섯 명의 역대 퍼스트레이디를 만났다. 나는 '몰'의 살아 있는 랜드마크가 될 새로운 정원 조성 기금을 마련하기 위해 미국 식물원에서 열린 축제 행사의 명예 의장이었다. 이 정원은 동시대의 퍼스트 레이디 여덟 명에게 헌정되어, 국가에 대한 퍼스트 레이디의 공헌을 기리게 될 예정이었다.

나는 버드 존슨 여사가 참석할 수 있게 된 것이 기뻤다. 나는 백악관에 있는 동안 버드 여사와 편지를 주고받으면서 위안과 격려를 받았다. 나는 버드 여사가 퍼스트 레이디라는 지위에 부여한 차분한 힘과 우아함에 탄복했다. 버드 여사는 수천 킬로미터에 이르는 미국의 간선도로 연변에 들꽃을 퍼뜨리는 환경 미화 사업을 시작하여 자연스러운 풍경에 대한 우리의 감식안을 높여주었다. 버드 여사를 통해서 한 세대의 미국인은 환경을 소중히 여겨야 한다는 것을 새롭게 자각하고, 환경을 보호하려는 마음을 갖게 되었다. 버드 여사는 불우 아동을 위한 조기 교육 프로그램인 '헤드 스타트'도 옹호했다. 선거운동에서는 1964년 대통령 선거에서 배리 골드워터와 맞붙은 남편을 위해 남부지방을 돌아다니며 유세를 했다. 힘든 백악관 생활을 하는 동안 버드 여사는 대통령의 정치활동이 헌신과 희생을 요구한다는 사실을 깨달았다. 버드 여사는 린든 B. 존슨 대통령의 강한 개성이 지배하는 세계 안에서 지성과 인정으로 자신의 세계를 지켰다. 워싱턴의 현실에 낙담했던 나는 버드 여사가 힘들게 얻은 균형 감각을 높이 평가했다.

축제일 저녁에 찍은 사진에는 귀중한 장면이 담겨 있었다. 버드 존슨, 바버라 부시, 낸시 레이건, 로절린 카터, 베티 포드 여사들, 그리고 나. 굉장한 광경이었다. 생존해 있는 퍼스트 레이디들이 모두 무대에 서 있었다. 한 사람만 빼고.

몇 달 전, 재키 케네디 오나시스는 비호지킨 림프종이라는 진단을 받았다. 이 암은 대개 치명적이지만 진행이 느린 경우도 있다. 그래서 재키는 우리와 자리를 같이할 수 없었다. 우리는 재키가 수술을 받았다는 말은 들었지만, 얼마나 급속히 쇠약해졌는지는 듣지 못했다. 재키는 자신의 삶과 마찬가지로 자신의 죽음에 대해서도 비밀을 지키려고 애썼다. 재키다운 처신이었다.

1994년 5월 19일, 재키는 뉴욕 아파트에서 존과 캐럴라인과 모리스가 지켜보는 가운데 숨을 거두었다. 이튿날 아침 일찍 빌과 나는 백악관의 동쪽 회랑 앞에 있는 '재클린 케네디 정원'으로 가서 기자와 참모와 친구들에게 우리 생각을 이야기했다. 빌은 재키의 공헌을 평가했고, 나는 자녀와 손주들에 대한 재키의 헌신적인 사랑에 대해 이야기했다. "언젠가 재키는 가족과 함께 시간을 보내는 것이 무엇보다 중요하다고 하면서, '제 자식을 제대로 키우지 못하면, 달리 무슨 일을 해도 가치가 없다'고 말씀하시더군요." 나는 이 말에 전적으로 동감했다. 나는 뉴욕의 성 이그나티우스 로욜라 성당에서 열린 재키의 장례 미사에 참석한 뒤, 재키의 가족·친지들과 함께 워싱턴으로 날아왔다. 빌은 공항에서 우리를 만나 함께 재키의 무덤으로 갔다. 재키는 존 F. 케네디 대통령과 어릴 적에 죽은 아들 패트릭, 그리고 사산하여 이름도 없는 딸 곁에 묻혔다(워싱턴과 인접해 있는 포토맥 강변의 알링턴 국립묘지에는 20평 남짓한 존 F. 케네디 대통령 가족 묘역이 따로 마련되어 있다—옮긴이). 무덤 옆에서 의식이 끝난 뒤, 우리는 가까운 히코리 힐에 있는 에셀 케네디의 집에서 케네디 일가를 만났다.

보름 뒤, 존 F. 케네디 2세가 빌과 나에게 손으로 쓴 편지를 보내왔다. 나는 이 편지를 지금도 소중히 간직하고 있다. 존 2세는 편지에서 이렇게 말했다. "두 분과 우리 어머니 사이에 싹튼 우정이 어머니에게 얼마나 중요한 의미를 갖고 있었는지 알려드리고 싶었습니다. 어머니는 워싱턴을 떠난 뒤, 감정적으로 워싱턴과 관련되는 것에—또는 퍼스트 레이디를 지낸 사람에 대한 제도적 요구에—저항한 듯싶습니다. 그것은 워싱턴과 퍼스트 레이디 시절이 불러일으키는 기억 때문이기도 했고, 어머니가 잘 어울리지 않는 역할을 평생 맡고 싶어하지 않았던 것과도 관계가 있었습니다. 하지만 어머니는 두 분을 통해서 워싱턴과 다시 연결된 뒤 무척 행복하고 편해진 것처럼 보였습니다. 그런 환경에서 아이를 키우는 위험(그것은 정말로 위험합니다)에 대해 이야기하는 것도, 클린턴 대통령과 우리 아버지 사이에 유사점이 많다는 것도 어머니에게 큰 도움이 되었습니다."

1994년 6월 초, 빌과 나는 유럽에서 제2차 세계대전을 끝낸 노르망디 상륙작전 50주년 기념식에 참석하기 위해 영국으로 날아갔다. 엘리자베스 2세 여왕 폐하는 왕실 요트인 '브리태니아' 호로 우리를 초대해주었다. 나는 왕족을 만난다는 생각에 가슴이 설레었다. 나는 1993년 고어 부통령 내외가 주최한 만찬 모임에서 찰스 왕세자를 만난 적이 있었다. 찰스 왕세자는 유쾌하고 재치있고 겸손한 분이었다. 빌과 내가 '브리태니아' 호에 오르자 여왕과 필립 공과 모후에게 안내되었다. 그들은 우리를 맞이하여 음료를 권했다. 내가 수행 비서인 켈리 크레이그헤드를 소개하자, 모후께서 켈리에게 요트에 남아 있다가 만찬 때 자기와 함께 식사하지 않겠느냐고 묻는 게 아닌가. 우리는 모두 깜짝 놀랐다. 켈리는 기꺼이 그러고 싶지만 임무에서 해방될 수 있을지 확인해봐야겠다고 대답했다. 켈리는 나를 따라 선실로 와서는 어떻게 하면 좋겠느냐고 물었다. 나는 당연히 그래야 한다고 말했다. 공식 만찬에서는 누군가가 켈리 역할을 대신할 수 있을 터였다. 켈리는 참석을 알리려고 나갔지만, 만찬에 참석 하려면 정장을 해야 한다는 것을 알고 당황한 얼굴로 돌아왔다. 검은색 바지 정장은 곤란했다. 나는 내가 가져온 정장을 모두 꺼내어, 켈리가 모 후와 한 테이블에 앉기에 적당한 옷차림을 갖출 수 있도록 도와주었다.

만찬에서 나는 필립 공과 존 메이저 총리 사이에 앉았다. 헤드 테이 블은 만찬에 참석한 왕과 왕비들, 총리와 대통령들이 모두 앉을 수 있을 만큼 길었다. 나는 높직한 단 위에서 사람들로 가득 찬 널찍한 방을 바라 보았다. 500명이 넘는 손님이 D-데이의 승리를 기념하기 위해 한자리에 모였다. 그중에는 마거릿 대처 전 총리─나는 일찍이 대처 총리의 활동 을 관심있게 지켜보았다─와 처칠의 딸 메리 솜스, 처칠의 손자이며 파 멜라 처칠 해리먼(영국 태생의 사교계 명사이며 미국 정계의 거물 여성. 클린 턴 대선 자금 조달에 기여한 공으로 1993년 프랑스 대사에 임명되었다. 1920∼ 97─옮긴이)의 아들인 윈스턴도 있었다. 메이저 총리는 말하기 편한 상대 였다. 나는 군중 속에 있는 유명인사들에 대해 메이저 총리와 즐겁게 잡 담을 나누고, 그가 젊은 시절에 나이지리아에서 일할 때 당한 끔찍한 교 통사고 이야기를 들었다. 그는 몇 달 동안 꼼짝도 못했고, 회복 과정은 길고 고통스러웠다고 한다.

세련된 화술을 가진 필립 공은 나와 반대쪽에 앉은 벨기에의 파올라 왕비에게 똑같이 시간을 배분하여 번갈아 대화를 나누었다. 필립 공은 문자 그대로 '고기를 자르는 도중에' 동작을 멈추고 파올라 왕비한테서 나에게로 고개를 돌렸다가 다시 파올라 왕비한테로 고개를 돌리는 동작 을 반복하면서 항해와 '브리태니아' 호의 내력에 대해 이야기했다.

빌 옆에 앉은 여왕은 눈부신 다이아몬드가 박힌 왕관을 쓰고 있었다. 여왕이 빌의 이야기에 고개를 끄덕이며 웃을 때마다 다이아몬드가 빛을 받아 반짝거렸다. 여왕의 외모와 예의바르고 조심스러운 태도는 우리 어머니를 연상시켰다. 나는 부왕의 사망으로 젊은 나이에 왕위에 올라 훌륭하게 의무를 수행해온 엘리자베스 2세에게 탄복하면서도 한편으로는 동정하는 기분도 들었다. 빠른 속도로 변하는 시대에 많은 수고와 번거로운 절차가 요구되는 역할을 수십 년 동안이나 맡는다는 것은 내 제한된 경험에 비추어보면 상상하기도 어려웠다. 첼시가 아홉 살 때 우리 세 식구가 영국으로 짧은 휴가를 떠난 적이 있었다. 첼시는 여왕과 다이애나 왕세자비를 만나고 싶어했지만, 그때는 여왕과의 만남을 성사시킬 수 없었다. 하지만 나는 영국 왕실의 역사를 알려주는 전시회에 첼시를 데려갔다. 첼시는 한 시간 동안 역대 임금에 대한 설명을 읽고 다시 처음으로 되돌아가 모든 전시물을 주의 깊게 살펴보았다. 관람이 끝나자 첼시가 말했다. "엄마, 왕이나 여왕은 아주 힘든 일인 것 같아."

만찬회 이튿날 아침, 나는 '드럼헤드 서비스'에서 처음으로 다이애나 왕세자비를 만났다. '드럼헤드 서비스'란 전투에서 후퇴할 수 없는 '특공대'를 위한 전통적인 종교 의식이다. 의식은 해안도로를 따라 뻗어 있는 정원으로 둘러싸인 해군기지 영내에서 열렸다. 퇴역 장병들과 구경꾼들 틈에 다이애나가 있었다. 다이애나는 아직 이혼하지는 않았지만 찰스 왕세자와 소원해져 있었다. 다이애나는 그 의식에 혼자 참석했다. 나는 다이애나가 그녀를 무조건 사랑하는 지지자들에게 인사하는 것을 지켜보았다. 그녀의 풍모는 사람의 마음을 사로잡는 매력을 갖고 있었다. 보기 드문 미모의 다이애나는 인사를 하기 위해 고개를 앞으로 숙이면서도 눈을 위로 들어올려 그 눈길로 사람들을 끌어들였다. 그녀는 생기발랄한 인상과 함께 왠지 애잔한 느낌을 발산하고 있었다. 나는 가슴이 아팠다. 이 방문에서는 다이애나와 대화를 나눌 시간이 거의 없었지만, 나는 다이애나를 알고 좋아하게 되었다. 다이애나는 서로 상반되는 다양한 요구와 관심 사이에서 고민하는 여자였지만, 진심으로 사회에 이바지하고 싶어했고 또한 자신의 삶을 가치있는 것으로 만들고 싶어했다. 다이애나는 에이즈에 대한 인식을 촉구하고 지뢰 제거를 주장하는 훌륭한 대변자가 되었다. 또한 다이애나는 헌신적인 어머니여서, 우리는 만날 때마다 대중의 관심 속에서 아이를 키우는 어려움을 이야기했다.

그날 오후 우리는 '브리태니아' 호를 타고 영국 해협으로 들어가 긴 선박 행렬에 합류했다. 그중에는 미국 정부가 세계대전 때 영국에 보급품을 수송하기 위해 이용했던 '제러마이어 오브라이언' 호도 있었다. 우리는 프랑스 해안 앞바다에 정박해 있는 미국 항공모함 '조지 워싱턴' 호로 갈아탔다. 내가 항공모함을 타본 것은 처음이었다. 항공모함은 수병과 해병을 합쳐 6천 명의 인구를 거느린 해상도시였다. 빌이 이튿날의 연설을 위해 원고를 쓰는 동안 나는 항공모함을 둘러보았다. 군대에서 가장 위험한 장소의 하나인 비행 갑판도 보았다. 바다 한복판에서 까딱까딱 움직이는 그 좁은 부동산 위에서 제트 전투기를 이륙시키거나 착륙시키려면 얼마나 많은 용기와 훈련이 필요할지 상상해보라. 나는 갑판 위로 높이 솟아 있는 브리지에서 거대한 항공모함을 내다보고 그것이 상징하는 힘을 느꼈다. 나는 카페테리아만한 넓이의 요리실에서 몇몇 승무원과 함께 식사를 했다. 그들은 대부분 열여덟이나 열아홉 살쯤 되어 보였다. 50년 전, 그 나이 또래의 젊은이들이 D-데이에 노르망디 해변을 급습했다.

나도 스티븐 앰브로즈가 쓴 『D-데이』를 읽었지만, 1944년 6월 6일 연합군이 독일군과 싸우면서 해변을 가로지른 뒤에 기어올라가야 했던 벼랑이 그렇게 높은 줄은 미처 몰랐다. 푸앵트-뒤-오크 고지는 실로 난공불락의 요새처럼 보였다. 그 절벽을 기어올라갔던 퇴역 용사들의 이야기에는 절로 고개가 숙여졌다.

빌과 군대의 관계가 험난하게 시작되었기 때문에 D-데이에 대한 연설은 매우 중요했다. 나와 마찬가지로 빌도 베트남전이 잘못된 전쟁이고 이길 수도 없는 전쟁이라고 생각하여 반대했다. 대학에 다닐 때인 1960년대 말에 빌은 상원 외교위원장 풀브라이트의 사무실에서 인턴으로 일했기 때문에, 그는 우리가 나중에야 알게 된 사실들을 그때 이미 알고 있었다. 미국이 베트남전에 얼마나 깊이 개입했는지, 동맹국인 베트남 병력은 어느 정도인지 등에 대해 정부는 거짓 발표로 국민을 속였다. 통킹만 사건도, 성공한 군사 작전도 거짓이었고, 사상자 수와 그밖의 자료들도 거짓이었다. 이렇게 거짓말로 잘못 유도된 여론이 전쟁을 장기화시켰고 더 많은 목숨을 희생시켰다. 빌은 1969년 아칸소 대학 ROTC 단장에게 보낸 편지에서 베트남전에 대한 자신의 의혹을 설명하려고 애썼다. 빌은 ROTC를 탈퇴하고 징병추첨제를 감수하기로 결정하면서, 사랑하는 조국과 지지할 수 없는 전쟁에 대해 많은 젊은이들이 느끼고 있는 갈등을 분명하게 표현했다.

빌과 나는 처음 만났을 때 베트남전과 징병제에 대해, 그리고 조국을 사랑하지만 베트남전에 반대하는 미국 젊은이로서 느끼고 있는 모순된 의무감에 대해 끊임없이 토론했다. 우리는 그 시대의 고민을 알고 있었다. 그리고 우리 친구들 중에는 자원 입대하거나 징병된 사람도 있었고, 징병에 저항하거나 양심적인 병역 거부자가 된 사람도 있었다. 빌이 다닌 핫스프링스의 고등학교 동창생 네 명이 베트남에서 전사했다. 나는 빌이 병역 의무를 존중한다는 것을 알았다. 소집되었다면 틀림없이 복무했을 것이고, 제2차 세계대전처럼 목적과 명분이 뚜렷한 전쟁이라면 기꺼이 자원 입대했을 것이다. 하지만 베트남 전쟁은 미국의 국익과 가치를 증진시키기는커녕 그와는 정반대인 것처럼 보였기 때문에 우리 세대의 지성과 양심을 시험대에 올려놓았다. 빌은 베트남전 기간에 성년을 맞은 최초의 미국 대통령으로서, 그 전쟁에 대한 미국 국민의 응어리진 감정을 백악관에 가지고 들어왔다. 그리고 빌은 이제 국민들 사이의 불화를 가라앉히고 과거의 적과 새로운 협력의 장을 열어야 할 때가 되었다고 생각했다.

빌은 베트남전에 참전했던 많은 의원들의 지지를 얻어 1994년 베트남에 대한 무역 제재를 풀었고, 1년 뒤에는 베트남과 국교를 정상화했다. 베트남 정부는 전투중에 실종되었거나 포로로 잡힌 미군의 소재를 파악하기 위한 노력을 계속했고, 2000년에 빌은 1975년에 미군이 철수한 이후 처음으로 베트남 땅에 발을 디딘 미국 대통령이 되었다. 빌의 용감한 외교는 동남아시아 밀림에서 귀중한 목숨을 잃은 5만 8천 명의 미국인에게 바치는 경의였고, 미국이 해묵은 상처를 치유하고 국민들 사이에, 그리고 베트남 국민과의 사이에 공통된 기반을 찾을 수 있도록 해주었다.

빌이 군통수권자로서 맨 처음 부닥친 난제는, 남녀 동성애자의 성적 지향이 임무 수행이나 부대 단결에 어떤 식으로도 영향을 주지 않는다면 그들의 입대를 허용하겠다는 선거 공약이었다. 나는 군대의 규율이 장병들의 성적 지향이 아니라 행위에 엄격히 적용되어야 한다는 상식적인 입장에 동의했다. 이 문제는 1993년 초에 표면화하여, 대립하는 두 신념이 정면으로 부딪치는 전쟁터가 되었다. 동성애자들이 미국 역사 속의 모든 전쟁에서 뛰어난 공을 세웠으며 앞으로도 계속 군복무를 허용해야 한다고 주장하는 사람은 군대와 국회에서 분명 소수파였다. 여론은 엇비슷하게 나뉘었지만, 흔히 그렇듯이 변화에 반대하는 사람들이 변화를 지지하는 사람들보다 더 완고하고 목소리도 컸다. 나를 화나게 한 것은 위선이었다. 3년 전 걸프전 때만 해도 동성애자—남자든 여자든—로 알려진 장병들이 위험한 전쟁터로 보내졌다. 나라가 그들의 임무 수행을 필요로 했기 때문이다. 그런데 전쟁이 끝나 그들이 더 이상 필요없게 되자 성적 지향을 이유로 동성애자들을 제대시켰다. 그것은 아무리 생각해도 변명할 여지가 없는 일이었다.

빌은 이 문제가 정치적으로 패배할 수밖에 없다는 것을 알았지만, 모든 장병에게 공통된 행동 기준을 적용한 방침을 현실—동성애자들이 과거에도 현재에도 미래에도 군대에 복무하는 현실—에 맞게 적절히 바꾸도록 합동참모본부를 설득할 수 없는 것이 빌을 화나게 했다. 상하 양원이 대통령의 거부권 행사를 봉쇄하는 압도적인 표차로 반대 의사를 밝힌 뒤, 빌은 타협안—"묻지도 말고, 말하지도 말라"—에 동의했다. 이 방침에 따르면 상관은 부하에게 동성애자냐고 물을 수 없고, 설령 묻더라도 거기에 답변할 의무가 없다. 하지만 이 방침은 잘되어가지 않았다. 아직도 동성애자로 의심받는 장병이 구타나 괴롭힘에 시달리고, 동성애자라는 이유로 제대당한 장병의 수는 실제로 더 늘어났다. 2000년에 미국의 우방인 영국은 동성애자의 군복무를 허용하기로 방침을 바꾸었는데, 그 때문에 발생한 문제는 전혀 보고되지 않았다. 캐나다는 1992년 동성애자에 대한 금지령을 해제했다. 우리 사회에서 이 문제가 해결되려면 갈 길이 멀다. 반대자들에게 바라건대, 미국 우익의 우상이면서도 동성애자의 권리를 거리낌없이 지지하는 배리 골드워터의 말에 귀를 기울여주었으면 한다. 그는 동성애자의 권리를 옹호하는 것이 자신의 보수주의적 원칙과 일치한다고 생각했다. 군대의 동성애 문제에 대해서 그는 이렇게 말했다. "조국을 위해서 싸우다 죽는데 동성애자든 아니든 무슨 상관인가. 총만 똑바로 쏠 줄 알면 그만이지."

빌은 콜빌-쉬르-메르에 있는 미군 묘지(노르망디 작전에 참가했다가 전사한 9,387명이 묻혀 있다—옮긴이) 및 기념관에서 우리 부모 세대의 미국인 퇴역 전사들에게 연설하면서 "우리는 여러분이 치른 희생의 자식입니다"라고 말했다. 이 용감한 미국인들은 영국과 노르웨이·프랑스·벨기에·네덜란드·덴마크의 군대와 레지스탕스에 들어가 나치와 맞서 싸웠고, 그렇게 함으로써 강화된 미국과 유럽의 동맹 관계는 반세기가 흐른 뒤에도 변함없이 유지되고 있다. 이들 '가장 위대한 세대'는 미국인과 유럽인이 힘을 합쳐 냉전을 승리로 이끌었으며, 자유와 민주주의를 여러 대륙에 확산시켰다. 오늘날의 세계가 불안정한 것을 고려하면, 노르망디 해변에서 그토록 분명했던 미국과 유럽의 역사적인 유대는 지금도 여전히 세계 평화에 대한 희망과 전 지구의 안전과 번영을 가져오는 열쇠가 아닐 수 없다.

빌은 이탈리아 침공 작전에 참가했던 아버지의 부대 연혁과 아버지의 군대 기록 사본을 얼마 전에 받았기 때문에, D-데이 연설은 그에게 더욱 감격스런 일이었다. 몇몇 신문에 빌의 아버지의 군복무와 관련된 기사가 실린 뒤, 이탈리아의 네투노에서 미국으로 이주하여 뉴저지에 살고 있는 남자가 빌에게 편지를 보내왔다. 그는 어렸을 때 연합군의 배차계에서 근무한 미군 병사와 친해졌는데, 소년에게 자동차와 트럭 고치는 법을 가르쳐준 미군 병사는 바로 빌의 생부인 윌리엄 블라이스였다. 빌은 아버지 이야기에 흥분했고, 아버지를 비롯한 수백만 명의 사람들이 미국과 전세계를 위해 치른 희생에 대해 우리 세대의 고마운 뜻을 표현하려고 애쓰면서 그 젊은 미군 병사—빌이 얼굴도 보지 못한 아버지—와 연결되어 있는 듯한 기분을 느꼈다.

그 여행은 나에게도 감격적이었다. 나는 빌이 대통령으로서 성공하기를 바랐다. 그것은 내가 남편 빌을 사랑하기 때문만이 아니라, 조국을 사랑하기 때문이고, 또한 빌이야말로 20세기 말에 미국을 이끌어가기에 적당한 사람이라고 믿었기 때문이기도 하다.

산 너머 산

6월의 어느 잊을 수 없는 밤, 백악관에서 열린 '인 퍼포먼스' 콘서트에서 애리사 프랭클린이 '로즈 가든'을 뒤흔들었다. 나중에 텔레비전으로도 방영된 이 연주회에서 애리사는 넋을 잃고 앉아 있는 손님들의 테이블 사이를 여왕처럼 거닐며 루 롤스와 함께 가스펠과 솔을 열창했다. 그러고는 곡을 설명한 뒤, 의자에 앉은 채 가락에 맞춰 몸을 흔들고 있는 빌에게 몸을 바싹 기울이며 노래를 불렀다. "웃으세요. 울어봤자 무슨 소용이 있나요……"

열흘 뒤, 로버트 피스크 특별검사는 빠르게 진행되는 화이트워터 수사에서 알아낸 예비 결과를 발표했다. 첫째, 백악관이나 재무부는 '정리신탁공사'의 조사에 전혀 영향력을 행사하려 하지 않았다. 둘째, 피스크는 빈스 포스터의 죽음이 자살이라는 FBI와 공원 경찰의 견해에 동의했다. 피스크는 또한 빈스의 자살이 화이트워터와 관련되어 있다는 증거는 전혀 없다고 결론지었다.

빈스의 죽음에 대한 억측을 공공연히 부채질했던 공화당 우파는 낙담했지만, 피스크는 아무도 기소하지 않았다. 노스캐롤라이나 출신 공화당 상원의원인 로치 페어클로스 같은 의원들과 일부 보수적인 논객들은 피스크의 목을 자르라고 요구했다. 공교롭게도 피스크의 수사 결과가 공개된 날, 빌은 국회가 보낸 특별검사법 개정안에 서명하여 본의 아니게 피스크를 교체할 수 있는 길을 열어주었다. 빌은 거기에 서명하겠다고 약속했고, 그 약속을 지킨 것이다.

피스크를 비난하는 공화당의 목소리가 점점 커졌기 때문에, 나는 피스크의 특별검사 임명을 법령의 적용 대상에서 제외한다는 특례 조항을 법안에 넣지 않으면 서명하지 말라고 주장했다. 나는 공화당과 윌리엄 렌키스트 대법원장이 이끄는 사법부의 공화당 지지 세력이 피스크를 제거할 방법을 찾아낼지 모른다고 우려했다. 피스크는 그들의 기대와는 반대로 공정하고 신속하게 수사를 진행했기 때문이다. 나는 버니 너스봄 대신 백악관 법률 고문이 된 로이드 커틀러에게 걱정을 털어놓았다. 로이드는 카터 대통령의 법률 고문이었고, 그밖에도 많은 정치 지도자들의 고문으로 일한 워싱턴의 거물이다. 일급 변호사인 그는 미국에서 가장 유명한 법률회사를 세우는 데 이바지했다. 내 걱정을 듣더니 그는 걱정하지 말라고 말했다. 진정한 신사인 로이드는 상대방도 자기와 비슷한 신사일 것으로 생각했고, 피스크가 교체된다면 "내 모자를 씹어먹겠다"고 말하기까지 했다.

개정된 법률에 따르면 특별검사는 대법원장이 지명하는 세 명의 연방 항소법원 판사로 구성된 '특별위원회'가 선정하도록 되어 있었다. 렌키스트는 노스캐롤라이나 출신의 골수 공화당원인 데이비드 센텔을 특별위원회 위원장으로 골랐다.

신문 기사에 따르면 센텔 판사는 7월 중순 로치 페어클로스와 역시 내 남편을 함부로 비난하는 제시 헬름스 상원의원과 함께 점심식사를 하는 것이 목격되었다. 물론 우연의 일치일 수도 있었고, 나중에 센텔은 세 사람이 오랜 친구이고 전립선 문제를 상의했을 뿐이라고 주장했다. 하지만 그 점심 회동이 있은 지 몇 주 뒤인 8월에 특별위원회는 새 특별검사 임명을 발표했다. 로버트 피스크가 밀려나고 케네스 스타가 그 자리에 앉았다.

스타는 48세의 공화당 내부 인사였고, 항소법원 판사를 그만두고 부시 행정부의 첫 내각에서 법무차관이 되었다. 법무차관은 전통적으로 대법관이 되는 길이었다. 그는 담배회사들을 변호하여 돈을 벌고 있는 '커클랜드·엘리스' 법률회사의 파트너였다. 스타는 골수 보수주의자였고, 피스크와는 달리 한번도 검찰관을 지낸 적이 없었다. 그는 폴라 존스 사건에 대해 공개적으로 의견을 밝혔고, 그해 봄에는 텔레비전에 출연하여 존스는 현직 대통령을 고소할 권리가 있다고 주장하고 재판을 빨리 진행하라고 촉구했다. 그는 또한 폴라를 대리하여 법원에 있는 자기 친구에게 변론 취지서를 써주겠다고 제의하기도 했다. 이렇듯 공과 사의 이해관계가 충돌한다는 명백한 증거가 있었기 때문에, 미국변호사협회의 전임 회장 다섯 명은 스타에게 특별검사를 사퇴하라고 요구하는 한편, 스타를 특별검사로 선정한 특별위원회의 세 판사에게 이의를 제기하는 성명서를 발표했다.

스타의 특검 임명으로 수사 속도가 훨씬 느려졌다. 피스크 밑에서 일하던 사람들은 대부분 스타 밑에서 일하기를 거부하고 특검팀을 떠났다. 스타는 피스크와 달리 직장에서 휴가를 얻지도 않았고, 따라서 특별검사 업무는 부업인 셈이었다. 스타는 형사사건을 다루어본 경험이 전혀 없었기 때문에 그 분야를 새로 배우고 있었다. 특별검사는 '신속하고 책임감 있고 비용 효율적으로' 수사를 진행해야 한다는 의무 조항이 법령에 명시되어 있는데도, 1994년 말까지 수사를 마무리할 작정이었던 피스크와는 반대로 스타는 시간표도 만들지 않았고 서두르는 기색도 전혀 보이지 않았다. 처음부터 스타의 목적은 적어도 1996년 대통령 선거가 끝날 때까지 이 문제를 계속 붙잡고 늘어지는 것인 듯했다.

이렇게 골치 아픈 이해 충돌과 초기의 경고 신호로 미루어보아, 스타는 특별 수사를 계속하기 위해서가 아니라 당파적 목적을 이루기 위해 피스크를 밀어낸 것이 분명했다. 나는 우리가 직면해 있는 문제를 당장 알아차렸지만, 나로서는 속수무책이라는 것도 알고 있었다. 미국의 사법 체계를 믿고 최선의 결과가 나오기를 바랄 수밖에 없었다. 하지만 나는 로이드 커틀러에게 "내 모자를 씹어먹겠다"는 장담을 상기시키면서, 천연섬유로 만든 작은 모자를 골라도 좋다고 말했다.

당파적 정치 공작은 워싱턴에서 결코 생소한 것이 아니었다. 그것은 워싱턴 땅에 붙박인 일종의 부속물이었다. 하지만 남의 인격을 파괴하는 정치 행위—공인의 삶을 망치는 거칠고 비열한 조직적 활동—는 나라에 해롭고 개탄스러운 일이라고 생각했다.

봄부터 여름까지 전국 방송망을 가진 우파의 라디오 프로그램 진행자들은 워싱턴에서 전해지는 끔찍한 이야기로 청취자들을 흥분시켰다. 러시 림보는 자신의 프로그램을 듣는 2천만 청취자에게 "화이트워터는 의료 개혁과 관계가 있다"는 말을 일상적으로 되풀이했다. 나는 마침내 그 말이 옳다는 것을 깨달았다. 피스크의 수사 결과에도 불구하고, 현재 진행되고 있는 화이트워터 조사는 모든 수단 방법을 동원하여 진보적인 정책을 공격하고 있었다. 림보를 비롯한 비판자들은 민주당이 도입한 의료보장법이나 그밖의 정책을 공격하면서도, 그 정책의 내용은 좀처럼 비판하지 않았다. 1994년에 공중파 방송에서 흘러나온 이야기를 모두 믿은 사람이라면, 미국 대통령은 공산주의자, 퍼스트 레이디는 살인자이고, 대통령 부부는 미국인한테서 총을 빼앗고 사회주의적인 의료체계를 시행하기 위해 가족 주치의를 포기하라고 강요하려는 음모를 꾸몄다는 결론에 도달했을 것이다.

7월 말의 어느 날 오후, 나는 '의료보장 익스프레스'를 타고 시애틀

시내로 들어가고 있었다. 의료 개혁 주창자들은 1960년대 초에 인종차별 철폐라는 메시지를 널리 퍼뜨리기 위해 버스를 타고 남부지방을 횡단한 '프리덤 라이더스(Freedom Riders)'에서 영감을 얻어, 1994년 여름에 버스를 타고 전국을 순회하는 이 '버스 투어'를 조직했다. 의료 개혁안에 대한 소문을 일반 대중에게 널리 전파하고 서해안에서 워싱턴까지 전국에서 많은 청중을 끌어모아, 개혁안을 지지하는 세력이 있다는 것을 국회에 보여주자는 생각이었다.

버스 투어의 출발지는 오리건 주 포틀랜드였다. 나는 이곳에 '라이더스' 1진을 보냈다. 기록적인 더위와 현장을 둘러싼 반대자들의 시끄러운 항의에도 불구하고 행사는 활기에 넘쳤다. 버스 행렬이 출발하자 경비행기 한 대가 '가짜 익스프레스를 조심하라'고 쓴 깃발을 꽁무니에 매달고 하늘을 가로질렀다. 결코 값싼 묘기는 아니었다.

지방과 전국의 라디오 프로그램 진행자들은 일주일 내내 항의자들의 말을 인용하고 있었다. 그중 한 사람은 "모두 시애틀로 내려와 우리가 힐러리를 어떻게 생각하고 있는지 보여주자"고 청취자들을 선동했다. 이 동원령은 수백 명의 강경 우파—민병대 지지자, 세금 항의자, 진료소 봉쇄자—를 끌어들였다. 시애틀에서 내 연설을 들으러 온 4,500명 가운데 적어도 절반은 항의자였다.

경호실에서는 우리가 어려운 처지에 빠질지도 모른다고 경고했다. 나도 이번만은 방탄 조끼를 착용하기로 동의했다. 그때쯤에는 나도 경호원들이 항상 붙어 다니는 데 익숙해져서, 그들이 들을 수 있는 곳에서도 태연히 사사로운 대화를 나누곤 했다. 나와 가장 가까운 친구들보다 경호원들이 나와 내 가족에 대해 더 많이 알고 있다는 생각이 들 때도 있었다. 그들은 어떤 장소에는 가지 말라고, 또 어디에 갈 때는 방호복을 입으라고 설득했지만 나는 듣지 않았다. 그런데 이제 처음으로 나는 그들의 경고를 귀담아들었다. 내가 정말로 신변에 위험을 느낀 적은 몇 번뿐이지만, 이때가 그런 경우였다. 집회가 열리는 동안, 항의자들의 야유 때문에 내가 내 목소리를 알아듣기 어려울 정도였다. 연설이 끝나고 우리가 무대를 떠나자 수백 명의 항의자가 리무진을 에워쌌다. 내 차에서 보이는 것은 20대와 30대로 보이는 남자들뿐이었다. 경호원들에게 떠밀리면서 나에게 고함을 지르던 그들의 눈빛과 일그러진 입을 나는 평생 잊지 못할 것이다. 비밀검찰국은 그날 여러 명을 체포했고, 군중 속에서 총 두 자루와 칼 한 자루를 압수했다.

이 항의는 임의적인 것도 자발적인 것도 아니었다. 언론인인 데이비드 브로더와 하인스 존슨에 따르면, 그것은 '의료 개혁 버스 투어'를 혼란시키고 그 메시지를 봉쇄하려는 조직적인 캠페인의 일환이었다. 버스 행렬은 멈추는 곳마다 항의 시위대를 만났다. '건전한 경제를 위한 시민 모임(CSE)'이라는 그럴듯한 이름의 정치적 이익단체가 항의 시위를 공공연히 후원했다. 기자들은 결국 CSE가 뉴트 깅리치의 워싱턴 사무실과 협력하여 활동한다는 사실을 알아내어 폭로했다. 브로더와 존슨이 『시스템』이라는 책에서 말했듯이, 그 이익집단의 배후에 있는 인심 좋은 후원자는 다름 아닌 리처드 멜론 스카이프였다. 극우파 억만장자인 스카이프는 은둔생활을 하고 있었지만, 차츰 활동을 늘리면서 '아칸소 프로젝트'에도 뒷돈을 대고 있었다.

우리는 버스 투어를 끝내고 워싱턴으로 돌아오자 개혁안의 여러 측면에 대해 공화당 의원들과 타협하려는 노력을 계속했다. 나는 로드아일랜드 출신의 존 채피 상원의원이 뚜렷한 원칙에 따른 소신과 예의바른 태도를 지키는 데 탄복했다. 일찍부터 의료 개혁과 보편적 의료보장을 지지한 채피 의원은 자신의 사려 깊은 제안을 발전시키기 위해 공화당 동료들과 협력했고, 또한 자신의 방안과 우리의 개혁안을 융합하면 양당의 지지를 얻어 법안을 충분히 통과시킬 수 있으리라고 믿었다. 채피 의원은 공화당과 민주당 사이의 골을 메우려고 애썼지만, 개혁을 지지하는

공화당 의원이 한 사람도 남지 않게 되자 마침내 채피도 자신의 대의명
분을 포기하고 말았다. 공화당 의원들 가운데 지지자를 한 사람도 확보
하지 못한 의료 개혁안은 생명유지장치에 의존한 채 생애의 마지막 성체
성사를 받고 있는 환자 같았다.

그래도 우리는 공화당 의원들을 어떻게든 타협으로 끌어들이려고 마
지막까지 노력을 멈추지 않았다. 케네디 상원의원은 다시 한 번 채피 의
원을 설득해보았지만 소용이 없었다. 백악관에서 열띤 회의가 열렸을
때, 빌의 보좌관들 가운데 일부는 공화당 지도부가 개혁을 무산시키기
위해 얼마나 애썼는지에 대해 빌이 국민들에게 직접 밝혀야 한다고 주장
했다. 합의를 이루기 위해 우리가 쏟은 노력을 설명하고, 돌과 깅리치 같
은 의원들이 협상 테이블에 나오기를 그토록 꺼린 이유가 뭐냐고 물을
수도 있을 것이다. 의회의 기능을 수행하라고 요구하는 빌의 메시지는
국회에 대한 대통령의 도전이 될 것이다. 법안을 조용히 폐기하는 편이
현명하다고 주장하는 이들도 있었다. 그들은 선거를 앞두고 또 다른 이
슈를 만들 필요가 없다고 생각했고, 대통령이 성명을 발표하면 공연히
국민의 관심을 정치적 실패에 더 많이 끌어들이는 결과가 될 거라고 걱
정했다.

나는 설령 지더라도 대통령이 싸우는 모습을 국민에게 보여줄 필요
가 있고, 결과가 어찌되든 상원에서 표결을 시도해봐야 한다고 생각했
다. 재무위원회의 타협안이 상임위원회에서 기각되었기 때문에, 상원의
다수당 원내총무인 조지 미첼은 법안을 본회의에 직접 상정할 수 있었
다. 우리 진영의 일부에서 예측한 대로 이 전략이 공화당의 필리버스터
전술을 초래한다 해도, 나는 그것이 오히려 우리한테 유리하게 작용할
수도 있다고 생각했다. 11월 선거가 가까워지면 의원들은 선거구 유권자
들을 더욱 의식하게 될 것이다. 어쨌든 민주당이 최악의 사태에 빠질 염
려는 없었다. 표결이 미루어지면 공화당은 개혁안에 반대표를 던질 필요

가 없고, 민주당 다수파는 새 법률을 통과시키지 않을 것이다. 신중한 전략이 승리하여, 의료 개혁안은 끽소리도 내지 못하고 사라져갔다. 나는 지금도 그것이 잘못된 유혹이었다고 생각한다. 마지막으로 한번 공개적인 싸움을 벌여보지도 않고 지레 포기한 것은 민주당의 사기를 떨어뜨렸고, 야당이 역사를 새로 쓰게 해주었다.

20개월 만에 우리는 패배를 인정했다. 우리는 다양한 의료계 전문가만이 아니라 국회의 동맹자들까지도 소외시켰다. 궁극적으로 우리는 의료보험 혜택을 받지 못하는 소수의 미국인을 돕기 위해서 의료보험에 가입한 절대 다수의 미국인이 지금 누리고 있는 혜택과 선택권을 포기할 필요는 없다는 점을 그들에게 납득시키지 못했다. 또한 개혁안이 의료보험 혜택을 상실할 위험에서 그들을 지켜주고 앞으로는 좀더 알맞은 가격으로 의료 서비스를 받을 수 있게 해주리라는 점도 납득시키지 못했다.

빌과 나는 실망하고 낙담했다. 나는 그 실패에 나도 한몫 했다는 것을 알고 있었다. 나 자신도 실수를 저질렀지만, 정책 개발 임무를 맡은 퍼스트 레이디가 부닥치게 될 저항을 과소평가했기 때문이기도 했다. 부당하고 터무니없는 비난을 뒤집어쓴 아이라 매거지너도 딱했다.

빌은 그의 수고와 노력을 인정하고, 그에게 정부의 '전자 상거래 실무단'을 이끌어달라고 부탁했다. 아이라는 정부의 전자 상거래 활성화 방안을 세우는 일을 멋지게 해냈다. 그는 곧 뛰어난 식견과 통찰력으로 업계의 찬사를 받았고, '인터넷의 황제'라는 별명을 얻게 되었다. 하지만 우리의 가장 중요한 실수는 너무 많은 일을 너무 빨리 하려고 애쓴다는 점이었다.

말은 그렇게 했지만, 나는 지금도 우리가 노력한 것이 옳았다고 믿고 있다. 1993년과 1994년에 우리가 한 일은 몇몇 경제학자들이 '힐러리 요인'이라고 부른 것—1990년대에 의료 공급자들과 제약회사들의 가격 인상을 단호히 억제한 것—의 토대가 되었다. 또한 우리의 노력으로 형

성된 사고방식과 정치적 의지는 그후 몇 년 동안 규모는 작지만 중요한
개혁으로 이어졌다. 케네디 상원의원과 캔자스 출신 공화당 상원의원 낸
시 캐시봄의 주도로, 노동자들은 이제 직장을 바꾸어도 지속적인 의료보
험 혜택을 법으로 보장받게 되었다. 나는 '아동 의료보험 프로그램'을 만
들기 위해 막후에서 케네디 상원의원과 협력했다. 이 프로그램은 2003
년 현재 메디케이드를 받을 만큼 가난하지는 않지만 민간 의료보험에 가
입할 여유는 없는 노동자들의 자녀 500만 명에게 의료보장 혜택을 제공
하고 있다. 공공 의료보험을 1965년의 메디케이드 이후 가장 크게 확대
한 그 프로그램 덕분에 의료보험이 없는 미국인의 수가 12년 만에 처음
으로 감소했다.

빌은 여성이 출산한 뒤 24시간 이상 병원에 머물 수 있도록 허용하
고, 유방 조영 촬영과 전립선 촬영을 장려하고, 당뇨병 연구를 늘리고,
사상 처음으로 2세 아동의 90퍼센트가 가장 심각한 아동기 질병에 대해
면역을 갖도록 백신 접종률을 높이는 법률을 포함하여 내가 관여한 일련
의 법안에 서명했다. 빌은 또한 담배회사들의 로비에 맞서 싸웠고, 나라
안팎에서 행한 연설을 통해 에이즈에 대해 진지한 관심을 촉구했다. 빌
은 대통령 특권을 이용하여 연방 의료보험에 가입한 8,500만 명의 미국
인과 그들의 부양가족 및 메디케어와 메디케이드와 재향군인 의료보험
의 혜택을 받는 미국인에게 환자의 권리를 확대했다. 이런 조치들은 의
료보장법의 기존 질서에 대지진 같은 변화를 일으키지는 않았지만, 전체
적으로 보면 이런 의료정책 개혁은 수천만 명에 이르는 미국인들의 상황
을 크게 개선했다.

결국 우리가 의료체계 전반을 개혁하려고 애쓴 것은 옳은 결정이었
다고 나는 믿는다. 2002년에는 경제가 다시 어려워졌고, 1990년대에 신
중한 관리로 적립된 기금은 이제 제자리걸음이고, 의료보험료가 물가보
다 훨씬 빠르게 다시 상승했고, 의료보험이 없는 사람의 수가 다시 늘어

났고, 메디케어에 의존하는 노인들은 여전히 처방약 값을 보장받지 못했다. '해리와 루이즈' 광고비를 댄 사람들은 더 유복해졌을지 모르나, 일반 국민은 그렇지 않다. 언젠가는 체계가 바로잡힐 것이다. 그것은 해리 트루먼과 리처드 닉슨, 지미 카터, 그리고 빌과 내가 50년 넘게 노력해온 결과일 것이다. 그렇다. 나는 아직도 우리가 노력한 것이 기쁘고 자랑스럽다.

1994년 중간선거의 투표용지에 빌의 이름은 나오지 않겠지만, 우리는 빌의 대통령직 수행도 유권자들의 계산에 하나의 함수로 포함되리라는 것을 알고 있었다. 의료 개혁 좌절이 선거에 영향을 미칠 수도 있었다. 물론 다른 요인들도 있었다. 미국 정치에는 예측할 수 있는 몇 가지 경향이 있었다. 예를 들면 집권당은 대개 중간선거에서 의석을 잃는다는 것이 일반 통념이다. 이는 워싱턴의 세력 균형을 유지하려는 유권자들의 뿌리깊은 욕망을 반영하는지도 모른다. 대통령이 너무 많은 권한을 가져서 제왕처럼 굴어도 된다고 믿게 하면 안된다. 대통령의 탈선을 막는 한 가지 방법은 국회의 지지 세력을 줄이는 것이다. 경제가 어렵거나 그밖의 요인으로 대통령의 인기가 떨어지면 중간선거에서 잃는 의석이 훨씬 많아질 수도 있다.

뉴트 깅리치가 이끄는 자칭 공화당 '혁명가' 패거리는 이런 경향에 편승하려고 열심이었다. 9월에 깅리치는 의사당 계단에 서서 그를 따르는 의원들에게 둘러싸인 가운데 중간선거 승리를 위한 공약─'미국과의 계약(Contract with America)'─을 밝혔다. 교육부를 폐지하자는 공화당의 제안에 근거를 제공한 이 '계약'은 메디케어와 메디케이드, 교육과 환경 예산을 크게 줄이고, 가난한 노동자에 대한 세액 공제를 축소했다. 그것이 미국에 가져올 폐해 때문에 백악관 주변에서는 그것을 '미국에 불리한 계약(Contract on America)'이라고 부르게 되었다. 이 모순된 정책 뒤에 감추어져 있는 숫자는 앞뒤가 맞지 않았다. 정부가 하는 사업의 대부분을 줄이지 않고는 군사비 지출을 늘리고 세금을 줄이고 연방 예산의 균형을 맞출 수 없다. 깅리치는 유권자들이 산수를 하지 않기를 기대했다. '계약'은 지방선거를 전국화하고, 공화당이 바라는 조건—클린턴 행정부에 대해서는 부정적이고 공화당의 '계약'에는 긍정적인 조건—으로 중간선거를 국민투표로 전환하려는 전략이었다.

미국 정치에서 후보와 공직자는 여론을 가늠하기 위해 여론조사에 의존하지만, 그것을 인정하고 싶어하는 사람은 거의 없다. 유권자에게 영합한다는 언론과 대중의 비난이 두렵기 때문이다. 하지만 여론조사는 무엇을 믿고 어떤 정책을 추구할 것인지를 정치인들에게 말해주지는 않는다. 여론조사는 정치인들이 유권자의 반응을 알고 그것을 토대로 어떤 방침을 가장 효과적으로 주장할 수 있도록 도와주는 진단 도구다. 의사들은 청진기로 심장 소리를 듣고, 정치인들은 여론조사로 유권자들의 목소리를 듣는다. 선거운동에서 여론조사는 후보자들이 자신의 강점과 약점을 확인할 수 있도록 도와준다. 공직에 선출된 뒤에도 신중한 여론조사는 목표를 달성하기 위한 효과적인 의사소통 수단이 될 수 있다. 가장 좋은 정치적 여론조사는 통계학과 심리학과 연금술을 합친 것이다. 도움이 되는 응답을 얻기 위해서는 대표성이 있는 적정 수의 믿을 만한 유권자에게 올바른 질문을 던져야 한다. 이것이 가장 중요한 열쇠다.

11월 중간선거가 다가오자 빌의 정치 고문들은 민주당이 비교적 호조를 보이고 있다고 우리를 안심시켰다. 하지만 나는 걱정이 되었다. 몇 주 동안 전국을 날아다니며 민주당 후보를 위해 선거운동을 한 뒤, 나는 민주당의 여론조사팀만이 아니라 외곽 단체가 의뢰한 여론조사도 터무니없이 잘못되었다는 느낌을 떨쳐버릴 수가 없었다. 우익은 우리를 맹렬히 반대하는 반면, 우리편 지지자들은 사기를 잃고 정치에 무관심해져 있었다. 여론조사원들은 미국 정치의 수면 밑에 있는 그 흐름을 포착하지 못한 게 아닐까 하는 생각이 들었다. 여론조사를 이해하는 비결 가운데 하나는 유권자들의 감정이 얼마나 강한지를 확인하는 것이다. 대다수 유권자들은 분별있는 총기 규제 조치에 관심이 있다고 말할지 모르나, 그들은 어떤 종류의 총기 규제에도 반대하는 소수의 유권자들만큼 완강하지 않다. 격렬한 감정을 가진 소수의 유권자들은 그 한 가지 입장—찬반의 발단이 되는 쟁점—을 근거로 후보자에게 찬성표나 반대표를 던지기 위해 투표소에 나타난다. 대다수는 다른 많은 쟁점을 토대로 투표를 하거나 아예 기권한다. 나는 정부의 많은 업적이 '발단 쟁점'으로 분류될 수 있다는 것을 알았다. 공화당 유권자들은 대부분 재정 적자를 줄이기 위한 소득세 인상과 브래디 법, 1994년에 국회에서 통과되어 가장 위험한 반자동 무기 19개 종류에 대해 제조·판매·소유를 불법화한 공격용 무기 금지법에 맹렬히 반대했다. 전국라이플협회, 종교적 우파, 세금 인상에 반대하는 이익집단들은 과거 어느 때보다도 격렬하게 우리를 반대할 동기를 갖고 있었다.

나는 민주당의 핵심 지지자들이 의료 개혁 실패에 환멸을 느끼고, 정부가 북미자유무역협정을 성공적으로 밀어붙인 데 배신감을 느꼈다는 것도 알고 있었다. 나는 그들의 실망과 좌절감이 정부와 민주당 지도부의 긍정적인 업적까지 모두 덮어버릴지 모른다고 우려했다. 민주당원들은 투표소에 나가야 한다는 절박감을 거의 느끼지 못하는 듯했다. 무소속이나 부동층이 경제가 좋아진 것을 느끼거나 재정 적자 감축이 금리와 일자리 증가에 미치는 영향을 실감하기에는 아직 일렀다.

10월 1일, 나는 딕 모리스에게 전화를 걸어 선거 전망에 대한 객관적인 의견을 물었다. 빌과 나는 모리스를 독창적인 여론조사 전문가이자 뛰어난 선거 전략가로 생각했지만, 그는 중대한 문제점을 안고 있었다. 무엇보다 그는 양다리를 걸치는 데 대해 아무런 양심의 가책을 느끼지 않았다. 그는 다섯 차례의 주지사 선거에서 빌의 승리를 도왔지만, 한편으로는 공화당의 보수파 상원의원—미시시피 주의 트렌트 로트와 노스 캐롤라이나 주의 제시 헬름스—을 위해서 일했다. 모리스의 전문은 두 당 사이를 오락가락하는 부동층 유권자를 확인하는 것이었다. 그의 조언은 이따금 엉뚱하고 즉흥적이어서, 유용한 통찰과 아이디어를 세심히 골라낼 필요가 있었다. 그래도 나는 모리스를 조용히 끌어들일 수만 있다면 그의 분석이 유익할 수 있다고 생각했다. 정치와 인간에 대해 회의적인 모리스는 매사에 낙천적인 빌 클린턴의 평형추 구실을 했다. 빌은 모든 구름 속에 은이 들어 있다고 생각한 반면, 모리스는 모든 구름 속에서 우레를 동반한 폭우를 보았다.

모리스는 빌이 패배한 1980년 선거를 빼고는 1978년부터 빌이 치른 모든 주지사 선거에서 빌을 위해 일했다. 하지만 1991년에 모리스는 공화당 후보를 더 많이 맡았고, 민주당의 권력 구조 안에서 모리스를 좋아하거나 신뢰하는 사람은 아무도 없었다. 1994년 10월에 나는 모리스에게 전화를 걸었다.

"딕, 이번 선거는 좋아 보이지 않아요." 나는 긍정적인 여론조사 결과를 믿지 않았고, 모리스가 어떻게 생각하는지 알고 싶었다. "내가 빌을 설득해서 당신한테 전화를 걸게 하면 우리를 도와주시겠어요?"

모리스는 네 명의 공화당 후보를 위해 일하고 있었지만, 그가 망설인 것은 그 때문이 아니었다.

"나를 대하는 태도가 마음에 안 들어요." 모리스가 속사포 같은 뉴욕 말투로 말했다. "그쪽 사람들은 나한테 너무 무례했어요."

"알아요, 딕. 하지만 사람들은 당신 성미가 까다롭다고 생각해요." 나는 모리스에게 당신은 빌과 나하고만 접촉하게 될 거라고 안심시키고, 우리는 유권자의 분위기와 민주당원들이 원하는 바를 알고 싶다고 말했다. 모리스는 이 도전에 저항하지 못했다. 그는 전국의 분위기를 가늠하기 위한 설문을 만들고, 여론조사 결과를 알려주었다. 결과는 우리를 낙

담시켰다. 빌이 경제적으로 엄청난 진전을 이룩했는데도—마침내 재정
적자를 통제할 수 있게 되었고, 수십만 개의 일자리가 창출되었고, 경제
는 성장 엔진을 가동하기 시작했다—경제 회복은 충분히 뿌리를 내리지
못했고, 국민 대다수는 아직 그것을 믿지 못했다. 믿는 사람들도 경제가
회복세로 돌아선 것을 민주당의 공으로 돌리려 하지 않았다. 민주당은
깊은 곤경에 빠져 있다고 모리스는 말했다. 상황을 호전시킬 수 있는 최
선의 방법은 민주당 후보들이 브래디 법이나 가족 휴가법 제정, '아메리
코' 창설처럼 사람들이 인정하고 박수를 보낼 수 있는 구체적인 성공 사
례를 강조하는 것이었다. 그것은 민주당원을 투표소로 끌어내는 자극제
가 될 수도 있다고 모리스는 주장했다. 민주당 후보들은 대부분 '미국과
의 계약'을 공격하는 데 주력하고 있었지만, 그보다는 민주당의 업적을
좀더 강력하게 홍보할 필요가 있었다. 빌도 여기에 동의하고, 민주당이
이룬 업적을 좀더 적극적으로 내세워 공화당의 공격을 막아내라고 의회
지도자들을 설득했다.

선거 보름 전, 빌과 나는 중간선거에 대한 걱정을 잠시 멈추고 중동
순방에 나섰다. 이곳에서 빌은 이스라엘과 요르단이 평화협정을 맺는 것
을 지켜보았다. 나는 이집트·요르단·이스라엘 세 나라에서 차례로 내
47세 생일상을 받았다. 10월 26일, 나는 아침 햇살 속에서 기자의 피라
미드를 보았다. 빌이 무바라크 대통령과 야시르 아라파트 의장을 만나
중동 평화를 논의하는 동안, 무바라크 대통령의 부인 수잔은 스핑크스가
바라보이는 식당에서 케이크까지 갖춘 생일 파티를 열어주었다.

호스니 무바라크와 수잔은 참으로 인상적인 부부다. 사회학 석사인
수잔은 이슬람 근본주의자들의 반대를 무릅쓰고 이집트 여성과 아동에
게 더 많은 기회와 교육을 베풀어야 한다고 강력하게 주장해왔다. 무바
라크 대통령은 고대 파라오 같은 태도와 생김새를 갖고 있어서, 이따금

파라오에 비유되곤 한다. 그는 1981년에 안와르 사다트가 암살된 이후 줄곧 이집트 정권을 잡고 있었다. 그 10여 년 동안 무바라크는 몇 번이나 그를 암살하려 한 이슬람 극단주의자들을 통제하면서 이집트를 다스리려고 애썼다. 내가 만난 아랍 지도자들과 마찬가지로 무바라크도 근대화를 추구하고 싶어하는 서구 지향적인 소수 지식층과 보수적인 다수—근대화가 이루어지면 이슬람의 가치와 전통적 생활방식이 사라질지 모른다는 이들의 두려움은 정치색을 띨 수 있다—가 팽팽하게 맞서 있는 나라를 다스리면서 부닥치는 딜레마를 충분히 인식하고 있다. 그 팽팽한 줄 위를 걷는 것—그리고 살아남는 것—은 두려운 도전이다. 무바라크의 전술은 이따금 지나치게 독재적이라는 비판을 불러일으켰다.

우리는 요르단과 이스라엘 양국의 평화조약 체결을 보기 위해 카이로에서 요르단의 대지구대로 날아갔다. 국경의 아라바 건널목에서 바라본 황량한 풍경은 영화 「십계」의 장면을 연상시켰다. 하지만 평화조약 조인식의 화려함과 웅장함은 이 행사를 할리우드의 어떤 영화보다도 극적인 스토리로 만드는 데 이바지했다. 선견지명을 가진 두 지도자는 평화를 위해 신변의 위험과 정치적 위험을 무릅쓰고 있었다. 군인으로서 산전수전 다 겪은 이츠하크 라빈 이스라엘 총리와 후세인 요르단 국왕은 자국 국민들에게 더 나은 미래를 줄 수 있다는 희망을 결코 포기하지 않았다.

후세인 국왕이 예언자 마호메트의 후손이라는 것을 모르는 사람들도 그의 인상적인 풍모와 타고난 고귀함에 당장 압도당할 것이다. 체격은 작지만 태도에 위엄이 있고, 온화함과 강력함이 독특하게 결합되어 있었다. 말투는 정중했고, '각하'와 '영부인'이라는 말을 많이 쓰는 것이 특징이었다. 하지만 늘 입가에 감도는 미소와 겸손한 태도는 그의 품위와 권세를 더욱 강조해주었다. 그는 위험 지역에서 자국의 독자적인 위치를 개척해나가기로 작정한 생존자였다.

　　그의 평생 동반자인 누르 왕비는 미국 태생으로 프린스턴 대학을 졸업했다. 본명은 리사 나지브 할라비였다. 팬아메리칸 항공 회장을 지낸 아버지는 시리아-레바논계 혈통이었고, 어머니는 스웨덴 사람이었다. 건축과 도시계획을 전공하여 학위를 딴 누르 왕비는 요르단 항공의 기획 이사로 일하다가 후세인 국왕을 만나 사랑에 빠져 결혼했다. 남편이나 자녀들과 함께 있을 때면 누르 왕비의 얼굴은 자부심과 애정으로 환하게 빛났고, 가족과 함께 있으면 자주 웃었다. 누르 왕비는 제2의 조국인 요르단의 교육과 경제 발전에 깊은 관심을 갖게 되었고, 미국과 전세계에서 요르단의 입장과 목표를 대변했다. 그녀는 자신의 지성과 매력을 발휘하고 남편의 뒷받침을 받아 요르단 국민이 여성과 아동 문제에 대해 좀더 근대적인 태도를 갖도록 이끌었다. 빌과 나는 후세인 국왕 내외와 비공식적으로 오붓한 시간을 보낼 수 있기를 기대했다.

　　요르단 대지구대의 오후는 살에 물집이 생길 만큼 뜨거웠지만, 청록색 옷을 입은 누르 왕비는 어느 모델 못지않게 아름다웠고, 군인 왕인 남편이 평화를 위해 애쓰는 것을 기뻐하는 모습이 역력했다. 공교롭게도 나 역시 청록색 옷을 입고 있었는데, 군중 속에서 한 여자가 이렇게 말하는 소리가 들렸다. "평화의 색깔이 청록색이라는 걸 이제 알았어."

　　조인식이 끝난 뒤, 빌과 나는 후세인 국왕 내외와 함께 차를 타고 홍해 연안의 아카바에 있는 국왕 별장으로 갔다. 누르 왕비는 내 생일 케이크를 준비하여 나를 깜짝 놀라게 했다. 그날의 두번째 생일 케이크였다. 케이크에는 요술 초가 꽂혀 있어서 아무리 불어도 불을 끌 수가 없었다. 장난에 가담한 후세인 국왕이 벌떡 일어나 나를 도와주겠다고 자청했다. 물론 국왕도 성공하지 못하기는 마찬가지였다. 국왕은 눈을 장난스럽게 반짝이며 선언했다. "때로는 왕명도 통하지 않을 때가 있지요." 평화에 대한 기대가 그토록 높았던 그 멋진 오후가 자주 생각난다.

　　그날 오후 늦게 빌은 미국 대통령으로는 처음으로 요르단 수도 암만에서 상하 양원 의원들에게 연설했다. 시차의 영향이 나타나기 시작하여 우리 일행은 기진맥진해 있었다. 내가 방청석에 앉아 빌의 연설을 지켜보는 동안, 내 주위에 앉은 백악관 참모들과 각료들이 한 사람씩 차례로 졸음과의 싸움에 굴복하면서 머리를 꾸벅거리기 시작했다. 나는 손톱을 손바닥에 박아넣고 팔을 꼬집으며 버텼다. 경호원들이 가르쳐준 요령이었다. 나는 국왕 관저에서 국왕 내외와 비공식 만찬을 하기 직전에 때맞춰 정상을 되찾았다. 관저는 왕궁이라기보다 널찍하고 쾌적한 저택이었고, 고상하면서도 수수하게 꾸며져 있었다. 우리 네 사람은 따뜻하고 매력적인 방 한구석에 놓인 작은 원탁에서 식사를 했다. 우리는 그날 밤을 알하시미야궁에서 보냈다. 근대적 설비의 영빈관인 이 궁전은 암만 북서쪽의 전망 좋은 언덕마루에 서 있어서, 햇볕에 표백된 언덕들과 사막 왕국 하심(요르단의 정식 명칭은 '요르단〔강〕의 하심 왕국'이다—옮긴이)의 뾰족탑들이 한눈에 바라보였다.

우리는 요르단에서 이스라엘로 갔다. 이곳에서는 라빈 총리의 부인 레아가 준비해놓은 세번째 생일 케이크가 나를 기다리고 있었고, 빌은 예루살렘의 이스라엘 국회에서 또 한 번 역사적인 연설을 했다. 미국으로 돌아오면서 나는 이스라엘이 평화와 안전에 한 걸음 더 가까이 다가갔다고 믿었다.

이 중동 순방은 빌이 외교에서 세운 하나의 이정표였다. 빌은 중동 지역의 긴장 완화에 중추적 역할을 한 데 이어, 이제는 수십 년 동안 지속되어온 북아일랜드 사태에 관심을 쏟고 있었다. 아이티에서는 외교적 압력과 미군 상륙으로 힘든 1년을 보낸 뒤, 임시 군사정부가 마침내 대통령 당선자인 장 베르트랑 아리스티드에게 정권을 돌려주고 물러나기로 동의했다. 대중과 언론은 그다지 관심을 보내지 않았지만, 북한의 핵 위기가 1994년의 협정으로 당분간 완화되었다. 이 협정에서 북한은 한국·미국·일본의 경제적 지원을 받는 대가로 핵무기 제조 설비를 동결하고 궁극적으로는 해체하기로 동의했다. 나중에 우리는 북한이 협정의 자구(字句)를 어기지는 않았다 해도 협정의 정신을 위반한 것을 알았지만, 당시에는 협정이 언제 일어날지 모르는 군사 충돌을 막아주었다. 협정이 이루어지지 않았다면 북한은 늦어도 2002년까지는 수십 개의 핵무기를 제조하기에 충분한 양의 플루토늄을 생산할 수 있었을 것이고, 돈만 많이 준다면 세상에서 가장 치명적인 물질을 서슴없이 팔아넘기는 플루토늄 생산공장이 될 수도 있었을 것이다.

빌은 세계 무대에서 벌인 활약으로 10월 마지막 주 여론조사에서 지지율이 급상승했고, 그러자 민주당 후보 지원 유세에 나서라는 권유를 받게 되었다. 늘 그렇듯이 빌은 다양한 친구들과 공식 · 비공식 조언자들에게 의견을 물었다.

나는 빌이 국민들 눈에 '정치꾼'이 아니라 '정치가'로 비쳐지기를 원한다면 선거운동에 나서지 않는 편이 좋겠다고 생각했다. 그러나 빌은 결국 선거 유세의 유혹을 이기지 못하고 민주당의 선거운동 사령탑이 되었다.

선거운동도 뜻대로 돌아가지 않았고, 백악관에서는 두 번이나 불상사가 일어나, 안팎으로 불안하고 불편한 계절이었다. 9월에 한 남자가 대통령 관저로 경비행기를 몰고 들어와, 남쪽 현관 바로 서쪽에 불시착했다. 다행히 우리는 그날 밤 '블레어 하우스'(영빈관)에서 자고 있었다. 관저의 난방 및 에어컨 설비를 수리하느라 관저에서 잘 수가 없었기 때문이다. 조종사가 대파된 기체 속에서 숨진 채 발견되었기 때문에, 그가 왜 그런 곡예 비행을 했는지는 아무도 모른다. 주변 사람들의 증언에 따르면 그는 우울해 보였고 남의 관심을 끌고 싶어했다지만, 자살할 생각은 없었을지도 모른다. 돌이켜보면 그가 경비망을 그토록 쉽게 돌파할 수 있었다는 사실을 교훈 삼아, 아무리 작은 경비행기라도 엄청난 위험을 초래할 수 있다는 것을 우리 모두가 인식하고 좀더 조심했어야 했다.

10월 29일, 내가 다이앤 페인스타인 상원의원과 함께 샌프란시스코의 미술관 극장에서 열린 선거운동 행사에 참석했을 때, 경호원이 나를 작은 옆방으로 데려갔다. 내 경호팀장은 대통령이 전화로 나를 찾고 있다고 말했다. 내가 수화기를 들자 빌이 말했다. "걱정할까봐 미리 전화하는데, 방금 백악관에서 총격 사고가 있었다는 뉴스를 듣게 될 거야." 레인코트 차림의 한 사내가 펜실베이니아 대로를 따라 뻗어 있는 백악관 울타리 근처를 얼쩡거리다가 느닷없이 코트 속에서 반자동 라이플을 꺼내 발사했다. 그가 다시 총탄을 장전하기 전에 몇몇 행인이 그를 덮쳤다. 아무도 다치지 않은 것은 기적이었다. 그날은 마침 토요일이어서 첼시는 친구 집에 갔고 빌은 위층에서 미식축구 중계를 보고 있었다. 첼시와 빌은 다행히 무사했지만, 나는 가슴이 철렁했다. 더구나 범인이 총을 쏘기 직전에 백악관 경내에서 키가 큰 백발의 관광객을 보았는데, 그 관광객이 멀리서 보면 꼭 대통령과 비슷해 보였다는 것을 알고 나는 더욱 불안에 사로잡혔다. 범인은 브래디 법과 총기 규제법에 화가 나서 어느 상원의원 사무실로 협박 전화를 걸었던 정신이 불안정한 총기 옹호자였다. 그는 한 달 전에 권총을 구입하려고 했지만 새 법률 때문에 살 수가 없었다. 내가 충혈된 눈으로 백악관에 돌아왔을 때쯤에는 '웨스트 윙' 정면 벽에 총알 구멍이 몇 개 나 있는 것을 빼고는 모든 것이 정상으로 돌아간 듯이 보였다.

그날 오후, 빌과 나는 백악관 침실 옆에 있는 내 작은 서재에서 스피커폰으로 딕 모리스와 이야기를 나누었다. 모리스는 그가 수집한 여론조사 자료를 분석하여 민주당이 상하 양원에서 참패할 거라고 말했다.

나는 내 본능적인 예감을 확인해준 이 나쁜 소식을 그대로 받아들였다. 빌도 모리스의 판단을 수용했다. 빌은 민주당을 도울 수 있는 길은 전보다 더 열심히 선거운동에 나서는 것뿐이라고 생각했다. 그 주일에 빌은 디트로이트와 덜루스, 그리고 미국의 서쪽 끝과 동쪽 끝으로 지방 유세를 다녔다. 그래도 상황은 별로 달라지지 않았다.

선거일에 나는 마음이 내키지는 않았지만 정해진 일정을 시작했다. 핀란드의 퍼스트 레이디인 에바 아티사리를 접대했고, 워싱턴을 방문하고 있는 남아프리카공화국의 전 퍼스트 레이디 마리케 드 클레르크를 티퍼 고어와 함께 만났다. 오후가 끝날 무렵, 백악관 복도의 분위기는 초상집 같았다.

빌과 나는 2층의 작은 부엌에서 첼시와 함께 저녁을 먹었다. 재난을 예고하는 개표 결과를 받아들이는 동안 우리는 아무도 만나고 싶지 않았다. 페인스타인 상원의원은 아슬아슬하게 재선에 성공했지만, 민주당은 상원에서 8석을 잃었고 하원에서는 놀랍게도 54석을 잃었다. 아이젠하워 행정부 이래 처음으로 공화당이 하원에서 다수당이 된 것이다. 민주당 현역 의원들은 전국에서 완패했다. 워싱턴 출신의 톰 폴리 하원의장과 마리오 쿠오모 뉴욕 주지사 같은 민주당 거물들도 재선에 실패했다. 내 친구 앤 리처즈는 텍사스 주지사 자리를 조지 W. 부시라는 유명한 이름을 가진 남자에게 빼앗겼다.

내일 학교에 가야 하는 첼시는 결국 침실로 물러갔다. 빌과 나는 식탁에 단둘이 앉아 텔레비전 화면에 나타난 득표 기록을 지켜보며 이 선거 결과의 의미를 이해하려고 애썼다. 미국 국민은 우리에게 강력한 메시지를 보낸 것이다. 투표율은 비참할 만큼 낮아서 등록된 유권자의 절반도 투표소에 나오지 않았다. 집에 남아 있었던 유권자는 공화당원보다 민주당원이 훨씬 많았다. 이 음산한 풍경 속에서 희미하게나마 깜박거린 유일한 빛은 공화당의 '압승'이 실제로는 전체 유권자의 4분의 1에도 미치지 못한다는 점이었다.

하지만 이런 사실에도 불구하고 뉴트 깅리치의 환희는 조금도 줄어들지 않았다. 그는 그날 밤 수많은 카메라 앞에서 공화당의 압승이 자신의 공이라고 주장했다. 그는 자기가 1954년 이래 최초의 공화당 출신 하원의장이 되리라는 것을 알고 있었다. 그는 '미국과의 계약'이 기록적으로 빠른 시간 안에 국회를 통과할 수 있도록 민주당과 협의하겠다고 생색을 냈다. 앞으로 2년 동안 하원과 상원 모두 공화당의 지배 아래 놓일 것을 생각하니 맥이 빠졌다. 정쟁은 더욱 치열해질 테고, 정부는 그 동안 벌어놓은 것을 지키려고 수세를 취해야 할 것이다. 공화당이 지배하는 국회는 린든 존슨 대통령의 경구— "민주당은 입법하고, 공화당은 조사한다"—가 맞다는 것을 실제로 입증해줄 것이다.

맥이 풀린 나는 이 재난에 내가 얼마나 책임이 있는지를 생각했다. 의료 개혁이 패인이었을까. 나의 적극적인 역할을 국민이 받아들일 것인가를 놓고 도박을 했다가 진 것일까. 내가 어쩌다가 국민의 분노를 한몸에 받는 피뢰침이 되었을까. 나는 그 이유를 이해하려고 애썼다.

빌은 참담했다. 그토록 사랑하는 사람이 그렇게 깊은 상처를 받고 아파하는 것은 보기가 괴로웠다. 빌은 미국을 위해 옳다고 생각하는 일을 하려고 애썼지만, 이제 자신의 실패만이 아니라 성공도 친구와 동지들의 패배에 한몫 했다는 것을 알았다. 나는 1974년과 1980년에 선거에서 떨어졌을 때 빌의 기분이 어떠했는지를 생각했다. 이번의 패배는 그때보다 훨씬 심했고, 걸려 있는 판돈도 훨씬 컸다. 빌은 자신이 민주당의 기대를 저버린 듯한 기분을 느꼈다.

시간이 걸리겠지만, 빌은 이번 선거에서 잘못된 점을 이해하고 자신의 정책을 다시 한 번 분명히 밝힐 방법을 찾아내기로 결심했다. 여느 때처럼 우리는 몇 달 동안 계속될 대화를 시작했다. 빌이 다음에 해야 할 일에 전념하기 위해 친구와 참모들을 모아서 회의를 열었다. 나는 무엇보다도 빌이 대통령직을 성공적으로 수행하기를 바랐다. 나는 빌을 믿었고, 국가의 미래에 대한 빌의 희망을 믿었다. 나는 빌에게 도움이 되는 동지이자 내가 평생 관심을 쏟아온 문제를 효과적으로 옹호하는 대변자가 되고 싶었다. 하지만 어떻게 하면 이 곤경에서 빠져나가 그 목표에 도달할 수 있을까. 아직은 알 수 없었다.

〈2권에 계속〉

LIVING HISTORY 1

copyright © 2003 by Hillary Rodham Clinton
All rights reserved
Korean Translation copyright © 2003 by Woongjin.com Co., Ltd.
This Korean edition was published by arrangement with original publisher,
Simon & Schuster, Inc. New York, NY, USA
through KCC(Korea Copyright Center), Seoul, Korea.

Jacket design by Jackie Seow
Front jacket photograph © by Michael Thompson
Back jacket photographs courtesy of The Clinton Presidential Materials Project
and the author's private collection, clockwise from top left:
Bill and Hillary on their wedding day in 1975; With Chelsea in the kitchen of
the Governor's Mansion in 1983; At Yale in 1970; At Stanford University's orientation
ceremonies in 1997; Swearing-in January 2001; New Year's Eve in 1999;
Speaking at the U.N. Fourth World Conference on Women in 1995;
In the Oval Office in 2001; Center: Hillary as a toddler
Author photograph courtesy of The Clinton Presidential Materials Project

Photo Credits: Unless otherwise credited, all photos are from the author's collection,
the White House, and the Clinton presidential Materials Project.
Every effort has been made to identify copyright holders; in case of oversight,
and on notification to the publisher, corrections will be made in the next edition.

힐러리 로댐 클린턴

살아 있는 역사 1

2003년 6월 19일 초판 1쇄 발행
2003년 10월 31일 초판 20쇄 발행

지은이 | 힐러리 로댐 클린턴
옮긴이 | 김석희
펴낸이 | 김준희
펴낸곳 | (주)웅진닷컴
주소 | 서울시 종로구 인의동 112-2 웅진빌딩
편집부 | 3670-1826 영업부 3670-1862~6
인터넷 홈페이지 | http://www.woongjin.com
출판등록 | 1980년 3월 29일 제1-0352호

주문처 | (주)북센(일원화공급처)
전화 | 031-945-2900
팩스 | 031-945-3412

편집국장 | 이미혜
편집장 | 이수미
편집 | 김형보, 권은경
본문디자인 | 명희경
표지디자인 | 오진경
교정 | 조선경
마케팅 | 임종훈
국제업무 | 김경순, 신정숙
제작 | 김성
조판 | 나모에디트

번역글ⓒ김석희 2003, 한국어판 출판권ⓒ웅진닷컴 2003

역자와 맺은 특약에 따라 검인을 생략합니다.

이 책의 한국어판 출판권은 한국저작권센터(KCC)를 통해 Simon & Schuster Inc.와 맺은 독점 계약으로
(주)웅진닷컴에 있습니다. 저작권법에 따라 국내에서 보호받는 저작물이므로 무단전재와 무단복제를 금지하며,
이 책 내용의 전부 또는 일부를 이용하려면 반드시 저작권자와 (주)웅진닷컴의 서면 동의를 받아야합니다.

살아 있는 역사. 1 / 힐러리 로댐 클린턴 지음 ; 김석희 옮김. -- 서울 : 웅진닷컴, 2003
     p. ;   cm

원서명 : Living history
원저자명 : Clinton, Hillary Rodham

ISBN 89-01-04219-3 04840 : ₩12000
ISBN 89-01-04218-5 (세트)

340.99-KDC4
973.929092-DDC21   CIP2003000546

자르는 선

우 편 엽 서

보내는 사람

이름 　　　　　(만　　　세) □남 □여

E-mail

직업 　　　　　전화

주소

□ □ □ - □ □ □ □

우편요금
수취인 후납 부담

발송유효기간
2002.3.25~2004.10.15
광화문우체국 승인
제1493호

주식회사 웅진닷컴

서울특별시 종로구 동숭동 199-16
웅진빌딩 단행본개발부

1 1 0 - 8 1 1 0

WOONGJIN

편집부 3670-1853~5
영업부 3670-1861~6

독자카드

이 엽서를 보내 주시면 '웅진 독자회원'이 되십니다. 회원에게는
신간정보 및 부정기간행물을 보내 드립니다. 여러분의 성이 있는
답변은 좋은 책을 꾸며 내는 데 소중한 밑거름이 됩니다. 고맙습니다.

■ **구입하신 책의 이름 :**

■ **구입하신 곳 :**   예 있는   서점

■ **이 책을 구입하시게 된 동기**

□ 주위의 권유로(으로부터 권유받아)
□ 광고를 보고
　광고를 본 매체 — 신문이나 잡지 이름 :
　　　　　　　　라디오나 TV 프로 이름 :
　　　　　　　　기타 :
□ 신간안내나 서평을 보고
　서평을 본 매체 — 신문이나 잡지 이름 :
　　　　　　　　라디오나 TV 프로 이름 :
　　　　　　　　웅진의 홍보물 :
　　　　　　　　신문이나 기타 :
□ 서점에서 우연히(□ 제목 □ 표지 □ 내용)이 눈에 띄어서
□ 좋아하는 작가여서
□ 인터넷에서 보고(□ 웅진 홈페이지 □ 사이버 서점)

(으로부터 신문받음)

■ **이 책을 읽고 난 느낌**

내용이 기대만큼 □ 만족스럽다 □ 보통이다 □ 불만이다
제목이 □ 좋다 □ 보통이다 □ 잘 되었다
표지가 □ 잘 되었다 □ 보통이다 □ 잘 되었다
편집 체재가 □ 보기 좋다 □ 보통이다 □ 잘못되었다
책값이 □ 싸다 □ 비싸다 □ 적당하다 □ 싼 편이다 □ 일맞다

■ **관심 있는 책의 분야**

□ 시 □ 에세이나 흥미있는 읽을거리 □ 국내소설
□ 외국번역소설 □ 교양상식 □ 역사 □ 철학 □ 과학
□ 자녀 교육 □ 실용 □ 기타(   )

■ **구독하고 있는 신문, 잡지 이름 :**

■ **즐겨 듣는 라디오 프로그램 :**

■ **즐겨 보는 TV 프로그램 :**

■ **최근에 읽은 책 중 가장 기억에 남는 책이나 웅진에 권하고 싶은 책은?**
책 이름   출판사 이름

■ **구입하신 웅진의 책을 읽고 난 소감이나 웅진에 바라는 점**